HISTOIRE DU MARIAGE
EN OCCIDENT

DU MÊME AUTEUR

Châteaux et cités du Val de Loire, en coll. avec P. Camby, Ed. de la Nouvelle République, 1985.

La Faute des femmes, Eperonniers, 1989.

Le Troisième Testament, peronniers, 1990.

Histoire morale et culturelle de nos boissons, Laffont, 1991.

Les Allusions littéraires : dictionnaire commenté des expressions d'origine littéraire, Larousse, 1991.

Le Dit des béguines, Denoël, 1991.

Du flambeau au bûcher : magie et superstition au Moyen Âge, Plon, 1993.

Histoire des cafés et des cafetiers, Larousse, 1993.

Écrit en la secrète : apologues, Eperonniers, 1993.

Les Sept Merveilles : les expressions chiffrées, Larousse, 1994.

Le Mysticisme athée, Rocher, 1995.

Sans témoins, Zulma, 1996.

Histoire de la pudeur, Pluriel, Hachettes Littératures, 1997.

JEAN-CLAUDE BOLOGNE

HISTOIRE DU MARIAGE EN OCCIDENT

HACHETTE
Littératures

Ouvrage publié sous la direction de François Roth.
© Jean-Claude Lattès, 1995.

Avertissement

Une structure purement chronologique est impossible à respecter dans une étude réunissant des thèmes aussi divers. Elle aboutit à un morcellement excessif de la matière qui rendrait le livre illisible. L'histoire du divorce, de la cérémonie nuptiale, des interdits de parenté ne peut être débitée en tronçons qu'on se contenterait de juxtaposer par ordre chronologique. En parlant de la bague remise à la princesse Judith par le roi Ethelwolf, en 856, on est amené à parler de l'alliance moderne aussi bien que de la bague de fiançailles romaine.

À l'inverse, une division thématique stricte estompe les parallélismes entre les différents sujets et ne met pas suffisamment en évidence les grandes articulations de l'histoire du mariage. J'ai donc tâché de trouver un moyen terme : j'ai pris une option thématique à l'intérieur d'un cadre chronologique. J'aborderai les grands thèmes de l'histoire du mariage à l'époque où ils sont apparus, où la réflexion s'est concentrée sur eux, où le problème s'est posé d'une autre façon... Mais j'indiquerai chaque fois leurs tenants et aboutissants, leur origine et leurs développements.

Ainsi, je parle des rites du mariage religieux à l'époque carolingienne, quand ils se sont constitués, mais en évoquant aussi leur devenir. La séparation par annulation est traitée au Moyen Âge, quand le divorce est interdit; la rupture du lien matrimonial est en revanche abordée au xvie siècle, quand éclate « l'affaire Henry VIII ». Le problème de la dot est étudié au xviie siècle, quand Harpagon geint son émou-

vant « sans dot! » Le mariage d'amour concerne plutôt le
XIXᵉ siècle et le concubinage le XXᵉ, mais demandent bien
évidemment quelques retours en arrière. Dans l'ensemble,
l'évolution des mentalités reste perceptible d'un chapitre à
l'autre.

Introduction

Le miroir du mariage

Lorsque Adam et Ève furent chassés du Paradis terrestre, ils n'eurent de cesse d'obtenir de Dieu la rémission de leur péché et leur retour en Éden. Satan, bien entendu, avait des projets inverses et s'acharna sur le couple déchu. Voyant l'inutilité de ses efforts, il décida de frapper un grand coup pour interdire à tout jamais le Paradis à nos premiers parents.

Un jour donc, l'esprit du Mal et dix de ses comparses prennent la forme de jeunes filles d'une beauté incomparable. La petite troupe s'avance vers Adam et Ève, et se présente comme le produit d'une autre création, beaucoup plus nombreuse et bien sûr plus heureuse. Mais comment, s'interroge Adam, ces belles jeunes filles ont-elles fait pour se multiplier ? « Croissez et multipliez », leur avait dit le Père, mais il s'était bien gardé de dire comment !

Enfantin, rétorque le Malin, et il s'embarque dans un petit cours d'éducation sexuelle, présente les maris et les enfants de ses compagnes, et exhorte la créature de Dieu à imiter ce qu'il lui montre. Prudent, Adam se fend d'une petite prière et Satan déguerpit. Le germe cependant a été planté dans son esprit, et il ne peut plus regarder sa compagne du même œil. Fort heureusement, le Seigneur, qui a une bonne vue, se rend compte qu'Adam n'est pas « en état de résister aux attaques de Satan ». *Sic*. Pour lui éviter le piège de la fornication, il décide d'inventer d'urgence le mariage et délègue quelques anges pour annoncer la bonne nouvelle. Ceux-ci envoient Adam dans sa grotte aux trésors et lui disent d'aller chercher l'or et l'encens, deux des cadeaux mystiques remis par Dieu à la sortie du Paradis.

Adam donne solennellement l'or à Ève : c'est le premier douaire constitué dans l'histoire. Il lui donne ensuite l'encens, symbole du sacrement qui de deux chairs n'en fait plus qu'une. Ils font un pacte ensemble en se frappant dans la main, comme les maquignons sur le marché – c'est la première *dextrarum iunctio*, l'union des mains droites qui officialise le mariage. Il leur faudra encore quarante jours de jeûne et de prière avant de pouvoir consommer leur union.

Vint enfin le grand jour, qui tomba très précisément sept mois et treize jours après l'expulsion du Paradis terrestre, « et ainsi fut accompli le combat de Satan contre Adam et Ève ». Là effectivement s'achève la première partie du *Livre du combat d'Adam*, un apocryphe chrétien des VIIe-IXe siècles [1]. Comme si le diable, dont l'arme naturelle est la sexualité, était définitivement vaincu après l'institution du mariage. Désormais, Adam et Ève sont unis pour résister aux assauts du Malin.

Ce récit, quoique apocryphe, est conforme à la doctrine chrétienne, et surtout paulinienne, d'un mariage toléré pour éviter la fornication, mais dont les hommes (et Dieu !) se seraient bien passés si les bas instincts ne s'en étaient mêlés. Il fait peu de cas du commandement divin de croître et de se multiplier : si Satan n'avait pas tendu ce piège, le commandement aurait-il jamais été respecté ? Il méprise superbement un problème qui a préoccupé les premiers siècles et en particulier saint Augustin : Adam et Ève avaient-ils des relations sexuelles au Paradis ? Mais il s'inscrit dans une réflexion sur l'origine du mariage qui ne s'achèvera qu'au XIIe siècle.

Il fallut en effet reconnaître deux mariages, l'un en Éden, l'autre après la chute, pour concilier toutes les opinions. Au Paradis terrestre, couche immaculée *(thorus immaculatus)* préparée pour un couple chaste, Dieu avait prévu des noces honorables, des relations sexuelles sans élans coupables, qui permettent de concevoir sans ardeur et d'accoucher sans douleur. C'est ce qu'on appellera le mariage *ad officium*, institué « pour son office », c'est-à-dire la multiplication de l'espèce, et non pour satisfaire une libido encore inexistante. Après la chute, la concupiscence pénètre dans le monde et il faut instituer un second mariage, *ad remedium*, comme remède à la faiblesse de la chair, pour éviter l'*illicitum motum* (mouvement illicite de la chair) [2]. Ainsi, aux yeux d'un chrétien du XIIe siècle, le mariage idéal est celui qui permet d'avoir des enfants sans plaisir sexuel ; on voit la distance qui sépare le Moyen Âge de notre époque, où bien souvent les termes de la proposition sont inversés. Et pourtant, nous vivons toujours sur la même conception théorique du mariage.

Caractéristique de la vision chrétienne, également, l'accent mis sur la sexualité (pour la nier dans le mariage édénique, pour la racheter dans le mariage d'après la chute). Comme si, dans une alliance qui ne se limite pas à deux individus, mais qui concerne toute une famille, d'autres intérêts n'étaient pas en jeu. Parmi les diverses mythologies du mariage qu'on retrouve à travers le monde, la chrétienne a cette particularité d'en faire une institution divine et non un fait de civilisation. La plupart des peuples ont en effet connu un passage mythique de l'amour libre à l'union légitime et l'instauration d'un régime limitant les relations sexuelles. Mais partout, il s'agit d'une loi humaine, instaurée par un roi légendaire et correspondant à un nouvel ordre social. En Inde, c'est le roi Swêtakêtu qui remplit cet office; l'empereur Fouhi en Chine; le pharaon Ménès en Égypte; Cécrops, premier roi d'Athènes, en Grèce [3].

Si le mariage a un caractère sacré dans d'autres civilisations et si des divinités y président, la caractéristique de la civilisation judéo-chrétienne semble bien être l'origine purement divine attribuée à cette institution. Ce fait ne sera pas sans importance dans son histoire. Il faudra attendre les philosophes du XVIIIe siècle pour remettre en cause la vision chrétienne du mariage et faire la part (mais celle du lion!) des intérêts matériels et civils dans le mariage.

L'origine du mariage

C'est le siècle des philosophes, en effet, qui tâche de trouver à la vénérable institution une origine naturelle qui émancipe le mariage chrétien. Libération prudente, sans doute, puisqu'en remplaçant Dieu par la Nature, on garde une référence transcendante qui justifiait la sévère police du mariage.

Montesquieu cherche ainsi du côté de l'éducation des enfants, qui ne peut être assurée que par le père, pourvoyeur naturel de nourriture et de protection. « L'obligation naturelle qu'a le père de nourrir ses enfants, écrit-il, a fait établir le mariage, qui déclare celui qui doit remplir cette obligation. » Chez les animaux, en effet, la mère suffit aux devoirs de la nature, car ils n'ont besoin que d'être nourris; chez les hommes, et en particulier chez les peuples « bien policés », il

faut en plus les « conduire », et seul un père peut s'en char-
ger[4]. Le philosophe bordelais se montre ici l'héritier des
conceptions patriarcales qui connaissent un renouveau depuis
le XVIe siècle, en même temps que de « l'école naturaliste » qui
révolutionne le droit à la fin du XVIIe siècle.

Un demi-siècle plus tard, l'ironie se fait plus cinglante
chez un Rétif de la Bretonne. La critique sociale ne se cache
plus derrière des analyses prudentes, et peut s'en prendre à
des institutions aussi corrompues que respectées, comme le
mariage. Celui-ci, selon Rétif, est l'invention égoïste des vieillards : dans les climats frais, explique-t-il, les deux sexes sont à
peu près égaux en nombre. Il convient dès lors de les attacher
par paires, comme les pigeons, pour modérer leur appétit de
jouissance. « S'il n'y avait pas de mariage, les femmes ne se
donneraient qu'aux jeunes gens : il faut bien consoler la vieillesse ; et puis, la jeunesse n'aurait-elle pas été surchargée[5] ? »
Boutade, sans doute, mais qui montre qu'à la veille de la Révolution, les buts fondamentaux du mariage sont suffisamment
pervertis pour lui ôter toute signification profonde.

Plus sérieux, le citoyen Lenglet, juge du tribunal de
Bapaume, dans le Pas-de-Calais, sous la Révolution, voit dans
le mariage une conséquence de la jalousie et de la tentation
d'inconstance. « Dans les peuplades les moins nombreuses, la
première querelle produite par la concurrence a dû indiquer
des conventions pour les prévenir, pour assurer à chaque
femme la liberté de choix, à chaque homme la possession paisible et exclusive de celle qu'il avait obtenue[6]. » Les rapports
entre droit et liberté deviennent un des points épineux de cet
esclavage volontaire dont certains veulent alors se libérer.

Les réflexions sur l'origine du mariage continuent ainsi à
refléter les préoccupations d'une époque. Au XIXe siècle, le
mythe de l'amour romantique confronté à la réalité des
mariages d'argent réconcilie au moins dans l'idéal ces deux
vieux ennemis, mariage et amour. Et Louis Legrand, député
républicain de la IIIe République, n'échappe pas à cette obses-
sion : pour lui, le mariage a été institué pour fixer l'amour, qui
risque de se dégrader avec le temps, et pour permettre de fonder une famille. Optimiste, il voit dans l'amour le « fondement
naturel et historique du mariage ». Son but est de démontrer
que le mariage n'est pas d'origine religieuse, et qu'il intéresse
avant tout la société politique puisqu'il est « à la racine des
sociétés humaines[7] ».

Ainsi, de la tradition chrétienne à la républicaine, il a semblé tout naturel de justifier par leur antiquité ses conceptions

du mariage, et de les retrouver aux fondements mêmes de l'institution. Saura-t-on jamais la véritable origine du mariage? Les ethnologues ont à leur tour voulu apporter leur contribution, et surtout en Amérique, où l'observation des sociétés indiennes jetait un nouvel éclairage sur les structures familiales. Ils ont donc tenté de décrire le mariage occidental originel à partir de populations dites primitives dans leur état actuel, en les comparant aux rares traces des civilisations germanique, celte et gréco-romaine antiques. Nous devrons revenir plus en détail sur leurs théories, qui ont influencé certaines visions du mariage à la fin du xixe siècle. Elles se regroupent principalement en deux branches. Autour de Mac Lennan et de Morgan, ceux qui croient à une « promiscuité » sexuelle originelle, à un « mariage par groupe » lentement abandonné au profit de la polygamie, puis de la monogamie. Autour de Westermarck, ceux qui considèrent atteint dès les singes supérieurs le stade monogamique. Les longues argumentations de Westermarck ont fini par imposer cette idée. Les études postérieures sur l'origine du mariage s'attachent davantage aux différents types d'unions (par rapt, par achat...).

Comment comprendre ce qui, tout à coup, a distingué chez nos ancêtres une union passagère d'un mariage? Le désir ou la nécessité d'élever un enfant, la préférence accordée à une femme particulière pour des raisons physiques, sociales ou psychologiques qu'on ne peut encore nommer amour, ont dû jouer leur rôle. La plupart des témoignages antiques comme les pratiques des peuples non européanisés plaident aussi pour une grande variété des types d'unions, qui ne limitait pas les hommes au douloureux choix entre célibat et chaîne conjugale. Mariages par rapt, par achat de la femme ou de l'homme, par consentement mutuel, se reconnaissent avec des nuances importantes dans bien des civilisations. Mais pour nos sociétés occidentales, les témoignages ne sont accessibles qu'à une époque où le mariage est bien constitué. Toute discussion sur l'origine ne pourra jamais être qu'hypothétique. Dans le cadre de cette étude, de toute façon, nous ne nous occuperons que du mariage historique, tel qu'il apparaît au commencement de l'ère chrétienne.

Mythe ou réalité?

À voir d'ailleurs s'affronter au cours de l'histoire des conceptions du mariage qui nous semblent bien antithétiques, on se demande dans quelle mesure les textes nous présentent une véritable image du mariage ou celle que souhaitent en donner leurs auteurs. Qu'il s'agisse de chroniques, de textes littéraires, de traités théologiques ou de textes juridiques, ce sont surtout des visions qui s'opposent et qui se coulent dans une littérature militante. Georges Duby a montré comment, à travers le récit bien authentique de la vie du comte de Guînes, un chroniqueur tente de faire passer un modèle de vie, celui du mari et du veuf, à partir de lieux communs dans lesquels il coule tout naturellement son récit. Les vies de saintes de leur côté insistaient sur le thème des « mal mariées » à une époque où l'Église tentait d'imposer le consentement de la femme dans la cérémonie nuptiale. Quant à la littérature courtoise, elle véhicule aussi bien les regrets voilés d'antiques formes de mariages que les codes féodaux pour une nouvelle union.

Plus qu'une histoire du mariage qui fut souvent entreprise à partir de textes juridiques (surtout en droit canon), historiques ou littéraires, ce sont ces images du mariage que j'ai voulu évoquer. Dans le miroir que nous tendent les témoins de leur temps, c'est leur propre reflet que nous trouvons plus souvent que celui de la société dans laquelle ils vivent. En confrontant ces images, j'ai tâché d'en dégager la part de réalité, tout en sachant la mosaïque si vaste qu'on ne pourra jamais qu'en esquisser le dessin à partir de quelques abacules épars.

J'ai voulu me limiter au champ déjà bien large de mes précédentes études : l'Europe occidentale et chrétienne. La limite temporelle s'impose : dans l'histoire du mariage, la conception chrétienne sur laquelle nous vivons encore, quoique laïcisée, a marqué une rupture radicale. La reconnaissance d'un seul type d'union et d'une cérémonie unique qui la concrétise est une innovation importante. Le modèle sacramentel mettant l'accent sur l'amour entre les époux à l'image de celui du Christ pour son Église a humanisé, quoique très lentement, le mariage primitif. La proclamation de l'indissolubilité qui en résulte est un fait sans précédent dont nous ne sommes pas entièrement guéris. La sévérité avec laquelle on s'est mis à calculer les degrés de parenté est une révolution dans la conception de l'inceste. Le consensualisme auquel s'est farouchement accrochée l'Église a atténué comme il a pu les effets des conceptions patriarcales et « machistes » primitives. Pour bien des raisons, il convenait de faire commencer aux Pères des premiers siècles l'histoire du mariage occidental, quitte à évoquer plus rapidement les héritages germanique, juif et romain. Quant à la limitation spatiale, elle est surtout possible pour la chrétienté médiévale. Dès le xvie siècle, les traditions catholique, anglicane et protestante sont trop éloignées pour qu'on puisse garder cette échelle européenne. De plus en plus, je me limiterai à la France, quitte à faire, de temps à autre, de rapides ouvertures sur d'autres pays.

Si j'ai tâché d'aborder la plupart des thèmes qui ont rapport au mariage, j'ai dû aussi me limiter dans ce domaine. Je n'envisage le mariage que comme *acte* et non comme *état* : j'étudie ainsi les conceptions du mariage, les cérémonies, les conditions nécessaires à son accomplissement, les manières d'en sortir ou de le renouveler, mais non la vie conjugale, l'autorité maritale, les querelles domestiques, les structures familiales... qui concernent l'état d'homme marié et mériteraient une monographie particulière. Je ne m'occuperai donc pas plus des problèmes sociologiques liés à l'émergence du couple et de la famille mononucléaire au xixe siècle.

Je n'ai pas voulu non plus faire une analyse sociologique actuelle, ni entrer dans la polémique du mariage, de nouveau d'actualité depuis l'année 1994 proclamée par l'O.N.U. « année de la famille ». Certaines questions cependant sont affaire d'historien, même si le manque de recul doit nous inviter à la prudence. Y a-t-il « crise du mariage » – ce que semblent confirmer les statistiques – ou redéfinition d'un concept jugé périmé par beaucoup de jeunes ? Les « enfants du divorce » tentent-ils de retrouver l'union stable dont on les a privés en tâchant cependant d'éviter la machinerie lourde du mariage ? Le « cocooning » des années 90 concerne-t-il aussi l'union libre, qui ne semble plus si éphémère depuis que le mariage lui-même est devenu fragile ? Le regard historique sur ces problèmes d'une actualité brûlante ne manque pas d'intérêt. Car il faut bien commencer par un état des lieux avant de savoir si l'on doit accepter ou refuser un héritage.

PREMIÈRE PARTIE

Origines et héritages
Le haut Moyen Âge

Un mariage franc au VIIᵉ siècle

*Le mariage s'accomplit encore en deux temps. Des « épou-
sailles » (Verlobung) ont lieu à l'occasion d'un « plaid », assemblée régulière qui réunit le village. Les deux parties viennent
avec leurs témoins, la future épouse reçoit les tables dotales qui
constitueront la seule preuve de son mariage, et le futur donne
à son beau-père le prix de l'autorité (mundium), fixé symboliquement à un sou et un denier.*

*Le formulaire de Marculfe nous a conservé un exemple de
table dotale : « Qu'advienne ce qui est bon, favorable, heureux
et prospère. Que toute donation effectuée pour des épousailles
ou pour le mariage, en vue de la procréation d'enfants ou pour
des causes nécessaires, trouve sa pleine solidité dans un écrit.
Untel donne donc à cette honnête jeune fille, Unetelle, sa bru,
fiancée à son fils Untel, avant le jour des noces... cette propriété
appelée..., située à..., avec tout ce qu'il faut pour l'habiter, avec
la totalité de ce qu'on y voit. De même, et au titre de dot, les
autres propriétés appelées..., situées à...; de même, en or et en
argent, de quoi fabriquer autant de sous. De même, autant de
chevaux, de bœufs, un troupeau de chevaux, de bêtes de labour,
de porcs, de moutons... De sorte que toutes ces choses, par sa
main, soient remises avant le jour des noces à la jeune fille sus-
dite, sa bru, et mises à sa disposition pour qu'elle puisse en faire
ce qu'elle voudra. Et si quelqu'un veut faire opposition à cette
table dotale, ou tente de la briser, qu'il paie autant aux parties. »*

*Dans un second temps (Trauung), la jeune mariée est
conduite chez son mari dans un cortège joyeux (dructis) mais
digne : elle est protégée par la loi salique, et si quelqu'un la vio-
lait durant ce transfert, il devrait payer 8 000 deniers!*

Le soir, le prêtre viendra bénir la chambre et le lit, dans lequel les jeunes mariés auront pris place. il pourra choisir cette prière, conservée dans un missel du VIIe siècle : « Nous te prions, Seigneur Saint, père tout-puissant, Dieu éternel, pour tes serviteurs Untel et Unetelle, que tu as appelés à la grâce du mariage, et qui aspirent à ta bénédiction par l'intermédiaire de notre prière et de notre voix. Accorde-leur, Seigneur, une fidèle communion dans la tendresse. Qu'ils revêtent la tendresse de Sara, la pénitence de Rebecca, l'amour de Rachel, la grâce et la tendresse de Suzanne. Que [ta bénédiction] descende sur tes serviteurs comme la rosée descend sur la face de la terre. Que par ce geste ils éprouvent ta main, et qu'ils reçoivent l'Esprit Saint dans la joie éternelle. »

Le mariage ne sera totalement terminé que le lendemain matin, après la consommation. Il faut alors être très croyant pour respecter les trois nuits de chasteté que tente alors d'imposer l'Église. Ce passage important dans la vie de la femme et du couple est marqué par des cadeaux – les premiers que la femme reçoit de son mari (Morgengabe). Il peut s'agir de bijoux, et notamment, mais pas nécessairement, d'un anneau. Malgré les précautions prises par le formulaire de Marculfe, c'est à ce moment que la femme a vraiment droit à sa « dot » [1].

I

La police du mariage

Le 3 novembre 824, lendemain de la fête des morts, un moine s'apprête à rendre son âme à Dieu à l'abbaye de Reichenau. La proximité du jour sacré où s'entrouvrent les portails des enfers a-t-elle enflammé son esprit moribond? À l'heure de comparaître, il sera gratifié d'une vision qu'il aura tout juste le temps de dicter à son abbé. Le lendemain, il n'est plus.

L'enfer que le moine Wetti nous décrit à l'aube du IXe siècle est dans la droite ligne des visions de l'au-delà que nous ont laissées nombre d'inspirés du haut Moyen Âge. Des supplices atroces attendent les pécheurs, parmi lesquels on commence à reconnaître de hauts personnages qui ont fait trembler le monde de leur vivant. Et le grand roi dont Wetti voit l'âme torturée a dû faire trembler bien des moines, puisqu'il apparaît à trois visionnaires de la même époque! Walafrid Strabon, qui met en vers le texte de Wetti, n'hésite pas à le nommer, du moins indirectement, en acrostiche : il s'agit de Charlemagne, mort en 814, dont les « crimes » autant que les œuvres pies hantent encore les mémoires. Un péché bien identifiable : Wetti voit un animal ronger les parties sexuelles du damné, quand le reste de son corps demeure intact. C'est, dans l'iconologie médiévale, le symbole traditionnel de la luxure. L'ange qui guide le moine lui révèle effectivement que l'empereur, malgré ses actions louables, s'est laissé allé à des amours interdites qui lui valent ce châtiment. Mais il sera bientôt du nombre des élus [2].

L'appétit sexuel de Charlemagne est légendaire : les quatre femmes et les cinq concubines dont l'histoire a retenu les noms suffiraient à le prouver. De son vivant déjà, beaucoup s'en sont offusqués. Mais Charlemagne n'est pas qu'un grand empereur : c'est aussi un saint vénéré par l'Église occidentale, même si les circonstances de sa béatification sont contestables. Pourquoi présenter pour modèle un personnage à la conduite matrimoniale si douteuse ? À y regarder de près, les différents scandales de sa vie sexuelle constituent moins des infractions à la morale de son temps que les vestiges d'antiques conceptions du mariage. Sa première femme lui a été donnée par son père (*ex praeceptione genitoris uestri*, écrit le pape Étienne III). Malgré la volonté du pontife de parler de « mariage légitime » *(coniugio legitimo)*, tous les chroniqueurs la tiennent pour une concubine. Le fils qu'elle lui donne, Pépin le Bossu, n'est pas appelé à régner. Après une tentative de révolte, il sera confiné dans un monastère. Ce n'est donc pas un véritable mariage consacré par l'Église.

Lorsque le jeune Charles devient roi, sa mère Berthe se charge de lui trouver une épouse plus digne du trône que cette compagne d'adolescence. Elle choisit pour lui la fille de Didier, roi des Lombards. La concubine n'a pas même besoin d'être répudiée. Et si le pape s'obstine à considérer la première union comme un mariage légitime, c'est qu'il voit d'un mauvais œil l'alliance entre la royauté franque, son soutien de toujours, et le Lombard qui tente de grignoter les États pontificaux. Qu'il se rassure : le mariage durera un an. Le roi répudie *(repudiauit)* la princesse lombarde. Silence gêné des chroniqueurs sur les causes du divorce *(diuortium)*. Seul le moine de Saint-Gall dit que la reine était « toujours malade *(clinica)* et inapte à lui donner des enfants ». Sur le conseil de très saints prêtres, Charles l'abandonne comme si elle était morte *(relicta uelut mortua)*. Il y a là infraction à la loi de l'Église, qu'on essaie d'atténuer en assimilant indûment la stérilité du couple à un veuvage.

Sans doute ce divorce correspond-il à l'émancipation du roi : il entre dans sa trentième année (la fin de la jeunesse, dans la division antique des âges de la vie), et son frère Carloman, roi d'Austrasie, est sur le point de mourir, ne laissant que des enfants en bas âge qui seront sans peine spoliés de leur héritage. L'alliance lombarde devient inutile et l'autorité maternelle, pesante. Une femme pour le père, une pour la mère : il est temps d'en choisir une pour soi. Le pape, cette fois, se garde bien de condamner une répudiation qui sert ses intérêts. Personne ne se montre plus catholique que lui. Exit la reine lombarde, dont l'histoire ne retiendra pas même le nom.

Le mariage d'ailleurs n'était-il pas nul puisque, selon l'Église, le roi était déjà engagé ? Et l'absence de descendance peut s'interpréter comme l'absence de consommation : cette femme toujours malade était-elle vraiment apte à la cohabitation sexuelle ? Voilà pour la deuxième femme, vite expédiée.

Vinrent ensuite les trois grandes reines : Hildegarde, « mère des rois », qui donne à Charlemagne quatre fils et quatre filles ; Fastrade, mère de deux filles ; Liutgarde, qui restera sans enfants. Trois mariages brisés par la mort des trois reines. À son troisième veuvage, peu avant le sacre de 800, le roi est bien pourvu en héritiers : trois solides gaillards qui ont dépassé la vingtaine et dont la santé semble donc assurée. Il ne faut pas diviser davantage l'empire en train de se constituer : les quatre femmes qui se succéderont dans sa couche ne seront que des concubines. Des fils leur échappent-ils ? Ils deviendront qui moine, qui évêque, qui abbé. Mourront-elles prématurément, comme les reines, ou seront-elles renvoyées au fur et à mesure qu'elles vieilliront ? Tout ce qu'on sait, c'est qu'il les a connues « successivement ». Ni adultère, ni bigamie : avec les reines comme avec les concubines, l'empereur n'a jamais pris officiellement deux femmes en même temps. Là s'arrête sa morale sexuelle.

Les deux types de mariages germains

Charlemagne est en fait, par la durée de sa vie et par la mort précoce de ses épouses, l'exemple privilégié du mariage à deux niveaux qu'ont connu plusieurs sociétés antiques. Celles que les chroniqueurs, dans leur vocabulaire de clercs, désignent comme des concubines sont des compagnes reconnues, soigneusement distinguées des maîtresses passagères ou des prostituées, mais aussi des femmes légitimes. L'engagement est moins officiel et donc moins solide ; on les renvoie sans leur adresser un acte de divorce pour prendre une épouse honorable ; surtout, leurs enfants, sans être des bâtards, ne participent en principe pas à la succession.

Les Germains connaissent ainsi deux types d'unions. D'une part, un mariage officiel, décidé par la famille, accompagné de cadeaux au père ou au tuteur de la mariée : la *Muntehe*. D'autre part, une union plus lâche, appelée *Friedelehe*, « mariage d'affection ». C'est un « concubinage honorable » qui s'établit sans cérémonie officielle ni intervention des parents. Il se fait par accord entre les époux ou par rapt de la jeune fille, et les enfants qui en naissent ne sont pas légitimes. Mais dans certains droits germaniques, si le père le souhaite ou s'il n'a pas d'autres héritiers, les « bâtards » (selon la terminologie dépréciative de l'Église) nés de ces unions ne perdent pas tout droit à la succession. Si les Danois les écartent de l'héritage, les Suédois leur accordent une indemnité ; chez les Lombards, ils sont aptes à succéder, et sans doute aussi chez les Francs.

La *Friedelehe* n'en est pas moins une union stable, qui a toutes les apparences du mariage lorsque la cohabitation des époux se double de fidélité. La femme ainsi établie est protégée par les lois : celui qui partagerait sa couche devrait payer une indemnité au mari. Dans les grandes familles, il semble qu'on fasse ainsi patienter l'adolescent avec une femme de rang inférieur ou une esclave, en attendant une alliance plus flatteuse [3].

À l'époque carolingienne, les Germains orientaux et occidentaux, christianisés depuis plusieurs siècles, peuvent ressentir comme scandaleux les mariages officiels ou non de Charlemagne. Mais des groupes germaniques non christianisés vont raviver la coutume : les « Normands », ces « hommes du Nord » à qui Charles le Simple accorde un territoire sur le sol franc en 911. Leur chef, et premier duc de Normandie, Rollon, n'est pas encore converti lorsqu'il épouse Popa. Aussi se marie-t-il *more Danonico*, selon la coutume des Danois, précise son chroniqueur Guillaume de Jumièges. Il ne s'agit ni d'un mariage chrétien, ni d'un grand mariage germanique : Rollon ne prendra pas la peine de régler au père le *wittimon*, ou *wittum*, le prix à payer pour des noces solennelles. Popa est en effet une noble captive, fille du comte Bérenger, capturée lors du sac de Bayeux en 886. L'union est féconde et stable : Rollon en a un fils, Guillaume, et une fille, Gerloc (Adèle). Il n'hésitera pourtant pas à répudier sa femme pour consolider l'alliance avec le roi des Francs : il épousera *more christiano*, selon la coutume chrétienne, Gisèle, fille de Charles le Simple. Quitte, d'ailleurs, à reprendre Popa après la mort de cette épouse légitime !

Le fils de Popa, Guillaume, succède légitimement à Rollon, mais celui-ci avait eu soin de le désigner comme héritier de son vivant, estimant peut-être ses droits fragiles. Et ce Guillaume Longue-Épée, quoique chrétien, épouse à son tour *Danonico more* Sprota, encore une captive, qu'il ramène d'une expédition en Bretagne. Il reconnaît lui aussi de son vivant son fils Richard comme héritier. Celui-ci, meilleur catholique et soucieux de consolider l'alliance franque, épouse selon les préceptes de l'Église Emma, fille de Hugues le Grand (le père de Hugues Capet). Mais elle meurt sans lui donner d'enfants et il cherche à se remarier.

Guillaume de Jumièges nous rapporte alors un étrange roman. Richard entend vanter la beauté d'une de ses sujettes, femme d'un forestier de Sauqueville, près d'Arques (Pas-de-Calais). Il lui demande donc l'hospitalité et, frappé par la beauté de la maîtresse de maison, exige qu'elle lui soit servie dans son lit après dessert. Consternation de l'hôte et de sa femme, qui usent d'un subterfuge : l'épouse a en effet une sœur plus belle encore, nommée Gunnor, qui sera introduite dans le lit du duc. Le lendemain, celui-ci découvre la supercherie... mais s'en montre très satisfait, puisqu'il n'a pas commis de péché en prenant la femme d'un autre. De péché de fornication, sinon de viol, il n'en est pas question, et il ne semble pas qu'il y ait eu autre forme de noces... Un mariage *more Danonico*, sans doute, qui n'en semble pas moins valide aux yeux de tous : l'union est conclue *lege maritali*, selon la loi maritale. Richard et Gunnor auront cinq fils et trois filles, dont le futur héritier, Richard II, et Emma, qui deviendra reine d'Angleterre.

Les choses pourtant ne s'arrangent pas aussi bien que pour ses père et grand-père. En deux générations, les mœurs ont changé et la morale chrétienne a pénétré l'esprit normand. Un peu avant 989, le duc tâche de caser son fils Robert sur le siège archiépiscopal de Rouen, alors vacant. Seul obstacle : l'Église reproche à Robert sa naissance illégitime et Richard semble tout surpris de n'être pas marié dans les règles. Qu'à cela ne tienne : il épousera *more christiano* sa vieille compagne, et les enfants, voilés avec eux durant la cérémonie, seront légitimés [4].

Sur ces cinq mariages, on voit tout de suite qu'il y a deux unions diplomatiques, avec des princesses étrangères qui renforcent l'alliance entre Francs et Normands, et trois mariages par rapt, dont un au moins pour lequel la beauté de la promise a plus compté que les avantages que l'on pouvait escompter de l'union. Ne parlons pas de mariage d'amour, mais reconnaissons que les intérêts matériels n'ont guère joué dans l'affaire. Ce n'est pas un hasard si les deux unions officielles correspondent aux deux mariages princiers : la solennité de la cérémonie, l'indissolubilité du mariage chrétien garantissent une alliance durable entre les peuples. Pour le reste, on se contente d'une union de fait, dans la maison d'un forestier ou un soir de bataille. Les femmes prises en *Friedelehe* ne sont pas des esclaves comme jadis les concubines romaines. Elles sont libres, souvent nobles, et peuvent même être d'un rang supérieur à celui de leur mari. Peut-être, suggèrent les historiens du droit, comptent-elles dans ce cas ne pas tomber sous la puissance de leur époux, ce qui ne manquerait pas d'arriver par un mariage germain légal, où la puissance paternelle est transmise au conjoint.

Les textes juridiques germaniques évoquent peu, cependant, ce type de noces, et c'est plutôt par la littérature héroïque qu'il nous est connu. Les enseignements qu'on tire des textes littéraires n'en sont pas moins intéressants, à condition qu'on les prenne comme le miroir d'un mariage idéal dont on connaît mal le visage réel. On peut alors rapprocher la *Friedelehe* germanique de certaines unions grecques à l'époque préclassique, ou hindoues dans la littérature épique. Il s'agirait d'une vieille forme de mariage par rapt avec consentement ou non de la jeune fille, dont les peuples indo-européens auraient conservé la trace mythique, mais que certains, comme les Germains, auraient pratiquée plus longtemps.

Dans la mythologie germanique, l'exemple le plus connu de ce double mariage officieux, puis officiel, est celui de Siegfried, popularisé par Wagner. Dans les plus anciennes versions, celle notamment d'une chanson des îles Féroé, Sigurd conquiert Brynhilde et l'épouse sans autre cérémonie que leur nuit de noces, au terme de laquelle il lui remet un anneau (le futur « anneau des Nibelungen ») ainsi qu'une série de présents, anneaux et colliers d'or : il s'agit d'un *Morgengabe* (« présent du matin »), le prix de la virginité que le marié donne à sa femme le lendemain des noces. Il y a donc bel et bien mariage. Mais lorsque, tombant dans un piège et buvant le breuvage d'oubli, Sigurd se remarie à Gudrun, Brynhilde ne contestera pas la validité de ces secondes noces. Tout au plus se plaindra-t-elle de la versatilité de Sigurd. Au premier mariage de fait répond un second mariage officiel ; aux noces libres qui permettent à la princesse farouche de ne pas tomber totalement sous la coupe de son époux font écho les noces rituelles, au cours desquelles Gudrun est transmise à Sigurd par ses parents.

Mariage ou concubinage?

Le droit romain connaissait également plusieurs degrés de mariage, mais peu d'entre eux étaient encore pratiqués sous l'empire. Le mariage *cum manu* (avec la main) supposait la transmission de l'autorité paternelle au mari, qui devenait le tuteur de sa femme, considérée comme une éternelle mineure. Mais les trois types de mariage *cum manu* n'étaient plus guère d'usage. Le premier type, l'antique mariage *per usum* (de fait), était la forme juridique du rapt primitif, et ne demandait pour être légitimé qu'une cohabitation d'une année. Nécessaire pour justifier les premiers mariages romains, par l'enlèvement des Sabines, il n'était plus sous l'Empire qu'un cas d'école et se distinguait mal du concubinage. Il suffisait pour le rompre que la femme découche pendant trois nuits.

Le deuxième type, le mariage par « achat réciproque » (*coemptio*, en fait, par échange de cadeaux), était tombé en désuétude sous la République. Il semble avoir été à l'origine le mariage des plébéiens. Quant au mariage solennel (*confarreatio*, du nom du gâteau d'épeautre, *farreus*, offert à Jupiter), il n'était plus pratiqué que par quelques familles patriciennes et ne servait qu'à accéder à certaines dignités religieuses. C'était un mariage purement consensuel, pratiqué par l'aristocratie et accompagné d'une cérémonie religieuse importante. Ces trois types de mariages *cum manu* sont devenus les archaïsmes à l'époque impériale : la plupart se faisaient donc *sine manu*, « sans la main », sans transfert de l'autorité paternelle. La liberté de la femme y était plus grande [5].

Mais cette tendance à l'unification des types de mariage n'était pas achevée sous l'empire. Tout le monde en effet n'avait pas droit à de « justes noces » (des noces légales, reconnues par le *ius*, le droit). Ceux qui ne jouissaient pas de la citoyenneté romaine restaient ainsi soumis à la juridiction de leur pays d'origine; s'ils épousaient une Romaine, leur mariage n'était pas « juste » et n'avait donc pas de conséquences juridiques : les enfants étaient illégitimes, la femme restait soumise à la puissance paternelle, il n'y avait aucun régime dotal... De même, le mariage d'un homme libre avec une esclave n'était pas valide. Quant aux unions entre esclaves, elles n'étaient considérées que comme un simple *contubernium* (littéralement, camaraderie de tente!). Le principe était simple : seuls étaient soumis au droit romain les citoyens romains. Si on fermait les yeux sur d'autres types d'unions, elles ne produisaient aucun effet en droit.

Or ce type d'unions inférieures, mais durables, semble aussi bien représenté à Rome que chez les Germains pour endiguer l'ardeur de la jeunesse avant de la fixer dans un mariage respectable. Dans l'*Hécyre* de Térence, Pamphile fréquente depuis plusieurs années une courtisane *(meretricula)* qu'il aime et à qui il a juré de ne jamais se marier. Il vit toujours chez son père, mais passe les nuits chez elle. Sur l'injonction paternelle, il décide de prendre femme. Va-t-il saisir l'occasion d'officialiser sa liaison ? L'idée ne l'effleure même pas. Pourtant, un amour profond l'unit à sa compagne : pour elle, il refuse de partager la couche de son épouse légale et conserve ses habitudes avec sa maîtresse. Scandale ? Non pas ! Loin de s'en inquiéter, le père de l'épouse dédaignée juge louable cette difficulté de rompre avec d'anciennes amours : il en conclut que le nouveau marié n'est pas d'humeur volage, un bon point !

D'autres détails nous prouvent que la liaison antérieure au mariage était bel et bien dans les mœurs : le père de Pamphile prenait en charge les dépenses faites pour la maîtresse de son fils (v. 685), et le beau-père, en apprenant la liaison prénuptiale, juge qu'une union avec une courtisane ne constitue pas une « tare pour la jeunesse », puisque c'est « dans la nature de chacun ». Avec notre mentalité moderne, nous sommes surtout étonnés qu'un si grand amour ne puisse déboucher sur le mariage, et qu'il disparaisse aussi facilement lorsque Pamphile se retrouve père grâce à un subterfuge de l'épouse légitime. Mais amour et mariage n'appartiennent pas alors à la même sphère ; la passion est bonne pour passer sa jeunesse, et la tendresse conjugale vise surtout la mère de ses enfants. Pamphile passera tout naturellement de l'une à l'autre.

Une situation semblable se retrouve dans le *Soldat fanfaron* de Plaute : le soldat, hanté par l'idée d'un mariage honorable, vit avec une femme *(concubina)* qu'il a enlevée, mais ne songe pas un instant à l'épouser, lorsque ses parents et amis le pressent de se fixer. Tout se passe ici comme si le rapt, assimilant la femme libre à une captive, rendait impossible un mariage décent.

Ce type de comportement se perpétue dans la basse Antiquité chrétienne. Saint Augustin, avant sa grande conversion, vit quinze ans avec une concubine. Il a un enfant de douze ans lorsque, la trentaine entamée, ses parents l'obligent à se marier. C'est un déchirement de répudier sa concubine, qu'il ne peut épouser car elle est de naissance inférieure. En attendant que sa fiancée officielle atteigne l'âge nubile, il prend d'ailleurs une autre maîtresse, puis quitte brusquement l'Afrique pour échapper aux reproches incessants de sa sainte mère Monique.

Ces deux types d'unions sont alors dans les mœurs, et l'Église ne peut ignorer le concubinage durable avec une femme de rang inférieur – comment le refuserait-elle, quand sainte Hélène, mère de Constantin et inventrice de la Vraie Croix, est une concubine de Constance Chlore, répudiée lorsque celui-ci accède au pouvoir impérial ? Au concile de Tolède, en 400, on excommunie bien ceux qui prennent en même temps épouse et concubine ; mais « tout autre est celui qui n'a pas de femme, mais qui tient une concubine pour femme ». Il ne sera pas chassé de la communion, pour peu qu'il se contente d'une seule femme, ou épouse, ou concubine. Gratien entérinera cette distinction au XIIᵉ siècle : les concubines sont épousées sans la solennité des tables dotales, mais l'union n'a rien de répréhensible, pourvu qu'elle dure jusqu'à la mort d'un des deux conjoints. À cette époque, cependant, il s'agit d'une attitude exceptionnelle, due sans doute au fait que le moine bolonais rassemble dans ses décrets des canons parfois fort anciens [6].

Sans doute y a-t-il encore dans la basse Antiquité beaucoup de concubinages, surtout avec des esclaves ; l'intransigeance n'est pas de mise. Saint Léon Iᵉʳ, pape de 440 à 461, répond sur ce point aux questions de Rustique, évêque de Narbonne. « Toute femme unie à un homme n'est pas l'épouse de cet homme, commence-t-il, puisque tout fils n'est pas l'héritier de son père. » Les seules noces légitimes se font « entre égaux » : « c'est pourquoi une chose est l'épouse, une autre la concubine, de même qu'une chose est l'esclave, une autre la femme libre. » Il se réfère, à travers saint Paul (Gal 4, 22-30), au double « mariage » d'Abraham : Ismaël, fils de la servante Agar, n'hérite pas d'Abraham comme Isaac, fils de son épouse Sarah. Avec un tel patronage, difficile de condamner franchement le concubinage ! Aussi, conclut le saint pape, un clerc peut-il donner sa fille en mariage à un homme qui a vécu avec une concubine, mais pas à quelqu'un qui aurait déjà été marié. Le concubinage est sans doute regrettable, mais pas infamant [7]. Le mariage rompu, en revanche, est un péché grave.

Ce qui maintient dans la tradition ecclésiastique, comme dans la législation civile, la nécessité de divers degrés de mariages, c'est la persistance de l'esclavage durant tout le haut Moyen Âge. La doctrine de l'Église, sur ce point, semble claire : tous les hommes étant égaux, on ne peut distinguer deux sortes de mariages devant Dieu selon la condition des époux. C'est l'opinion des premiers siècles, qui assimilent le *contubernium* des esclaves au mariage. Mais très vite, l'Église doit composer avec les réalités sociales. Au IIe siècle, déjà, Athénagore explique que les chrétiens se marient selon les lois établies par l'empereur ; les mariages avec des esclaves, interdits par la loi civile, demandent (et c'est le seul cas) une permission de l'évêque pour être conclus [8]. L'Église des premiers siècles, qui se répand parmi les esclaves auxquels elle promet l'égalité devant Dieu, n'est pas l'Église triomphante de l'empire constantinien, et moins encore des royaumes germaniques qui eux aussi connaissent l'esclavage.

Le législateur doit dès lors régler le sort des unions mixtes (l'enfant d'un homme libre et d'une esclave devient esclave, disent unanimement les coutumes germaniques), et donner un statut aux unions serviles. C'est là que le bât blesse. La doctrine égalitaire de l'Église ne peut mépriser les impératifs économiques et les écrivains ecclésiastiques ne se mouillent pas. Il faut attendre le VIIIe siècle pour que l'esclave marié soit appelé *maritus* et sa femme *uxor*. Encore s'agit-il d'une concession minime au vocabulaire matrimonial : dans les faits, l'union entre esclaves reste instable et fonction de la bonne volonté de leurs propriétaires, surtout lorsque les mariés n'appartiennent pas au même homme. Dans ce cas, et si les maîtres ne s'entendent pas sur la distribution des enfants du couple, ils peuvent obliger leurs esclaves à la rupture. L'indissolubilité n'est pas encore absolue.

Seule la substitution du servage à l'esclavage résoudra le problème. Le serf, dont la condition matérielle n'est guère plus enviable, jouit cependant du statut juridique qui manque à l'esclave. Il peut posséder, hériter, se marier. Dans le nord de la Francie, le servage l'emportera dès l'époque carolingienne. Le concile de Châlon-sur-Saône, en 813, interdit de dissoudre les mariages *(coniugia, legalis coniunctio)* des serfs s'ils ont été conclus avec l'accord de leurs maîtres respectifs [9]. Mais dans les pays qui pratiquent encore la traite des Slaves ou l'esclavage des prisonniers musulmans, comme l'Espagne ou les côtes méditerranéennes, l'union servile restera précaire. À

Byzance, les maîtres craignent que la bénédiction ne rende *ipso facto* la liberté à leur bétail humain, et ils lui interdisent le mariage à l'église. Il faudra qu'Alexis Ier Comnène condamne, en 1095, le *contubernium* antique et prescrive aux maîtres de laisser les esclaves se marier devant l'Église sous peine de perdre leurs droits sur eux [10].

Conséquence de ces discussions sur le mariage des esclaves : l'unification des multiples formes d'unions légitimes ne pourra pas se faire au haut Moyen Âge. Seule la réforme canonique des xie-xiie siècles mettra fin à cette diversité héritée des Germains et du droit romain. Mais il faudra pour cela regrouper sous la même étiquette de « mariage » la cérémonie officielle, l'union clandestine et le rapt, tout en excluant certaines formes extrêmes. Jusqu'au concile de Trente, l'unité ne sera qu'apparente.

L'unification des mariages

Aussi bien les Romains que les Germains, donc, connaissaient un « juste mariage » et une union moins solide, concubinage chez les premiers, *Friedelehe* chez les seconds. À cela, l'Église tente d'opposer sa conception du mariage unique. Le choc de ces trois univers va entraîner, dans l'Europe du haut Moyen Âge, des situations parfois confuses. On ne peut en effet choisir le type de mariage que l'on souhaite, mais celui qui est reconnu à la fois par l'ethnie à laquelle on appartient et par les lois du pays où l'on vit. Un Romain vivant en pays burgonde n'a pas le même statut qu'un Lombard émigré chez les Wisigoths ! Heureusement, la tendance est à l'unification des législations au sein d'un même territoire, et les lois édictées pour clarifier cette confusion des mariages sont de précieux témoins de la lente décantation du droit.

Dans les premiers temps des invasions germaniques, ainsi, plusieurs droits, donc plusieurs types de mariages, peuvent cohabiter dans un même royaume. Selon que l'on est romain ou germain, libre, colon ou esclave, et qu'on se marie avec quelqu'un de sa condition ou non, on peut, dans une même ville, nouer différents types de liens conjugaux et ressortir à plusieurs types de législation. Gondebaud, roi des Burgondes au début du vi^e siècle, édicte par exemple pour ses sujets germains la « loi Gombette » qui nous est parvenue dans un remaniement de son fils Sigismond (517). C'est sans doute le même

Gondebaud qui édicte, pour ses sujets dotés de la citoyenneté romaine, cette fois, le « code papien » largement inspiré du droit romain et bien différent des coutumes germaniques.

Un Burgonde qui prend femme dans sa race, en effet, doit payer le *wittimon*, le prix des noces, au père ou au tuteur de sa future épouse. Ce mariage « par achat » est attesté dans toutes les coutumes germaniques. Il ne s'agit pas d'un achat de la femme, mais de cadeaux concrétisant le transfert de l'autorité paternelle. Pour son voisin romain, en revanche, le consentement des deux époux suffit. Tout au plus – innovation burgonde – exige-t-on que le mari dote sa femme pour que le mariage soit légitime et que les enfants puissent hériter. Mais la famille de l'épouse n'a rien à réclamer d'un citoyen romain. En cas de mariage sans le consentement paternel, la coutume est dure pour les Germains : le ravisseur doit payer neuf fois le prix habituel si la femme a été enlevée contre son gré, trois fois si elle est consentante. Si elle est romaine, elle est simplement déshéritée. Rien n'est prévu si les deux époux sont romains... Le divorce également est facilité pour les citoyens romains, qui ont derrière eux un héritage complaisant. Ils peuvent se séparer par consentement mutuel, ce qui est refusé aux Burgondes. La répudiation de la femme, en revanche, est possible de part et d'autre. Répudiation réciproque, chez les Romains : pour certains crimes graves, la femme romaine peut renvoyer son mari, ou le mari, sa femme. Quant à la femme d'un Burgonde, en aucun cas elle ne peut se séparer de son mari, sous peine d'être enterrée vivante [11].

De telles diversités sur un même territoire ne sont pas longtemps viables et entraînent des complications inextricables en cas de mariage inter-ethnique. Dès les temps mérovingiens, les lois germaniques s'unifient. Les Wisigoths, qui ont eux aussi rédigé en 506 une loi pour leurs sujets romains, soumettent l'ensemble des populations germanique et romaine au nouveau code promulgué en 654. Quant à l'Église, si elle doit tenir compte des réalités sociales, elle impose un vocabulaire réducteur aux mariages de second rang. Les chroniqueurs plus tardifs ne disposent plus des mots antiques pour décrire des situations qu'ils ne connaissent plus. Au XIIe siècle, le *Roman de Rou* dira de Popa que Rollon (Rou) « en a fait s'amie » ; d'autres parleront de concubine. Où est la *Friedelehe*, avec sa femme légitime épousée par affection sans être achetée à son père ? Le latin ni le français n'auront de mot honorable pour la désigner. La nouvelle religion impose désormais sa vision monoculaire. Un seul Dieu, une seule Église, un seul mariage.

On voit comment ont volontairement été confondus deux types de « mariages inférieurs » également combattus par l'Église. D'origine romaine, le concubinage avec une esclave ou le *contubernium* entre esclaves ; d'origine germanique, la *Friedelehe*, union d'affection entre deux personnes libres, souvent de rang égal. Deux types de mariages facilement dissolubles, donc mal vus par l'Église qui ébauche à l'époque carolingienne la théorie sacramentelle du mariage. En assimilant *Friedelehe* et concubinage, elle fait du mariage germain une union inférieure qui exclut les enfants de la succession. Les difficultés rencontrées au XIᵉ siècle par Guillaume le Conquérant, fils « illégitime » désigné par son père Robert Iᵉʳ pour lui succéder sur le trône de Normandie, ont marqué le triomphe du mariage légal et chrétien, à une époque où l'Église entend gérer les successions aussi bien que les unions.

Le mariage « à la danoise » est un exemple tardif de concubinage honorable et légal. Avec la réforme grégorienne des XIᵉ-XIIᵉ siècles, l'Église finit par imposer sa morale. Non sans grincements de dents, comme semble en témoigner la littérature, dernier miroir, quoique bien déformant, de l'antique union d'amitié. Dans le *Lai de Désiré*, ainsi, un chevalier vit une passion heureuse et féconde avec une dame de la forêt aux pouvoirs singuliers. Mais il éprouve le besoin de s'en confesser à un ermite, qui lui impose pénitence. Dans son esprit il n'est pas question de rompre une relation qu'il sait contraire à la loi divine, et l'ermite qui lui donne l'absolution ne lui demande pas de le faire. « À aucun moment il n'a dit du mal de vous », assure Désiré à son amie. C'est déjà un accommodement avec la pratique chrétienne, que l'amie souligne avec une ironie désabusée : « À quoi sert d'avouer un péché sans la ferme résolution d'y renoncer ? »

Mais la fée, qui aime les amours secrètes, ne s'en montre pas moins furieuse : « Tu as parlé de moi en confession, faute impardonnable. Étais-je un poids pour toi ? Ce n'était pas un si grand péché ! Je n'ai jamais été ta femme, ni ta fiancée, ni ta promise. Tu n'as pas pris femme, tu ne t'es engagé avec aucune [12]. » Sans doute, comme dans toutes les unions entre un humain et une fée, l'aveu de la liaison constitue la seule faute. Qu'il se fasse à un ermite, sous le sceau du secret, ou en cour royale, comme dans le *Lai de Lanval*, ne change rien à l'affaire. Mais à travers le thème celte d'un interdit transgressé, on sent l'agacement contre le pouvoir que s'arroge l'Église en matière d'unions légitimes. L'amie de Désiré, d'ailleurs, s'empresse de donner des gages de foi chrétienne, ce qui lui avait semblé superflu auparavant. Le mariage religieux, avec la publicité qu'il suppose, s'oppose ici à un vieux thème celtique, celui du mariage secret avec une dame de l'autre monde. Une union stable et féconde, exclusive et jalouse, mais dans laquelle la femme ne peut prétendre au titre d'épouse, seul reconnu désormais.

L'union libre n'est donc pas une invention de notre époque. Elle était au contraire considérée au Moyen Âge comme l'union originelle, celle de l'âge d'or pour le *Roman de la Rose* (xiiie s.) : dans le discours d'Ami, le mariage est présenté comme la fin de l'amour. Car celui qui se disait esclave de sa maîtresse, aussitôt marié, en devient le seigneur. Il ne peut plus être un amant soumis, selon l'éthique courtoise. Ami regrette alors l'âge d'or où les amants « s'entraimaient loyalement » et « naturellement » : l'amour était alors sans mariage (« Lors ert amors sanz seignorie ») [13]. Ni Ami ni Jean de Meung ne songent à rétablir cette union libre. Tout au plus peuvent-ils conseiller à celui qui veut garder une femme, qu'elle soit son épouse ou son amie, de la considérer comme son égale, ne pas la battre, ne pas la cloîtrer, ne pas la blâmer... même s'il lui arrive de chercher un autre homme.

Le mariage par étapes

« Voilà ce que font les nations païennes », s'indignait le pape Étienne III en stigmatisant la facilité avec laquelle Charlemagne renvoyait sa première compagne. Ce ne sont pas là des manières de « parfaits chrétiens et de nation sainte ». Au delà des oppositions politiques, faut-il voir dans l'histoire de Charlemagne et de son péché une lutte contre certaines conceptions non chrétiennes du mariage ? Peut-être, d'autant que la légende a ajouté d'autres crimes, autrement graves, aux concubinages et aux divorces de l'empereur. Ce n'est plus le Charlemagne historique, mais celui qui, dans la mémoire médiévale, incarne la tradition germanique contre le nouvel ordre chrétien, qui nous servira de miroir où saisir le reflet d'autres unions perdues.

Dans d'autres domaines de la vie sexuelle, en effet, ce chaud lapin sert de contre-exemple aux auteurs chrétiens.

L'histoire de sainte Amelberge, poursuivie par les assiduités du grand empereur, est caractéristique de ce procédé. Entre le sermon de Radbode (xe s.), qui rapporte sobrement les « faits », et la verbeuse vie de la sainte qui circule un siècle plus tard, la légende s'est enrichie. Il semble même qu'on ait fait violence à la chronologie pour que la jeune fille, contemporaine de Charles Martel, puisse être victime de l'impérial séducteur. Amelberge, dit la légende, s'était promise à Dieu quand Pépin voulut la marier au jeune Charles. Elle fait valoir les droits de son céleste promis, et le fougueux adolescent l'enlève, l'enlace et l'embrasse en lui promettant le mariage. Seul un miracle lui permet de s'échapper, encore Charles tente-t-il de forcer les portes de l'église où elle se réfugie. Il revient plus tard à la charge, et lui casse le bras en tentant de l'arracher à l'oratoire où elle s'est déguisée en moniale. Ce n'est donc pas en ravisseur de religieuse que le futur empereur s'introduit dans le lieu saint : « Aucun prêtre n'a osé te donner le voile après que mon père t'a nommée ma femme », reproche-t-il à celle qui s'est mise « dans un accoutrement de religion ». C'est presque en mari trahi qu'il vient faire valoir ses droits : l'avis de la femme n'était pas nécessaire, puisque ses frères étaient d'accord pour la donner à Charles, et qu'elle avait reçu le nom d'épouse.

C'est donc un mariage germanique avec transfert de l'autorité *(mundium)* de la famille de l'épousée à son futur mari qui nous est suggéré dans cet acharnement qui, sans cela, serait bien indigne du futur saint Charlemagne. Mariage en deux étapes, commencé par un accord entre les mâles des deux familles, et qui doit s'achever par la transmission de l'épouse. Pour Amelberge et pour l'Église, il n'y a pas encore eu mariage ; dans la tradition germanique, la première partie du mariage est déjà célébrée. Au delà du thème traditionnel de la femme qui préfère l'époux céleste aux noces terrestres, il faut donc voir dans cette anecdote la lutte de l'Église en faveur de noces par consentement mutuel, en une seule cérémonie, contre les tractations avec les parents de la future qui restent de règle dans la tradition germanique. Notons que ces préliminaires ne sont pas des « fiançailles », mais constituent déjà une étape du mariage [14].

L'opposition, ici encore, se retrouve entre droit romain et coutumes germaniques. Le mariage effectué en une seule cérémonie, comme nous le connaissons toujours, est un héritage du droit romain à travers le droit canonique. La plupart des autres mariages antiques se faisaient par étapes, parfois sur plusieurs années. Les mariages juif, arabe, germanique, africain s'effectuaient ainsi. L'hagiographie chrétienne a même dû composer avec cette tradition dans un cas : celui du mariage de la Vierge, suggéré par Matthieu et Luc, et développé dans le protoévangile de Jacques. Marie est remise à Joseph au cours d'une cérémonie solennelle souvent représentée dans l'art médiéval, et va habiter dans la maison de son « fiancé ». Elle est en effet désignée comme « promise » dans l'épisode de l'Annonciation, et elle sera enceinte du Saint-Esprit avant d'être mariée. Le grand-prêtre ne manquera pas de reprocher à Joseph de l'avoir « épousée en cachette » et de n'avoir pas « incliné [sa] tête sous la puissante main qui eût béni [sa] postérité [15] ». Si le mariage avait déjà été célébré, la grossesse de Marie aurait été moins scandaleuse. Mais s'il ne l'avait pas été, comment expliquer qu'elle habite chez Joseph ? Il s'agissait bien d'un mariage en deux temps et non de fiançailles suivies de mariage.

En fait, ces « épousailles » *(kiddushin)* sont la première étape d'un mariage qui pouvait s'étaler sur plusieurs années. Chez les Juifs, le mariage se fait en trois ou quatre phases. Le futur remet d'abord au père de sa promise le « prix » convenu pour l'épouser. Parfois longtemps après, la femme lui est remise. Vient alors le mariage, souvent précédé d'un « prémariage », fêté une semaine avant les noces chez les parents de la promise, et parfois suivi par un « post-mariage », le second sabbat après les noces. Entre la remise de la femme et le mariage, les « époux » sont tenus à la continence, mais sont soumis au droit matrimonial : la femme adultère est lapidée ; veuve, elle est tenue au lévirat et doit épouser le frère de son mari [16].

Dans le droit germanique, on retrouve le même type de mariage dans le *Muntehe* (mariage honorable). La première étape, la *Verlobung*, sera rendue en latin par le même mot, *desponsatio* (« épousailles ») : le terme, introduit au IIIe siècle dans le droit chrétien pour désigner précisément le « mariage » de la Vierge, est bien distinct des « fiançailles » *(sponsalia)* romaines [17]. Chez les Germains, il s'agit d'un arrangement entre le futur marié et celui qui détient l'autorité sur sa future femme : le *mainbour (mundiburdus, mundualdus,* « tuteur ») est celui qui possède le *mundium*, la tutelle de la femme, qu'il transmettra au mari contre un *wittimon*, une somme d'argent. C'est en principe le père, à défaut le frère ou un proche parent. Cet accord entre mâles est accompagné de cadeaux à la famille de la promise, qui ont jadis fait penser à un « mariage par achat », mais qui sont considérés comme un gage *(wadia)*. En échange, chez les Lombards, le promis reçoit un présent symbolique, un glaive ou un vêtement représentant la femme, et qu'il rend aussitôt au tuteur pour signifier qu'il lui confie la garde de la femme jusqu'aux noces. Par la suite viendra la *Trauung*, le passage de la femme de la maison paternelle à celle de son mari, qui réalise le contrat conclu par la première étape.

Une cérémonie a enfin lieu au coucher des mariés *(Beilager)*, qui officialise le mariage par la consommation – une différence notable avec le droit romain, pour qui le consentement des époux suffit à valider le mariage. Pour les juristes romains, le mariage entre absents ou avec un *spado* (homme incapable d'avoir des enfants) est légitime. Pour les Germains, au contraire, l'union sexuelle est la base du mariage. Le lendemain des noces, comme d'ailleurs dans l'union libre *(Friedelehe)*, le mari fait une donation à sa femme *(Morgengabe)*, qui évoque un « prix de la virginité ». Ce troisième temps du mariage, qui insiste sur la nécessité de l'union charnelle dans la conclusion définitive, laissera des traces dans les droits français et canonique. De là viendra l'adage selon lequel « la femme gagne son douaire au coucher » ; de là, l'indissolubilité des mariages consommés et la possibilité qui se fera bientôt de rompre des unions qui ne l'ont pas été : les canonistes seront obligés, pour ménager la chèvre et le chou, de distinguer deux « stades » de mariage. Pour Gratien, par exemple, dans la tradition romaine, c'est le consentement et non la défloration qui fait le mariage ; mais un peu plus loin, il permet la rupture des mariages qui n'ont pas pu être consommés, comme si le mariage fondé sur le seul consentement n'était pas véritablement achevé [18]. C'est l'école française de droit, autour de Pierre Lombard, qui lèvera la contradiction.

Le *Morgengabe* laissera une autre trace dans notre langue : le mariage « morganatique », celui où l'épouse ne peut partager les honneurs et les dignités de son mari dans l'ordre civil, mais qui reste soumis au droit canonique. Sans doute l'épouse devait-elle se contenter de ce « cadeau du matin », matériel, sans pouvoir exiger d'autres effets, notamment honorifiques, de son mariage. Le mariage morganatique le plus célèbre fut celui de Louis XIV et de Mme de Maintenon, qui ne put prétendre au titre de reine.

Dans le droit germanique, si la transmission de l'autorité

(mundium) du père au mari donne à celui-ci l'administration des biens de sa femme, seule l'union charnelle crée juridiquement la communauté des époux et celle des biens. On a pu soutenir que seul ce mariage de fait, qui se retrouve dans les deux types de mariages germains (*Friedelehe* et *Muntehe*), constituait un lien matrimonial, les deux autres stades de la cérémonie n'étant qu'un transfert d'autorité du père au mari. Il n'y aurait dans cette hypothèse qu'un seul type de mariage chez les Germains non christianisés, une union de fait symbolisée par l'union charnelle et le cadeau que le mari donne à sa femme pour prix de sa virginité. Tout le reste ne serait qu'achat de *mundium* et dispositions légales pour la transmission de l'héritage [19]. Quoi qu'il en soit, dans la pratique, cela revenait à deux types de mariages distincts.

Peut-être y avait-il un mariage en deux temps également dans la Rome primitive. Mais ce qui reste des fiançailles, à l'époque classique, n'est qu'une promesse symbolique facilement rompue. Elle n'est concrétisée que par un anneau de fer qui n'a rien à voir avec les « arrhes » versées dans les traditions juive et germanique. Les textes juridiques n'abordent que le problème du consentement, ce qui signifie bien que ni les rites ni les cérémonies n'avaient d'effet juridique. Les fiançailles n'étaient pas nécessaires au mariage, et n'entraînaient pas l'obligation de mariage. Elles ne constituaient jamais une étape du mariage, comme dans la plupart des autres droits antiques.

Des « fiançailles arrhales » ne seront d'ailleurs attestées que tardivement dans l'Antiquité romaine, et dans des provinces qui ont conservé un substrat oriental, comme l'Afrique punique et l'Espagne, jadis parsemée de comptoirs carthaginois. C'est à la fin du IIe siècle que Tertullien évoque pour la première fois, à Carthage, l'anneau d'or qu'on a peu à peu nommé « arrhes ». Et en 336, un rescrit envoyé par Constantin à Tibérien, vicaire d'Espagne, contient la première trace sûre de fiançailles arrhales dans le droit romain [20]. Rome, en fait, avait réduit le mariage à un seul acte, et c'est cette tradition que gardera le droit canonique. Durant le haut Moyen Âge, l'influence germanique réintroduira provisoirement le mariage en deux étapes fortes, donc avec des « épousailles » bien éloignées des simples fiançailles romaines, mais la résurgence du droit romain, au XIIe siècle, restaurera le système antique d'un mariage en un seul temps, avec fiançailles conseillées pour un mariage « honnête », mais facultatives. C'est sur ce système que nous vivons encore aujourd'hui.

Le spectre de l'inceste

Charlemagne servira encore d'exemple pour combattre une autre coutume germanique, le crime d'inceste, devenu ce « péché secret » que l'empereur n'aurait pas même osé avouer en confession, et révélé miraculeusement par l'archange Gabriel pour lui éviter la damnation éternelle. La *Karlamagnús saga* détaille la faute qu'il a commise avec sa sœur Gisèle et dont le fruit serait, ni plus ni moins, Roland, qu'il fit passer pour son neveu. Légende, réalité? Suzanne Martinet a défendu cette dernière hypothèse. Si les éléments matériels sont trop minces pour conclure avec certitude, il est vrai que le héros issu d'un inceste fait partie des mythologies germanique et celtique. Wagner nous a familiarisés avec ce thème, puisque Siegfried, dans la *Tétralogie*, est le fils de Sigmund et de sa sœur Sieglinde. Dans la légende primitive, c'est Sinfjötli et non Sigurðr (Siegfried) qu'engendrent un frère et une sœur, Sigmundr et Signý. Mais c'est également un héros hors pair, « peut-être le prototype de Sigurðr », pour son éditeur.

Comme Charlemagne, l'autre grand roi de la mythologie médiévale, Arthur, commettra l'inceste : avec sa sœur Morgain (Morgane), il enfantera Mordred, qui lui contestera le royaume. La littérature irlandaise connaît aussi des héros nés de frères et de sœurs – Corc Duibne, né de Cairbre Musc et de sa sœur Duibfind ; Lugaid, né des trois frères Find-Emain et de leur sœur Clothru... Toujours, il s'agit de héros exceptionnels issus d'unions exceptionnelles. Tout se passe comme s'il était impossible de mélanger un sang trop noble à un sang plus vil, et que les héros, comme les pharaons égyptiens, en étaient réduits à se reproduire entre eux pour conserver les caractères primitifs de la race. Dans la *Saga des Völsungar*, le clan des « loups » qui donne son nom à la race issue du roi Völsungar préserve ainsi sa pureté sauvage. C'est sous la forme d'une louve que Signý retrouve Sigmundr, et si Sinfjötli « a grande ardeur, c'est qu'il est fils à la fois du fils et de la fille du roi Völsungr [21]. »

S'agit-il, comme le croit Suzanne Martinet, d'une coutume ancienne, et en particulier germanique, à laquelle aurait sacrifié le jeune Charlemagne dans son adolescence? On connaît par ailleurs l'attachement du jeune Franc à ses coutumes germaniques, et il ne choisira ni femmes ni concubines gauloises ou latines. Par ailleurs, le pape Étienne III rappelle, dans la lettre par laquelle il tente d'empêcher l'union lombarde, que ni son père, ni son grand-père, ni son arrière-grand-père n'ont pris femme en dehors de la nation franque... Les nombreux conciles qui répètent, aux époques mérovingienne et carolingienne, l'interdit de l'inceste, reflètent-ils une réalité encore vivace? Peut-être, oui, Charlemagne et Gisèle furent-ils les parents de Roland. Mais le dossier est malgré tout bien mince. Je pencherais plutôt pour la persistance, dans la mentalité médiévale, d'un type de mariage mythique originel qui se reflète dans l'épopée faute de pouvoir s'incarner dans la réalité.

La descendance de Caïn et de Seth a en effet préoccupé le Moyen Âge. Si Dieu a pris la peine de donner une femme à Adam, où les fils du couple originel ont-ils cherché les leurs? Les apocryphes s'étaient chargés de répondre. Chacun avait sa sœur jumelle, qui lui était promise. Caïn est ainsi promis à Luva et Abel, à Aklejane, selon un apocryphe éthiopien [22]. C'est pour avoir convoité la jumelle d'Abel que Caïn a tué son frère. Et c'est elle qu'épousera finalement Seth, assurant une descendance à la lignée bénie de Dieu. Derrière le mythe de l'inceste, il y a peut-être celui de l'androgyne platonicien. Ceux qui ne doivent faire « qu'une seule chair » ne sont-ils pas, effectivement, issus d'une même et unique chair, qu'ils cherchent à reconstituer? La littérature ne nous tend jamais qu'un miroir idéalisé du mariage, qu'il faut manier prudemment quand l'histoire ne vient pas d'elle-même s'y refléter.

Si coutume (ou mythe) germanique il y a, elle s'est immédiatement heurtée aux traditions juive, romaine et chrétienne. De la tradition juive, l'Europe médiévale a hérité l'interdit le plus sévère. C'est le Lévitique qui sert d'abord de référence : « Nul d'entre vous ne s'approchera de quelqu'un de sa parenté, pour en découvrir la nudité » (Lv 18,6). Et le texte biblique énumère les parents, les enfants, les frères et sœurs, oncles et tantes, directs ou par alliance. Mais l'Ancien Testament, à côté de cet interdit mosaïque, donne aussi des exemples célèbres d'inceste, avec les filles de Loth qui ont enivré leur père pour assurer leur descendance, ou avec Tamar qui se déguisa en prostituée pour engendrer Pèrèç de son beau-père Juda. Le lévirat prescrit par Moïse, qui impose le remariage d'une veuve sans enfants avec le frère de son mari défunt, est une dérogation légale aux interdits de l'inceste.

Au-delà de ces proches parents, il ne semble pas y avoir eu d'interdits dans la tradition juive, pas plus que dans la plupart des civilisations antiques. Mais c'est à la tradition biblique et rabbinique que sera empruntée l'extension de l'interdit la plus contestée au Moyen Âge, la parenté par « affinité » : l'inceste ne concerne pas seulement les parents par le sang, mais aussi ceux du conjoint. L'homme et la femme, selon la Genèse, ne faisant qu'une seule chair, la belle-famille est assimilée à la famille et les mêmes interdits pèsent sur les « affins » (parents du conjoint) et sur les consanguins. Pas question donc pour un chrétien d'épouser la sœur de sa femme morte, qui est devenue « comme une sœur ».

Le droit romain impérial est plus clément. Les juristes ne peuvent se montrer trop sévères avec la consanguinité : n'a-t-on pas vu un empereur, Claude, épouser sa nièce Agrippine? Aussi les critères sont-ils passablement embrouillés : Gaius permet ainsi d'épouser la fille de son frère (comme le fit Claude), mais pas la fille de sa sœur! Seul le droit romain tardif – et chrétien – se montrera plus restrictif, puisqu'en 384-385, Théodose interdit le mariage entre cousins germains. Encore prévoit-il des dispenses impériales, et ses successeurs atténueront-ils cet interdit. Dans l'Empire romain d'Orient, aux ve-vi[e] siècles, le mariage entre cousins est à nouveau autorisé. Mais l'Église romaine conserve le texte le plus restrictif, qui passe, par Isidore de Séville, dans le droit canon des xie-xiie siècles [23].

La sérénité est facile dans les conciles. Mais sur le terrain, face à des tribus germaniques qui ne connaissent pas les mêmes tabous, les prêtres doivent composer. Aussi l'interdit de l'inceste est-il au départ appliqué avec circonspection. Sans doute les conciles burgondes et francs reviennent-ils sans cesse sur les mêmes menaces, à Orléans en 511, puis en 533 et en 540, à Épaonne en 517, à Clermont en 535, à Mâcon en 585... Et les évêques ne mâchent pas leurs mots pour dénoncer ceux qui méprisent les degrés de parenté « par leur ardeur libidineuse » : « Qu'ils soient roulés dans leur merde, c'est-à-dire dans leur impiété, comme des porcs repoussants [24]. » Mais dans quelle mesure ces condamnations sans cesse répétées sont-elles appliquées?

Un prélat intègre comme saint Germain, évêque de Paris, ose bien excommunier son roi Caribert pour avoir épousé la sœur de sa femme morte. Mais Marcovefa, l'épouse incriminée, était également religieuse, et la toute première épouse de Caribert, répudiée, devait encore être en vie. Il est donc difficile de savoir quelle fut la véritable cause de l'excommunication dans cette accumulation de scandales aux yeux de l'Église. La même intransigeance se retrouve chez un saint Nizier de Trèves, qui refuse de terminer la messe à laquelle assiste le roi Théodebert au milieu d'une troupe d'excommuniés, incestueux, homicides et adultères [25].

Mais seuls de saints prélats osent braver aussi ouvertement les grands. De plus timorés gardent l'oreille basse. À la même époque, en 540, au concile d'Orléans III, des évêques « modérés » tentent de pondérer leurs confrères plus radicaux, comme saint Aubin, évêque d'Angers, qui avait convoqué le concile. Comment évangéliser les peuplades païennes dont les coutumes sont bien plus tolérantes? Les Germains refusent de se convertir s'ils doivent pour cela se séparer de leur femme. Les modérés obtiennent le maintien de ces noces incestueuses contractées avant le baptême. Mais pour tous les autres mariages entre parents, l' « excuse d'ignorance » ne peut intervenir, car l'Église ne peut bénir ce que Dieu a maudit.

Saint Aubin se verra d'ailleurs désavoué par les évêques de Gaule dans des affaires d'inceste. À la fin, dit son biographe Venance Fortunat, « sous l'injonction de la plupart des évêques », il fut obligé, « par la force de ses confrères » (*ui Fratrum*) d'absoudre les personnes qu'il avait excommuniées pour ce motif. Dieu vient heureusement au secours de ses saints – du moins dans les hagiographies. « Comme il était prié de bénir lui aussi les eulogies destinées aux personnes privées de communion, déjà bénies par les autres prêtres, il dit au concile : " même si je suis forcé de bénir par votre pouvoir, alors que vous refusez de défendre la cause de Dieu, Lui a le pouvoir de se venger ". Et cela étant fait, avant que la personne excommuniée ne reçût les eulogies, elle expira : avant que celui qui portait les espèces n'arrivât, le discours du prêtre avait produit son effet [26]. » Malgré ce miracle spectaculaire, on retiendra que la majorité des évêques n'était pas prête à appliquer les nouvelles dispositions sur l'inceste.

Le problème, c'est que l'Église se montre de plus en plus sévère sur les unions entre parents. Les Juifs s'étaient limités aux cousins, les Romains aux oncles et tantes. Amateurisme! Dès le VIe siècle, dans la loi des Wisigoths d'Espagne, l'interdiction du mariage entre cousins sera élargie aux cousins issus de germains, sixième degré selon le décompte du droit romain. Rome adoptera deux siècles plus tard cette disposition espagnole qui s'imposera lentement à toute la chrétienté du VIIIe au XIe siècle. La justification était un peu spécieuse : c'est à ce degré, dans le droit romain, que s'arrête, s'il n'y a pas de testament, la prétention à l'héritage pour les cognats (parents par les femmes) – les agnats (parents par les hommes) peuvent hériter pour leur part jusqu'au dixième degré [27]. Ces six degrés seront considérés comme la limite de la parenté par le sang, qui interdit le mariage. Le lien entre héritage et mariage est explicite : « Quand ils peuvent hériter entre eux, qu'ils ne se marient pas, car on peut juger que ce sont des incestes plutôt que des noces [28]. » Quant au sixième degré, il devint rapidement le septième par un élargissement abusif [29].

Le second coup de force de l'Église consistera à compter ces degrés non selon le mode romain, où elle a pourtant puisé l'interdit de consanguinité, mais selon le compte germanique, qui ne connaissait pas cet élargissement de l'inceste. Le système romain, conservé par la juridiction civile, calcule le nombre de degrés de parenté en remontant à l'ancêtre commun, puis en redescendant, tandis que le système germanique, devenu canonique, calcule horizontalement en comptant le frère comme un seul degré, par générations plutôt que par personnes. Le modèle germanique est la structure du corps humain, partant de la tête (souche commune) et descendant le long des deux bras en comptant un degré à chaque articulation :

0		Tête (souche)
1	1	Epaules (frères)
2	2	Coudes (cousins)
3	3	Poignets
4	4	Phalanges
5	5	Phalangines
6	6	Phalangettes
7	7	Ongles

Le fait que l'Ancien Testament utilise également un décompte par générations fournit un argument à la papauté, qui adopte ce système au vi[e] siècle, pour l'imposer à toute la chrétienté, à partir du xie siècle. Les juristes civils continueront cependant à calculer selon le droit romain, ce qui ne simplifiera pas les choses [30]. Le quatorzième degré selon le système romain devient ainsi un septième degré selon le système germanique; le troisième degré canonique (empêchement dirimant jusqu'en 1983) correspond, en droit civil, au sixième. On peut comparer les systèmes selon le schéma suivant :

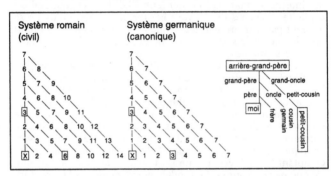

C'est au cours du xie siècle que ce système s'impose à la chrétienté. En 1059, le pape Nicolas II convoque un concile général au terme duquel une encyclique définit la règle des sept degrés : « Tout homme ayant pris femme dans les limites du septième degré serait astreint canoniquement par son évêque à la renvoyer : le refus entraînerait l'excommunication. » Peu après, en 1063, Pierre Damien établit dans son *De parentelæ gradibus* le mode de calcul, qui sera officialisé en 1076 dans un canon d'Alexandre II [30].

Il n'est pas question bien entendu de « consanguinité » au sens strict que nous donnons au mot aujourd'hui. Ce n'est pas le mélange d'un même sang qui est redouté : les effets sur la dégénérescence sont totalement ignorés. Aussi, à la parenté directe faut-il ajouter la parenté adoptive (entre un enfant et la famille de ses parents adoptifs, jusqu'au septième degré canonique...), la parenté spirituelle (entre parrains et marraines, ou leurs filleuls... et leur famille) et l'affinité (entre un époux et les parents de son conjoint). Comme la conjonction charnelle suffit à établir ce lien, on a vu interdire un mariage parce que le fiancé avait eu des relations avec la sœur de sa promise ! Dans une chanson de geste, *Elie de Saint-Gilles*, on assiste ainsi aux amours contrariées d'Elie et de Rosamonde, qui ne peuvent se marier pour avoir tenu le même enfant sur les fonts. Elie pleure de pitié, Rosamonde se pâme... et ne revient à elle que pour réclamer un autre mari [31]!

L'élargissement progressif de ces degrés prohibés devenait ubuesque. Jean-Louis Flandrin a calculé qu'en quelques générations un homme pouvait se voir interdire 2 731 parentes à des degrés prohibés. Dans de petits villages, les unions légales devaient être exceptionnelles! Quant aux grandes familles, elles se voient contraintes, pour garder leur rang, d'aller chercher des épouses dans de lointaines contrées : les premiers capétiens se marieront en Russie, en Hollande, au Danemark, quand les carolingiens privilégiaient les unions à l'intérieur de leur clan. Encore, lorsqu'il voulut se séparer d'Ingebruge de Danemark, Philippe Auguste put-il invoquer une parenté à un degré prohibé! Toute l'Europe alors n'est qu'une petite famille.

Peut-être d'ailleurs tenons-nous là une raison de cette brusque multiplication des degrés prohibés. Car il faut bien dire qu'en dehors de toute considération médicale [32], les quatre justifications théologiques, telles que saint Thomas d'Aquin les résumera dans sa *Somme théologique* (IIa IIæ, q. 154, a. 9) sonnent étrangement à notre oreille moderne. La pudeur, d'abord, se raccroche comme elle peut à l'aventure de Noé dénudé par son fils. Soit, il ne faut pas découvrir la nudité de ses parents. Mais l'interdit est difficile à respecter dans la promiscuité des chambres, sinon des lits familiaux. Le mariage d'ailleurs ne se résume pas à une question de pudeur. Deuxième raison, empruntée à Aristote : le risque de concupiscence. Elle se situe dans la logique de l'époque : en ajoutant l'amour conjugal à l'amour parental, on risque de témoigner d'une affection exagérée à sa compagne, et depuis saint Jérôme, on répète qu'il est adultère, celui qui aime trop sa femme. Si ce genre de raisonnement (quand on en accepte le principe!) peut être fondé avec la famille proche, il perd de sa vigueur quand on frôle le septième degré canonique!

Avec saint Augustin, on ajoute une troisième raison : si les relations sexuelles étaient permises entre parents, comme on voit souvent ses proches, les rapports sexuels seraient trop fréquents. Un argument qui tombe de lui-même quand on parle de mariage et non plus de « fornication ». Quant à la raison sociale – il faut élargir le cercle des relations –, elle est surtout valable pour les grandes familles. Dans la pratique, d'ailleurs, les alliances entre familles régnantes n'ont jamais empêché les guerres, bien au contraire : sans les liens qui se sont tissés entre France et Angleterre, y aurait-il eu une guerre de cent ans? Sans doute l'interdit de consanguinité est-il lié à la politique expansionniste de l'Église : le mariage en effet n'est pas seulement destiné à propager l'espèce humaine, mais aussi à « développer entre les hommes, par la parenté et l'affinité, les sentiments de charité et d'amour [33] ». Mais comme les mariages mixtes, qui constitueraient cependant le meilleur moyen de diffuser la charité chrétienne, continuent à être prohibé, la portée de l'argument est faible.

On peut cependant accepter ce type d'argument pour l'époque des invasions. Les populations christianisées se retrouvaient face à des peuplades germaniques habituées par tradition à se marier dans leur clan. Le leur interdire contribuait à mélanger les races et à fondre les peuples. L'Église a-t-elle fait consciemment ce calcul? Difficile de le dire, mais l'argument resté traditionnel de l'élargissement des relations peut le faire penser. Pour cette époque, on pourrait comprendre tactiquement la définition de ces règles. Cinq siècles plus tard, on accepte moins bien leur nouvelle sévérité.

Non, même en tâchant de respecter la logique de l'époque, on n'entend que de mauvaises raisons pour justifier ces interdits. Régine Pernoud voit dans cette nouvelle réglementation de l'inceste une tentative de déjouer les calculs faits par les petits féodaux pour regrouper leurs terres par des mariages entre proches [35]. Les mariages entre parents pour ne pas morceler un territoire, ou avec des voisins pour l'agrandir, sont des attitudes encore habituelles dans les sociétés de richesse foncière. Peut-être est-ce en effet pour lutter contre cette tendance que l'Église a édicté des lois aussi sévères. Mais l'explication ne peut suffire : d'autres civilisations, surtout dans l'Antiquité, ont connu le même problème sans que les interdits aient été aussi stricts.

Et l'on en vient à penser que leur multiplication, unique dans l'histoire du mariage, arrive au bon moment quand l'Église tente d'imposer cette autre singularité historique qu'est l'indissolubilité. Il était vain, à partir de deux droits, le romain et le germanique, qui acceptaient des formes de divorce ou de répudiation, de vouloir tout de go instaurer une union éternelle. La nullité, et notamment pour consanguinité, était une porte de sortie bienvenue dans la citadelle bien close du mariage chrétien. Inconsciemment, bien sûr, on s'accommodait peut-être très bien de mariages instables, ou que d'habiles généalogistes pouvaient rendre tels... En 1884 déjà, Léon Gautier pressentait que la nullité pouvait être un « rétablissement, canonique et pieux, de l'antique divorce [36] ».

Les réactions de l'Église face à ce remplacement progressif du divorce par l'annulation sont symptomatiques. Au concile de Châlon-sur-Saône, en 813, elle condamne les femmes qui, pour se séparer de leur mari, « ont tenu leurs propres enfants devant l'évêque pour la confirmation » : une parenté spirituelle était ainsi artificiellement créée entre les époux, qui en profitaient pour faire annuler leur mariage (canon 31). Cette astuce sera facilitée par l'absence de registre de baptême : seule la mémoire des curés et de leurs ouailles garde la trace des parrainages et des empêchements qu'ils entraînent.

Aussi les autorités ecclésiastiques finissent-elles par s'inquiéter : « Les efforts du cardinal Ximénès en 1497 pour imposer l'enregistrement des baptêmes, d'abord dans sa propre église, puis dans toute l'Europe occidentale, ont été attribués à son désir " de freiner le scandale croissant des divorces en masse, déguisés en décrets de nullité et prétextant une alliance spirituelle contractée au baptême, soit entre le baptisé et sa parenté, soit entre les parrains et la leur " [37]. » Et c'est au même souci de ne pas multiplier les raisons de séparation qu'il faut attribuer le relâchement progressif de la sévérité catholique en matière d'inceste.

Le système des sept degrés en effet n'eut pas la vie longue : on les réduisit à quatre dès 1215, au quatrième concile de Latran, poussé par « la nécessité pressante et l'utilité évidente [38] ». Et pour rapprocher le mariage de la loi naturelle, invoqua-t-on : celle-ci ne connaît que quatre humeurs et quatre éléments ! Mais cette contrainte déjà lourde resta jusqu'au code de 1917 (canon 1076), qui ramena les degrés prohibés à trois (petits cousins) – ce qui, notons-le, était déjà permis depuis 1537 aux Indiens d'Amérique, puis aux Noirs, pour qui on ne craignait semble-t-il pas une dégénérescence de la race. Le code de Jean-Paul II, en 1983, allège encore cet interdit, mais adopte le système romain : en ligne collatérale, le mariage est invalide jusqu'au quatrième degré – qui correspond au deuxième degré canonique (cousins germains). Des dispenses sont cependant prévues, sauf pour le deuxième degré (mariage entre frères et sœurs) et pour la consanguinité en ligne directe (parents, grands-parents...), qui reste interdite sans limitation de degré [39].

Quant à la loi civile, depuis le décret du 17 mars 1803

recopié dans tous les codes civils jusqu'à nos jours (art. 144), elle prohibe en ligne directe les mariages avec les ascendants et descendants, légitimes ou naturels ; en ligne collatérale, elle se limite aux deuxième et troisième degrés (frère et sœur, oncle et nièce, tante et neveu). Sauf pour les mariages entre frère et sœur ou entre ascendants directs, qui résument aujourd'hui le tabou de l'inceste, des dispenses peuvent être accordées par le président de la République. Ainsi, Marcel Achard pouvait-il se vanter d'être né, en 1899, « par autorisation spéciale du pape et du président de la République ». « Mon père avait épousé la fille de sa sœur, explique-t-il. De sorte que mon grand-père était en même temps mon arrière-grand-père, mon père mon grand-oncle et ma mère ma cousine germaine [40]. » L'affinité n'étant plus prise en compte par le code, Labiche a pu imaginer mieux dans *Les Suites d'un premier lit*. Son personnage, veuf d'une dame largement plus âgée que lui, se retrouve avec une « fille » de son âge. Il convole avec une jeune fille dont le père épousera de son côté cette « fille » d'un premier lit. Les deux jeunes femmes se retrouvent simultanément « mères » et « filles » l'une de l'autre. Quant au protagoniste, sa « fille » est devenue sa belle-mère et sa femme, sa « petite-fille » ! Tout cela dans la plus stricte légalité.

La tolérance actuelle est sans doute due à une tendance plus affirmée à l'exogamie. Mis à part un accroissement des mariages consanguins dans la société rurale au siècle dernier [41], l'évolution s'est surtout faite dans le sens d'un élargissement des unions. Les chemins de fer, puis l'avion, l'urbanisation massive qui multiplie les occasions de rencontre, les amours de vacances, l'émigration, invitent à nouveau au mélange des sangs et des races. Une tendance encore loin d'être générale : en 1976, la distance moyenne qui séparait les futurs mariés était de onze kilomètres. Dans les villes, on continue à épouser sa compagne d'école [42].

Ainsi l'Église a-t-elle dû commencer, au haut Moyen Âge, par balayer devant sa porte les poussières des mariages germains, romains ou juifs qu'y avaient accumulées les siècles. La grande liberté dans le choix du conjoint comme dans la forme du mariage a été bridée ; et le mariage, réduit à un acte simple, trouve son nouveau contenu dans le droit canon du XIIᵉ siècle. Il ne lui reste plus qu'à définir sa forme.

II

Des rites millénaires

En 856, Ethelwolf, roi du Wessex, premier grand royaume de la future Angleterre à même de lutter contre l'invasion danoise, songe à s'allier à Charles le Chauve, roi des Francs, lui aussi en butte aux envahisseurs venus du Nord. Au retour d'un pèlerinage à Rome, il s'arrête à Verberie, près de Senlis, où la cour franque séjourne alors volontiers. Construire l'Europe, alors, c'est sceller des mariages. Le roi saxon demande la main de Judith, fille de Charles le Chauve, et les noces sont officiellement célébrées trois mois plus tard.

Ethelwolf est alors un roi âgé. Il a déjà quatre fils d'un premier mariage avec une certaine Osburga, elle-même encore vivante, croit-on, quand ces secondes noces sont conclues. La princesse franque a treize ans. Autant dire que l'union fait jaser, et inquiète surtout les héritiers du premier lit, peu soucieux de voir s'allonger la liste des candidats à la succession. L'hostilité est ouverte entre les princes saxons et la future reine. L'aîné, Ethelbald, plus âgé que sa future belle-mère, s'empare par anticipation d'une partie des territoires qu'il estime lui être dus, et de retour dans son royaume, Ethelwolf devra les lui céder pour éviter une guerre civile qui affaiblirait son royaume déjà menacé par les Danois.

On comprend que les Francs, qui marient déjà rarement leurs princesses à des dynasties étrangères, aient voulu prendre toutes les précautions pour que l'union soit solide. Et la meilleure précaution est encore la solennité des noces, assorties d'une kyrielle de bénédictions qui seront demandées aux spécialistes, gens d'Église. Traditionnelles, cependant, ces noces célébrées en deux temps : aux « épousailles », conclues

en été, succède un mariage en grande pompe, à Verberie, le
1er octobre 856. L'archevêque Hincmar de Reims, l'autorité
spirituelle la plus importante du territoire franc à cette
époque, dirige la cérémonie; il a sans doute écrit l'*ordo* du
mariage, le texte des différentes bénédictions qui s'y succèdent. Peut-être même représente-t-il le souverain, dont on
ne signale pas expressément la présence à la cérémonie.

Cet « ordre », unique et sans doute exceptionnel dans le
monde carolingien, n'est pas seulement le plus ancien de ces
livres liturgiques ordonnant les cérémonies du mariage, mais
aussi le témoin des concessions faites aux rites des deux
peuples qui s'unissent en la personne de leurs dynasties
régnantes. Pour la première fois, on a un témoignage qui
dépasse la simple bénédiction nuptiale incluse dans une messe
et qui nous décrit, même sommairement, une cérémonie
complète.

Après une exhortation à la fidélité conjugale surtout adres-
sée à la future mariée, viennent une bénédiction des dots, une
autre de l'anneau, une formule d'union et une bénédiction du
couple. Suit un nouveau rite pour le couronnement de la
reine, qui nous concerne moins. La bénédiction de l'anneau
est, pour les spécialistes, une concession à la liturgie anglo-
saxonne. À la même époque, on rencontre effectivement des
formules pour la bénédiction d'un anneau de mariage dans
des rituels insulaires à peine postérieurs au couronnement de
Judith [1]. Partout ailleurs, l'anneau est caractéristique des fiançailles. « Reçois cet anneau, symbole de foi et d'amour, et lien
de l'union conjugale, pour que l'homme ne sépare pas ce qu'a
uni le Dieu qui vit et règne dans tous les siècles de siècles. »
Telle est la première formulation d'un rite devenu aujourd'hui
le plus caractéristique du mariage chrétien. La netteté de sa
formulation et la richesse de son symbolisme invitent à y voir
une réflexion plus ancienne.

En revanche, le couronnement de la reine semble
inconnu des Anglo-Saxons et doit être une concession aux
coutumes franques. Peut-être le rite garantissait-il l'autorité
d'une reine adolescente dont le mariage était contesté par sa
belle-famille et sans doute par l'aristocratie locale. « En effet,
rapporte l'évêque Asserius, principale source contemporaine
du côté saxon, la race des Saxons occidentaux ne souffrait pas
qu'une reine siégeât à côté d'un roi, ni de l'appeler reine, mais
femme du roi. » L'origine de cette opposition, continue cet
évêque de Salisbury, est le souvenir encore vivace d'une reine

qui se fit tellement haïr pour ses méfaits qu'elle fut renvoyée et qu'on décida de ne plus permettre à une reine de partager le trône.

À la mort d'Ethelwolf, en 858, Judith se retrouve reine et veuve à quinze ans... et se réconcilie si bien avec son beau-fils qu'elle devient sa compagne, au grand scandale de l'Église insulaire. Que pouvait faire d'autre cette gamine, reine d'un pays qui lui est resté hostile? Sa seconde union cependant s'attire les foudres divines. À nouveau veuve en 860, elle est rapatriée dans sa famille et confinée au château de Senlis, « sous la protection royale de son père et sous la garde de l'évêque ». L'injonction à la continence qui lui est faite ne trouve qu'un faible écho chez cette double veuve de dix-sept ans : elle se fera enlever par un garde forestier de Flandre, le jeune Baudouin, bientôt appelé Bras-de-Fer. Enlever est un bien grand mot : le frère de Judith (le futur roi Louis) est lui-même au courant. Il ne faut pas songer, cependant, à voir cette troisième union approuvée par le royal père : on tente donc de lui forcer la main par une fuite commune, alors assimilée à un rapt. La faute est alors très grave pour Baudouin, qui risque de se faire excommunier comme « ravisseur de veuve ». Charles le Chauve, après avoir en vain sollicité les foudres de l'Église, finit par accepter le mariage et érige la Flandre en comté pour assurer un établissement convenable à sa fille. La reine d'un des premiers royaumes anglais finit ainsi première comtesse de Flandre [2].

On retrouve dans ces unions successives trois formes d'unions que nous avons déjà rencontrées dans le monde carolingien : le mariage solennel avec accord entre le mari et le père de la future, le concubinage scandaleux et passager pimenté d'inceste, et le mariage par rapt tardivement ratifié par le père. Mais le mariage de Judith nous intéresse surtout parce qu'il s'agit du plus ancien témoignage probant d'un rite demeuré le principal symbole du mariage : l'anneau nuptial.

La bague au doigt

« Ne donne un baiser ma mie – Que la bague au doigt... » La sérénade de Méphisto, dans le *Faust* de Gounod, confirme que l'anneau est devenu synonyme de mariage, au point de porter aujourd'hui un de ses noms : l'alliance. De fait, on le voit très tôt associé, d'une manière ou d'une autre, aux rites nuptiaux. Dans l'Ancien Testament, quand Abraham, devenu vieux, cherche une femme pour son fils Isaac, il envoie le plus ancien de ses serviteurs dans son pays d'origine avec mission d'en ramener une épouse de son clan. Le messager donnera à Rebecca, élue par le Seigneur pour épouser Isaac, un anneau d'or pour son nez et des bracelets pour ses bras (Gn 24 22-47). Ce sont aussi des anneaux et des colliers d'or que Sigurd donne à Brynhilde dans la chanson des Féroé qui nous a conservé la plus ancienne version germanique de l'*Anneau du Nibelung*. Dans le premier cas, il s'agit d'un gage d'alliance remis par un procurateur à la fiancée de son maître; dans le second, d'un « présent du matin » remis comme prix de la virginité. Ce ne sont donc pas des rites nuptiaux en soi, mais l'anneau, dans les deux cas, est étroitement associé au mariage avec d'autres présents. Dans son sens le plus strict, l'alliance est une coutume récente, qui apparaît au IX⁰ siècle et qui dérive sans doute de l'anneau de fiançailles romain. Ni les Juifs, ni les Grecs, ni les Germains n'ont connu ce don d'une bague pour symboliser l'union ou sa promesse.

Faut-il chercher plus loin? Pierre Theil voulait ainsi voir dans l'anneau, qui n'est primitivement remis qu'à la femme, le dernier maillon d'une chaîne par laquelle, au néolithique, l'homme aurait attaché à sa couche la femme enlevée dans un autre clan, pour l'empêcher de s'enfuir [3]. Sans doute est-ce aller un peu loin, même si l'origine légendaire de l'anneau le range bien parmi les entraves. C'est en effet Prométhée qui passait dans l'Antiquité romaine pour l'inventeur des anneaux de fer – ainsi, raconte Pline l'Ancien (XXXVII, 2), interprète-t-on son enchaînement sur le Caucase, où un aigle vient lui dévorer le foie. Après avoir été gracié par Jupiter, il aurait dû garder, en souvenir de son châtiment, un anneau de fer serti d'une pierre du Caucase.

Et c'est bien un anneau de fer qui apparaît pour la première fois dans les rites de fiançailles (et non de mariage) de la Rome antique. Quant à son symbolisme, il ressort clairement du contexte dans lequel on le rencontre chez Plaute (III⁰-II⁰ s. av. J.-C.) et chez Térence (II⁰ s. av. J.-C.) [4]. Dans *Le Soldat fanfaron* de Plaute, un amoureux veut reprendre son amie enlevée par le soldat. Pour que celui-ci la renvoie, on lui fait parvenir un anneau en lui faisant croire qu'il appartient à une femme de qualité amoureuse de lui : appâté par l'espoir d'un mariage flatteur, le fanfaron répudie sa prisonnière. Il s'agit donc d'un « gage d'amour » *(arrabonem amoris)*, envoyé ici par une femme à un homme pour obtenir un rendez-vous, mais qui ne constitue pas en soi un acte solennel de fiançailles. Dans l'*Hécyre* de Térence, l'anneau joue un rôle central : le protagoniste, qui veut, pour garder sa maîtresse, renvoyer une femme qu'on lui a fait épouser, trouve le motif dans un enfant né sans qu'il ait approché son épouse. Celle-ci en effet a été violée peu avant son mariage par un inconnu qui lui a arraché son anneau. Or cet anneau se retrouve au doigt de la maîtresse : le mari, violeur sans le savoir de celle qu'il devait épouser, avait donné à sa maîtresse l'anneau pris à sa victime. Ici non plus, il ne s'agit pas de fiançailles officielles, puisque le jeune homme ne songe jamais à épouser la « courtisane » *(meretricula)* de sa jeunesse, mais l'anneau devient un signe précieux pour identifier le séducteur. La jeune fille violée se plaint d'ailleurs de n'avoir pu arracher à son agresseur un objet qui lui aurait permis de le confondre.

Or, c'est précisément comme signe de reconnaissance que l'anneau est primitivement apparu, s'il faut encore en croire Pline (XXXIII, 11-12). Un anneau d'or était remis aux ambassadeurs pour leurs missions diplomatiques, et leur servait de lettres de créance. Aussi, en privé, ces hauts dignitaires ne portaient-ils que des anneaux de fer, pour bien séparer les affaires d'État des domestiques. Le même anneau de fer est envoyé aux fiancées par leur promis, poursuit Pline, et on peut comprendre qu'il symbolise le domaine domestique auquel elles seront confinées. Entre Térence (IIe s. av. J.-C.) et Pline (Ier s. ap. J.-C.), la coutume s'est ritualisée et a acquis un nouveau symbolisme. Gage d'amour qui permettait de révéler une liaison au grand jour en cas de défection du fiancé, seul moyen pour l'abandonnée de désigner le père de ses enfants, il finit par représenter l'exclusion de la femme de la vie publique.

L'anneau de fiançailles se répand petit à petit dans le monde romain, puis chrétien. Grégoire de Tours le signale au VIe siècle dans des fiançailles germaniques, celles du futur saint Liphard, accompagné d'un autre présent symbolique, celui d'une pantoufle. Mais le même livre ne signale, dans un autre cas, que le don d'une pantoufle : l'anneau n'est donc pas indispensable à la promesse[5]. C'est au mariage de Judith, en 856, qu'apparaît pour la première fois un anneau véritablement de mariage, selon l'usage anglo-saxon, pense dom Ritzer.

Il peut encore s'agir d'un signe de reconnaissance : saint Alexis donne à son épouse sa propre bague avant de l'abandonner vierge. Dans la vieille complainte des « anneaux de

Marianson », l'imprudente qui a confié à un jaloux les anneaux de ses doigts est mise à mort par son mari, qui croit à tort qu'elle a pris un amant. L'anneau sert de « carte d'identité » ; il symbolise la personne autant que le mariage [6]. Mais jusqu'au xve siècle, le flottement subsistera entre anneaux de mariage ou de fiançailles. Dans un rituel de Bâle de 1488, on propose même une remise de l'anneau au mariage, « si l'époux en a apporté un ». Autant dire qu'il n'a rien d'obligatoire! Cette imprécision est grave à une époque où les objets et les personnes peuvent seuls témoigner d'un mariage, en l'absence de registre paroissial. Alors, union légitime ou fiançailles? Selon les régions, constatent les juristes, l'anneau peut faire présumer l'une ou les autres. Ce n'est qu'après le concile de Trente, en 1563, lorsque les fiançailles perdront de leur importance, que l'alliance sera réservée au mariage.

De nombreux symbolismes ont été attachés à l'anneau conjugal. Il s'agit tout d'abord d'un gage de fidélité, et il n'a pas besoin d'être très riche. Mais un gage particulièrement fort, s'il faut en croire la formule utilisée dans le *Ruodlieb*, chanson latine copiée dans la Haute-Bavière au xie siècle. L'époux tire son épée au moment de passer à l'épouse l'anneau nuptial, sur ces paroles : « De la même façon que cet anneau enserre totalement ton doigt, j'enferme ta foi, ferme ou perpétuelle. Tu dois me la conserver ou être décapitée [7]. » L'anneau de la foi est encore proche de la chaîne de l'esclave. Mais lorsque les fiançailles arrhales l'ont emporté sur les fiançailles par simple consentement, dès les premiers siècles de notre ère, on a vu des anneaux plus précieux concurrencer le jonc de fer : l'habitude ne se prend-elle pas, dans plusieurs régions, de les appeler « arrhes », tout simplement? On peut être surpris de trouver dans un rituel de mariage la recommandation de passer les arrhes à l'annulaire, comme à Uzès en 1500, ou à Embrun en 1523...

Aussi voit-on apparaître, chez Tertullien (iie s.), des anneaux d'or, et Honorius « d'Autun », au xiie siècle, témoigne qu'il s'agit désormais de vraies bagues, en or, ornées de pierres précieuses. Ce passionné de symbolisme connaît bien sûr la légende de Prométhée : l'anneau de fer représentait alors la puissance de l'amour, qui vainc tout comme ce métal, et le diamant qu'il y avait encastré signifiait qu'il était infrangible. Mais désormais l'or, qui a la précellence sur tous les métaux, symbolise bien mieux l'affection conjugale *(dilectio)*, tandis que la gemme qui remplace le diamant représente l'amour *(amor)* qui rehausse cette affection. Voilà sans doute une interprétation bien plus poétique que la nécessité de verser des arrhes importantes à sa fiancée [8]! Ce symbolisme du métal le plus pur sera bien ressenti à la fin du Moyen Âge. L'anneau d'or était ainsi refusé à ceux qui avaient souillé le mariage. En signe d'infamie, on mariait avec un anneau de paille ceux qui avaient été condamnés à s'épouser pour avoir pris une avance sur les noces. On les unissait à Paris dans une des plus petites églises, Sainte-Marine [9].

Dès l'époque romane, donc, le prix de l'anneau devient à la taille de l'amour. Dans la *Prise de Cordoue*, une chanson de geste du début du XIIIe siècle, Guibert épouse la belle Agaie avec un anneau de grande valeur :

> « Un anel d'or li met o doi meillor.
> Escrit i sont li nom Nostre Seignor.
> Qui l'ait o lui, ja mar auret paor
> Qu'il soit vencus ne noiés à tail jor [*] [10]. »

La tradition des fiançailles arrhales, surtout en Orient, rend l'anneau précieux surtout pour la femme : au XIe siècle, à Byzance, le fiancé donne un anneau d'or et reçoit un anneau de fer, au mieux d'argent. Le symbolisme est au moins sauf d'un côté [11]!

Le prix des anneaux de fiançailles, puis de mariage, sera bientôt tel que le clergé s'en inquiétera : un manuel de cérémonie parisien datant du XVe siècle devra rappeler que l'anneau se porte sans pierres ni inscriptions [12]. De même, un rituel de Tours, en 1533, précisera : « Cet anneau qu'on bénit doit être blanc, tout rond et d'argent; et il est de l'essence [du sacrement]. Tous les autres anneaux ne sont pas bénis et ils ne sont pas de l'essence du sacrement. » L'effort du clergé pour rendre à l'anneau sa simplicité primitive semble ainsi avoir été vain : si l'on sacrifiait à l'anneau de médiocre valeur exigé par le prêtre, on pouvait offrir à sa femme d'autres anneaux de prix, qui ne seraient pas bénis. Même si le vocabulaire semble confondre l'anneau avec des arrhes, il s'agit bien d'un cadeau, qui n'est jamais imputé sur la dot ou sur la donation [13].

À cette explication « financière » se surimpose peut-être un autre symbolisme : la bague sert aussi de sceau, et l'habitude attestée en Orient de laisser la maîtresse de maison estampiller de son chiffre les objets précieux de son nouveau

---

[*] Les extraits cités en ancien français sont traduits en note.

logis suggère qu'on a pu lui donner officiellement, lors du mariage ou dès les fiançailles, le sceau des affaires domestiques [14]. Un texte de Clément d'Alexandrie semble soutenir cette hypothèse. Se dressant dans *Le Pédagogue* contre l'usage immodéré des bijoux, ce père de l'Église grecque énumère les cas où leur port est permis. Or « notre Pédagogue accorde aux femmes un anneau d'or, mais ce n'est pas pour l'ornement : c'est pour marquer d'un sceau ce qui réclame une surveillance particulière dans la maison et dont on prend soin par la présence au foyer » (1. III, ch. 11). Rien cependant dans ce texte n'identifie ce sceau à l'anneau de mariage, et le témoignage est fort isolé au milieu du nouveau symbolisme qui s'attache chez les auteurs chrétiens à la bague nuptiale.

La richesse exagérée des anneaux d'or et de pierres précieuses entraînera une réaction chez les chrétiens. On reviendra très vite au symbolisme primitif du gage, et en particulier de la fidélité conjugale. L'« anneau de foi », comme on le désigne parfois, est peut-être l'affirmation de sa foi chrétienne, mais il s'agit plus probablement de la foi que se doivent les époux. C'est ce symbolisme de fidélité conjugale a cours depuis Isidore de Séville (VIIᵉ s.) : certaines bénédictions de l'anneau demandent effectivement le secours du Seigneur « pour la sauvegarde de la chasteté », celle de la femme, d'abord, puis celle des deux époux : « qu'il serve à ton serviteur et à ta servante pour garder leur chasteté », dit un pontifical de Saint-Maur-des-Fossés du XIIIᵉ siècle.

De curieuses légendes ont concrétisé ce symbolisme dans la littérature médiévale. À son mariage, Aye d'Avignon, héroïne d'une chanson de geste du XIIᵉ siècle, reçoit ainsi de son époux Garnier un anneau orné d'une pierre magique, venue du paradis terrestre, et qui a la vertu de conserver la virginité à qui la porte. Curieux présent, direz-vous, de la part de quelqu'un qui a précisément le dessein inverse, mais en l'occurrence, il s'agissait d'une sage précaution, puisque, avant qu'il n'arrive à ses fins légitimes, Aye est enlevée et se retrouve bientôt prisonnière du roi sarrasin Ganor. L'anneau de mariage jouera son rôle jusqu'à ce qu'elle soit délivrée par son mari [15].

À partir de ces bagues de virginité, bien attestées en littérature, on peut proposer une autre origine à l'anneau conjugal ou du moins une autre interprétation médiévale à cette coutume antique. Le pouvoir magique attribué aux pierres précieuses a en effet multiplié les anneaux protecteurs, qui garan-

tissent le porteur contre les fièvres, les maux de dents ou les
dangers du voyage. Dans un lai de Marie de France, Yonec,
l'amant enchanté, donne en mourant à son amie un anneau
qui rendra amnésique le mari jaloux. Bague magique autant
que gage d'amour : c'est lui qui scellera le véritable mariage
des deux héros. La dame sera en effet enterrée à côté d'Yonec
et non de son mari légitime. Est-ce une protection contre un
danger spécifique, celui du viol, que le mari appelle sur sa
femme en lui donnant un anneau magique ? Dans la littérature, en tout cas, cette explication est suggérée.

Dans la mentalité populaire, anneau, virginité et sexualité
sont longtemps restés liés. C'est au Moyen Âge que le mot *anel*
(« anneau ») devient synonyme d'*anus* (telle est l'étymologie
du mot, qui apparaît en 1392 dans la littérature médicale). Une
facétie de Pogge (XVᵉ s.) souligne lourdement la symbolique
sexuelle. Elle est surtout connue par Rabelais, qui raconte,
dans le *Tiers Livre*, l'histoire de Hans Carvel : Hans, jaloux
d'une épouse beaucoup plus jeune que lui, rêve que le diable
lui remet un anneau qui lui garantira la fidélité de sa femme
tant qu'il le portera ; il se réveille avec le doigt dans le *comment a nom* ? de la belle endormie. Le ton est celui de bien des
fabliaux médiévaux : ici, trois femmes trouvant un anneau
l'attribuent à celle qui trompera le mieux son mari ; ailleurs,
un anneau « qui faisoit les vis grans et roides » échoit malen-
contreusement à un évêque [16]... L'équivoque reste traditionnelle ; on la retrouve notamment dans une des chansons
érotiques de Béranger où les jeunes vierges attendent impa-
tiemment à chaque refrain « qu'on leur mette, mette, mette, /
Mette le doigt dans cet anneau » (« L'anneau de mariage »).

L'anneau de mariage devient alors le symbole du pouvoir
sexuel que l'homme exerce sur la femme. Aussi le moment où
il est passé au doigt (un geste dont il n'est pas besoin de souligner la métaphore érotique) est-il particulièrement choisi
par les « noueurs d'aiguillettes » pour jeter leurs charmes
d'impuissance. Au XVIIᵉ siècle, les épouses ont ainsi pris l'habitude de laisser tomber l'anneau pour conjurer les maléfices,
au cas où il y aurait de ces sorciers dans l'assemblée. Une pratique suffisamment bien ancrée en France pour être menacée
d'excommunication par une série de rituels, d'Évreux à
Bourges et à Bologne, qui s'échelonnent de 1606 à 1666. Une
des pratiques les plus courantes pour rompre le charme
d'impuissance consistait d'ailleurs, pour les hommes, à uriner
à travers l'anneau nuptial.

De la puissance sexuelle exclusivement réservée au conjoint légitime, on est enfin passé à l'autorité maritale. Dans le folklore du XIXᵉ siècle, le symbolisme est achevé. Dans plusieurs régions, si le mari ne parvient pas à passer l'alliance au-delà de la seconde jointure, c'est que sa femme portera culotte ; s'il l'enfonce facilement jusqu'au bout, il restera maître chez lui. Aussi la femme de caractère, à ses noces, plie-t-elle l'annulaire pour que l'anneau reste bloqué à la seconde phalange. En pays messin, le premier à se relever après l'échange des anneaux dominera l'autre, ce qui transforme les bénédictions nuptiales en curieux exercice de gymnastique. Dans la Somme, c'est le premier qui embrassera le maître autel après cet échange ; en Alsace, il faut parvenir à mettre la main par-dessus celle du conjoint au moment où le prêtre unit les époux [17]. L'anneau à ce moment symbolise une nouvelle étape de la vie, et celui qui affirme le premier sa suprématie entend bien la conserver.

La nouvelle alliance

Quant à la forme de cet anneau, elle a subi de nombreuses variations. Chez les Romains, il s'agit d'un bijou simple, un anneau de fer et sans chaton, le seul par ailleurs qu'on autorise à la fiancée. Il peut tout au plus contenir des inscriptions propitiatoires ou affectives (*amo te, ama me, bonam uitam...*). Mais on trouve déjà dans l'Antiquité des anneaux plus complexes, de type jumelé ou de type *fede*. L'anneau jumelé, symbole par excellence de l'union conjugale, se compose de deux anneaux réunis par un même chaton. Les plus complexes semblent ne constituer qu'une seule bague, qui s'ouvre dans toute sa longueur pour révéler une inscription. Ce type de bague antique se répandra à nouveau au XVIᵉ siècle pour constituer, au temps de Pierre Larousse, la forme la plus courante d'alliance. C'est l'anneau jumelé qui donna d'ailleurs son nom à « l'alliance » : le mot apparaît pour la première fois en 1611 dans le dictionnaire français-anglais de Cotgrave, où il est glosé : « alliances : Gimmoules, or Gimmoule-rings » (anneaux jumelés). Symbole par excellence de l'union conjugale infrangible, il est souvent gravé du commandement divin : « L'homme ne peut rompre ce que Dieu a uni. » C'est l'inscription qui figurait en latin sur la bague de mariage de Martin Luther, et on en a retrouvé de nombreux exemples.

La bague *fede* (de l'italien *mani in fede*, « mains en confiance ») est formée d'un fil d'or terminé par deux mains, qui se joignent pour fermer l'anneau. On rencontre aussi des bagues dont le chaton représente cette union des mains. Ce type antique réapparaît au XIIᵉ siècle et sera largement attesté au Moyen Âge. On y multiplie les inscriptions galantes ou propitiatoires : « Mon cuer avez », « De mamour soyez sure », « Honour et joye »... La plus fréquente est une promesse de fidélité éternelle : « sans decy partir », « sans départir »... L'époque gothique se montre particulièrement fantaisiste sur les bagues et sur leurs inscriptions. On trouve, sur de larges anneaux, des rébus grammaticaux à la mode : « Une fame nominative a fait de moy son datiff par la parole genitive en depit de l'acusatif » (XVᵉ s.). Mais on continue à utiliser des bagues très simples, des anneaux sans pierre ni inscription, ou signalant déjà, comme c'est encore l'usage, le prénom des deux époux : « Lorenço a Lena Lena » (XVᵉ s.).

Du XVIᵉ au XVIIIᵉ siècle, on rencontre des bagues de plus en plus chargées, à tel point que les spécialistes se sont demandé si elles étaient réellement portées ou s'il s'agissait d'un bijou symbolique destiné à rester enfermé. Beaucoup de bagues « à bouquets » (des fleurs gravées le long de l'anneau), des montages de tourterelles se bécotant (avec l'inscription « faisons comme eux »), ou des cœurs joints par un cadenas avec deux clés pendant de part et d'autre... Sur une bague sentimentale du XVIIIᵉ siècle, on trouve quatre cristaux de roches protégeant quatre parquets de cheveux sur lesquels se détachent les lettres LACD (lisez : « elle a cédé ») ; alentour quatre mots forment l'inscription « Amour veille sur elle ». Il est difficile de savoir si de tels échafaudages étaient donnés à la messe nuptiale ou comme présents sentimentaux désacralisés.

On n'est pas au bout des sophistications. À la fin du XVIIIᵉ siècle apparaissent de véritables rébus de joaillerie : les initiales des pierres incrustées dans l'anneau (ou dans les anneaux...) forment en acrostiche le prénom de l'aimée ou un mot d'amour. Ainsi une *A*méthyste, un *D*iamant, une *É*meraude, un *L*apis lazuli, une *É*meraude seront offerts à *Adèle*. On appelle « bagues Arlequin » ces compositions multicolores. En Angleterre il s'agit surtout de *regard-rings* : les sept pierres qui les composent forment en effet par leurs initiales le mot *regard* (« respect ») ou *dearest* (« la plus chère »).

La Révolution aura raison de ces excès. Au cours du XIXᵉ siècle l'alliance se simplifie jusqu'à ce mince fil d'or que

nous connaissons encore. L'usage de plus en plus répandu
d'un anneau d'or a dû contribuer à simplifier la bague : les
fabricants en proposent de dix à vingt-deux carats, parfois pla-
qués, mais le plus souvent massifs, donc minces [18]. Ce modèle
simple a fini par remplacer totalement l'anneau jumelé
d'usage au XIXᵉ siècle. Avec les modèles « jonc » ou « demi-
jonc » aujourd'hui classiques, l'alliance est redevenue anneau ;
elle tend d'ailleurs à se rapprocher de la bague en admettant
de petits diamants, voire des pierres de couleur. Depuis quelques années, les anneaux entrelacés, soudés ou torsadés
reviennent à la mode : le symbole de l'alliance est ainsi revivi-
fié. Le mélange d'ors de différentes couleurs (modèles
« duos ») va dans le même sens. Mais dans l'ensemble, c'est
surtout sur la forme de l'anneau que les créateurs exercent
leur imagination et, malgré les centaines de modèles proposés
aux couples, le type de l'alliance fixé à la fin du XIXᵉ siècle reste
indéracinable. Qu'il suffise d'évoquer, dans un film récent
(*Quatre mariages un enterrement*) la surprise des mariés obligés de chausser des alliances *kitsch* en forme de cœur ou de
tête de mort.

   Pourquoi porte-t-on l'anneau au quatrième doigt? Il s'agit
d'une coutume romaine poétiquement justifiée par Aulu-Gelle
au IIᵉ siècle : un petit nerf relierait directement ce doigt au
cœur et l'on est sûr en le comprimant par un anneau de s'assurer l'amour de la fiancée. Isidore de Séville, le grand encyclo-
pédiste chrétien, répandra cette explication dans tout le
monde occidental – avec une légère nuance : c'est une petite
veine chez lui qui relie le doigt au cœur. C'est l'évêque de
Séville qui nomme également « annulaire » le doigt qui porte
l'anneau. Bientôt, cette explication entrera dans le droit canon
par un décret de Gratien! C'est pour cela que l'anneau symbolise l'union des cœurs, ajoute même le camaldule bolonais et
Guillaume Pérault, à la fin du XIIIᵉ siècle, estime décent de placer l'anneau à l'annulaire « pour montrer que l'amour entre
les époux doit engager leur cœur et pas seulement leur
comportement extérieur [19] ». Cette petite « veine cordiale »,
comme on l'appelait, n'est pas qu'une invention de poète :
toute la médecine médiévale et parfois postérieure y a cru.
Lemne, médecin hollandais du XVIᵉ siècle, soignait ainsi les
« deffaut de cœur » en frottant l'annulaire et l'oreille avec du
safran. Selon lui, ce doigt était le dernier à être atteint par la
goutte « à cause de la voisinance & sympathie qu'il a avec le
cœur ». Mais s'il devenait « glanduleux & enflé », c'est que la
mort était proche.

Le problème, c'est que, au témoignage de Pline (XXXIII, 24), les Gaulois et les Bretons avaient une autre coutume : ils portaient l'anneau au doigt médian. Et les rituels occidentaux ont longuement hésité entre le majeur et l'annulaire, qui avaient chacun leurs farouches défenseurs. D'autres doigts eurent occasionnellement leurs chances : un antique rituel mozarabe fait passer l'anneau à l'index de la femme et à l'auriculaire de l'homme [20]. Depuis le XIIe siècle au moins, on remet l'anneau à l'épouse selon un rite bien particulier. On le passe d'abord à trois doigts de la main droite, en disant au premier « Au nom du Père » ; au second, « Au nom du Fils », et au troisième, « et du Saint-Esprit ». Ensuite, on le laisse au dernier doigt, ou on le passe à un doigt de la main gauche. À quels doigts devait passer l'anneau ? Selon le pontifical d'Avranches (XIIe s.), c'est au pouce, à l'index et au médius. Mais la différence de grosseur devait être gênante. Dans le missel de Rouen (XVe s.), il touche simplement les cinq doigts de la main droite avant d'être passé au médius de la gauche. Lorsqu'on le promène ainsi au nom des trois personnes de la Trinité, l'anneau reste au médius. Mais à partir du XIVe siècle, en Avignon, puis dans le reste de la France, de plus en plus souvent, on le passe ensuite à l'annulaire en concluant la formule par un « amen ». C'est bien évidemment l'influence de la veine cordiale connue par Isidore et Gratien qui s'impose ici.

Les coutumes ont varié également en ce qui concerne la main à laquelle il fallait porter l'anneau. La droite est plus solennelle, et très souvent préférée au Moyen Âge, mais pour le travail manuel, le bijou gêne moins à la gauche. On le confond moins ainsi avec l'anneau des évêques, qui le portent « publiquement » à la main droite en signe de chasteté pleine et entière, quand on ne demande aux époux que la continence. C'est l'explication proposée à ce transfert de la dextre à la senestre. Mais il faut attendre les XVIe-XVIIe siècles pour que cette habitude se généralise [21].

Peu à peu, l'anneau de fiançailles est devenu le symbole par excellence du mariage. Ainsi du mariage mystique entre le martyr et le ciel, dans les vies de saint ; entre l'évêque et l'Église, chez Honorius « d'Autun », ou, depuis le pontifical d'Aix en 1200, des religieuses avec le Christ. L'anneau de sacre des rois de France manifestera encore longtemps leur mariage mystique avec leur peuple. Un anneau jeté dans l'Adriatique concrétise également le mariage entre le doge de Venise et la mer. En 1177, en effet, le pape Alexandre III avait envoyé au

doge Sébastien Zani un anneau d'or accompagné de ces mots :
« Reçois ce gage de ton empire sur la mer ; tous les ans tu
contracteras mariage avec elle, afin que la postérité sache
qu'elle est à toi, et que je consacre ta puissance sur elle
comme celle de l'époux sur l'épouse. » La cérémonie s'est
depuis renouvelée toutes les années à l'Ascension jusqu'à la fin
de la République de Venise [22]. En 1831, sur le même modèle,
Marseille Barthélemy propose de commémorer les fêtes de
juillet (anniversaire de 1789 et de 1830) par un mariage de la
France avec le soleil : un anneau d'or serait accroché à une
montgolfière lancée du Panthéon.

> « Long-temps, on suit des yeux le sphérique symbole,
> Qui noyé dans l'azur, messager triomphal,
> Va porter au soleil notre anneau nuptial [23]. »

Pour toutes ces raisons, on assiste à une sacralisation de
plus en plus accentuée de l'anneau de mariage. Ce présent de
caractère privé est devenu un rite important. Hincmar lui-
même avait donné l'exemple en bénissant l'anneau de Judith –
peut-être parmi les autres cadeaux de noces reçus par la princesse. Cet exemple excepté, il faut attendre le XIe siècle pour
trouver les premières formules de bénédiction. Au XVIe siècle,
l'anneau est remis par le prêtre au mari, qui le passe à sa
femme, et en 1576, au quatrième concile de Milan, saint
Charles Borromée prescrit le silence aux époux pendant la
remise de l'anneau.

C'est à la même époque qu'on prend l'habitude d'échanger les anneaux de mariage. Depuis l'origine, en effet, seule
l'épouse porte la bague au doigt. Sans doute dans certaines
régions, en Espagne notamment depuis le XIe siècle, et en
Pologne depuis le XVe, le mari recevait-il aussi l'anneau. Mais
dans la plus grande partie de l'Europe, l'anneau unique était
de règle. Le rituel de Bordeaux, en 1596, est le premier à prévoir clairement un anneau pour l'époux, coutume qui ne se
généralisera en France que dans la seconde moitié du
XIXe siècle. Il faudra d'ailleurs attendre le nouveau missel de
1969 pour que la liturgie entérine cette habitude [24] .

Le voile de la mariée

Étienne l'Africain, prêtre à Auxerre au VIe siècle, fut
chargé de remanier la vie de saint Amateur, évêque de la ville

au siècle précédent. Pour évoquer le faste de son mariage, il décrit la mariée recouverte du *flammeum*, « selon le rite et la coutume des plus élégants des Romains [25] ». Qu'était ce vêtement « couleur de flamme » ? Un voile rouge-orange, jaune *(luteola)* chez Étienne l'Africain, réservé à la mariée dans l'Antiquité romaine. Dans certaines régions, on le teintait au safran, réputé aphrodisiaque. Il est peu probable que, dans les Gaules chrétiennes du ve siècle, ce voile ait encore été porté, mais la référence chez le prêtre d'Auxerre est caractéristique du prestige que conservaient alors ces noces antiques aux cérémonies très formalistes.

Si le mariage romain était avant tout une affaire de famille, il faisait l'objet de multiples rites et superstitions qui scandalisèrent les premiers chrétiens, mais qui gardaient leur attrait pour un grand nombre de personnes. De la coiffure de la mariée (divisée en six tresses relevées sur la tête) à la façon dont elle devait quitter ses parents (on l'arrachait en larmes aux bras de sa mère, pour simuler un rapt) et entrer chez son mari (portée, pour ne pas toucher le seuil), tout était théâtralisé. Pour une cérémonie aussi conservatrice que le mariage, on comprend l'attrait des mille rites romains et la difficulté de les déraciner. Aussi l'Église se contente-t-elle d'interdire tout ce qui, dans la cérémonie païenne, va à l'encontre de la foi chrétienne.

Plus question bien entendu d'invoquer les cinq dieux protégeant le mariage : Jupiter (gardien des pactes), Junon (déesse du mariage), Vénus (déesse de l'amour), Fides (la Foi déifiée) et Diane (déesse lunaire, protectrice du cycle des femmes et de la maternité). Sans parler des innombrables divinités secondaires qui jalonnent l'itinéraire périlleux de la mariée et dont saint Augustin nous rapporte avec verve la succession : Jugatinus surveille la jonction des mains, Domiducus le cortège vers la maison du mari, Domitius l'installation dans le nouveau logis, Manturna garantit que la femme y restera *(mantare)*... Quant au dépucelage, opération périlleuse pour chaque partenaire, il aura bien besoin de Virginiensis, qui autorise à dénouer la ceinture virginale, de Subigus, qui livre la pucelle effarouchée à son mari, de Prema, qui la contraint à se laisser étreindre, de Pertunda, à qui revient l'opération la plus délicate *(pertundere,* « percer d'outre en outre »), à condition bien sûr que Priape soit au rendez-vous du côté masculin [26].

Pas question de sacrifice, d'examen des entrailles ou du

gâteau d'épeautre que, dans les noces les plus solennelles *(confarreatio)*, on offrait à Jupiter. Le banquet et le cortège nuptial, accompagnés de chants licencieux et de plaisanteries obscènes, étaient trop traditionnels pour être interdits. Jean Damascène met bien les jeunes filles en garde contre ces cortèges nocturnes, aux chants licencieux et aux danses lascives, mais la coutume est encore trop forte pour être éradiquée [27]. Au moins défend-on aux prêtres d'y assister, ce qui les détourne, dans un premier temps, des cérémonies du mariage.

Mais la disposition générale de la cérémonie romaine, qui rappelait par ailleurs certaines traditions juives ou germaniques, fut conservée, et certaines habitudes furent simplement christianisées. Est-ce le cas du *flammeum* ? Les historiens discutent de sa parenté avec le voile qui constitue l'essentiel du rite nuptial dans l'Europe occidentale au haut Moyen Âge et qui a en partie subsisté à notre époque. Le témoignage d'Étienne l'Africain, en tout cas, nous montre que ce voile, quelle que soit son origine, peut être assimilé au vieux *flammeum* romain dans la bonne société du VIᵉ siècle. Il réapparaît, de façon plus ambiguë, dans la *Vie de saint Alexis* [28]. Le voile, qui distinguera par la suite la matrone mariée de la jeune fille en cheveux – symbolisme que l'on retrouve par exemple dans le cycle de la Vierge, qui ne porte de voile qu'après son mariage avec Joseph –, a la même origine pour les mariées et pour les religieuses. Celles-ci, simplement, le conserveront définitivement après leurs noces mystiques.

La principale différence entre le voile chrétien et le *flammeum*, outre sa couleur qui n'est guère précisée dans les textes chrétiens, est son usage liturgique bien particulier. Il n'est pas porté dès le matin des noces par la jeune femme, comme à Rome. Il n'est pas, comme chez les Juifs, conservé jusqu'au lit conjugal, afin que, tel Jacob qui épousa Lia en croyant prendre Rachel, le mari ne découvre que le lendemain des noces l'identité réelle de son épouse. La *uelatio* chrétienne, le recouvrement par un voile, intervient au moment de la bénédiction par le prêtre. Les deux époux sont alors dissimulés sous le même voile, par pudeur, dira-t-on, au moment le plus solennel du mariage. Dans certains rituels, la femme recouvre simplement de son voile les épaules de son mari, pour montrer qu'elle souscrit, bon gré mal gré, aux mots de saint Paul : le mari est la tête de sa femme [29]. Ce voile double, nommé *pallium* (« poêle »), est mentionné pour la première fois à Vérone au IVᵉ siècle et chez Paulin de Nole, témoin des usages romains au Vᵉ siècle.

Cet usage très particulier du « poêle » nuptial le distingue des voiles qui interviennent dans d'autres cérémonies. On l'a cependant rapproché de la *chuppa* juive, une sorte de tente ou de dais dressé dans la maison du marié, où il accueille sa fiancée, et qui symbolise la consommation de l'union. Dans les cérémonies romaines, à certains moments, la jeune fille est aussi amenée à recouvrir son visage de son *flammeum* : peut-être est-ce là qu'a pris naissance la coutume chrétienne de la *uelatio*. Mais le *flammeum* romain comme la *chuppa* juive correspondent à des rites spécifiques fort éloignés de la bénédiction chrétienne [30].

Quoi qu'il en soit de son origine, le rite du voile devient peu à peu spectaculaire. Les époux s'avancent vers l'autel, s'agenouillent, parfois se courbent en posant les mains sur le sol, et on étend sur eux le poêle nuptial. Il ne s'agit pas encore du grand voile de tulle blanc de nos mariées : c'est un « paile de couleur », dit la *Prise de Cordoue*, une chanson de geste où l'archevêque Turpin est amené à bénir le mariage d'Agaie et de Guibert. De quelle couleur ? Pour dom Martene, qui a recueilli les premiers *ordines* de mariage, il ne peut s'agir que d'un drap pourpre évoquant le *flammeum* romain ; rien pourtant ne permet d'être aussi affirmatif [31]. Dans certaines régions, comme en Espagne, on noue alors autour des têtes réunies par le voile un lien symbolique, tressé de rouge et de blanc. Isidore de Séville (VIIe s.) nous en décrypte la signification : il représente l'indissolubilité du lien, à travers la pureté de la vie (blanc) et la postérité née du sang (rouge), interprétation à laquelle Gratien donne force de loi [32].

Ailleurs, comme dans le nord de la France, le poêle est simplement tendu au-dessus des mariés par quatre personnes : il symbolise alors, pour les auteurs chrétiens, le lit nuptial ou la chambre et évoque plus qu'ailleurs la *chuppa* juive [33]. C'est sous ce dais symbolique qu'on place les enfants nés avant le mariage et qui, de ce fait même, sont légitimés. Nous avons vu reconnaître ainsi les enfants de Richard, duc de Normandie. Toutes les coutumes ne sont bien sûr pas aussi tolérantes. « Un bâtard placé sous le poêle en ressort bâtard », dit-on en Angleterre du temps de Robert Grosseteste, évêque de Lincoln de 1235 à 1253. En revanche, Philippe de Beaumanoir, auteur des *Coutumes du Beauvaisis* au XIIIe siècle, et Antoine Loysel, qui publie ses *Institutes coutumières* en 1607, acceptent cette forme de reconnaissance sous le poêle [34]. On aura des témoignages de cette coutume jusqu'à la Révolution. Par la suite, le geste deviendra inutile, l'acte de mariage suffisant à légitimer les enfants d'avant les noces.

Le voile commun aux deux époux disparaît progressivement du mariage à partir du xvie siècle, et surtout après la Révolution. Il semble d'ailleurs qu'il n'ait pas toujours connu la dignité compatible avec une bénédiction solennelle, s'il faut en croire en tout cas les plaisanteries de collégiens que se permettent le roi, la reine et les amis du marié au mariage de Garin et de Mabireite, dans *Doon de Maïence* :

> « Et Turpin l'archevesque lor a messe cantee.
> Quant sous le couvertour l'orent encourtinee,
> Et li Roi la Roïne a par la main combree,
> Dessous la couvertour l'a lès li aclinée.
> Do i maine tantost Flandrine la senée.
> Dessous furent tous sis, par joie et par risée,
> Quant la Beneïchon fu sur Garin jetée [35]. »

Des vestiges de ce poêle resteront dans le folklore jusqu'au xxe siècle, comme cet « abri-fou » que Claude Seignolle a retrouvé dans le Berry ou la « toilette » signalée par Victor Gastebois en Normandie. On pense alors « que l'époux qui avait la plus grande part de la toilette aurait aussi la plus forte part d'autorité dans le ménage [36] ». Émile Chénon, qui écrit en 1912, le signale encore, mais le dit peu répandu.

Seul le voile de la mariée, généralisé depuis longtemps, subsistera avec, vestige discret du double voilement, le baiser échangé sous le tulle au temps fort de la cérémonie. On a invoqué pour expliquer ce passage du poêle commun au voile unique l'influence des vœux prononcés par les religieuses : elles ne pouvaient effectivement en recouvrir leur divin époux. Plus probablement, le rite devint redondant et inutile lorsque l'anneau de mariage fut totalement entré dans les usages. Le voile en effet était lié à la bénédiction. Or celle-ci, qui exigeait la virginité des deux époux, était de ce fait refusée à bien des couples, et en tout cas à tous ceux qui voulaient se remarier après veuvage. Ce rite qui fut durant tout le Moyen Âge le point culminant des noces ne pouvait donc symboliser le mariage aussi complètement que l'anneau [37].

La couronne et autres rites romains

Notre couronne de fleurs d'oranger évoque aussi un des plus vieux rites de mariage. L'Antiquité multipliait les couronnes, de fleurs ou de métal, à toutes les occasions profanes ou liturgiques. Les fleurs ou les feuillages qui les composaient pouvaient avoir une valeur symbolique – comme le laurier pour le triomphe –, voire médicale : aux banquets, les convives se tressaient des couronnes de plantes officinales censées dissiper l'ivresse ou soulager les maux de tête. Des sacrificateurs aux victimes, divers types de couronnes étaient liés à des usages liturgiques. Aussi les couronnes de mariées étaient-elles traditionnelles, mais perdues au milieu d'autres rites quotidiens. La composition pouvait varier, mais il fallait que la future ait cueilli elle-même les fleurs. En Grèce, elle était souvent de myrte, peut-être pour éloigner les mauvais esprits, suggère dom Ritzer. Maintenue ou ressuscitée, cette couronne de myrte signalait toujours au début du xxᵉ siècle la jeune fille qui arrivait vierge au mariage. Elle portait en Allemagne le nom de *Jungfernkranz* [38].

Cet usage, trop teinté de paganisme, devient suspect aux pères de l'Église, qui le condamnent dans un premier temps. La doctrine, pour les cérémonies dont ne s'occupe pas l'Église, comme le mariage primitif, autorise les chrétiens à pratiquer les rites païens qui n'offensent pas la foi. Pas de problème pour l'anneau, dont on retrouve des échos dans l'Ancien Testament, ni pour le banquet des noces, sanctifié par la présence du Christ à Cana. Dans l'autre sens, la question ne se pose pas non plus pour les sacrifices ou pour le gâteau consacré à Jupiter, inadmissibles pour la conscience chrétienne. Mais entre ces extrêmes, la couronne appartient à ces zones floues où l'interdit ne se distingue pas nettement du licite. Beaucoup la ressentent encore comme un usage liturgique. Ainsi, aux iiᵉ-iiiᵉ siècles, Clément d'Alexandrie, Minucius Félix et surtout Tertullien, dans *La couronne du soldat*, s'élèvent-ils contre la couronne : contraire à la nature (peut-on voir et sentir les fleurs dont on garnit ses cheveux ?), elle a été instaurée par le mensonge pour honorer les dieux païens. Or « les noces couronnent les époux, c'est pourquoi nous ne nous unissons pas avec les païens, pour qu'ils ne nous conduisent pas à l'idolâtrie par laquelle, chez eux, débutent les noces ». Les seules couronnes connues des Écritures saintes sont celles

des élus, que l'on recevra dans le ciel selon les promesses de
l'Apocalypse. Pour Clément, « c'est l'homme qu'il faut regarder comme la couronne de la femme, le mariage comme la
couronne de l'homme, et leurs enfants à tous deux comme les
fleurs du mariage [39] ». La gradation est subtile.

Durant les deux premiers siècles, il semble que l'usage de
la couronne soit banni des mariages chrétiens. Mais au début
du IIIe siècle, on sent déjà un combat d'arrière-garde chez Tertullien, que son zèle finira par conduire à l'hérésie montaniste.
Des verres commémorant le mariage et remontant à cette
époque nous montrent, à la place de la Junon traditionnelle, le
Christ couronnant les époux. Comment d'ailleurs aurait-on
condamné un usage qui se retrouve dans l'un et l'autre Testament [40] ? Malgré l'opposition de certains prêtres trop intègres,
donc, la couronne n'est plus assimilée au paganisme. Le plus
souvent, elle est remise par le père de la mariée et peut être
comprise comme un rite civil. Certains, rapporte Tertullien, la
justifiaient comme une coutume détournée de sa signification
originelle : ainsi l'écriture, inventée disait-on par Mercure, ou
la médecine attribuée à Esculape ont-elles perdu leur caractère sacré primitif et sont-elles permises aux chrétiens. L'usage
est d'ailleurs trop bien établi pour être détrôné, surtout en
Orient. Là-bas, des pères comme Grégoire de Nazianze (IVe s.)
tolèrent la couronne, mais trouvent plus décent que le père,
plutôt que le prêtre, la remette. Dans la *Vie de saint Amateur*
où nous avons rencontré le voile romain (VIe s.), elle fait partie
des ornements habituels de la mariée qui lui sont passés par
les habilleuses *(ornatricum)* sans participer à une cérémonie
quelconque. Il s'agit d'ailleurs d'une couronne ornée de tours
(turrita corona) qui fait davantage penser à une couronne de
métal qu'à une guirlande de fleurs [41].

Puisque la couronne est indéracinable, il s'agit de lui donner une interprétation chrétienne. L'Antiquité en avait fait un
symbole de victoire : saint Jean Chrysostome l'interprète donc
comme le triomphe des époux sur les tentations de la chair et
la recommande aux époux chastes, arrivés vierges au mariage,
sans avoir été vaincus par les « prostituées ». Comme ce sont
ces mêmes époux purs qui peuvent recevoir la bénédiction
nuptiale, couronnement et bénédiction sont bientôt associés.
C'est le prêtre alors qui couronne les époux, et la cérémonie
devient rituelle à Constantinople à la fin du IVe siècle. La couronne est alors le principal rite de mariage byzantin, aussi
important que la *velatio* en Occident.

En Occident, en revanche, le couronnement ne sera jamais intégré à la liturgie et, mis à part un témoignage isolé du ixe siècle, il n'apparaît jamais dans les livres sacrés. Mais tous les témoignages littéraires ou artistiques nous montrent des mariées couronnées de fleurs tout le long du Moyen Âge. Il s'agit alors d'un usage purement profane dont ne s'occupent pas les prêtres [42]. La couronne de la mariée n'est jamais oubliée sur les représentations du mariage : couronnes précieuses d'or rehaussées de pierreries dans les mariages mystiques (triptyque des *Sept sacrements* de Roger de la Pasture, *Mariage d'Anne et Joachim* de Van Orley...), couronne de fleurs ou simple ruban dans les mariages rustiques (*Noces villageoises* de Brueghel...). Mais elle est souvent en concurrence avec les coiffes traditionnelles, dont l'échafaudage compliqué supporte mal les couronnes de fleurs. Aussi n'est-elle plus guère portée dans la France moderne. C'est après la Révolution, quand se créent d'autres cérémonies de mariage sous l'influence des modes antiquisantes, qu'elle revient des villes vers les campagnes.

C'est alors que se répandront en France les fleurs d'oranger, blanches pour symboliser la virginité, luxe parisien qui touche lentement la province. Dans un roman publié en 1823, mais dans une scène située en 1805, une jeune aristocrate de province refuse, le jour de ses noces, de porter la robe à la mode, le voile et le « chapeau de fleurs d'orange » qu'on a spécialement fait venir de Paris pour la cérémonie. Elle veut sa coiffe en dentelle et sa robe pré-révolutionnaire, avec un corsage baleiné [43]. La couronne est encore ressentie comme parisienne et luxueuse, et peut-être comme une rupture avec la tradition, chez les nobles mal adaptés au nouveau régime. Il est probable qu'elle fut ressuscitée par la mode antiquisante du Directoire et de l'Empire. Thénardier, dans *Les Misérables*, conservera sous verre une couronne de mariée achetée avec son auberge, pour faire croire que son « monstre » de femme a été épousée vierge, et pour que cette « ombre gracieuse » jetée sur son épouse redonne à sa maison « ce que les Anglais appellent de la respectabilité ».

L'anneau, le voile et la couronne sont les principaux rites qui ont passé de la Rome antique aux sociétés occidentales. Les civilisations antiques ajoutaient de nombreux rites religieux ou superstitieux qui sont vite interdits par les autorités ecclésiastiques. Des cérémonies matrimoniales romaines, on conserve les formes civiles traditionnelles, et en particulier la jonction des mains droites *(dextrarum junctio)*. En l'absence de contrats écrits, coutume orientale qui ne sera introduite qu'au Iᵉʳ siècle à Rome, la jonction des mains est l'élément constitutif du mariage. Attestée chez tous les peuples de la Méditerranée (Grecs, Juifs, Romains...), elle acquiert à Rome une importance capitale, au moins depuis Térence (IIᵉ s. av. J.-C.), qui y fait déjà allusion. Ce n'est pas une cérémonie religieuse : elle est effectuée par la *pronuba*, ou *paranympha*, une femme d'honorable réputation qui sert de « marieuse ». La main droite de l'épouse est placée dans celle de son époux et ils échangent leur consentement, qui seul suffit à accomplir le mariage. Aucun rite formel, en effet, pas même la jonction des mains, n'est obligatoire si le consentement des époux est assuré.

Cette forme de mariage par jonction des mains perdurera pendant tout le Moyen Âge, en concurrence avec la forme germanique de la *traditio*, la « livraison » de l'épouse. Les deux gestes peuvent sembler proches : d'un côté on joint les mains ; de l'autre, le promis prend par le poignet la femme que lui remet le père. Symboliquement, un abîme sépare les deux gestes. Le Moyen Âge connaîtra de grandes fluctuations entre ces deux formes de mariage. De cette antique coutume nous est restée l'expression « mariage de la main gauche » : dans l'Allemagne médiévale, en effet, un prince qui épouse une personne de condition inférieure lui donne la main gauche au lieu de la droite. Les enfants du couple sont légitimes, mais ne succèdent pas aux États de leur père.

Les chrétiens reprendront la cérémonie romaine, quoique certains, comme saint Augustin, ne la jugent pas nécessaire. Il s'agit en effet d'une cérémonie purement civile, de laquelle le prêtre s'exclut le plus souvent. Si l'Église s'est très tôt sentie concernée par les conditions du mariage, elle a tardé à s'impliquer dans sa célébration. Mais cette « jonction des droites » était appuyée par un passage de la Bible alors fort commenté, le mariage de Tobie et de Sara (Tb 7,12). Raguel, père de Sara, prend sa fille par la main et la remet à Tobie : la référence biblique suffit alors à justifier l'usage. Longtemps, ce sera donc le père, selon la coutume juive et germanique, ou une « paranymphe » comme à Rome, qui joindra les mains des jeunes gens. Cette paranymphe typiquement romaine, on en trouve encore mention dans un rituel d'Albi du XIIᵉ siècle. Il est vrai que le sud de la France, bien plus que le nord, conserve alors une large teinture romaine : « que la jeune fille soit livrée à son promis par ses parents les plus proches ou par les paranymphes », y lit-on [44].

Le passage de la jeune fille de la maison de son père à celle de son mari fait dans toutes les civilisations l'objet d'un cortège animé. On lui conservera son nom latin de *deductio* (« conduite »). Les Grecs comme les Romains ont à ce moment conservé des traces symboliques du mariage par rapt – celui des Sabines, dans la mythologie romaine. Ainsi, quoiqu'il ait donné des cadeaux au père de sa future, le fiancé grec doit-il enlever sa femme et la cacher chez une parente, où elle est déguisée en homme. À Rome, les compagnons du marié arrachent l'épousée sanglotante à sa famille pour la conduire dans sa nouvelle maison. La *deductio* est la partie la plus euphorique des noces, accompagnée de chants obscènes et de plaisanteries qui attirent sur elle les foudres des prêtres.

Ce cortège nocturne à la lueur des flambeaux a laissé une trace dans l'iconographie médiévale : la parabole des vierges sages et des vierges folles, souvent représentée sur les voussures des églises, évoque ces jeunes filles chargées de conduire la future à la maison de son époux. Les vierges sages ont acheté de l'huile pour leur lampe, les imprudentes ont oublié et se voient exclues de la noce [45].

Sans doute le cortège nuptial et les rites de passage dans un nouveau foyer ne sont-ils pas passés tels quels au Moyen Âge. Mais certaines coutumes, sans doute revigorées par la *Trauung* germanique qui correspondait à la *deductio* romaine, sont encore signalées par des prêtres horrifiés, comme ce frère Raoul qui transcrit au xive siècle les superstitions allemandes liées au mariage et à la naissance. La femme ne peut ainsi entrer dans la maison de son mari par une porte où serait passé un mort : pendant longtemps encore, dans les régions germaniques, on la fera entrer par la fenêtre. Elle marche ensuite sur le lit, mord dans un bout de fromage et un morceau de pain qu'elle rejette derrière elle pour attirer l'abondance sur le foyer [46]. Ces coutumes populaires, qui effraient les prêtres les plus scrupuleux, passeront peu à peu dans le folklore : elles maintiendront dans la mémoire populaire le souvenir de vieilles conceptions du mariage, où la femme est une étrangère qui doit apprivoiser les divinités de son nouveau foyer. Les folkloristes du xixe siècle se régaleront de ces coutumes locales dont ils cherchent parfois imprudemment l'origine dans leur culture classique. Ainsi se constituent, sur les vestiges de rites anciens revus et corrigés par la symbolique chrétienne ou par la mémoire populaire, de nouvelles traditions nuptiales dont les lambeaux parviendront jusqu'à nous.

III

L'idéal chrétien

Lothaire II, arrière-petit-fils de Charlemagne, n'a pas encore quinze ans lorsque ses parents lui donnent, comme cela semble alors de tradition pour les jeunes gens à la puberté, une concubine, Waldrade. Nous sommes dans les années 850; l'empire, affaibli par les partages, est encore une affaire de famille. Les trois petits-fils de Charlemagne s'y sont taillé leur héritage. En 855, à la mort de Lothaire Ier, son territoire, la Lotharingie, est à nouveau divisé entre ses trois fils. Les grands vassaux, craignant de voir s'effilocher à l'infini les royaumes francs, soutiennent Lothaire dans ses prétentions à agrandir sa part. Le tout jeune roi – il a seize à dix-huit ans – paie leur soutien d'un mariage arrangé avec une jeune fille de bonne noblesse, Theutberge. Pour cela, il doit bien entendu renvoyer sa concubine, ce qui, dans la mentalité germanique, n'a rien de choquant. Et à l'époque, la chrétienté tolère encore ces mœurs chez les rois francs.

Lothaire ne semble pas avoir opposé une vive résistance à ce mariage. Par la suite, cependant, il prétendra avoir épousé Theutberge sous la menace; l'amour (sentimental? charnel?) qu'il porte à Waldrade est par ailleurs universellement reconnu.

Jusqu'ici, rien de bien nouveau par rapport aux mariages carolingiens que nous avons étudiés. Mais les projets ambitieux scellés par cette union échouent; la reine Theutberge, après deux ans de tentatives infructueuses, se révèle stérile; quant à Waldrade, elle règne toujours sur le cœur, sinon sur les sens du roi; peut-être lui a-t-elle déjà donné un des trois enfants qu'elle aura de lui. La situation ne devrait guère poser de problème : Lothaire ne serait pas le premier roi à répudier sa femme pour épouser la mère de ses héritiers. Mais nous ne sommes plus au temps de Charlemagne. L'Église en moins d'un siècle a conforté son pouvoir sur la société et même sur les rois. Et le droit canonique est moins souple que la législation germanique sur la question du mariage. La répudiation n'est pas prévue. Divorcer ? Ce n'est possible qu'en cas d'adultère, et les époux séparés ne peuvent se remarier chacun de leur côté. Mieux vaut tâcher d'annuler le mariage.

Des bruits calomniateurs commencent alors à se répandre sur Theutberge. Avant son mariage, elle aurait eu des relations sexuelles avec son frère, Hubert, abbé de Saint-Maurice-en-Valais. Ils auraient eu recours à des méthodes contraceptives prohibées – le coït *inter femora* –, ce qui n'aurait pas empêché Theutberge de tomber enceinte et de se faire avorter. Inceste au premier degré, accouplements interdits, avortement : le tableau est complet ! L'inceste notamment rendrait le mariage invalide. Le processus semble simple. En 857, Lothaire convoque un tribunal civil pour juger la reine – l'Église n'a toujours pas à se mêler officiellement de mariage. Mais Dieu n'est pas avec le roi. En 858, la reine nie en bloc toutes les accusations portées contre elle et réclame le jugement de Dieu. Son champion sort indemne de la cuve d'eau bouillante où il a été plongé pour l'ordalie. Les grands qui composent le tribunal – parmi lesquels doivent certainement se trouver quelques-uns de ceux qui ont organisé le mariage trois ans plus tôt – refusent de rompre l'union.

Lothaire ne se déclare pas vaincu. Ses vassaux ne le suivent pas ? Il convoquera un tribunal religieux : évêques et abbés dépendent davantage du roi, qui intervient plus ou moins directement dans leur nomination ; ils ont d'ailleurs besoin de son bras pour les protéger des seigneurs prédateurs. La reine, emprisonnée, est confiée à l'archevêque de Cologne, Gunther, qui lui arrache tous les aveux qu'il faut sous le secret de la confession. En 860, tout est prêt pour ce qu'on croit l'acte final. Six prélats locaux se réunissent à Aix-la-Chapelle, et les aveux de la reine, directement ou indirectement, sont révélés.

Les évêques et les abbés rassemblés dans la cité impériale sont mal à l'aise. Devant des accusations aussi précises, ils manquent d'expérience. Que vient-on parler de *coït inter femora* à ces ecclésiastiques qui n'ont jamais approché de femme ? Par la suite, Hincmar, archevêque de Reims, reprochera à Lothaire d'avoir confié la décision à des clercs : seuls des laïcs mariés, selon lui, sont compétents pour trancher en matière de mariage. De fait, les pauvres prêtres doivent-ils quémander auprès du prélat rémois un véritable cours d'éducation sexuelle pour savoir comment fonctionne cette satanique machinerie féminine. La reine a-t-elle pu enfanter si la semence a été versée entre ses cuisses? La matrice, cette petite bête vorace qu'on ne connaît que par ouï-dire, a-t-elle la force d'attirer à elle le sperme dont elle a soif? Et l'archevêque de Reims leur répondra avec l'assurance du spécialiste... en invoquant les Écritures saintes. Non, décidément, le mariage n'est pas une affaire de prêtres.

Indécision manifeste, donc, du concile d'Aix-la-Chapelle. On conseille prudemment au roi de laisser la reine prendre le voile et de garder quant à lui la chasteté. Lothaire s'entête. Et ses héritiers? Un deuxième concile est réuni la même année dans la même ville. Des prélats étrangers, cette fois, y sont conviés, à commencer par Hincmar lui-même. Prudent ou réellement malade, celui-ci décline. On feint de prendre son silence pour un assentiment et on condamne Theutberge à une pénitence publique et à l'emprisonnement dans un monastère. D'annulation, pas un mot.

C'est là que l'affaire s'envenime. Hincmar, dont on a déformé les propos, s'enflamme et pond un lourd traité *Sur le divorce du roi Lothaire et de la reine Theutberge* qui restera une de nos plus précieuses sources d'information sur les origines de cette affaire. Theutberge, qui s'échappe de son monastère, porte l'affaire devant le pape. Lothaire convoque un troisième concile à Aix-la-Chapelle, où huit prélats lorrains confirment la sentence du précédent et permettent enfin le remariage du roi. Lothaire souhaiterait une confirmation du pontife, mais ses ambassadeurs auprès du Saint-Siège sentent la réticence de Nicolas Ier : le roi ne tergiverse plus, il épouse Waldrade, la chère concubine jadis répudiée, et la proclame reine.

Tout aurait pu s'arrêter là sans l'opiniâtreté de Nicolas Ier. Cet homme intègre, qui sera d'ailleurs sanctifié, cherche à dégager l'Église de l'emprise séculière et revendique une autorité que bien peu de papes avant lui ont osé s'octroyer. Manifestement, il veut faire de Lothaire un exemple et profiter de cette affaire pour affirmer son pouvoir. Il convoque à son tour un concile qui se réunit à Metz en 863.

Lothaire du coup change de tactique. Le Saint-Père défend l'indissolubilité du mariage? Parfait. On soutiendra que le roi

était légitimement uni à Waldrade avant d'épouser Theutberge. La seconde union doit donc être annulée. Les légats du
pape, corrompus par le roi, acceptent l'argument, oublient de
lire les lettres de Nicolas Ier, et le concile de Metz ratifie les
précédents. Colère à Rome! Les deux ambassadeurs venus
annoncer au pape les décisions du concile, respectivement
achevêques de Cologne et de Trèves, sont purement et simplement déposés par le pontife. L'affaire prend alors une ampleur
européenne. Les rois de Francie et de Germanie (oncles de
Lothaire), le roi d'Italie (son frère) prennent parti, tantôt pour,
tantôt contre l'annulation du mariage. Dieu semble s'en mêler
lui-même, qui envoie la fièvre au roi d'Italie venu à Rome
troubler la paix pontificale. Quant à Charles le Chauve, roi de
Francie, il guigne la Lotharingie voisine et verrait bien son
neveu mourir sans héritier. Aussi s'oppose-t-il à la dissolution
du mariage avec une reine providentiellement stérile!

Une menace d'excommunication, la pression de ses
royaux oncles, auront raison du jeune Lothaire : en 865, il
reprend Theutberge et livre Waldrade au légat du pape.
« L'Église, commente Robert Parisot, dans la personne de son
chef, triomphait donc et faisait partout reconnaître son autorité, par les rois comme par les métropolitains. En quelques
années de pontificat, Nicolas avait fait faire à la papauté des
progrès tels que ses prédécesseurs n'en avaient pas depuis plusieurs siècles accompli de pareils [1]. »

Victoire fragile, sans doute : Waldrade s'échappe des
mains du légat et retourne en Lorraine; les archevêques déposés rentrent en grâce auprès du roi; Lothaire humilié se
réconcilie avec les rois chrétiens, effrayés du pouvoir que
prend le Saint-Siège... Les ambassades à Rome se multiplient,
et Theutberge elle-même écrit au pape pour obtenir l'annulation de son mariage – la reprise de la vie commune n'avait
sans doute pas été un cadeau. Lothaire d'ailleurs prépare un
nouveau procès et la mort de Nicolas Ier, en 867, porte sur le
trône pontifical un homme plus accommodant, Adrien II. Tout
semble alors rentrer dans l'ordre : le nouveau pontife lève
l'excommunication de Waldrade, accepte de revoir ses positions dans un nouveau concile et permet à Lothaire de se
rendre à Rome pour se justifier de vive voix, ce qu'avait toujours refusé son prédécesseur. Le roi repart « plein de joie » :
sa cause est sur le point de triompher.

Pourquoi faut-il que, sur le chemin du retour, la fièvre
s'abatte sur le roi et sur la plupart des gens de sa suite?

Lothaire meurt en 869; il a trente ans et ses héritiers resteront des bâtards. Ses deux femmes finissent leurs jours dans un monastère. À titre posthume, Nicolas Ier a gagné : l'Église aura eu le dernier mot dans l'affaire Lothaire. Désormais, elle gardera la parole dans toutes les autres.

Virginité et monogamie

Le divorce manqué de Lothaire est un des pivots de l'histoire du mariage, du fait surtout de la personnalité de Nicolas Ier et de Hincmar. L'archevêque de Reims, par les écrits que suscitent ce scandale et d'autres cas similaires, devient un des grands théoriciens carolingiens du mariage, et contribue à accentuer le rôle de l'Église dans cette affaire essentiellement civile. Sans doute la présence de Jésus aux noces de Cana a-t-elle sanctifié le mariage, mais la légende veut, au Moyen Âge, que le marié, un certain Jean, ébranlé par le miracle de l'eau changée en vin, ait immédiatement rompu ses noces pour devenir le disciple préféré... Quant à la mariée, une certaine Madeleine, elle serait de désespoir tombée dans la prostitution. Et à d'autres noces bénies par saint Thomas, les deux mariés choisissent de vivre dans la chasteté parfaite. Voilà qui ne plaide pas pour l'assistance de l'Église aux noces civiles !

De fait, toute la tradition chrétienne primitive s'entend avec saint Paul pour considérer le mariage comme un pis-aller, lorsqu'on ne peut conserver la chasteté et qu'on risque de succomber à la fornication (relations sexuelles hors mariage). « Mieux vaut se marier que brûler » : la célèbre formule de l'Apôtre servira de devise aux théologiens médiévaux du mariage. Mais dans l'échelle des valeurs, la virginité consacrée à Dieu est bien supérieure, ainsi que la continence gardée par les veuves. Dès qu'il y a relation sexuelle, il y a soupçon de plaisir, donc de péché.

Cette conception chrétienne est une révolution dans les sociétés antiques qui faisaient du mariage une obligation morale. Les deux creusets de la civilisation européenne, l'Antiquité romaine et la tradition hébraïque, sont d'accord sur ce point : la loi romaine taxe lourdement les célibataires [2]; quant au talmud juif, dans la droite ligne de l'Ancien Testament, il considère le célibat de l'homme comme un scandale et la stérilité du couple comme une malédiction. Les théologiens chrétiens ont de tout temps revendiqué leur position comme un progrès. Le mariage « de commandement », tel qu'il apparaît dans l'ancienne Loi (le « croissez et multipliez » de la Genèse), n'est plus possible depuis que la terre est suffisamment peuplée. Mais puisque le Christ a racheté l'homme dégradé, celui-ci peut désormais résister au désir sexuel : le célibat est donc permis et devient un moyen pour arriver à la béatitude. Saint Thomas d'Aquin développe la théorie au XIIIe siècle en opposant les lettres de saint Paul au commandement de la Genèse. Quoique de droit naturel, le mariage n'est pas obligatoire, pourvu qu'on lui préfère la vie contemplative [3].

Mais la supériorité de la virginité sur le mariage n'est pas une invention chrétienne. L'originalité de l'Église consiste surtout à avoir élargi à toute une civilisation des tendances philosophiques ou sectaires jusque-là fort limitées. La méfiance face aux tentations de la chair qui prend racine dans la Genèse et les théories platoniciennes sur l'emprisonnement de l'âme dans le corps avaient depuis longtemps nourri, chez les Juifs comme chez les « Gentils », un ascétisme sexuel fort éloigné de leur tradition originelle.

On retrouve surtout cette tendance chez les Juifs hellénisés d'Alexandrie, qui donnent à la religion primitive une teinture platonicienne. Les livres bibliques nés dans ce milieu (comme le livre de la Sagesse) et les philosophes juifs comme Philon d'Alexandrie ont des positions beaucoup plus radicales que celles des rabbins. Luxure et idolâtrie voisinent, dans cette vision pessimiste de la sexualité, et « l'indiscipline sexuelle s'inscrit dans un refus de la transcendance de Dieu [4] ». Le caractère sacré du mariage et sacrilège du divorce est affirmé avec force, et la chasteté devient une valeur positive. De là naît une nouvelle hiérarchie, qu'on trouve développée chez Philon d'Alexandrie, contemporain du Christ. L'acte sexuel, qui « engendre le plaisir physique, principe des iniquités », disqualifie le mariage. Celui-ci n'est plus qu'une « concession », s'il est destiné exclusivement à la perpétuation de l'espèce. Pour Philon, le mariage est contraire à la liberté de l'esprit et incompatible avec la vie mystique : Moïse, affirme-t-il, aurait méprisé les relations sexuelles dès qu'il commença à prêcher. Il est vrai qu'il eut ses premières visions à quatre-vingts ans, ce qui nous rassure sur l'usage antérieur qu'il fit de son mariage. Chez Philon aussi apparaît l'idée d'un « mariage spirituel » de pieuses femmes avec Dieu, mariage dont les enfants sont engendrés dans le ciel et non sur la terre. L'idée fera son chemin chez les chrétiens des premiers siècles. Le mariage dès lors devient une voie moyenne entre la vie contemplative et un célibat dissolu.

Chez les Juifs moins hellénisés, la méfiance devant la sexualité et la littérature apocalyptique avaient aussi fait évoluer les conceptions du mariage. Du IIe siècle avant notre ère au IIe siècle après le Christ, en effet, toute une littérature juive se développe, affirmant l'imminence de la fin des temps – le texte attribué à saint Jean n'est qu'un exemple de ce mouvement apocalyptique. À quoi bon, dès lors, avoir une descendance vouée à la souffrance ? L'Apocalypse d'Élie (2, 30-31) ne plaint-elle pas la femme féconde pour bénir la vierge et la stérile, qui ont enfanté dans les cieux plutôt que sur la terre ? Les apocryphes de l'Ancien Testament fourmillent de malédictions et de bénédictions inversées de ce type. Et cette dévalorisation du mariage se retrouve chez les Esséniens, dont on a pu constater, depuis la découverte en 1947 des manuscrits de la mer Morte, l'influence qu'ils exercèrent sur les idées chrétiennes. Le mariage, pour cette secte opposée au judaïsme officiel, expose au danger de contamination par les Puissances maléfiques et comporte toujours une souillure. Mais le risque trouve sa légitimité dans la multiplication de l'espèce. Ces « moines guerriers » qui se préparent à la lutte finale et imminente entre le Prince de Lumière et l'Ange des Ténèbres ne sont pas des ascètes confits en macérations : ils permettent donc à leurs jeunes gens de se marier, mais, après vingt-cinq ans, quand ils ont rempli leur devoir de procréateurs, ceux-ci doivent rester purs et respecter la continence exigée par Dieu de ses guerriers (Dt 23, 10).

Cette hiérarchie de la fornication au mariage et de la continence à la virginité se transmet au Nouveau Testament et à toute l'histoire de l'Église médiévale. Jésus lui-même semble à première vue un adversaire farouche du mariage : « Les enfants de ce siècle prennent des femmes et des maris ; mais ceux qui seront trouvés dignes d'avoir part au siècle à venir et à la résurrection des morts ne prendront ni femmes ni maris (Lc 20, 34-35). » Le passage parle sans doute de l'au-delà comme d'un endroit où l'on est « comme des anges », sans femme ni mari, et ne peut donc être interprété comme une condamnation du mariage terrestre. Mais, dans la perspective apocalyptique de cette ère nouvelle, bien des néophytes voudraient déjà vivre comme des anges et le mariage doit justifier son existence. Dans la parabole du banquet, auquel les invités se récusent les uns après les autres, tout le Moyen Âge voit le paradis dont s'excluent d'eux-mêmes pécheurs et infidèles. Or, un convive justifie sa défection en disant qu'il vient de se marier (Lc 14, 20) : est-ce à dire que les mariés n'auront pas droit à la félicité éternelle? Faut-il se faire eunuque pour le royaume des cieux (Mt 19, 12)? Et n'est-il pas écrit que les 144 000 élus sont tous vierges (Ap 14, 4)? Les extraits ne manquent pas, dans le Nouveau Testament, pour défendre l'idée que seuls les vierges seront sauvés.

Saint Paul, qui développe des idées sur le mariage que n'abordent pas les quatre Évangiles, dit explicitement « qu'il est bon pour l'homme de ne point toucher de femme ». Mais, « pour éviter l'impudicité », il est permis de prendre femme ou mari ; « je dis cela par condescendance, ajoute-t-il en parlant du devoir conjugal, je n'en fais pas un ordre ». Et après avoir vanté les vierges et les veufs qui savent rester continents comme lui, il précise qu'ils doivent se marier s'ils en sont incapables : « car il vaut mieux se marier que de brûler (1Co 7, 1-9) ». Mais à côté de cette morale austère, l'Apôtre chante aussi la beauté du mariage où l'amour entre l'homme et la femme est l'image de celui entre le Christ et son Église (Eph 5, 22-33). Pendant de nombreux siècles, la lettre aux Corinthiens et celle aux Éphésiens seront tour à tour les étendards des adversaires et des partisans du mariage.

Et les partisans d'une virginité absolue ou au mieux d'un mariage continent seront d'abord les plus nombreux. La virginité symbolise de plus en plus le retour à l'état paradisiaque, l'envol de l'âme, le renoncement à cette chair déchue, pécheresse et mortelle qui nous maintient dans l'esclavage du désir. Les encratites (du grec *egkrateia*, « tempérance ») de Tatien, qui veulent généraliser les prescriptions de l'Évangile; les thérapeutes, qui entendent s'armer de pureté pour la guerre sainte contre le mal; les gnostiques, qui ne veulent pas participer à la perpétuation d'un monde mauvais, créé par un Archonte rebelle; les montanistes, qui croient proche l'âge de l'Esprit et veulent se purifier : il ne manque pas de monde pour s'en prendre au mariage dans les premiers siècles. Encore pourrait-on y ajouter tous ceux qui attaquent par l'autre côté la citadelle matrimoniale : l'union libre et la communauté sexuelle ont leurs partisans chez les carpocratiens ou chez certains gnostiques [5].

C'est entre ces deux extrêmes, mais surtout contre les partisans trop absolus de la virginité, que les premiers chrétiens établissent leur doctrine matrimoniale. Le fait est important, car il va imposer durablement une conception restrictive de la sexualité dans le mariage. Attaquée sur le terrain de la pureté des mœurs, l'Église, dans l'héritage de saint Paul, mettra davantage l'accent sur la vision pessimiste de l'épître aux Corinthiens que sur l'amour conjugal de celle aux Éphésiens. La justification des rapports sexuels dans le mariage se résumera de plus en plus à la génération.

Les exceptions à cette règle austère sont peu nombreuses. Lactance, au début du IVe siècle, voit encore dans le mariage un remède à l'incontinence, ce qui justifie des rapports en dehors même des périodes fécondes, par exemple pendant la grossesse. Saint Jean Chrysostome, à la fin du même siècle, donne même à cet argument la priorité sur le désir de procréation. « Il y a deux raisons à l'institution du mariage : elle est là pour que nous vivions chastement et pour que nous devenions pères », écrit-il. Vivre chastement ne suppose pas la continence, mais une sexualité canalisée par le mariage ; quant à la génération, pour le chrétien, elle peut se faire spirituellement et non plus charnellement. « Aussi, conclut le saint homme, n'y a-t-il qu'une raison de se marier : ne pas commettre la fornication [6]. »

Si la théorie chrétienne du mariage s'était développée sur ces bases, sans doute n'aurait-elle pas connu une telle méfiance vis-à-vis du plaisir, méfiance qui domine sa pensée jusqu'au XIIe siècle et qui la teinte encore largement aujourd'hui. Mais le Saint-Esprit soufflait alors dans un autre sens. L'Église ne peut se montrer moins exigeante que les hérésies qu'elle commence à combattre, ni que la morale païenne, et en particulier stoïcienne, qui n'accepte plus dans le mariage que les rapports féconds. À partir du IIe siècle, une morale sexuelle stricte s'affirme : la procréation seule justifie le mariage, le divorce est exceptionnellement accordé et suppose la continence totale des époux séparés ; l'avortement, la contraception, l'exposition du nouveau-né, l'homosexualité, la prostitution, les relations préconjugales, l'adultère, le rapt, sont vigoureusement condamnés... À partir de saint Jérôme, la hiérarchie des états s'impose définitivement : les vierges, les continents, les mariés. Les vierges sont ceux qui ont fait vœu solennel de virginité : depuis le concile d'Elvire [7], s'ils se marient, ils sont passibles d'excommunication, même à l'article de la mort. Dans le deuxième état, celui des continents, on peut trouver les clercs, les veufs (et surtout les veuves, qui forment presque un ordre à elles seules), ou des époux qui s'abstiennent de relations lorsqu'ils estiment suffisante leur descendance.

Quant au troisième état, celui des époux, il fait l'objet d'un encadrement strict. Les rapports sexuels ne sont justifiés que par le souci de descendance : « S'unir pour une autre raison que la procréation des enfants, c'est faire injure à la nature », estime Clément d'Alexandrie [8]. Et l'image paulinienne du mariage entre le Christ et son Église, au lieu d'inspirer la vision optimiste de l'amour conjugal, aboutit à l'affirmation énergique d'une monogamie stricte. Il n'y a qu'un Dieu et qu'une Église, l'homme ne peut avoir qu'une femme. À ce titre, les plus sévères, comme Tertullien dans sa période montaniste, interdisent formellement le remariage des veufs : « Nous ne connaissons qu'un seul mariage, comme nous n'avons qu'un seul Dieu... Peu importe, en effet, que l'on ait pris deux femmes l'une après l'autre, ou les deux à la fois. Ensemble ou séparés, le nombre des mariages reste le même. » La polygamie (à laquelle est assimilé le remariage) ne peut plus se prévaloir des exemples bibliques. D'une part, parce que les patriarches vivaient à une époque où il fallait peupler la terre sur l'ordre exprès de Dieu. Mais « l'approche de la fin des temps a rendu vain le conseil *Croissez et multipliez* ». D'autre part, parce qu'il s'agit d'une pratique de l'ancienne Loi abolie par la nouvelle : « Tu acceptes la bigamie ? admets aussi la circoncision ; tu gardes l'incirconcision ? tu es tenu à la monogamie [9]. »

La possibilité du remariage des veufs a divisé longuement la communauté chrétienne primitive. Si l'on n'osa jamais l'interdire totalement, on lui refusa longtemps la bénédiction nuptiale et la cérémonie solennelle.

Les trois biens du mariage

C'est dans ce contexte que saint Augustin, aux ive-ve siècles, va définir une conception du mariage qui influence toujours la vision de l'Église catholique. Dans l'œuvre dogmatique et pastorale de l'évêque d'Hippone, ce fut une question capitale, à tel point qu'il fut parfois surnommé le « docteur du mariage chrétien ». L'originalité d'Augustin réside surtout dans la synthèse qu'il réussit entre les courants des quatre premiers siècles à la lumière de son expérience du concubinage et du manichéisme, et à l'occasion de sa lutte contre diverses hérésies (manichéisme, jovinianisme, pélagisme).

Car avant de devenir le plus prolixe et le plus cité des Pères de l'Église, Augustin connut une « jeunesse folle » qu'il nous détaille dans ses *Confessions*. Né à Thagaste (l'actuelle Souk-Ahras, en Algérie) en 354, il monte à Carthage à seize ans, où, en bon provincial, il se laisse séduire par les tentations de la capitale. À dix-sept ans, toujours aux études, il prend une concubine qu'il gardera quatorze ans. Il se dit alors manichéen et sa connaissance interne de la secte lui servira plus tard pour dénoncer les conceptions qu'elle défend sur le mariage. En 383, las des reproches que sa sainte mère Monique ressasse sur sa liaison coupable et sur son adhésion au manichéisme, il quitte l'Afrique pour Rome, puis Milan, où saint Ambroise le convertit en 387. En 391, il devient évêque d'Hippone (l'actuelle Bône, en Algérie), et le restera jusqu'à sa mort en 430. Sa vie et ses écrits sur le mariage sont divisés en trois groupes : le combat contre le manichéisme (387-400), contre le jovinianisme (vers 400) et contre le pélagianisme (412-430).

Les manichéens (disciples de Mani, hérésiarque perse du IIIe siècle) croient au dualisme cosmique : pour eux, deux dieux, deux natures incréées et rivales, s'affrontent depuis l'origine. Le monde est la création de la nature mauvaise, qui a « mangé » la moitié de la nature divine et qui retient sa lumière emprisonnée dans la matière. L'homme retient dans son corps une parcelle de la lumière divine, qu'il transmet à ses descendants, mais dans un nouveau cachot de chair. La génération est donc mauvaise, puisqu'elle retarde la délivrance de la lumière captive dans le corps de l'homme. Les élus qui dirigent la secte pratiquent la continence totale. Mais ils savent que leur vertu ne peut être partagée par tous. Leur principal interdit pour ceux qui ne peuvent renoncer aux relations sexuelles est la génération, donc le mariage, dont le seul but est d'assurer la descendance. Ils prêchent le concubinage et la contraception comme moindre mal, et la continence pour les plus vertueux.

À l'inverse, les disciples de Jovinien s'élèvent contre la hiérarchie traditionnelle de la virginité au mariage. Pour eux, l'une et l'autre sont également porteurs de sainteté. Ce qui est aujourd'hui la doctrine officielle de l'Église [10] entraîne dans ces siècles d'incertitudes de fâcheuses conséquences. Sous l'influence de Jovinien, de nombreuses religieuses, dont la foi apparemment tient plus à la peur de l'au-delà qu'à un profond amour pour le Christ, rompent leurs vœux pour se marier. Si le combat contre Jovinien eut moins d'importance dans l'œuvre d'Augustin, c'est à cette époque qu'il écrivit son principal traité sur le mariage, *De bono coniugali* (« le bien du mariage »).

Pélage, moine anglais qui commence à prêcher en Afrique vers 410, a une doctrine plus optimiste. Il refuse la transmission du péché originel par la génération et croit à la possibilité pour l'homme de parvenir au salut par ses propres forces et son libre arbitre, sans donc le soutien de la grâce divine. Comme la plupart des hérésiarques qui ont alors un grand succès, il prêche essentiellement la continence, mais sa croyance fondamentale en la bonté profonde de la nature, que le péché d'Adam n'a pas réussi à corrompre, tempère d'humanisme cette pureté de mœurs. Ses disciples, et notamment Julien d'Éclane, enseignent que le désir sexuel est un instinct naturel, et donc d'origine divine. Si la virginité et la chasteté restent pour eux au sommet de l'échelle des valeurs, ils considèrent que l'union sexuelle est l'essence même du mariage, qui n'est pas tributaire du péché originel.

On comprend qu'entre des visions trop pessimistes ou trop optimistes du mariage, la marge de manœuvre est étroite. Il faut réévaluer l'union conjugale contre les manichéens sans verser de l'eau au moulin pélagien ni risquer avec Jovinien de troubler la sérénité des vierges consacrées. La position d'Augustin sera particulièrement équilibrée entre ces extrêmes. L'homme est souillé par le péché originel, affirme-t-il avec les manichéens contre les joviniens ; mais le mariage est une institution divine et bonne, ajoute-t-il avec les joviniens contre les manichéens. Le mariage originel paradisiaque, celui d'Adam et d'Ève avant la chute, ne connaissait pas la concupiscence. Si nos premiers parents ont eu des relations sexuelles en Éden – théorie sur laquelle l'avis d'Augustin a beaucoup varié –, elles ne venaient pas de ce désir coupable, incapable alors d'obnubiler la volonté et la raison. L'homme primitif n'était jamais détourné de la contemplation. Après la chute, en revanche, « la concupiscence de la chair elle-même a été viciée ; elle qui se serait déclenchée dans l'obéissance et dans l'ordre, voici que maintenant elle se déclenche dans la désobéissance et le désordre [11] ».

Et puisqu'il faut désormais justifier le mariage, Augustin résume en trois biens la réflexion des premiers Pères à ce sujet. À la fin de son traité « sur le bien du mariage », il les récapitule en trois mots qui structurent jusqu'aujourd'hui la réflexion chrétienne sur la question : *proles, fides, sacramentum* (« la descendance, la fidélité, le sacrement »).

Le premier bien du mariage est sans doute la génération. Sa priorité est alors quasi incontestée. Mais à côté de cette justification traditionnelle, Augustin place la fidélité, c'est-à-dire « l'assistance mutuelle, qui consiste à aider l'autre à porter sa propre faiblesse, parant ainsi au danger de l'incontinence ». Cette fidélité, remède contre la fornication héritée de saint Paul, est la base du fameux « devoir conjugal » que l'on doit rendre pour éviter au conjoint de pécher dans l'adultère. « La femme n'a pas autorité sur son propre corps, disait l'Apôtre, mais c'est le mari ; et pareillement, le mari n'a pas autorité sur son propre corps, mais c'est la femme. Ne vous privez point l'un de l'autre, si ce n'est d'un commun accord et pour un temps, afin de vaquer à la prière ; puis retournez ensemble, de peur que Satan ne vous tente par votre incontinence (1Co 7, 4-5). » Au terme du devoir conjugal, Augustin admet qu'il puisse y avoir des rapports sexuels sans intention d'engendrer. Il s'agit alors d'un petit péché qui peut être lavé par des actes courants comme l'aumône. Encore seul celui qui réclame le devoir conjugal supporte-t-il ce péché : celui qui s'y soumet ne pèche en rien.

Le troisième bien du mariage est le *sacramentum*, qui ne correspond pas au « sacrement » moderne. Le terme, qui traduit le grec *mystêrion* (« mystère »), est emprunté à saint Paul (Eph 5, 32), qui qualifie ainsi le mariage du Christ et de l'Église, concrétisé par le mariage chrétien. Il ne s'agit pas encore d'une participation à la grâce divine grâce à un rite défini au sein d'une série limitée, mais du « signe visible d'une réalité invisible ». C'est par l'amour conjugal que l'homme et la femme mesurent l'amour qui unit le Christ à l'ensemble des chrétiens. On comprend dès lors que la fermeté manifestée de tout temps par l'Église devant le problème du divorce : rompre ce lien qui manifeste celui du Christ et de ses fidèles peut s'assimiler à une apostasie. Comme si on renonçait à Dieu lui-même... Dans la pensée d'Augustin, l'amour conjugal réciproque est le principal bien du mariage ; la procréation n'est qu'une conséquence naturelle de la société conjugale, non un élément consécutif[12]. Par la suite, l'accent sera mis sur la génération et le sacrement, déclarés « biens premiers » du mariage, le soutien contre la fornication n'étant qu'un « bien secondaire ». Secondaire, mais important, puisqu'il interdira, par exemple, d'annuler un mariage stérile (il permet toujours de remplir le devoir conjugal), alors que l'impuissance, qui détruit les trois biens du mariage, pourra devenir une cause d'annulation.

Depuis saint Thomas d'Aquin, ces trois biens, qui avaient servi à réévaluer le mariage, deviennent tout au plus une « excuse » à un état dévalorisé par la sexualité. En dehors de ces trois buts, « l'acte conjugal » est inexcusable ; à l'intérieur même du mariage, une sexualité uniquement axée sur le plaisir (*sola libidinis* et *delectationis causa*), méprisant donc le premier bien, devient un péché mortel [13]. La pensée de saint Augustin n'allait pas aussi loin.

La bénédiction nuptiale

Parmi tous les rites civils que nous avons étudiés, nous avons vu l'Église petit à petit exercer son influence. À l'origine, cependant, c'est elle-même qui se tient à l'écart de ces cérémonies. Le mariage n'est pas affaire de prêtres, répètent les Pères et les premiers conciles. Les premiers déconseillent de s'immiscer dans les discussions préliminaires ; les seconds interdisent de participer aux festins qui les suivent : entre les deux, il y a bien peu de place pour la religion.

L'idéal chrétien primitif, en effet, reste la chasteté et la virginité. Le mariage, moindre mal, semble peu compatible avec l'exigence chrétienne. Saint Jérôme, à la fin du IVe siècle, estime encore indigne des prêtres de prendre un rôle actif dans les noces : « Que celui qui prêche la continence ne suscite pas de noces. Pourquoi forcerait-il une vierge à se marier, celui qui lit dans l'Apôtre que ceux qui ont des femmes doivent se conduire comme s'ils n'en avaient pas [14] ? » Sans doute entend-il par là, comme saint Ambroise et saint Augustin à la même époque, servir d'intermédiaires entre les jeunes chrétiens et leurs parents, parfois païens, pour conclure les accordailles. Il s'agit bien de prudence, dans leur esprit : si par la suite les époux ne s'entendent pas, ils pourraient maudire celui qui les a unis. Cette méfiance, en Occident, va jusqu'à refuser le rôle de tuteur que les évêques orientaux ont accepté pour les jeunes chrétiennes. En l'absence du père, le prêtre peut en effet être choisi pour marier l'orpheline [15].

Dans ces circonstances, on comprend que la bénédiction

nuptiale ne soit pas une des priorités chrétiennes. En fait, elle ne sera véritablement obligatoire en Orient qu'au début du xe siècle, et en Occident, au xvie ! Au iiie siècle, Ignace d'Antioche souhaite que le mariage soit contracté « avec la connaissance de l'évêque », mais il ne convient pas, ajoute-t-il aussitôt, qu'il soit célébré avec son intervention, ni même en sa présence. Clément d'Alexandrie, au début du iiie siècle, juge même que le mariage est sanctifié en soi, et n'a pas besoin d'être purifié comme le mariage grec – il fait ici allusion au bain dans l'eau sacrée des rites nuptiaux grecs.

De rares traces témoignent cependant que les prêtres ne refusent pas de bénir le couple dès les tout premiers siècles. Le texte le plus discuté fut celui de Tertullien, évêque de Carthage à la fin du iie siècle. Dans une lettre à sa femme, il vante la félicité du mariage « que l'Église conseille, que l'oblation confirme, que scelle la bénédiction, que proclament les anges, que le Père ratifie [16] ». Mais cette bénédiction est-elle donnée systématiquement, et notamment au jour de la noce ? La plupart des exégètes estiment que Tertullien parle de l'état de mariage et non de la cérémonie : la vie commune amène les chrétiens à communier et à recevoir ensemble la bénédiction, ce qui ne suppose pas un rite particulier pour le jour de leurs noces. Un tel rite d'ailleurs est difficile à mettre en place dans l'Église persécutée d'avant la paix de Constantin. S'il l'avait été, on ne comprendrait pas pourquoi il aurait disparu, en Afrique du Nord, au temps de saint Augustin. Enfin, le contexte de cette lettre évoque le remariage d'une veuve, auquel tous les écrivains ecclésiastiques refusent alors la bénédiction [17].

Ce n'est donc pas en tant qu'officiants que les prêtres sont invités aux noces, mais en tant qu'hôtes de marque, bergers de la communauté et témoins de confiance. Saint Grégoire de Nazianze (ive s.) s'excuse ainsi de n'avoir pu assister aux noces de sa protégée, où s'est réunie « toute une troupe d'évêques ». S'il s'était agi de présider une cérémonie, un seul prêtre aurait suffi, et son absence aurait empêché son accomplissement. Grégoire n'est qu'un invité, mais privilégié, parmi d'autres. Mais il est présent de cœur, poursuit-il, « et j'unis l'une à l'autre les mains des jeunes époux, et je les unis toutes deux à celle de Dieu [18] ». On comprend que l'autorité spirituelle d'un prêtre l'amène, lorsqu'il est invité à une cérémonie, à la diriger, et à assurer par son intermédiaire la participation divine. Plus que le père terrestre, il représente le Père céleste qui préside à travers lui à l'union sacrée. C'est ce qui a dû amener les premières bénédictions par le prêtre, quand au départ elles sont du ressort du père. Un témoignage savoureux, quoique légendaire, nous confirme cette interprétation.

Une vie de saint Thomas d'origine gnostique met ainsi en scène l'apôtre convié par un roi aux noces de sa fille et prié de bénir la chambre nuptiale. Cet appel de la bénédiction divine sur la fécondité du couple semblait un peu trop direct : ce n'était que cela, et non un sacrement, qui était demandé au prêtre. Saint Thomas, disent ces actes, commença par refuser, mais y fut contraint par le roi, « contre sa volonté ». Le roi dut s'en mordre les doigts : suite à cette bénédiction et à une apparition du Christ, les deux époux décidèrent de vivre ensemble comme frère et sœur !

C'est en effet une bénédiction de la chambre nuptiale (*thalamus*) qui est d'abord attestée dans certaines communautés. En Gaule, la *Vie de saint Amateur* écrite par Étienne l'Africain au VIᵉ siècle contient la description de la première bénédiction, qui se fait bel et bien *in thalamo*. Est-ce pour éviter un contact aussi direct entre le sacré et la sexualité que d'autres communautés tentent d'attirer les mariages à l'église ? À Rome, on connaît ainsi depuis le IVᵉ siècle une bénédiction dans le saint lieu, cette *uelatio* que nous avons étudiée comme le principal rite chrétien du haut Moyen Âge. Une messe nuptiale apparaît à la même époque, et l'on pourrait croire la cérémonie du mariage déjà constituée dès la basse latinité.

Il manque cependant un élément essentiel pour que la cérémonie religieuse soit imposée : sa généralisation. Charlemagne avait bien rendu obligatoire, par un capitulaire de 802, le passage devant un prêtre pour enquête sur les conditions de validité. Mais la bénédiction qu'il semble imposer (*et tunc cum benedictione jungantur*) ne peut devenir une forme légale du mariage tant que les clercs refusent de la donner à tout le monde. Un autre capitulaire est plus explicite : après avoir prescrit l'enquête du prêtre, il appelle à la bénédiction « si la jeune femme est vierge ». Manifestement, l'Église intervient ici en tant qu'état civil, et non pour bénir systématiquement les couples [19].

Dans l'esprit de l'Église, il s'agit en effet d'un privilège qu'elle accorde aux « incorrompus » (*incorrupti*), à tous ceux qui arrivent purs au mariage. Elle est logiquement refusée à ceux qui ont eu des maîtresses ou des concubines, ainsi qu'aux veufs et veuves qui se remarient et aux époux séparés. Elle est également refusée à ceux qui ont rompu leurs fiançailles pour épouser une autre femme. Cela fait beaucoup de monde exclu de la bénédiction nuptiale. Notons qu'aux yeux même de l'Église, les mariages qu'elle n'a pas bénis n'en sont pas moins valides et indissolubles.

La justification de ce refus est théorique et dans la ligne de la « monogamie » prônée par l'Église des origines : de la même façon qu'il n'y a qu'un seul Christ marié à une seule Église, il ne peut y avoir qu'un seul mariage entre chrétiens. Tout autre mariage serait une image imparfaite du mariage mystique entre le Christ et son Église. La bénédiction n'est obligatoire que pour les clercs (qui se doivent donc d'arriver vierges au mariage et ne peuvent se marier qu'une fois). Pour les autres, jusqu'au XIe siècle, il s'agira d'un privilège et non d'un droit, encore moins d'un devoir. En Orient, en revanche, la bénédiction est usuelle depuis la fin du IVe siècle, et obligatoire sous peine de nullité à partir de Léon le Sage, empereur byzantin de 886 à 912 (novelle 89). Elle est alors élargie aux secondes noces, les empereurs eux-mêmes (à commencer par Léon le Sage, marié quatre fois!) donnant l'exemple du remariage.

En Occident, donc, cette bénédiction facultative se situe à deux endroits différents jusqu'à l'époque carolingienne : dans le sanctuaire pour l'église de Rome, dans la chambre nuptiale en Gaule. Cette dernière forme semble avoir beaucoup de succès, et Émile Chénon la rapproche à bon droit de rites antiques, juifs, grecs, romains, germaniques... Mais dès l'époque mérovingienne, des voix commencent à s'élever sur la terre franque pour juger offensante la coutume de leur pays. Saint Césaire d'Arles, par exemple, qui a obtenu la dignité de vicaire du pape en 510, au cours d'un voyage à Rome, combat pour l'introduction en Gaule de l'usage romain. « Il décida que la bénédiction serait donnée aux mariés dans la basilique, avant le troisième jour de leur mariage, à cause de la révérence de la bénédiction », nous dit son biographe Cyprien de Toulon. Au VIIIe siècle, grâce à Pépin le Bref et à son fils Charlemagne, l'usage romain sera imposé en Gaule et la bénédiction de la chambre sera peu à peu abandonnée.

Jusqu'à la fin du Moyen Âge, cependant, elle reste usuelle en France. L'Église ne la condamne pas, à condition qu'elle ne remplace pas la bénédiction à l'église, et qu'elle s'effectue « si le prestre en est requis ». Mais elle n'est facultative qu'en théorie : en 1468, au pays de Josas (Ile-de-France), un jeune marié se verra reprocher de ne l'avoir pas demandée... Il faut dire qu'on justifie le maintien de ce rite primitif par une allusion biblique sanglante : le grand-prêtre Aaron a protégé les enfants d'Israël contre l'ange exterminateur en traçant sur leur porte le tau considéré par les chrétiens comme l'ancêtre de leur signe de croix – ainsi interprétait-on au Moyen Âge la dixième plaie d'Égypte (Ex 12). N'est-il pas criminel de refuser aux enfants à naître la bénédiction du prêtre ? On comprend que la bénédiction *in thalamo*, qui se fait sur la chambre, sur le lit et sur les époux, ait été en usage en France jusqu'à la Révolution. De grands prélats n'hésitent pas à la donner : le cardinal de Bouillon bénit le lit de Mlle de Blois et du prince de Conti ; le cardinal de Coislin, celui du duc de Bourgogne et de la princesse de Savoie [20]... Elle disparaît peu à peu au cours du xixe siècle, et très vite après 1900.

À la fin de l'époque carolingienne, donc, le paysage européen semble s'uniformiser. La bénédiction se fait dans l'église, en même temps que le voilement des époux, selon le rite romain. Mais d'une part, il ne s'agit pas du rite essentiel du mariage : l'union des mains, la remise de l'anneau et de la charte, s'effectuent toujours en dehors de l'église, sous la direction du père de la mariée. D'autre part, l'Église n'a pas renoncé à son intransigeance et les prêtres se plaignent que la messe de mariage avec la bénédiction soit si rare : bien peu en effet arrivent « incorrompus » au mariage, regrette Jonas d'Orléans, mort en 843. Comment dès lors faire respecter le capitulaire de Charlemagne qui, en 802, a rendu théoriquement obligatoire la bénédiction nuptiale ? La contradiction est patente, à l'époque carolingienne qui tente la première législation religieuse sur le mariage. Des prêtres plus complaisants, ou plus compréhensifs, accordent leur bénédiction aux remariés.

Ainsi l'évêque de Tours, Archambault, bénit-il le mariage du roi de France Robert II et de Berthe de Bourgogne, en 997. Tous deux pourtant ont déjà été mariés, Berthe est veuve, Robert séparé de sa première épouse, et ils sont parents au troisième degré ! Il est vrai que le mariage sera annulé par le pape et l'évêque Archambault suspendu de communion jusqu'à satisfaction auprès du pontife. Mais la situation des époux n'avait guère choqué de nombreux prélats invités à la cérémonie. La contradiction est flagrante entre la généralisation du mariage religieux et les conditions draconiennes exigées. Il faudra donner une nouvelle définition du mariage, à l'époque romane, pour tourner la difficulté. Le mariage consi-

déré comme un sacrement, par exemple, donne d'autres justifications à la bénédiction. Comme pour le baptême ou l'ordi-
nation, le sacrement ne peut être renouvelé : on accorde ainsi
la bénédiction à ceux qui arrivent « corrompus » au premier
mariage, ou aux remariés qui ne l'ont pas reçue pour leurs
premières noces, deux cas où les auteurs antérieurs s'étaient
montrés intransigeants [21].

Les nuits de Tobie

Le développement de cette bénédiction nuptiale va avoir
de curieuses conséquences sur les coutumes matrimoniales.
En effet, si l'Église s'est jusque-là montrée très réservée sur sa
participation directe aux noces, c'est en grande partie à cause
du soupçon d'impureté qui pèse toujours sur les relations
sexuelles, même sanctionnées par le mariage. À partir du
moment où Dieu s'y trouve mêlé, par l'appel de sa bénédiction
ou par l'eucharistie, il convient de purifier la cérémonie de
tout caractère sexuel. Le combat mené en France contre la
bénédiction *in thalamo* allait déjà dans ce sens. Plus radicales
sont les trois « nuits de Tobie », qui interdisent purement et
simplement tout commerce conjugal durant les trois nuits qui
suivent la bénédiction. Il s'agit essentiellement d'une tradition
gallicane et wisigothique, attestée en France et en Espagne.
Si l'on s'en tient aux textes, la chasteté des jeunes époux
apparaît à la fin du IVe siècle, dans la Vulgate de saint Jérôme
(395-405) : le traducteur de la Bible privilégie, pour le livre de
Tobie, une « version longue » aujourd'hui perdue et qui
contient cet épisode, ignoré de la traduction grecque des Sep-
tante. Or, c'est exactement à la même époque (398) que le quatrième concile de Carthage demande pour la première fois aux
époux qui ont reçu la bénédiction de rester chastes la première nuit, « par respect pour le sacrement ». La coïncidence
nous frappe, même s'il s'agit de trois nuits dans le texte
biblique, d'une seule dans le texte conciliaire.
Le mariage de Tobie, il faut le dire, est particulier. Les sept
premiers époux de Sara sont morts pendant leur nuit de noce,
avant d'avoir pu la consommer : un démon amoureux de la
jeune épousée les tuait l'un après l'autre. Mais, explique
l'archange Raphaël, « ceux qui conçoivent le mariage de telle
sorte qu'ils excluent Dieu de leur esprit et qui s'abandonnent à
leur désir comme le cheval et le mulet dans lesquels il n'y a

pas d'intelligence, le démon a pouvoir sur eux. Mais toi, quand
tu prendras ta femme, en entrant dans sa chambre, reste
chaste pendant trois jours et ne t'occupe de rien d'autre avec
elle que de prières ». Ainsi fera Tobie : il expliquera à la jeune
épousée qu'ils doivent trois nuits à Dieu « parce que nous
sommes des fils de saints et que nous ne pouvons être unis
comme les nations ignorantes de Dieu »; il brûlera, la première nuit, le foie du poisson capturé avec l'archange pour
éloigner le démon; sera admis, la deuxième, dans la société
des patriarches, et recevra, la troisième, leur bénédiction et
leur promesse d'engendrer des enfants vigoureux [22].

L'interprétation de ce passage est délicate. Surtout depuis
que Saintyves a accumulé des coutumes similaires venues de
tous les coins du globe, d'Amérique en Océanie en passant par
l'Afrique et l'Asie [23]. Il s'agit manifestement d'une croyance
fétichiste symbolisée dans la Bible par le démon jaloux, et
réintégrée dans l'orthodoxie monothéiste par la référence à
Dieu. Les croyances relatives à tout acte initial sont univer-
selles : toute action commencée sous de mauvais auspices ne
pourra apporter les fruits escomptés. Il est naturel que, pour la
première expérience sexuelle, on ait partout voulu mettre
toutes les chances de son côté. Mais s'agit-il d'un rite purifica-
toire avant d'aborder le mariage ? Veut-on lasser les mauvais
esprits qui empêchent les relations conjugales en différant la
première ? Au contraire, s'agit-il d'abandonner les prémisses
de la vierge à un esprit qui jouirait d'un « droit de cuissage »
particulier ? De nombreuses hypothèses ont été avancées, qui
s'appuient sur des exemples venus d'horizons divers. La fréquence du chiffre trois suggère un interdit sacré; dans l'histoire de Tobie, l'aspect fétichiste est atténué et une explication
purement religieuse avancée : le mariage ne doit pas faire
oublier Dieu, et les relations sexuelles trouvent leur justification, après les trois nuits de prières, dans la promesse d'une
descendance.

Pour les chrétiens, dès l'origine, la chasteté temporaire est
recommandée par respect pour le sacrement (l'eucharistie
donnée après certains mariages) et pour la bénédiction. C'est
dans le même esprit que saint Césaire d'Arles, dans sa campagne pour l'introduction en Gaule du rite romain, prône une
bénédiction dans la basilique trois jours avant le mariage « à
cause du respect de la bénédiction [24] » – preuve s'il en était
encore besoin que la bénédiction ne scelle pas le mariage.
Mais peut-être une explication magique circule-t-elle égale-

ment, si l'on peut interpréter comme une « nuit de Tobie » la célèbre nuit de noces de Basine et de Childéric, roi des Francs au Vᵉ siècle. Dans un texte attribué à Frédégaire (VIIᵉ siècle), la nouvelle reine avait exigé de son époux le respect de sa virginité le soir de ses noces, épreuve qui permit au roi d'avoir des visions prophétiques que Basine sut interpréter[25]. Dans les croyances populaires, la nuit de noces est le moment privilégié pour la divination de l'avenir familial, et un pouvoir prophétique a été de tout temps accordé à la virginité. Il est symptomatique, cependant, que l'anecdote, quoique située au Vᵉ siècle, soit née au VIIᵉ, lorsque le clergé tente d'imposer la continence des époux lors de la nuit de noces.

L'usage des trois nuits de chasteté se répand en tout cas aux VIIᵉ-IXᵉ siècles[26], et la référence à Tobie devient alors naturelle. Ainsi, lorsque Saint Louis épouse Marguerite de Provence, en 1234, « à l'essample de Tobie avan que il atoschat à li, si mist à ouroison trois nuiz, et il enseigna a fère ausi, si comme ladicte dame recorda après[27] ». Il faut dire que ce roi de vingt ans épousait une adolescente de treize.

Dans quelle mesure cette prescription était-elle respectée ? Il est difficile de le dire. Mais on sait qu'à partir du XIIᵉ siècle, des dispenses commencent à circuler... et à se vendre. De la même façon qu'on doit racheter à certains seigneurs le « droit de cuissage », le jeune marié achète à l'évêque le droit de toucher sa femme au cours de la nuit de noces. Les tarifs exorbitants que demandent certains prélats finiront par émouvoir les autorités civiles. Du XIVᵉ au XVIᵉ siècle, des édits et des arrêts du Parlement se multiplient pour libérer la France, région par région, de ce qui est devenu une taxe supplémentaire. Après le concile de Trente, ce délai ne constitue plus une obligation, mais un conseil, qui restera dans le missel romain jusqu'en 1962.

Mais dans les mentalités, l'usage met plus de temps à s'effacer. Un peu partout en France, les folkloristes du siècle dernier retrouvent encore des traces des trois nuits de Tobie. Dans certaines régions, elles subsistent toujours lors de la Grande Guerre. Parfois, la jeune mariée doit passer la première nuit avec les garçons ou les demoiselles d'honneur, ou chez ses parents, ou avec ses belles-sœurs. La période de chasteté dure de un à trois jours, parfois jusqu'au dimanche qui suit le mariage, pour que la jeune épousée puisse se montrer une fois encore à l'église avec sa couronne de fleurs blanches. Serait-ce pour cela qu'on se marie volontiers le samedi ? Dans certains cas, même, c'est à la mère du marié de fixer la fin de cette période d'attente. Les raisons invoquées sont alors les plus diverses, et le « respect de la bénédiction » des premiers chrétiens est bien oublié. Certains croient s'assurer ainsi le paradis, d'autres désarmer le diable, sauver des âmes du Purgatoire ou assurer la fécondité de leur couple.

Ainsi, à l'époque où l'Église commence à s'occuper de la célébration du mariage, des rites originaux s'ajoutent à l'héritage païen que nous avons étudié dans le chapitre précédent. Ces rites chrétiens qui commencent à former une petite liturgie du mariage reflètent la hiérarchie désormais traditionnelle entre la fornication, le mariage, la continence et la virginité.

Le mariage canonique
Le Moyen Âge

Un mariage en Normandie
au milieu du XIIᵉ siècle

Le jour de la cérémonie, les fiancés revêtent leurs plus beaux habits – sans pour autant consacrer un vêtement particulier pour leurs noces. La première partie de la cérémonie, qui concerne encore la famille plus que le curé, se passe sur le parvis de l'église. Le prêtre se préoccupe uniquement du respect des conditions canoniques : il vérifie les consentements des deux jeunes gens et l'absence de liens de parenté à un degré dirimant. Mais c'est le père de la fiancée qui donne sa fille au promis. Lui aussi qui unit les deux mains droites des jeunes gens, geste capital de la cérémonie. Le garçon s'engage à prendre pour épouse sa nouvelle compagne.

On lit ensuite la charte de mariage, et le marié donne le treizain à sa femme. L'anneau (unique) est béni par le prêtre et passé par le mari aux trois premiers doigts de la main droite. Il sera laissé au médius. La femme se prosterne alors devant son nouveau seigneur et maître.

La cérémonie religieuse peut alors véritablement commencer. Le prêtre entre dans l'église en chantant le psaume 127, qui bénit l'homme pieux en lui donnant une femme féconde, et les assistants le suivent. Il entonne la messe de la Trinité. À l'offertoire, les époux se présentent à l'autel avec un cierge et s'agenouillent. On étend sur eux le poêle, ce grand voile qui les recouvre durant la bénédiction. Après ce temps fort de la cérémonie religieuse, ils regagnent leur place tandis que le prêtre chante le Pax Domini. *Le marié vient ensuite chercher le baiser de paix que lui donne le prêtre, et le transmet à sa femme. Ils communient sous les deux espèces.*

Le soir, le prêtre viendra bénir la chambre nuptiale [1].

I

Le système féodal

Guerres et alliances se succédaient entre les seigneurs de Guînes et leurs voisins de Bourbourg, entre Calais et Dunkerque. En 1194, le comte Baudouin de Guînes arrange le mariage de son fils Arnaud avec Béatrice de Bourbourg, semblable à Hélène pour la beauté, à Minerve pour la sagesse, à Junon pour la puissance, et surtout, après la mort de son frère, « unique et très juste héritière du château de Bourbourg »... Baudouin est un patriarche imposant – dix enfants légitimes, cinq bâtards nommés, sans compter des fils et des filles « innombrables » dont lui-même a oublié les noms ! Manifestement, dans sa famille et dans son pays, sa volonté tient lieu de loi.

L'union doit se faire, et la volonté du père s'accomplir. C'est lui qui a choisi la fille et discuté la dot : il lui donne en douaire les châteaux d'Ardres et de Colwide avec les territoires qui en dépendent. Toutes les difficultés sont balayées. Qu'importe si lui-même avait épousé, en premières noces, la tante de Béatrice, ce qui crée entre les deux familles une alliance à un degré prohibé. Qu'importe s'il faut rompre pour cela des fiançailles moins intéressantes – le chroniqueur officiel, qui avoue écrire d'après les souvenirs de Baudouin de Guînes, ne sait même plus si la fiancée d'Arnaud s'appelait Eustachia ou Eustochia, c'est la seule trace que la pauvre fille aura laissée dans l'histoire. Qu'importe si le futur semble encore sous le coup d'une excommunication pour avoir détruit un moulin appartenant à une veuve : quoique la sentence ait été prononcée par l'archevêque de Reims, Baudouin de Guînes envoie quérir un de ses prêtres pour certifier qu'elle a été levée. Dans la hâte de conclure le mariage, il demande même que la réponse soit annoncée par les cloches, qui vont plus vite qu'un messager.

Lambert, prêtre à Ardres, entre Guînes et Bourbourg, tardera à apporter la caution de l'Église, arguant des doutes qu'il garde sur la levée de l'excommunication. Colère de Baudouin, qui tempête, menace, traite le prêtre de rebelle en roulant des yeux de braise. Lambert n'a pas le courage d'un saint Germain devant Caribert. Il se précipite à bas de son cheval et tombe aux pieds du seigneur. Les soldats le remettent en selle, flageolant, plus mort que vif, et tentent de calmer le comte. En vain : Baudouin gardera longtemps son ressentiment contre celui qui a osé, pendant deux heures, dresser la barrière de l'Église en travers du mariage de son fils. Pour rentrer dans ses grâces, Lambert écrira la chronique des comtes de Guînes qui nous a conservé cette scène retrouvée par Georges Duby [2].

Manifestement, dans une petite seigneurie des Flandres, l'Église n'a pas son mot à dire dans les mariages seigneuriaux. Alliance à un degré prohibé, rupture de fiançailles, excommunication douteuse, négligence du consentement des époux : Baudouin n'a reculé devant rien. Aussi n'est-on pas étonné de voir ce père à l'ancienne mode procéder lui-même à la cérémonie du mariage. De déplacement à l'église, il n'en est pas dit un mot. La cérémonie se déroulera dans la chambre des époux, et on infligera au prêtre une bénédiction *in thalamo*, quand les jeunes mariés sont déjà installés dans leur lit! Lambert d'Ardres vient avec ses trois fils, eux aussi prêtres – la protection du comte de Guînes permet peut-être au prêtre de mener une vie peu conforme aux nouvelles exigences de l'Église... Ils aspergent les époux, encensent le lit, s'apprêtent à s'en aller. Le comte les retient.

C'est Baudouin de Guînes lui-même, en effet, qui procède à la cérémonie nuptiale : une prière, d'abord, au Dieu qui bénit Abraham, pour qu'il accorde une nombreuse postérité à son fils Arnaud. Puis une bénédiction en bonne et due forme, qui se réfère à l'exemple des patriarches : « À toi aussi, mon fils très cher et premier-né Arnaud, toi que j'aime plus que tous mes autres fils, s'il réside quelque grâce dans la bénédiction d'un père à son fils, s'il m'est resté de mes lointains ancêtres quelque pouvoir et quelque grâce de te bénir, je te confère la même grâce que jadis Dieu le Père a conférée à notre père Abraham, Abraham à son fils Isaac, Isaac à son fils Jacob et à sa descendance. » Après quoi il joint les mains des jeunes gens, et le fils s'incline devant son père au nom de Dieu le Père, pour recevoir la bénédiction solennelle : « Je te bénis, restant sauf le droit de tes frères : si ma bénédiction a quelque pouvoir, je te la donne dans les siècles de siècles. » La cérémonie devait être spectaculaire. Le prêtre lui-même, qui n'y participe qu'en tant que spectateur, parle de noces solennelles, telles que jamais on n'en vit ni n'en verra sur la terre de Guînes.

Avec toutes les irrégularités accumulées pour ces noces précipitées, Arnaud n'avait sans doute pas droit à la bénédiction du prêtre à l'église. Mais rien dans ce mariage ne laisse croire qu'elle ait été demandée, et Lambert d'Ardres ne fait aucun commentaire à ce sujet. Il semble bien, effectivement, que le combat que l'Église mène depuis quatre siècles pour généraliser le rite romain et une discipline plus grande du mariage n'ait guère atteint certaines châtellenies. Les mariages féodaux sont toujours une affaire familiale qui regarde essentiellement les pères et accessoirement les époux.

La transmission du fief

Dans le système féodal, le but du mariage n'est pas de refléter l'union mystique entre le Christ et son Église, mais plus prosaïquement de « préserver... la permanence d'un mode de production [3] ». Les discussions sur les sacrements semblent bien théoriques à une société qui doit avant tout assurer la transmission du fief. Dans la pratique féodale, pour éviter le morcellement à l'infini des terres, on constate souvent que le mariage solennel est réservé à l'aîné des fils : les cadets, s'ils n'entrent pas dans les ordres, sont réduits à des formes moins nobles ou moins durables d'unions. Le concubinage, la prostitution, les amours ancillaires se chargent d'endiguer une sexualité qui ne peut s'épanouir officiellement.

Ainsi se constituent les « bandes de jeunes » étudiées par Georges Duby et par les historiens actuels de la société médiévale. Ce sont des groupes de chevaliers célibataires en quête d'aventures guerrières ou sexuelles, qui parcourent l'Europe ensemble ou séparément, présents à tous les tournois qui leur permettront de se faire remarquer par un seigneur ou par une dame. Ce sont eux qui apparaissent dans les romans courtois du XIIᵉ siècle, les Lancelot ou les Gauvain, que des châtelaines sans défense appellent volontiers à la rescousse, quitte à payer de leur corps le secours attendu. Le but ultime de ces célibataires sans patrimoine est de s'établir auprès d'un seigneur plus puissant ou un roi, qui entretiendra grâce à eux une cour de guerriers aguerris. En récompense de leurs services, ils attendent d'hériter un fief vacant, avec, le cas échéant, la veuve ou la fille unique du défunt, qui leur assurera l'héritage.

La littérature de l'époque est un miroir fidèle de ce système. L'exemple le plus célèbre est *Le Charroi de Nîmes*, chanson de geste de la première moitié du XIIe siècle qui inaugure le cycle de Guillaume d'Orange [4]. Guillaume est un de ces chevaliers sans fief qui gravitent autour de la cour impériale – celle de Louis le Pieux, en l'occurrence, mais décrite comme une cour royale du XIIe siècle. En rentrant de la chasse en compagnie de quarante bacheliers (la « bande de jeunes » qui n'hériteront pas du fief familial), il apprend que l'empereur vient de « fieffer » ses barons, mais l'a oublié. Il se précipite, furieux, au palais pour faire valoir ses droits. Louis tente d'abord de s'en tirer par des promesses : un de ces jours, un des douze pairs va mourir, et il donnera toute sa terre à Guillaume, avec la veuve, « si vous voulez la prendre ». Guillaume n'a pas le temps d'attendre. Louis lui propose alors la succession du comte Foucon, mais Guillaume refuse de spolier les deux enfants qui peuvent hériter de la terre. De même pour le fief d'Auberi de Bourgogne, proposé avec sa « marâtre » Hermensant de Tori, « la meilleure femme qui jamais but du vin ». Lui aussi laisse un fils si jeune qu'il ne peut s'habiller tout seul, et Guillaume refuse encore. Que dirait-il du comte Bérenger ? « Le comte est mort, prenez donc sa femme. » Guillaume alors explose : le comte est mort en sauvant la vie à son roi. Va-t-on accabler sa veuve et son orphelin ? Louis n'a plus qu'à proposer le quart de sa propre terre, ce que ne peut non plus accepter Guillaume, et celui-ci devra se tailler lui-même un fief en terre sarrasine.

Ce long marchandage, qui occupe les sept cent soixante premiers vers de la chanson, sera encore développé dans *Le couronnement Louis*, qui reprend le même thème. Et on trouverait de nombreux exemples analogues dans la littérature médiévale. C'est un épisode du même genre qui est à l'origine de la rébellion des Lorrains, dans un des plus importants cycles épiques de l'époque. Aye d'Avignon, promise depuis longtemps à Bérenger, est donnée en récompense par Charlemagne à Garnier de Nanteuil. Bérenger refuse cette décision et enlève la jeune femme [5].

Retenons-en que les chevaliers sans terres attendent, du

roi qu'ils servent, une femme (orpheline ou veuve) avec un fief comme récompense des services rendus, et que le souverain n'a guère de scrupules à spolier des héritiers sans défense pour donner à ses protégés les fiefs vacants. Ajoutons tout de suite que les veuves, qu'elles aient ou non des enfants, ont intérêt à se remarier rapidement si elles ne veulent voir leurs terres dévastées ou conquises par des seigneurs voisins. Aussi voyons-nous, dans *Gérard de Vienne*, la duchesse de Bourgogne se présenter à la cour : « Mon mari vient de mourir, explique-t-elle : mais à quoi sert le deuil ? C'est la coutume, depuis le temps de Moïse, que les uns meurent et les autres vivent. Trouvez-moi un mari qui soit puissant : car j'en ai bien besoin pour défendre ma terre. » Le roi lui donne sur-le-champ Gérard de Vienne... mais se reprend aussitôt : il trouve la duchesse « gente » et « acesmée » (noble et gracieuse), et préfère la garder pour lui ! D'amour, ici, il n'en est guère question, ni pour le défunt, ni pour le futur. La duchesse sait ce qu'elle veut et ne cherche qu'un époux puissant.

Les orphelines ne sont pas mieux loties. Dans *Le Département des enfans Aimeri*, on voit ainsi la belle Hélissent, fille d'Yon de Gascogne, se présenter au palais de Charlemagne, à Paris. Elle n'y va pas par quatre chemins : « Il y a deux mois que mon père est mort. Je vous demande un mari. » C'est de la même façon, d'ailleurs, que Gui de Nanteuil trouvera sa femme : la belle Aiglentine est allée à la cour de l'empereur « pour mari demander dont ele avoit mestier [*besoin*] ». Le roi joue ainsi le rôle de protecteur naturel des veuves et des orphelins, mais un protecteur qui se résumerait à trouver le mari qui les défendra contre les seigneurs brigands. En l'absence de *mainbour*, de tuteur mâle, mari, père ou frère, c'est le roi qui reprendra le rôle. De fait, lorsque la veuve a encore un frère, c'est à lui de la remarier. Dans *Garin le Lorrain*, Beaudouin de Flandre remarie sa sœur Helissent de Ponthieu après un mois de veuvage. Elle accepte le mari qu'on lui propose et la noce est célébrée sur-le-champ [6]. Cela suppose de la part du roi le droit de remarier les veuves sans soutien – un droit réel, soigneusement réglé par les coutumes, et qui n'apparaît tyrannique que dans les chansons de geste.

Dans le miroir de la littérature épique se reflète donc une conception bien différente du mariage : celle d'une prérogative royale et seigneuriale qui ne tient pas compte du consentement des futurs époux ni d'ailleurs des lois de l'Église. Sans doute est-ce pour cela que la littérature épique, qui doit passer par les clercs pour trouver son support écrit, présente comme une coutume despotique ce droit féodal que l'Église combat alors par la théorie du consensualisme. Dans quelle mesure cette image ambiguë correspond-elle à une réalité historique ?

Le devoir, pour l'héritière d'un fief, de demander le consentement de son suzerain est affirmé dans maintes législations séculières, des *Establissements de Saint Louis* qui contiennent les coutumes de Touraine et d'Anjou, au *Très ancien coutumier de Normandie*. Le pape lui-même, gardien pourtant du consensualisme canonique, use de ce droit dans ses biens temporels ! Innocent III excommunie ainsi Hélène, fille unique de Barisone Ier, juge de Gallura (mort en 1203), pour avoir préféré Lamberto Visconti à Trasmondo de Segni, cousin du pape, qui aurait préféré ce mariage [7]. Malgré tout, ce droit antique tombe en désuétude dans plusieurs coutumes françaises. D'autres en revanche le conserveront au delà du Moyen Âge.

Cecily Clark a étudié ce curieux système à partir d'un « registre des veuves et des orphelins » tenu à la cour d'Angleterre aux environs de 1180. Toutes les femmes sans protection masculine y sont recensées et restent *in donatione Domini Regis* (« à donner selon la volonté du Roi »). Il ne s'agit pas, comme dans le *Charroi de Nîmes*, de spolier les éventuels orphelins. Même si leur héritage est préservé, la femme conserve des biens propres : son propre héritage familial, le cas échéant, sa dot et son douaire, constitué alors de l'usufruit sur le tiers des biens du mari défunt. Cela fait un joli pactole, qui revient tout entier au second mari [8].

Le roi d'Angleterre, intermédiaire obligé pour ces remariages, met alors aux enchères les femmes de son registre. Plutôt que des hommes qui lui assurent le service, comme dans le système féodal primitif conservé dans les chansons de geste, il préfère en effet des espèces sonnantes et trébuchantes, qui lui permettront en cas de guerre de louer des mercenaires... et qui seront entre-temps bien moins lourdes à entretenir ! La femme à marier peut d'ailleurs participer elle-même à ces enchères, si elle veut conserver sa liberté ou se marier à sa guise. On voit ainsi des pères acheter une héritière pour leur fils, un riche parti pour leur fille, ou des veuves racheter au roi le droit de marier elles-mêmes leur fille. Quant aux orphelins, ils sont souvent mariés très jeunes, ce qui, mortalité infantile aidant, laisse parfois des veufs et veuves impubères... Tout cela, bien entendu, au mépris de la législation ecclésiastique.

Ce droit du roi de disposer des terres et du mariage de ses vassaux mineurs est devenu une institution en Angleterre : c'est la *Wardship*, exercée par une juridiction spéciale, la *Court of Wards*. Le roi lui délègue ses pouvoirs de marier les jeunes héritiers ; ce droit est alors vendu aux enchères si l'héritier appartient à la *gentry*, ou attribué au plus proche parent majeur, s'il est *lord*. Il sera exercé jusqu'en 1660, lorsqu'on abolira les tenures féodales. Par la suite, cependant, le roi conservera la prérogative de certains mariages sensibles, pour les favoriser, les imposer ou les empêcher. Les alliances suivent alors les variations de la couronne. Ainsi, on se mariera peu dans l'entourage d'Élisabeth, qui elle-même boude le mariage, tandis que Jacques Ier favorisera les alliances anglo-écossaises [9].

L'exemple inverse, d'un homme marié par décision du roi, est plus rare. Il est évoqué dans une nouvelle de Boccace, où le roi de France donne pour époux, à la jeune rebouteuse qui l'a guéri d'une fistule au sein, le comte Bertrand de Roussillon. Encore la nouvelle comtesse doit-elle ruser pour obtenir l'amour de son époux, et se substituer à une maîtresse pour lui donner des enfants sans qu'il le sache – souvenir lointain de l'*Hécyre* de Térence, ce qui fait penser à une construction littéraire plus qu'à un témoignage sur la société du XIVe siècle. La leçon de l'histoire est ambiguë : l'amour et la beauté ne suffisent pas à vaincre le préjugé nobiliaire, et seule la paternité éveille chez le comte un amour tardif pour sa femme dédaignée. Le conte finit bien, certes, mais le mythe romantique en prend un coup [10].

Ainsi se constitue un système social dont le mariage est un rouage essentiel, dans la transmission du patrimoine et des fiefs. L'union officielle (seule à assurer des héritiers) se limite à un enfant par famille, mais une réserve de célibataires se tient prête, en cas de défaillance ou de mort prématurée : tel est le rôle des ordres sacrés et des bandes de jeunes, où l'on n'hésite pas à aller rechercher le géniteur potentiel qu'on y avait exilé. Le cas le plus spectaculaire est celui de Ramire le Moine, roi d'Aragon pendant trois ans, de 1134 à 1137. Troisième fils de Sanche Ramire, il n'a aucune chance, croit-on, de monter un jour sur le trône. Aussi est-il destiné à l'état monastique. En 1094, année de sa naissance et de la mort de son père, c'est Pierre, l'aîné, qui assure la succession. Il meurt après dix ans de règne, sans descendance ; le second, Alphonse, prend la suite, mais ne laissera pas plus d'héritier après vingt ans de règne. On tire alors Ramire de son couvent avec mission d'assurer la transmission du royaume.

Il ne va pas chercher femme très loin, puisqu'il épouse sa demi-sœur Agnès : sa mère Philippa l'avait eue d'un second mariage, avec Guillaume VII de Poitiers. Le roi-moine lui donne une fille qu'on marie presque au berceau avec Raimond Bérenger II, comte de Barcelone âgé d'une vingtaine d'années... et Ramire, sa mission terminée, regagne son couvent en 1137. Il y mourra en 1154. Cette fin pieuse ne nous permet pas de douter de la foi profonde du roi, plus attaché à la méditation monastique qu'à la vie mondaine de sa cour. Comment expliquer alors ces violations patentes des lois canoniques qu'il accumule en quelques années ? Rupture du vœu de chasteté, inceste au premier degré, mariage d'une fille non nubile... L'addition est lourde. Mais l'intérêt dynastique semble alors plus puissant. L'histoire comme la littérature abondent en exemples d'héritiers forcés par leur entourage ou par leurs sujets de prendre une épouse. Boccace évoque ainsi Gautier, marquis de Saluzzo, que ses sujets poussent à se marier. De guerre lasse, il épouse la première paysanne venue, sans prendre la peine de faire publier des bans, et menacerait de la renvoyer dès le premier enfant, son devoir rempli... si nous n'étions pas dans un conte où l'amour triomphe des conventions sociales[11].

Voilà sans doute la fonction du miroir littéraire dans le système matrimonial bien attesté dans l'histoire. L'assimilation des rois à des tyrans qui spolient les héritiers légitimes pour « caser » leurs hommes, ou les invraisemblances manifestes du conte comique (coup de foudre inattendu, ruses complexes pour donner un héritier à celui qui boude sa femme...), jouent le même rôle dans une littérature à vocation polémique. Il s'agit de dénoncer une situation à laquelle s'opposent désormais le droit canonique et le droit civil, qui redécouvrent dans le droit romain l'échange des consentements entre époux. Les mariages arrangés sont malheureux, à moins de croire encore à ce petit dieu Amour qui viendrait réparer les pots cassés du ménage. La littérature a souvent usé de ces démonstrations par l'absurde.

Dès le XIIe siècle, ces pratiques commencent en effet à indigner les religieux comme les laïcs, et des chartes spécifient, mais de manière individuelle, que telle veuve n'est pas obligée de se remarier ou de racheter le prix de son choix. Chacun peut d'ailleurs constater les résultats désastreux de ces unions arrangées. L'exemple le plus célèbre d'un achat de femme à la couronne d'Angleterre est celui de Bertrade de Montfort, mariée à dix-huit ans à Foulque le Réchin (« le Grognon »), qui en a quarante-cinq et qui a déjà répudié deux femmes. Quatre ans plus tard, Bertrade s'enfuit avec un jeune roi de France, Philippe Ier, ouvrant un des plus durs conflits entre la royauté française et la papauté.

Par la suite, les rois ne feront plus aussi directement les mariages, mais cet ancien droit de regard laissera des traces dans la législation royale. En France, les sujets qui concluent leur union à l'étranger ont besoin de la permission de leur souverain. Même s'il s'agit d'une formalité, ceux-ci se montreront jaloux de leur prérogative en ce domaine, qu'ils affirmeront à l'occasion contre la rote de Rome. Des parents frustrés dans leur désir d'alliance peuvent ainsi faire appel au roi si leur rejeton s'est soustrait à leur autorité en convolant hors royaume [12].

Autre vestige de ce droit régalien : les courtisans demandent toujours au roi la permission de se marier, et les plus nobles familles peuvent voir refusés leurs projets d'alliance. En 1683, Henri III défend aux princes, officiers de la Couronne, ducs, marquis, comtes ou gouverneurs de province, de contracter mariage avec des personnes étrangères sans son consentement exprès et écrit, sous peine de privation de leurs États, titres de leurs dignités et seigneuries. Après 1635, les princes du sang ne pourront plus se marier sans le consentement du roi : l'interdiction faite à la Grande Mademoiselle, cousine de Louis XIV, d'épouser le duc de Lauzun en est un exemple célèbre. L'origine de cette législation est une affaire familiale entre les deux frères ennemis, Louis XIII et Gaston d'Orléans.

Lorsque la Couronne elle-même est menacée, en effet, il faut des mesures plus énergiques. Or, en 1634, après vingt ans de mariage, Louis XIII et Anne d'Autriche n'ont toujours pas d'héritier – Louis XIV naîtra en 1638. Le couple n'a plus guère d'espoir – à la différence de ses proches parents, qui voient la couronne se rapprocher de leur branche. Leurs mariages désormais touchent directement les intérêts de la France. Et précisément, le roi voit d'un mauvais œil le mariage de Gaston d'Orléans avec Marguerite de Lorraine. En 1634, il fait appel devant le Parlement et ce mariage est déclaré nul par arrêt du 4 janvier 1635.

Décision surprenante, puisque la permission d'un frère

n'est pas nécessaire pour se marier! Aussi estime-t-on prudent de faire entériner cet acte par le clergé de France, qui se voit contraint d'élargir le sujet. Les mariages des princes de sang qui peuvent prétendre à la succession de la couronne, « et particulièrement de ceux qui en sont les plus proches et présomptifs héritiers », sont-ils légitimes s'ils sont faits sans le consentement du roi? demande le monarque. À cette question, l'église de Rome aurait sans hésitation répondu oui. L'Église gallicane doit trouver un biais. Aussi l'assemblée du clergé du royaume, dans son procès-verbal du 10 juillet 1635, déclare-t-elle « illégitimes, invalides et nuls » les mariages des héritiers présomptifs de la couronne contractés sans le consentement du roi [13].

Cette position est surtout intéressante à cause de la raison invoquée par le clergé français pour la justifier : « les coustumes des Estats peuvent faire que les mariages soient nuls, et non valablement contractez, quand elles sont raisonnables, anciennes, affermies par une prescription légitime, et autorisées par l'Église ». C'est donner au pouvoir civil une autorité en matière d'empêchements que Rome lui a toujours déniée : le gallicanisme fait un pas supplémentaire dans la reconnaissance d'un pouvoir religieux dégagé de celui de Rome. Gaston d'Orléans finira par se réconcilier avec son frère et son mariage sera réhabilité. Mais le pouvoir royal sur les mariages princiers en sortira conforté.

En Angleterre, un édit équivalent sera pris en 1772, et ne sera pas sans influence sur les scandales matrimoniaux de la couronne britannique. L'aristocratie, et particulièrement la noblesse de cour, s'est depuis l'origine difficilement pliée à la législation ecclésiastique en matière de mariage. Si les conflits ouverts sont assez rares, les tensions et les pressions seront permanentes entre pouvoirs civil et ecclésiastique. Deux conceptions du mariage s'opposent ici : l'alliance entre familles et ce « grand mystère » qui doit refléter l'amour du Christ pour son Église. On comprend que l'aristocratie ait exprimé sa méfiance face à l'amour, qu'elle tente dès le Moyen Âge d'exclure du mariage pour le confiner dans un badinage courtois.

La hantise de l'amour

Malgré le taux élevé de mortalité à une époque guerrière, bon nombre de cadets en attente de succession devront faire tapisserie. S'ils ont été pris en charge par un monastère ou ont pris possession d'un bénéfice ecclésiastique, pas de problème. Mais pour ceux qui ne se sentent pas la vocation de la chasteté, il faut endiguer d'une autre façon la sexualité débridée, donc dangereuse, qui risque d'envahir les cours seigneuriales. Ce sera la fonction de l'amour courtois, qui se développe à la même époque.

On a beaucoup écrit sur cette nouvelle conception des relations entre l'homme et la femme qui se répand en Occident à partir du XIIe siècle. Étudié au départ à travers des témoignages littéraires par des spécialistes de la littérature médiévale, il apparaissait comme une revanche de la femme sur la misogynie des clercs. Si le sort de la femme, au XIIe siècle, n'est pas le pire qu'elle ait connu dans les sociétés occidentales, il est loin cependant d'être enviable, et ce n'est guère l'amour courtois qui contribuera à l'améliorer. Tout au plus, directement ou à travers le culte marial qui se ravive à son contact, cette nouvelle sensibilité améliore-t-elle l'image de la femme, qui de dangereuse séductrice devient, dans certains contextes, idéal inaccessible. Les historiens contemporains, à la suite de Georges Duby, ont proposé une lecture plus sociologique du phénomène.

À côté du mariage chargé d'assurer la descendance, il y avait une forme de sexualité libre réservée aux jeunes chevaliers célibataires : le *donoi*, ou *donoiement* (dérivés de *domina*, « dame »), que l'on pourrait traduire par « flirt » ou « amourette ». Ainsi, quand le roi Arthur arrive avec sa suite au château défendu par Yvain dans la forêt de Brocéliande, quatre-vingt-dix jeunes filles s'offrent à distraire les invités.

> « Li uns a l'autre se donoient,
> que d'autres i ot tel nonante
> que aucune i ot bele, et gente,
> et noble, et cointe, et preuz, et sage,
> gentix dame, et de haut parage ;
> si s'il porront molt solacier,
> et d'acoler, et de beisier,
> et de parler, et de veoir,
> et de delez eles seoir,
> itant en orent il au mains [14]. »

De tels châteaux, où les filles sont prêtes à accueillir les troupes de chevaliers, ne sont pas rares dans les romans courtois. Dans *Perceval*, Gauvain cherche aventure dans un tel pays où un enchantement maintient enfermés des orphelines sans maris et des valets qui ne peuvent être adoubés. Mais l'aventure passagère attend aussi le galant solitaire accueilli dans des châteaux tenus par des veuves ou des filles seules. D'elles-mêmes elles se glissent dans le lit de l'invité, en pleurant et en protestant de leur vertu, dans *Perceval*, ou en s'abritant derrière une coutume qui leur interdit d'héberger des chevaliers sans partager leur couche, dans *Lancelot*. Quand elles tombent sur un galant Gauvain, elles sont bien reçues. Mais il n'en va pas de même avec un Perceval, qui préserve inconsciemment sa vertu pour sa quête du Graal, ou sur un Lancelot, tout occupé par l'amour de la reine Guenièvre. Chrétien de Troyes en profite d'ailleurs pour teinter ces scènes d'un érotisme malicieux et plein d'humour.

Car entre le « donoi » et le « mariage », il y a la voie moyenne : l'amour. Les théoriciens de l'amour courtois sont formels : il ne peut y avoir d'amour dans le mariage. Et la littérature ne manque pas de mettre ces préceptes en pratique. L'amour matrimonial apparaît comme une catastrophe pour un chevalier. Lorsque Gauvain retrouve Yvain marié à Laudine, il veut l'emmener avec lui vers d'autres aventures et s'indigne de son refus :

> « Comant ! seroiz vos or de çax,
> ce disoit mes sire Gauvains,
> Qui por leur fames valent mains ?
> Honiz soit de sainte Marie
> qui por anpirier se marie !
> Amander doit de bele dame
> qui l'a a amie ou a fame,
> que n'est puis droiz que ele l'aint
> que ses los et ses pris remaint [15]. »

L'amour conjugal a d'ailleurs son martyr dans la littérature courtoise : il s'agit d'Érec, héros de Chrétien de Troyes qui s'est encroûté dans le mariage. Ses amis le blâment de ne plus participer à aucun tournoi, et Énide finit par se faire l'écho de ces plaintes : bien mal lui en prend, puisqu'elle est condamnée désormais à le suivre sans rien dire dans toutes ses aventures [16].

Cette opposition entre mariage et amour n'est pas seulement un thème littéraire : les théoriciens la commentent longuement. Le droit canon, à travers Pierre Lombard, connaît deux raisons honorables de se marier *(causes finales)* : la procréation (but du mariage avant le péché originel) et la prévention de la fornication (nouveau but apparu après la chute). Ce sont précisément les deux premiers biens du mariage selon saint Augustin. Tout aussi honnêtes, enchaîne Pierre Lombard, la réconciliation avec des ennemis et l'établissement de la paix. Il se montre ici sensible aux nécessités du monde féodal. Moins honorables, en revanche : l'acquisition de richesse et « la beauté de l'homme ou de la femme, qui pousse souvent les âmes enflammées d'amour à se marier pour qu'elles puissent accomplir leur désir [17] ». Moins honorables, et à peine légitimes : en bon juriste, Pierre Lombard doit démontrer que les mariages d'amour sont valides. Le mariage vient du consentement, dit-il, « quand bien même l'amour y aurait poussé ». Pour preuve : Jacob aimait Rachel, et leur mariage était valide!

Jean Chrysostome n'avait-il pas démontré que la beauté était bien moins importante que l'assortiment des caractères dans le développement de « l'affection conjugale »? Il faut aimer sa femme comme le Christ a aimé son Église, disait saint Paul. Et le Christ n'a-t-il pas épousé une femme laide, vieille et souillée (la Synagogue), qu'il a rajeunie et embellie par son amour (l'Église) [18]? Ainsi se créent les clichés : l'amour-passion, né de la beauté extérieure, est nécessairement transitoire; l'affection conjugale doit naître (après le mariage) d'un accord plus profond entre les caractères. L'ambiguïté des mots invite à la méfiance, quand les auteurs chrétiens parlent d'amour.

Plus catégoriques, parce que portant moins à conséquence, les traités d'amour courtois comme le *De amore* d'André le Chapelain, conçu dans l'entourage du roi Philippe II, entre 1186 et 1190. « L'amour ne peut développer ses formes entre deux conjoints, explique celui-ci, car les amants se font mutuellement largesse de tout, gratuitement, sans raison de nécessité, alors que les conjoints sont par devoir tenus d'obéir à leur volonté mutuelle et à ne se refuser en rien. » Comme on ne peut forcer quelqu'un à nous aimer, le fameux « devoir conjugal » est contraire à l'amour. Le raisonnement est spécieux, mais éloquent. En outre, aimer sa femme pousse à des excès charnels auxquels succombent plus difficilement ceux qui ne vivent pas ensemble. On reconnaît le thème courtois d'*Érec et Énide* mêlé au souvenir chrétien de l'adultère conjugal (« il est adultère, celui qui aime trop sa femme », disait saint Jérôme).

Quant au médecin, il inclut froidement l'amour parmi les maladies pour lesquelles il propose les plus surprenants remèdes. Le thème, qui vient de l'Antiquité par l'intermédiaire des Arabes [19], est introduit dans la médecine occidentale au XIIIe siècle, à l'époque donc où la littérature et les clercs tendent à dissocier amour et mariage. On cherche des définitions scientifiques : l'amour est « un intense désir accompagné d'une grande concupiscence et du tourment des pensées ». On décrit les symptômes : tristesse, passage constant du rire aux larmes ; soupirs ; altération du pouls ; amaigrissement ; visage jaune ; enfoncement et sécheresse des yeux ; battement continuel des paupières... On épilogue sur les causes : un surplus d'humeur qui cherche à s'épancher par le coït, la contemplation de la beauté qui engendre une maladie de l'âme, l'erreur de la faculté estimative, elle-même maîtresse de l'imaginative, qui porte à exagérer les mérites de l'être aimé... Surtout, on cherche des remèdes, en pillant les *Remèdes à l'amour* d'Ovide : activité, travail, chasse, jeux, voyages. On conseille également le vin, le voyage à Paris où l'on peut s'étourdir de plaisirs, le dénigrement de la femme aimée par de vieilles médisantes, une vie sexuelle dissipée (pour ne pas tomber de Charybde en Scylla et remplacer un amour par un autre)... Pierre d'Espagne proposait de son côté des remèdes à mi-chemin entre la conjuration et la plaisanterie de collégien, comme de placer dans les chausses de l'amant des excréments de son amoureuse. Dès qu'il les enfilera, l'amour s'évanouira, promet-il.

Cette maladie, par confusion entre *erôs* et *hérôs*, sera joliment appelée « amour héroïque ». Tous les livres de médecine médiévaux lui consacrent un chapitre ; Arnaud de Villeneuve écrira même un *De amore heroico*. Pour les médecins, freudiens avant la lettre, il s'agit surtout d'un danger pour l'homme qui ne peut assouvir ses pulsions sexuelles à cause d'un amour impossible. Il n'est guère question dans leur esprit d'interdire l'amour conjugal, cette « affection » raisonnable bien éloignée de la « passion » torride du parfait amant. Le premier remède qu'ils proposent à « l'amour héroïque » est le mariage. Singulière ironie, de se marier pour guérir de la maladie d'amour !

Cela posé, même si l'amour n'est pas pour les juristes une cause avouable de mariage, il n'est pas interdit d'aimer sa femme, et il finit bien par éclore dans la longue cohabitation des époux. Partager le lit et la table de la même personne pendant des années crée un sentiment profond qui mérite le respect. Le bouillant Baudouin de Guînes que nous avons vu en *paterfamilias* sans états d'âme lorsqu'il s'agit de donner à son fil aîné un parti intéressant, avait lui aussi été marié par son père à une femme remarquable surtout par sa fécondité : en quinze ans de mariage, elle lui donna dix enfants viables. Cela n'empêche pas les sentiments : à la mort de sa femme, Baudouin tombe malade de désespoir, à tel point que les médecins le croient perdu – tous leurs remèdes à l'amour semblent inefficaces.... S'il est de bon ton de nier ou de négliger l'amour dans le mariage, les faits sont parfois plus éloquents que les traités doctrinaux [20].

Dans les textes, l'amour fait tout aussi mauvais ménage avec le « donoi », cette forme intermédiaire de sexualité sociale. Il est mal vu de s'amouracher d'une femme qui risque de monopoliser un amant apprécié. Un lai de Marie de France évoque ainsi une scène de galanterie organisée par la reine, qui vient avec trente jeunes filles retrouver des chevaliers qui se délassent dans un champ – le « donoi » assuré aux jeunes cadets éloignés du mariage. Mais Lanval, secrètement épris d'une fée, repousse la reine qui lui propose crûment sa « drüerie » (amitié amoureuse). Pour réfuter l'accusation de préférer les valets aux dames, il doit avouer son amour et tombe dans le piège de la reine. La même aventure arrive dans la *Châtelaine de Vergy* au chevalier qui, lors d'une fête importante, refuse pour des amours secrètes la duchesse de Bourgogne, ainsi que dans le *Lai de Graelent* ou dans celui de *Guingamor*... C'est un des leitmotive de la littérature courtoise. Si l'adultère est toujours officiellement condamné et la femme punie pour avoir par jalousie détruit un amour, le blâme atteint également celui qui refuse de partager la joie commune dans un bal ou une partie champêtre, et qui ne se prête pas à la galanterie papillonnante de son âge.

L'amour, banni du mariage et du « donoi », est donc canalisé par la courtoisie, sa seule porte officielle de sortie. Le schéma est immuable : un chevalier (célibataire) aime à la folie une dame inaccessible par sa haute noblesse et accomplit de multiples prouesses pour avoir l'honneur de porter ses couleurs. Les exemples célèbres ne manquent pas sur lesquels modeler sa conduite : Tristan et Yseut, femme de son suzerain le roi Marc ; Lancelot et la reine Guenièvre, femme du roi

Arthur... Il n'est pas question, du moins officiellement, de sexualité entre les amants. Si, au XIIe siècle, Lancelot et Tristan passent entre les mailles de la morale et obtiennent les dernières faveurs de leurs amies, le filet se resserre dès que l'amour courtois est théorisé dans de gros traités.

Pour Georges Duby, l'amour courtois ainsi conçu devient un « jeu éducatif » qui apprend à dominer la peur (le danger des lourdes peines prévues pour les adultères) et à dominer son corps (ses instincts sexuels). Plus qu'une promotion féminine, il s'agit de dompter l'homme pour lui apprendre à mieux servir. Les rapports entre la dame et son chevalier servant sont calqués sur les obligations vassaliques. Celles-ci sont inculquées en douceur aux jeunes gens par l'épouse même du suzerain. Les valeurs essentielles du bon soldat s'imposent tout naturellement à travers un divertissement plaisant : fidélité, humilité, courage, oubli de soi, dévotion totale à une maîtresse, puis à un maître. Cette littérature amorale contre laquelle fulmineront bien des gens d'Église maintient cependant une morale matrimoniale pragmatique : l'acte adultère est condamné, le courage récompensé, la fidélité reconnue [21].

Dot ou douaire ?

Voilà donc nos cadets casés dans de longues salles d'attente qui évitent de morceler les terres à l'infini. Quant aux filles, il faut éviter qu'elles n'amputent elles aussi l'héritage familial. Dans la plupart des pays de droit coutumier, en effet, elles peuvent hériter du fief et le transmettre à leurs enfants. Aussi voit-on un nouveau système de mariage se développer à l'époque féodale : la dot, jadis versée par le mari au père de l'épouse, va devenir une part d'héritage avancée par le père comme solde de tout compte. Il s'agira de biens meubles, en général en argent, qui laisseront les terres intactes pour l'aîné [22]. L'antique dot versée par le mari pour assurer la subsistance de sa veuve deviendra le « douaire » *(dotarium)*.

Dot et douaire renvoient à deux conceptions diamétralement opposées du mariage, qui témoignent de deux images différentes de la femme. Est-ce la précieuse génitrice qu'on achète à son père pour assurer la descendance, ou la mal-aimée, celle qui n'a pas pu être un fils et dont on se débarrasse en donnant à un homme l'argent de son entretien ? Ces deux images poussées à l'extrême ne se rencontrent jamais de façon aussi caricaturale. Au siècle dernier, on croyait que le rapt originel s'était adouci en achat de la femme, puis que ce prix versé au père, reversé à la jeune mariée, était devenu la dot. On est plus prudent aujourd'hui. On pense plutôt à un échange de cadeaux entre familles lors de la transmission de l'autorité sur la femme, une transaction avec des gages pour garantir la concrétisation de l'union. Le système de cadeaux unilatéraux serait plus tardif : la dot versée par le père de la mariée est caractéristique du droit impérial ; l'argent donné par le fiancé apparaît dans les lois germaniques au moment des invasions. Le Moyen Âge sera influencé par les deux systèmes.

Or, cette dot à la signification parfois imprécise devient un élément capital du mariage. La législation du bas empire, qui influencera fortement le Moyen Âge, y voit en effet le pivot de la cérémonie. Pour la constitution de Théodose (428), elle témoigne de la légitimité du mariage, et en 458 une *novelle* de Majorien en tire les ultimes conséquences : l'homme et la femme unis sans dot encourent l'infamie, le mariage n'est pas reconnu et leurs enfants sont tenus pour illégitimes. Cette prescription n'aura que la durée du très court règne de Majorien et sera supprimée en 463. Mais elle marque le droit ecclésiastique, bien plus durable : une décrétale du pape Léon le Grand, en 458-459, fait de la dot le signe du mariage légitime. Sous cette double influence romaine et chrétienne, les lois germaniques rendent à leur tour la dot obligatoire. Recueillie par la plupart des sommes canoniques depuis Denys le Petit, à la fin du ve siècle, la prescription de Léon le Grand entre dans la grande compilation de Gratien au xiie. Une formule célèbre résume cette conception dans le droit coutumier médiéval : *Nullum sine dote fiat coniugium*, « qu'il n'y ait pas de mariage sans dot [23] ».

Mais cette formule est passée du droit romain au droit germanique avec un sens radicalement différent : pour les Germains, il ne s'agit plus de la dot versée par le père, mais bien de la *dos ex marito*, versée par le mari. C'est la coutume germanique du *Malchatz* (« trésor de mariage »), qui se conjugue ou s'oppose à l'usage romain de la dot paternelle [24]. Depuis Tacite, qui décrit au i^{er} siècle de notre ère les mœurs des Germains, on sait que ceux-ci, au lieu de recevoir une dot de leur femme, leur en fournissent une, sous forme de bœufs, de chevaux équipés, d'armes... Pour l'historien latin, il s'agit de symboliser la part que la femme prendra désormais dans le travail agricole, sinon le courage guerrier dont elle doit aussi faire preuve. Ces cadeaux, qui semblent plutôt destinés à un soldat et qui pourront être réservés, plus tard, à doter le fils du ménage, sont plus probablement destinés à la famille de la fiancée.

Dans les lois germaniques rédigées au VIᵉ siècle, ces cadeaux seront convertis en argent, et de plus en plus réduits à une somme symbolique assez faible. On pense que cette somme dérisoire donnée au père a permis de verser à la femme une dot maritale plus importante [25]. À l'époque où le droit romain et le droit germanique cohabitent, on se retrouve ainsi avec un système complexe, où apparaissent une dot versée au mari, une somme destinée à la femme pour assurer sa subsistance en cas de veuvage, un prix souvent symbolique remis à la famille de la mariée pour le transfert de tutelle. Le vocabulaire est encore flou et le sens des mots est variable. Lorsque le droit coutumier se fixera, on parlera de « dot » pour l'apport de la femme et de « douaire » pour son droit sur une partie des biens du mari, après la mort de celui-ci. Quant à la somme symbolique versée au père, elle sera à l'origine du « treizain ». Ces trois sommes vont évoluer diversement, selon les influences romaines ou germaniques des pays occidentaux.

Dans les régions où la femme est sous tutelle de son mari, comme en droit romain, c'est celui-ci qui administre tous les biens de son épouse, et qui touche donc les revenus de la dot qu'elle apporte avec elle. Mais il ne peut aliéner ces biens sans l'accord de sa femme. En revanche, en cas de veuvage, la femme reprend sa dot en bien propre, et l'usufruit de son douaire. Elle devient « douairière », et le mot a fini par désigner les veuves d'un certain âge. Le passage de la *dos ex marito*, payée lors du mariage, à un douaire dont la femme ne prend possession qu'à la mort de son époux, s'explique tout naturellement. Malgré l'adage, l'absence de dot n'a jamais constitué un empêchement dirimant au mariage. Seules d'éventuelles sanctions disciplinaires la faisaient respecter. On a donc eu tendance à en faire une promesse qui se réalise petit à petit au cours du mariage.

Ainsi naît le douaire, associé au veuvage plus qu'au mariage, et officialisé par le droit coutumier au XIIᵉ siècle [26]. Il ne s'agit plus d'une somme versée à la femme, mais de l'usufruit garanti sur une partie des biens du mari pour assurer sa subsistance en cas de veuvage. Dans certains cas, une portion de territoire est spécifiquement réservée à cet usage : à la mort de la douairière, elle sert à nouveau de douaire pour marier un fils. Un douaire coutumier est aussi dû si rien n'a été prévu dans le contrat de mariage. En général, celui-ci se monte au tiers des biens du mari. Dans certaines coutumes, la veuve peut choisir entre les deux types de douaire. Si le ménage a été prospère et que le douaire « préfix » (fixé dans le contrat de mariage) semble trop modeste, elle peut y renoncer pour demander le douaire coutumier. Dans les coutumiers tardifs, cependant, ce douaire coutumier est un privilège de noblesse : les roturières qui se sont laissé épouser sans douaires se retrouvent démunies à la mort de leur mari.

À ce droit postposé s'ajoute donc le treizain, un don en monnaie dérivé du droit d'achat germanique. C'est en effet au père de la mariée que l'époux remet, dans la loi salique, une somme fixe, d'un sou et un denier si la fille est vierge, de trois sous et un denier pour une veuve. Le prix supérieur demandé pour une veuve vient sans doute du fait qu'elle a fait la preuve de sa fécondité[27]. À l'époque mérovingienne, il peut s'agir, selon l'héritage romain, d'un sou d'or de quarante deniers ou d'un sou d'argent de douze deniers. Mais à l'époque carolingienne, le sou n'est plus qu'une monnaie de compte, qui n'est plus frappée. Dans le système des francs ripuaires dont descendent les Carolingiens, il vaut douze deniers : pour payer un sou et un denier, il faut donc donner treize pièces. Telle est l'origine du « treizain », les treize pièces remises par le mari au cours de la cérémonie nuptiale[28].

Ce don connaîtra la même évolution que la dot germanique dont il est peut-être issu : destiné primitivement au père de la mariée, il est au Moyen Âge remis à la femme lors de la cérémonie. Il faut dire que les dévaluations successives ont accentué son caractère symbolique, et il n'en reste plus qu'un rite sans grande signification. On frappera même des « deniers pour épouser » qui ne servent que de souvenirs : les plus anciens que nous ayons conservés datent du XIVe siècle. Mais dans certains ordres de mariage, ils sont donnés au prêtre (remplaçant naturel du père), comme si on lui « achetait » l'épousée. Ils sont ensuite redistribués aux pauvres ou aux clercs, selon la coutume de la ville ou du pays. À Amiens, le prêtre reçoit dix pièces et la femme trois ; à Agen, les treize pièces vont au prêtre. À Clermont-Saint-Flour, ils sont placés dans la charte nuptiale pliée et vont donc à la mariée. À Barbeau, dans le diocèse de Sens, la femme en garde quelques-uns dans sa main pendant la jonction, puis les met dans sa bourse[29].

Le sens de ces treize pièces finit par se perdre. Sans doute aussi les prêtres, qui ont intégré le don du treizain à la cérémonie célébrée dans l'église, ont-ils voulu faire oublier une origine si contraire à la conception consensuelle du mariage. D'autres interprétations se substituent alors à celle-ci. Les encyclopédistes du XIIIe siècle voient dans les cadeaux à l'épouse un moyen d'obtenir son consentement, qui reste le pivot du mariage [30]. Dans les Ardennes, on y voit l'image du Christ et des douze apôtres qui viennent bénir le mariage ; par déférence, on offre alors une pièce d'argent et douze d'alliage, qui sont redistribuées aux pauvres. Lorsqu'on recommencera à frapper l'or, le treizain redevient un cadeau considérable. C'est un signe de richesse effectivement de le payer en or et non en deniers de mariage : en 1770, Marie-Antoinette reçoit du futur Louis XVI un treizain en or. En 1533, le pape Clément VII avait lui aussi donné à sa cousine, Catherine de Médicis, un douzain exceptionnel, constitué par des médailles d'or uniques frappées pour l'occasion.

La coutume est encore vivace au XIXe siècle – on la retrouve dans les noces de la *Mare au diable* de George Sand, et elle perdurera jusqu'au début du XXe siècle dans certaines régions. Le treizain d'or, parfois réduit à un simple douzain, peut alors se confondre avec la dot et être apporté par la femme : c'est ainsi que le père Grandet le constitue pour sa fille Eugénie, dans le roman de Balzac. Dans le Berry, précise le romancier, ce douzain peut être constitué de douze douzaines de pièces d'or, ce qui représente un revenu confortable.

Telles sont les principales conventions financières qui subsistent dans le mariage médiéval : une dot constituée par le père de la mariée, surtout en pays de droit romain ; un douaire à valoir sur les biens du mari après sa mort ; un treizain symbolique remis lors de la cérémonie. Les autres arrangements dont on trouve mention dans les coutumes romaine ou germanique finiront par se confondre avec la dot ou avec le douaire.

Ainsi, dans le droit germanique primitif, le don fait à la femme se distinguait-il du prix remis à son père : ce dernier, le *Malschatz* concrétisant l'alliance des familles, était versé avant les noces ; l'autre, « prix de la virginité » lié à la consommation du mariage, était donné à l'épouse le matin suivant la nuit de noces : c'est le *Morgengabe* (« don du matin ») dont nous avons vu les persistances dans le mariage « morganatique ». Au Moyen Âge, il sera identifié au douaire : jusqu'au XVIe siècle, on conserve, même s'il n'est plus appliqué, l'adage coutumier

« Au coucher gagne la femme son douaire [31] ». Mais lorsque l'Église prend en main les cérémonies nuptiales, elle ne peut accepter cette intrusion de la sexualité qui par ailleurs aurait entaché d'illégitimité le mariage non consommé, comme celui de la Vierge et de bien des saints... Apparaît alors une forme édulcorée de la consommation, qui fait encore partie de notre folklore nuptial : il s'agit du baiser échangé par les époux après la bénédiction (ou, dans le mariage civil, après la conclusion). À l'origine, il ne s'agit pas d'un geste de tendresse, mais d'un acte solennel sans lequel le douaire n'est pas acquis à la femme. C'est ce qu'on appelle alors le « droit d'oscle », ou « d'osclage » (du latin *osculum*, « baiser »).

Ce droit d'oscle appelé à remplacer le « prix de la virginité », un peu trop cru, est pour sa part emprunté au droit romain. À l'époque de Constantin, lorsqu'un fiancé fait une donation à sa promise, il doit lui donner un baiser devant témoins. Si l'un des deux meurt avant la célébration des noces, la moitié de ce qui a été donné reste au survivant et l'autre moitié revient aux héritiers du défunt. Si le fiancé meurt, la femme garde donc la moitié de la donation ; si c'est elle qui meurt, ses héritiers la toucheront à sa place. S'il n'y a pas eu de baiser, la donation est infirmée. Quant au don (bien plus rare !) que la fiancée ferait à son fiancé, il ne reste jamais la propriété du futur ou de ses héritiers en cas de mort prématurée d'un des deux promis. Il s'agit donc d'une garantie pour la fiancée [32].

Mais au Moyen Âge, ce droit d'oscle est confondu avec le douaire, et désigne la part des biens du mari dont la veuve hérite, en particulier dans les pays du sud, plus proches du vocabulaire et du régime dotal romains. À tel point que dans le Limousin, le mot *ocle* finit par signifier « deuil », puisqu'il n'était utilisé qu'à la mort du mari. La coutume locale en fixe le montant. On l'évalue souvent à la moitié de ce que la femme apporte en dot. Si celle-ci s'élève par exemple à mille livres, le mari y ajoute cinq cents en oscle. C'est lui qui gère la somme et en touche les revenus, mais à sa mort, les mille cinq cents livres reviennent à sa veuve. Parmi les dettes qui restent le cas échéant après la liquidation de l'héritage, la dot et le douaire de la veuve sont des créances privilégiées.

Il est difficile de dire si l'*oscle* médiéval correspond toujours à un baiser. Un *osculum* est encore prévu dans les ordres liturgiques, mais son sens est imprécis : il semble que, dans certains textes, il désigne simplement le droit de la veuve, sinon la charte fixant le douaire que le mari donne à sa femme lors de la cérémonie. On aurait alors là l'édulcoration extrême de la dot liée à l'accomplissement du contrat sexuel. Le baiser reste cependant présent dans les cérémonies médiévales, bien distinct du baiser de paix que le jeune marié reçoit du prêtre à la fin de la messe pour le porter à sa nouvelle épouse [33].

La *dos ex marito*, sous forme de douaire ou d'oscle, restera majoritaire au Moyen Âge. Mais elle est en concurrence avec la dot romaine, donnée par le père, notamment dans les pays restés plus sensibles au droit romain, et après la résurrection de ce droit dans l'Italie du XIIe siècle. L'argent versé par le père pour l'entretien de sa fille dans sa nouvelle famille correspond alors à la part meuble d'héritage qui maintient l'intégrité du fief pour les héritiers masculins. Lorsque la fortune est stable, comme c'est souvent le cas pour les patrimoines immobiliers, la part de la fille est assez facile à évaluer. Mais dans les familles bourgeoises, où l'enrichissement peut être rapide et imprévu, le système favorise les enfants mâles, dont la part d'héritage est fixée à la mort du père.

La somme donnée à la fille qui se marie peut cependant être importante, et la constitution d'une dot est un des services que les vassaux doivent rendre à leur suzerain. Mais on trouve déjà des bourgeois qui cherchent, grâce à l'argent qu'ils peuvent donner à leur fille, à pénétrer dans la classe désormais fermée de l'aristocratie. Mal leur en prend, s'il faut en croire le *Roman de Joufroi* composé dans la seconde moitié du XIIIe siècle. Le jeune noble, dans la pure tradition courtoise, séduit une femme mariée jalousement gardée par son mari. Dépensier comme tout bon chevalier, il doit bientôt refaire ses fonds et profite pour cela de la crédulité d'un riche bourgeois, qui lui donne sa fille bien dotée et quelques conseils pour réduire son train de vie. La dot est vite croquée et, dès qu'il peut révéler son identité, Joufroi fait casser son mariage pour reprendre ses anciennes amours. Seule la bonne volonté du roi d'Angleterre sauve la situation : la femme répudiée et ruinée trouve un nouveau mari, auquel le roi rend pour l'occasion ses biens confisqués. Le mariage ressemble plus à une punition pour l'époux noble qu'à un geste de pitié pour la bourgeoise abandonnée. Sans doute le roman s'inscrit-il dans le mépris traditionnel que l'aristocratie porte à l'argent et au bourgeois qui le symbolise [34]. Mais la désinvolture du héros montre jusqu'où peut tomber l'image du mariage qui n'est plus soutenu par l'amour et qui devient une simple affaire d'argent.

Il faudra cependant attendre la Renaissance pour que ce thème du mariage d'argent se développe pleinement. Le système germanique alors s'effacera complètement devant le système romain et le mariage deviendra souvent une « course à la dot » : *L'Avare* de Molière a fixé dans nos mémoires le système classique, où le père doit doter sa fille pour lui trouver un parti honorable. Nous verrons quels dégâts cette dot à la romaine a faits dans le mariage classique et parfois jusqu'au xxᵉ siècle.

Mon père m'a mariée...

Écoutez les plaintes de cette jeune Normande du xvᵉ siècle : « Mon père m'y maria, / Un petit devant le jour ; / À un vilain m'y donna / Qui ne sait bien ni honnour. » Et celle de sa consœur du xviiᵉ siècle : « Mon père m'a mariée / à un bossu : / Le premier jour de mes noces, / il m'a battue. » Ou celle citée par Scarron, ce poète contrefait du xviiᵉ siècle qui avait bien du mérite à se moquer de lui-même : « Mon père m'a donné un mari, / Mon Dieu ! quel homme, quel petit homme ! / Mon père m'a donné un mari, / Mon Dieu quel homme, qu'il est petit ! » Sans oublier celle-ci, attestée au début du xviiiᵉ siècle : « Mon père aussi m'a mariée, / J'entends le moulin tique taque. / À un vieillard il m'a donnée, / Il n'a ni maille ni denier. / J'entends le moulin tique tique taque, / J'entends le moulin taqueter [35]. »

Le thème de la *maumariée* (« mal mariée ») est un des plus familiers aux chansons populaires des xvᵉ-xviiᵉ siècles, quoique leur composition trahisse souvent une main savante. Il témoigne d'un fait sociologique bien plus ancien, contre lequel le droit romain, puis le droit canon, luttent en vain depuis des siècles. Dans toutes les civilisations primitives, effectivement, la femme n'a rien à dire dans les discussions de mariage, qui sont affaire d'hommes. Tout au plus, dans certains cas, peut-elle porter plainte contre son père pour mauvais traitement si elle s'estime mal mariée, comme c'était le cas en Grèce antique.

Ici aussi, les droits de la femme sont un fait de civilisation et apparaissent tardivement. Le remplacement dans la pratique romaine du mariage *cum manu* (où la femme passait de « la main » du père à celle du mari) par un mariage *sine manu* (dans lequel la femme conserve ses droits et ses biens) est un phénomène tardif qui ne s'affirme que sous l'empire. Le consensualisme romain, qui fonde le mariage sur l'accord des époux, était sérieusement entravé par la puissance souveraine du *paterfamilias*. Depuis la loi Julia (17 av. J.-C.), la fille jouit simplement d'un recours juridique si son père s'oppose à son mariage. La théorie du double consentement ne pourra se développer que lorsque la tutelle éternelle de la femme sera abrogée. Le droit ecclésiastique prend alors la relève, mais il se heurte aussitôt au droit germain, où le père transmet son autorité (*mundium*) au mari.

L'Église combat sans doute l'autorité paternelle en matière de mariage, et affirme constamment la nécessité du consentement pour légitimer l'union. Mais pendant long-temps, le prêtre ne prend pas une part essentielle à la célébra-tion. Ce n'est qu'à partir du XIIᵉ siècle, lorsque l'Église se veut exclusivement responsable des mariages, que la vérification des consentements entre dans les *ordines* liturgiques. Avant la cérémonie, le prêtre demande aux deux époux s'ils s'engagent librement; dans les rituels du midi, il leur demande même s'ils s'aiment, mais les mœurs nordiques n'en sont pas encore là! Des juristes de pointe comme Pierre Lombard affirment résolument l'inutilité du consentement paternel et, sous l'influence du droit romain, on en viendra à subordonner le reste de la cérémonie à cet accord libre des époux. Dans un rituel rouennais du XIIᵉ siècle, une main du XIIIᵉ ajoute à ce pas-sage : « selon les lois suffit leur seul consentement; s'il arrivait que dans un mariage il manquât, tout le reste même célébré en assemblée, ne sert à rien [36] ».

La littérature en langue vulgaire, écrite ou propagée par les clercs à l'usage des laïcs, sera une des armes de l'Église pour imposer cette conception du mariage. Une chanson de geste du XIIᵉ siècle, *Beuve de Hanstone*, met en scène le refus ultime de la fille mariée malgré elle. Devant le prêtre, il lui suf-fira de dire « non » :

> « Premierement on apele Huidemer :
> Volés avoir ceste dame au vis cler?
> – Oïl, dist-il, moult le puis desirer.
> Toute Bourgoigne li doins en quiteé...
> – Et vos, pucele que voi ici plourer,
> Volez vous prendre cest baron naturé?
> – Sire, dist-ele, merci, pour l'amour Dé.
> Je ne prendroie le traïtor prouvé [37]. »

Donner une jeune fille en mariage contre son gré est le fait de païens sarrasins, comme il ressort de *L'Entrée de Spagne*. Roland arrive en Orient au moment où le roi de Perse veut marier sa fille à un roi voisin, bien plus âgé que sa fiancée. Celle-ci l'a refusé, mais son père n'ose revenir sur sa parole : le roi Malqidant (littéralement « de mauvaise foi ») est riche et puissant, cousin du Vieux de la Montagne. Il convoque le conseil de ses barons, qui n'osent cependant prendre la défense de la princesse.

Roland se fait expliquer la situation et, en preux chevalier comme en bon chrétien, va au secours de la jeune fille. « Savez-vous pourquoi je suis entré dans ce débat ? commence-t-il. À cause de vos barons, qui sont si perdus que ni grand ni petit n'a osé sonner mot pour défendre votre droit, si vous l'avez. Mais puisque le destin m'a amené ici, je vous dis que je suis prêt à me battre bien volontiers, pour prouver, en toute vérité, que le mariage accompli contre le gré de l'homme ou de la femme méprise la loi de Dieu. Je n'en dis pas plus, c'est bien suffisant [38]. » Roland combattra victorieusement contre le champion du roi Malqidant, pour faire triompher le droit canon du XIIe siècle.

Dans les chansons de geste, le refus d'une jeune fille devant le prêtre ou l'intervention providentielle d'un preux chevalier suffisent pour que le mariage ne soit pas célébré : miroir déformant, encore une fois, qui traduit bien plus les vœux pieux des auteurs qu'une réalité sociale. Quelle jeune femme, déjà, oserait braver ainsi l'autorité familiale ? Et quel Roland prendrait sa défense ? Bien plus, les prêtres eux-mêmes, qui doivent soutenir ce droit au libre choix d'un mari, craignent de prêcher ouvertement la révolte. Georges Duby oppose à ces textes théoriques d'autres témoignages où le refus de la fille à obéir à son père est présenté comme coupable et puni par Dieu. À moins, bien entendu, qu'il ne soit motivé par un vœu secret de se faire religieuse, auquel cas la volonté humaine doit s'incliner. Mais dans le cas, très fréquent, d'épousailles en bas âge, le consentement de la fille est difficile à contrôler : si elle ne peut pas encore parler, un sourire suffira à l'établir [39]...

Dans la cérémonie liturgique, ce passage d'un mariage imposé à un mariage qu'on veut consensuel se marquera de manière symbolique. Dans les premiers ordres liturgiques, au XIIe siècle, le prêtre n'intervient encore que pour entériner une union préalable. Jusque-là, en effet, la cérémonie se déroulait à la maison, où le père livrait sa fille à son gendre et unissait les mains droites : c'est la situation que nous trouvons encore dans le mariage du comte de Guînes. Le passage devant le prêtre devra respecter cette tradition. Un missel de Rennes d'avant 1150 demande au prêtre de faire procéder à cette remise par les parents « selon la coutume », devant l'église. C'est encore le père (ou le plus proche parent) qui joint les mains des époux, et le prêtre les fait entrer dans l'église pour bénir le mariage, qui s'est donc accompli sans son intervention. Le mariage aux portes de l'église appartient encore au monde profane ; on ne pénètre dans le saint lieu que pour bénir une union existante. Pour cela, bien entendu, le prêtre doit vérifier que le mariage se fait bien selon les prescriptions de l'Église, et donc vérifier le consentement des deux époux. Les éléments symboliques, anneaux, treizain, charte nuptiale, sont aussi remis à l'épouse à l'extérieur, mais il est admis que le prêtre les bénisse.

Ainsi, peu à peu, le curé va jouer un rôle important dans la cérémonie qu'il surveille, et finira par prendre la place du père dans cette remise de l'épouse, pour montrer qu'il garantit la liberté de son choix. Un missel de Rouen du deuxième quart du XIIIᵉ siècle offre une version intermédiaire : le père remet bien sa fille à son gendre, mais celui-ci la remet aussitôt au prêtre, qui la lui rend incontinent. Ce petit ballet, attesté dans un seul *ordo* liturgique, devait être jugé bien compliqué. Cinquante ans plus tard, dans le pontifical de Meaux (vers 1280), on trouve le premier exemple français d'une remise par le prêtre, avec jonction des mains et vérification des consentements. Ce sera la formule la plus répandue à la fin du Moyen Âge.

Voilà ce qui était prescrit à l'abbaye Saint-Victor de Paris, au XIVᵉ siècle : « Que la femme soit remise de la façon suivante : que le prêtre, prenant la main droite de chacun d'eux, les unisse comme font ceux qui s'obligent par serment. Ensuite, que le prêtre dise : " Frère N., veux-tu avoir cette femme N. pour épouse ? " Qu'il réponde " Oui ". " Et moi je te la donne pour que tu la gardes, qu'elle soit en bonne santé ou malade, comme ta légitime épouse ; et que tu lui assures fidèle compagnie, comme Notre Seigneur le commande, saint Paul l'atteste, et sainte Église le maintient. Es-tu d'accord ? " Qu'il réponde " Oui ". Et que le prêtre demande pareillement à la femme si elle le veut pour son mari, comme il a été dit ci-dessus [40]. »

Cette évolution s'est opérée à des époques différentes selon les pays. Dans les pays wisigothiques (principalement l'Espagne), les parents remettent la fiancée au prêtre, qui opère la jonction des mains, dès le XIe siècle. Dans d'autres pays, la remise par le père au fiancé subsistera jusqu'aux XIVe-XVe siècles (à Capoue, par exemple), voire jusqu'au XXe siècle (en Angleterre). En France, le passage s'est fait au XIIIe siècle, parfois plus tardivement dans certains diocèses (Évreux, Amiens ont conservé la formule primitive jusqu'au XVIe siècle). Nous sommes ici au stade de la « donation passive » : le prêtre demande à chacun des époux s'il accepte l'autre pour conjoint, et ceux-ci se contentent d'acquiescer. Le stade suivant introduira un véritable dialogue entre les époux, pour une « donation active ».

Cette troisième formule, préconisée dans les textes théoriques depuis le XIIe siècle [41], se développera à partir du XIVe siècle, pour s'imposer au XVIIe : ce n'est plus ni le père, ni le prêtre qui donne la femme à son mari, mais ce sont les époux qui se donnent mutuellement l'un à l'autre. Le rituel de Barbeau, dans le diocèse de Sens (fin du XIVe siècle), nous en fournit un bel exemple, avec des formules en français dans un texte en latin : « Alors, que le prêtre dise à l'homme, en joignant les mains droites : " N. di après moy : M. je te preing en ma fame et en m'espouse, et si te fiance de la foy de mon corps, que je te porteray foy et loyauté de mon corps et de mes biens, et si te gardera[i] saine et malade et en quelque estat qu'il pleira a Nostre Seigneur que tu soies, ne pour pieur ne pour meilleur je ne te changeray jusque laffin. " Que la femme dise les mêmes mots à l'homme après le prêtre. » Un rituel d'Avignon daté de 1363-1368 va même plus loin, puisque les formules sont dites par les époux sans intervention du prêtre, et ce sont les mariés eux-mêmes qui se prennent la main. Ce système de donation mutuelle se généralise en 1614 : le prêtre demande aux époux de joindre eux-mêmes leurs mains droites. Ni le père, ni le prêtre n'interviennent plus dans le mariage, qui suppose le consentement libre et mutuel. On remarquera que, dans cet échange d'acquiescements, c'est l'homme qui se donne le premier à la femme : nous sommes loin de la « tradition de l'épouse » des origines.

Cette évolution progressive des gestes dégage un sens nouveau à la jonction des mains. Au-delà du prêtre même, c'est Dieu qui unit les époux, dont les mains, dans les tableaux de la fin du Moyen Âge, apparaissent enveloppées dans l'étole du célébrant. La prise de possession de la femme que supposait le mariage primitif a disparu. Dans certains cas bien particuliers, on en retrouvera la trace. Prudhon peindra ainsi le mariage de Napoléon et de Marie-Louise, en 1810 : l'empereur saisit sa femme par le poignet comme si, à travers la suprématie de l'homme sur la femme, le peintre avait voulu affirmer celle du petit peuple français parvenu au trône par la Révolution sur les vieilles monarchies d'Europe auxquelles il ravit leurs héritières... Le cas est particulier et se justifie par l'allégorie : le mariage impérial est en effet comparé à celui d'Hercule et d'Hébé. De la remise primitive de la femme par son père, on a gardé la coutume de faire pénétrer la mariée à l'église au bras de son plus proche parent. L'expression « demander la main » a la même origine. Dès le XIIᵉ siècle, pourtant, la jonction des mains ne symbolise plus une remise, mais la concrétisation d'un contrat, « comme ceux qui s'obligent par promesse », dit le rituel de Saint-Victor.

Pourtant, jusqu'au XVIᵉ siècle, le père peut encore marier sa fille sans recours au curé, même s'il agit officiellement en tant que témoin de l'engagement et non en tant qu'officiant. On voit ainsi, dans une nouvelle de Boccace, un père surprendre sa fille endormie avec un jeune homme. Le garçon lui plaît : plutôt que de le faire mettre à mort, il le marie illico à sa fille, en demandant à sa propre épouse de prêter un de ses anneaux pour la cérémonie [42] ! L'Italie, il est vrai, garde plus longtemps que la France la possibilité d'un mariage civil devant notaire.

La doctrine consensualiste, qui fait de l'échange des consentements la seule base du mariage et la matière du sacrement, nous a été transmise malgré le concile de Trente, qui impose la présence d'un prêtre à la cérémonie. Celui-ci en effet ne servira que de témoin privilégié et non d'officiant. La formule consacrée par laquelle il constate le mariage insiste sans doute sur son rôle : « Ego vos in matrimonium coniungo in nomine Patris et Filii et Spiritus Sancti », ou des « paroles analogues conformément au rite traditionnel en chaque province ». Mais l'acte véritable est celui des époux : le curé ne remet plus la femme, il unit (*coniungo*). Cette doctrine est restée celle de l'Église actuelle : « c'est le consentement des parties légitimement manifesté entre personnes juridiquement capables qui fait le mariage ; ce consentement ne peut être suppléé par aucune puissance humaine », affirme le code de droit canon édité par Jean-Paul II en 1983. Et la *Lettre aux familles* éditée en 1994 rappelle qu' « en tant que baptisés », les époux « sont, dans l'Église, les ministres du sacrement du mariage [43] ».

Le Code civil lui aussi n'exige le consentement des parents que si les époux sont mineurs (art. 148), l'âge légal étant fixé à dix-huit ans pour les hommes et à quinze pour les filles, avant donc leur majorité (art. 144). C'est l'échange des consentements qui fait encore le mariage, mais le fameux « oui » qu'on prononce devant maire ou curé n'est pas sacramentel : il suffit que le consentement s'extériorise, par un écrit ou par un acte si les mariés sont muets. Notons également que l'évolution qui s'est manifestée au Moyen Âge dans le rôle du prêtre tend à s'effectuer dans celui de fonctionnaire. Jadis on considérait que la formule d'union créait le lien : l'officier de l'état civil ne se contentait pas d'être un témoin, comme le prêtre. De plus en plus, on tend à considérer que l'échange des consentements prime sur la formule. Distinction très théorique, bien sûr : elle n'aurait à être faite que si l'officier décédait avant d'avoir eu le temps d'entériner l'échange des consentements. Mais elle symbolise bien la volonté d'affirmer la suprématie du système consensuel. Désormais, à la mairie comme à l'église, on ne marie pas : on se marie.

II

Le miroir ecclésiastique

Le 14 août 1193, à Amiens, le roi de France, Philippe Auguste, épouse en grande pompe une princesse danoise de dix-sept ans, Ingeburge (Ingeborg), un nom que l'on francise à l'époque en Isambour (Isemburgis dans les textes latins). Le lendemain, jour de l'Assomption, il la couronne solennellement. Mais au milieu de la cérémonie, on le voit soudain frissonner, se retourner vers la jeune épousée. « Ô stupeur, raconte Rigord. Ce jour même, à l'instigation du diable, le roi, à ce qu'on dit, fut empêché par certains maléfices transmis par les sorcières, et commença à prendre en haine une épouse si longtemps désirée [1]. » Pris de dégoût, incapable de consommer ses noces, le roi ne cherche plus qu'à annuler son mariage.

Qu'est-il arrivé? Il semble d'abord que la virilité du roi ne soit pas en cause. Ce jeune veuf de vingt-sept ans est présenté par ses contemporains comme un bon vivant qui ne méprise pas la compagnie des femmes; son premier et son troisième mariage sont féconds; Ingeburge affirme avoir été honorée durant la seule nuit qu'elle a passée avec le roi, et le thème du maléfice d'impuissance apparaît très tardivement dans les demandes d'annulation introduites par le roi. À moins que, par orgueil, il n'ait pendant quinze ans retardé l'aveu d'un échec humiliant? La fécondité de la reine, après un jour de mariage, ne peut décemment être mise en cause. Sans doute l'amour n'est-il pas de commande entre ces époux qui ne se connaissent pas et qui ne parlent pas la même langue, mais la situation n'a rien d'exceptionnel à l'époque et on ne demande pas plus au couple royal que quelques héritiers.

Il semble qu'il s'agisse bien d'une répulsion insurmontable dont l'alcôve gardera le secret. Les suppositions du coup vont bon train, à l'époque, comme chez les historiens qui se sont penchés sur cette affaire. Philippe n'aurait-il pas trouvé la princesse vierge? Présente-t-elle une difformité cachée? A-t-elle tout simplement l'haleine fétide? Peut-être l'acte qu'on attend de lui auprès de la jeune reine a-t-il ravivé le souvenir d'une autre reine de vingt ans, morte en couches trois ans plus tôt? Le roi n'a de sa première épouse qu'un enfant en bas âge, la succession ne lui semble pas suffisamment assurée.

Les choses sont alors rondement menées. Le 5 novembre, une assemblée d'évêques et de barons, présidée par Guillaume de Champagne, archevêque de Reims et surtout oncle du roi, se réunit à Compiègne. On trouve une parenté à un degré prohibé entre Ingeburge et Isabelle de Hainaut, la première femme du roi, et on prononce la nullité. Chose curieuse, il ne s'agit pas d'un prétexte. Plusieurs parentés à des degrés prohibés existent bien non pas entre les deux femmes, mais entre le roi lui-même et la princesse danoise, et on ne comprend pas pourquoi la procédure va durer vingt ans[2]. Plus curieux : l'assemblée va laisser au roi un délai de réflexion, comme si le temps pouvait effacer les degrés de parenté! Le temps n'effacera pas plus la répulsion et, en 1195, la nullité du mariage est prononcée par le clergé gallican. Ingeburge à qui on n'a guère donné de leçon de français en deux ans se fait expliquer la situation par un interprète et, avant d'être cloîtrée dans un monastère, trouve juste la force de s'exclamer : « Mala Francia, mala Francia! Roma, Roma[3]! »

Rome? Personne ne s'est soucié de consulter le pape sur ce sujet. Il n'intervient alors que comme dernière instance, et les églises locales ont un pouvoir fort étendu. Rome entendra la plainte de la princesse danoise. Célestin III prend son parti, mais se contente d'interdire au roi le remariage puisqu'il a encore une femme, même emprisonnée. Le pontife nonagénaire, qui espère lancer une nouvelle croisade avec l'aide de la France, n'est pas un adversaire redoutable. Philippe Auguste passe outre son interdiction et, en juin 1196, épouse Agnès de Méranie. Il ne pouvait mieux démontrer qu'il ne se préoccupait guère des degrés de parenté : sa troisième femme est une lointaine cousine. Rome se tait, tout est bien qui finit bien.

Mais Rome ne se tait jamais longtemps. En 1198, le trône pontifical revient à un jeune ambitieux de trente-sept ans, théologien et juriste, qui saura montrer plus de fermeté et s'imposera comme un des plus puissants pontifes du Moyen Âge. À peine au pouvoir, Innocent III rouvre le dossier Philippe Auguste, exige qu'Ingeburge redevienne reine et envoie en France un légat chargé de régler l'affaire. Plus question cette fois-ci d'une assemblée à moitié laïque : Pierre de Capoue, légat pontifical, convoque quatre archevêques, dix-huit évêques, quatre abbés et quelques autres clercs, toute la hiérarchie ecclésiastique de France. Il brandit l'arme suprême, l'interdit, qu'il lance effectivement sur tout le royaume... mais, prudent, quitte le pays avant de le prononcer. Le 13 janvier 1200, toute la vie religieuse est paralysée en France. Plus de communion, d'enterrement, de mariage – le fils du roi lui-même doit épouser Blanche de Castille en territoire anglais.

Après huit mois de résistance, le roi, forcé de s'incliner, jure tout ce qu'on veut, renvoie sa cousine, reprend Ingeburge, promet de l'aimer en épouse et en reine et, dans la foulée, confirme un certain nombre de privilèges ecclésiastiques. Surprise générale de ceux qui connaissent la « dureté de cœur » du souverain. Surprise de courte durée : à peine le légat a-t-il le dos tourné qu'Ingeburge réintègre son couvent et Agnès son trône. Le même jeu reprend, foudres pontificales, soumission, récidive... jusqu'à la mort d'Agnès, en juillet 1201, qui arrange bien des choses. Conciliant, Innocent III va jusqu'à légitimer les enfants qu'elle a donnés au roi. Il serait temps d'enterrer la hache de guerre. Le dauphin Louis a quatorze ans, il a dépassé l'âge critique, et d'autres héritiers sont prêts à prendre la relève s'il venait à disparaître. Alors pourquoi Philippe refuse-t-il de reprendre Ingeburge ? Il faut vraiment que sa répulsion ait été profonde pour braver encore un pape dont il a éprouvé la fermeté.

Et s'il faut en croire la correspondance échangée entre Ingeburge et le pape, les conditions de détention sont pénibles pour l'épouse royale. Ses gardes l'insultent, elle ne peut recevoir aucune visite, elle n'a pas de confesseur et est rarement admise à entendre la messe, la nourriture est chiche et les médicaments insuffisants pour sa santé fragile, les bains lui sont interdits et ses vêtements indignes d'une reine [4]. Pendant ce temps, monsieur a de nouvelles maîtresses, dont lui naîtra un futur évêque de Noyon. Rien ne justifie de telles précautions, sinon une guerre d'usure, l'espoir qu'Ingeburge finira par abandonner sa plainte pour retourner chez son frère, le roi danois.

C'est à cette époque qu'apparaît, dans la stratégie du roi, le second type d'argument : puisque l'annulation pour affinité n'a pas été acceptée, pourquoi ne pas essayer le maléfice ? C'est d'une manière aussi insouciante que le problème est exposé au pape : agacé par la longueur de la procédure, Philippe demande d'être séparé d'Ingeburge « soit pour affinité, soit pour maléfice, soit en la faisant entrer en religion, soit pour n'importe quelle autre manière raisonnable par quoi on rompt d'habitude les mariages ». Innocent, en 1207, a beau jeu de trouver bien suspecte cette « variation sur la façon de rompre ». Mais si le roi veut essayer une autre voie, soit : pour qu'on se prononce sur le maléfice d'impuissance, il faut une cohabitation de trois ans avec la reine – Philippe recule, effrayé par l'épreuve.

L'affaire durera encore six ans, et le roi abattra une à une toutes ses cartes – on le verra même, en 1210, promettre au landgrave de Thuringe d'épouser sa fille s'il parvient à fléchir le pape et à faire annuler le mariage danois. En 1213, de guerre lasse, il reprendra Ingeburge : il faut dire que, cette même année, le roi d'Angleterre, l'ennemi héréditaire, rassemble une large coalition contre la France, et que Philippe a bien besoin de la neutralité danoise. Il approche de la cinquantaine, Ingeburge de la quarantaine, et les projets matrimoniaux sont passés au second plan [5].

Si l'affaire a connu un tel retentissement, c'est parce que deux géants du Moyen Âge s'y sont affrontés pendant vingt ans, et qu'elle marque bien les limites des pouvoirs civil et ecclésiastique. La menace d'un interdit religieux garde son efficacité, mais les papes reconnaissent la nécessité pour les rois d'assurer une descendance légitime. Surtout, l'occasion s'est trouvée de réfléchir sur un point de doctrine encore mal défini. Deux conceptions du mariage coexistent toujours : le mariage consensuel d'origine romaine, qui repose sur le consentement des deux époux, et le mariage fondé sur l'union sexuelle, d'origine germanique, dont la consommation assure l'infrangibilité. L'Église même est divisée sur ce terrain. L'école française, à la suite de Pierre Lombard, incline plutôt pour le premier ; l'école italienne, héritière du Bolonais Gratien, fait encore la part belle à la consommation, quoiqu'elle insiste tout autant sur le consentement des époux. Le droit canon est en train de bâtir lentement sa théorie, et le cas de Philippe Auguste en fournira une pierre. Quel mariage va promouvoir l'Église ?

Un mémoire d'Innocent III, rédigé en 1208 en pleine affaire Philippe Auguste, examine la question : si Ingeburge entrait en religion comme le suggère le roi, celui-ci pourrait se remarier, à condition que le mariage précédent n'ait pas été consommé. La subordination de l'indissolubilité à la consommation est alors nouvelle et a été rendue possible par la distinction entre deux types de sacrements, l'un dans la chair et l'autre dans l'âme. L'union des âmes, dans le mariage, est l'image de celle qui s'effectue entre la charité de Dieu et sa créature – une union qui connaît bien des défaillances à cause de nous, pauvres pécheurs. Mais l'union des corps est l'image de celle entre le Christ et son Église : « Le Verbe s'est fait chair et a habité parmi nous », dit saint Jean, que l'on comprend de façon littérale. C'est cette union des chairs qui est indissoluble, puisque, selon la Genèse, « de deux ils ne feront qu'une seule chair » : la séparation serait une mutilation intolérable. Les discussions très théoriques des théologiens et des canonistes sur le sacrement du mariage trouvent dans l'affaire de Philippe II et d'Ingeburge de Danemark un terrain propice pour des développements plus féconds [6].

Le sacrement de mariage

Jusqu'au XIIᵉ siècle, en fait, le mariage n'apparaît pas dans les listes de sacrements, à côté du baptême, de l'eucharistie ou de la pénitence. Bien sûr, on n'est pas sans connaître le passage de saint Paul où le mariage est présenté comme un *sacramentum* (en grec, *mystêrion*), ni les trois biens du mariage d'Augustin, parmi lesquels figure le *sacramentum*. Mais dans le vocabulaire des premiers chrétiens, le mot a un sens beaucoup plus large et son emploi ne se limite pas aux sept sacrements reconnus par l'Église actuelle [7].

Dans la tradition de saint Paul, le mariage rend tangible la métaphore de l'union entre le Christ et son Église, qui font une seule chair, comme *l'homme et la femme* : « ce mystère est grand », conclut l'Apôtre (Ep 5, 32), et le mot grec *mystêrion* qu'il emploie sera rendu par *sacramentum* en latin. Si l'on reconnaît depuis le XIIᵉ siècle dans ce passage l'origine du « sacrement de mariage », on l'a d'abord ressenti comme un « mystère de la foi ». Le texte n'en est pas moins essentiel, puisqu'il donne à l'union conjugale une dignité religieuse qui lui était contestée dans les premiers siècles. Seul bien que l'homme ait conservé du paradis terrestre, le mariage est une des valeurs essentielles, que l'Église ne peut laisser galvauder.

Or, nous l'avons vu, celle-ci est loin d'avoir imposé sa pensée en la matière. « Nul doute, estime Pierre Toubert, que la célébration des noces ait alors constitué partout en Occident une sorte de bastion de la culture populaire, un point privilégié de résistance à la christianisation [8]. » Aussi l'Église continue-t-elle, dans les premiers siècles, à interdire à ses prêtres d'assister aux noces. Dans ces conditions, la sacralisation du mariage est bien compromise. L'époque carolingienne, cependant, y travaille, à travers les *specula coniugatorum* (« miroirs des époux ») qu'a étudiés Pierre Toubert : ces livres de morale pratique, personnalisés, adressés à un grand personnage à l'occasion de ses noces, sont des recueils de règles simples qui intègrent petit à petit les idées chrétiennes sur le mariage [9].

C'est dans un décret contre les hérétiques qui attaquent les sacrements, en 1184, que le pape Lucien III inclut pour la première fois le mariage dans la liste des sacrements traditionnels, à côté de l'eucharistie, de la pénitence et du baptême [10]. Son décret, lu sans doute au concile de Vérone, sera reproduit dans plusieurs collections canoniques et suivi d'autres professions de foi similaires. Les décrétales de Grégoire IX, en 1234, consacrent cette intégration du mariage aux sept sacrements de l'Église. Le mot est désormais compris dans le sens actuel, comme un signe de la grâce spéciale accordée par Dieu pour permettre à celui qui le reçoit d'accomplir la loi divine, et en l'occurrence de faire face aux difficultés de la vie de couple.

L'idée, en germe dès le Nouveau Testament, n'est en effet pas si évidente. Un sacrement suppose certains rites accomplis par un ministre, et le mariage, essentiellement civil, n'évoque guère un sacrement religieux. La bénédiction aurait pu devenir un geste sacramentel, mais l'Église latine n'a jamais voulu, au Moyen Âge, en faire une obligation. Au départ par une trop grande exigence de pureté de la part des époux ; ensuite pour préserver le consentement mutuel, qui reste jusqu'au concile de Trente la seule condition requise pour le mariage. Les théologiens, soucieux de justifier la dimension sacramentelle du mariage, ont cherché tour à tour la matière du sacrement dans le corps des contractants, dans les paroles prononcées, dans la disposition des époux... Mais cela posait d'autres problèmes de forme : si c'est la parole qui fait le sacrement, peut-on reconnaître le mariage des muets ? Duns Scott, au XIIIe siècle, soutenait que les muets étaient mariés par contrat, mais ne recevaient pas le sacrement. Il faudra attendre le xvᵉ siècle pour que les discussions s'apaisent.

La doctrine n'a guère varié depuis dans la pensée catholique : les ministres du sacrement sont les époux eux-mêmes, puisqu'il naît de leur consentement. La bénédiction, en déduit saint Thomas d'Aquin, n'est pas la forme du mariage, c'est un « complément » requis *ad honestatem*, pour que le mariage soit « honnête », étant entendu qu'au Moyen Âge, il reste légitime si elle n'a pas lieu. Le mariage est ainsi le seul sacrement qui n'est pas administré par un prêtre. Distinction qui semble bien artificielle depuis le concile de Trente, puisque la présence du curé est désormais indispensable au mariage, et qu'on aurait pu y voir, plus qu'un simple témoin, le ministre du sacrement. Le fait a cependant son importance. Une grave question s'est en effet posée de plus en plus fréquemment : le mariage mixte, permis depuis 1741 entre baptisé et incroyant, réalise-t-il ce sacrement ? Considérant que le sacrement est administré par les époux et non par le célébrant, certains ont considéré que la grâce du baptême le conférait même à celui qui n'avait pas été ondoyé. D'autres, plus stricts, n'acceptent de sacrement que s'il y a eu dispense de disparité des cultes, ou pour le seul conjoint baptisé. Le plus souvent cependant, et pour les mêmes raisons, on conclut qu'aucun des deux époux ne reçoit le sacrement du mariage, qui se réduit à un contrat consensuel [11].

La doctrine du mariage-sacrement qui se définit au xIIᵉ siècle connaît cependant une sérieuse exception historique : sa mise en cause par les théologiens protestants au xvIᵉ siècle, qui trouve son origine dans les mêmes textes bibliques. Des sept sacrements reconnus depuis trois siècles par l'Église catholique, mais censés avoir été institués par Jésus, deux sont cités dans le Nouveau Testament : le baptême et l'eucharistie. Les autres ont été ajoutés par la suite, en se raccrochant parfois, comme pour le mariage, au mot *sacramentum*, dont nous avons vu le sens ambigu. En 1512, Lefèvre d'Étaples, dans son édition des lettres de saint Paul, traduit pour la première fois le grec *mystêrion* par *mysterium*, au lieu du classique *sacramentum*. Son audace passe inaperçue.

En 1516, Érasme est le premier, dans ses *Annotations sur le Nouveau Testament*, à s'en prendre prudemment au sacrement du mariage. Sans le nier carrément, il souligne qu'il s'agit d'une conception récente (Denis, le premier à énumérer les sacrements, ne cite pas le mariage), qui ne se retrouve pas dans les Écritures (le mot *sacramentum* n'a pas ce sens chez Paul), et qui entraîne certains problèmes dans la définition des sacrements (le mariage entre un ivrogne et une ivrognesse est-il réellement l'image du mariage entre le Christ et son Église?)[12]. Humaniste audacieux mais non schismatique, Érasme arrête à ces considérations sa critique discrète du mariage-sacrement.

Luther ira plus loin. L'évolution de sa pensée en la matière est précisément datée : alors qu'il publie, en 1519, un *Sermon sur l'État de mariage* conforme à la doctrine traditionnelle, il refuse la définition sacramentelle en 1520, dans sa *Captivité babylonienne de l'Église*. La réflexion sur le mariage sera dès lors une des priorités de la réforme – chez Luther (*Vom ehelishen Leben*, 1522 ; *Von Ehesachen*, 1530) comme chez Zwingli (*Ehegericht*, 1525) ou chez Calvin. Si l'on confond mystère et sacrement, raille ce dernier, on fera du vol un sacrement, puisqu'il est employé dans une comparaison (« le jour du Seigneur vient comme un voleur dans la nuit » 1 Th 5, 2), comme le mariage chez saint Paul, et devient le signe visible d'une réalité invisible[13] !

Pourtant, le refus de considérer le mariage comme un sacrement n'entraîne pas une dévalorisation de cette institution. Au contraire, les protestants refuseront toujours de considérer le célibat et la virginité comme des états supérieurs. À l'exemple des patriarches, ils estiment qu'il est plus honorable d'être marié et père de famille, et conseillent donc le mariage à leurs pasteurs. Luther ira même, dans certains écrits, jusqu'à accepter la polygamie, par référence à celle des patriarches. La théorie des sacrements restera une pomme de discorde entre catholiques et réformés.

Les conséquences de la théorie sacramentale

Ainsi, depuis les XIᵉ-XIIIᵉ siècles, le mariage s'inscrit dans la liste des sept sacrements qui constituent le nœud même de la foi catholique. Les conséquences de cette nouvelle conception sont nombreuses. Et d'abord, puisqu'il s'agit d'un mystère de la foi, l'Église revendique le droit de réglementer totalement le mariage, un pouvoir que même le droit romain, plus soucieux du droit des familles, n'avait pas osé s'arroger. Ce monopole jusqu'ici inouï n'aurait aucune chance d'être accepté par la société civile, si le terrain n'avait été préparé de longue date.

Et l'initiative, apparemment, a été prise alors par les rois
francs, de se décharger sur l'Église de la législation matrimoniale. Dès l'époque mérovingienne, les évêques sont consultés
pour définir les degrés de parenté à partir desquels le mariage
peut être conclu. Même si leurs décisions ne sont pas toujours
respectées, il semble qu'elles soient demandées par certains
rois pour asseoir leur jugement [14]. En 747, Pépin le Bref, père
de Charlemagne, adresse ainsi au pape Zacharie un question-
naire sur divers points de discipline, et notamment sur les
mariages illicites. Le pape y répond par un court mémoire de
vingt-sept chapitres, inaugurant une ère d'étroite collabora-
tion entre papauté et royauté franque. Bientôt, des *missi domi-
nici* parcourent l'empire de Charlemagne : ils vont généralement par deux, un laïc et un ecclésiastique. Comment
d'ailleurs s'étonner que l'Église intervienne de plus en plus
dans la législation civile, quand les rois donnent force de loi
aux décisions conciliaires [15] ?

C'est d'abord pour régler le problème des noces incestueuses, particulièrement complexe depuis que Rome a
adopté un nouveau calcul des degrés, que l'Église affirme sa
compétence dans le domaine matrimonial. Dès le VIIIe siècle,
le premier coin est enfoncé. Mais les juges ecclésiastiques
n'ont encore de pouvoir que si l'autorité civile assortit de sanctions pénales les excommunications qu'ils prononcent. Hincmar a beau affirmer la prééminence des décisions ecclésiastiques en matière matrimoniale, il ne peut brandir que la
menace du jugement dernier. Et parmi les prélats, il en est peu
d'aussi hardis. Nombre de témoignages, au Xe siècle, montrent
que les évêques eux-mêmes répugnent à trancher dans un
domaine réservé aux laïcs. Mais les rois commencent à adresser aux tribunaux ecclésiastiques les plaintes qui concernent
le droit matrimonial, et lorsqu'ils légifèrent en cette matière,
ils n'oublient pas d'invoquer des textes canoniques [16]. Manifestement, on hésite encore sur la conduite à tenir. La définition
du mariage comme un sacrement, un siècle plus tard, permet
de franchir le pas décisif dans la prise de contrôle par l'Église
du domaine matrimonial.

La réforme grégorienne, au XIe siècle, se charge de cette
extension de compétence. Outre la législation sur la consanguinité, l'Église revendique désormais l'exclusivité en matière
de divorce [17]. La *Summa elegantius in iure diuino* (« Somme
très élégante de droit divin »), somme canonique rédigée à
Cologne vers 1169, l'affirme sans ambages : « Le mariage est

régi par les lois ecclésiastiques et c'est à bon droit que les difficultés auxquelles il donne lieu sont tranchées par les juges de l'Église [18]. » Les recueils canoniques et les décisions conciliaires, aux xiᵉ-xiiiᵉ siècles, mettront ce principe en application et fourniront aux tribunaux des évêques, les officialités, un matériau cohérent. Les chapitres consacrés au mariage y sont de plus en plus nombreux : Jean Gaudemet en a compté 129 chez Ives de Chartres, 231 dans une compilation anonyme du xiᵉ siècle ! Cet intense effort législatif se poursuivra jusque vers 1250, puis diminuera progressivement. En deux siècles, l'Église a constitué sa doctrine matrimoniale.

Bien des éléments devraient être pris en compte dans cette vague législative des années 1050-1250. Le développement des hérésies cathares, par exemple, qui assimilent mariage et luxure, comme leurs ancêtres manichéens. Et de la même façon que saint Augustin avait été amené à définir sa théorie matrimoniale contre les disciples de Mani, Alain de Lille défendra le mariage contre les cathares. Le concile de Latran IV, en 1215, devra même rappeler que « les époux sont appelés à la béatitude éternelle aussi bien que ceux qui se sont voués à la virginité [19] ». Le renouveau du droit romain dans les universités italiennes, et en particulier à Bologne, à partir du xiiᵉ siècle, infléchira notablement les anciennes conceptions. Contre l'autorité paternelle qui reste prépondérante dans le droit germanique, les « romanistes », comme on les appelle, mettent l'accent, selon le droit romain, sur le consentement des époux.

L'idée est belle d'un retour au consensualisme, qui garantit l'entente conjugale puisque les époux s'engagent librement l'un à l'autre. Mais il est difficile d'échapper aux pressions parentales dans une cérémonie officielle. Aussi, en cas d'opposition des parents, voit-on se multiplier les unions clandestines, très faciles puisqu'aucun rite n'est exigé pour en reconnaître la validité. L'Église, qui permet ces abus par sa nouvelle doctrine, se retrouve face à de graves problèmes de conscience. Difficiles à prouver par la suite, en cas de discorde entre les époux, ces unions ne sont pas forcément plus stables que les mariages forcés. Éventuellement bénies par des prêtres complaisants, parfois dans des paroisses lointaines, elles mettent en jeu la responsabilité du clergé dans des alliances désapprouvées par la société. Les tribunaux fourmillent alors de plaintes de parents qui voient leur échapper leur progéniture et se ruiner leur politique d'alliance. L'Église se retrouve accusée de complicité dans ce qu'on présente alors comme des « rapts »[20].

Si la possibilité de se marier sans l'accord paternel, voire sans prêtre, est dans la nouvelle logique de la politique matrimoniale, l'Église ne peut encourager cette dérive. Aussi prend-elle des mesures pour décourager les mariages clandestins, avant de les interdire au concile de Trente. C'est le concile de Latran, en 1215, qui légifère sur la question. Il prononce de lourdes peines, allant de pénitences à l'excommunication, contre les conjoints, les célébrants et les intermédiaires qui se prêtent à ces cérémonies, et ordonne la publicité d'une union officielle bénie par le curé de la paroisse, sans pour autant invalider les clandestines. Des restrictions sont aussi prévues dans l'indulgence en cas d'empêchements : si par exemple un lien a été noué à un degré prohibé, l'excuse d'ignorance ne peut être invoquée, alors qu'elle peut l'être si l'engagement a été public. Le couple dès lors n'échappe pas à l'annulation et ses enfants sont présumés bâtards. Le concile enfin instaure le triple ban proclamé en chaire par le prêtre, pour que la publicité soit totale.

Mais cette nouvelle législation n'est pas sans inconvénients. Elle contribue à retarder d'autant les noces, alors que l'Église lutte également contre le mariage par étapes attesté dans la plupart des coutumes antiques. C'est ainsi que les fiançailles qu'avait connues l'Antiquité romaine reviennent à la mode, pour que les négociations entre familles puissent être fixées par contrat avant le mariage et ne puissent être remises en cause durant les trois semaines nécessaires à la publication des bans.

Ce sont les théologiens français qui font les premiers la distinction entre le *consensus* (ou les *uerba*) *de futuro* (« consentement » ou « paroles pour l'avenir ») et le *consensus* (ou les *uerba*) *de præsenti* (« consentement » ou « paroles pour le présent[21] »). Ces promesses « pour l'avenir » peuvent être rompues, mais au prix de sanctions religieuses. Il faut pour cela un jugement de l'officialité épiscopale, généralement octroyé pour des raisons valables : la jeunesse des parties, les inconvénients de l'union, l'impossibilité de vivre en commun... Mais les raisons peuvent sembler anodines : l'official de Troyes prononce ainsi la rupture entre Nicole et Jean Defer sur déclaration confirmée par témoins, que celui-ci « pue du nez et de la bouche », ce que la jeune fille n'avait pas remarqué avant de s'engager[22].

Les fiançailles, cependant, créent un « empêchement d'honnêteté publique » pour la famille des promis, même si elles sont rompues. Pas question donc pour le frère ou le cousin du fiancé de chercher femme parmi les parentes de la jeune fille, même si le mariage projeté ne s'accomplit pas. Enfin, si les fiancés ont des relations sexuelles, il y a « mariage présumé », et l'union est indissoluble. Cette union provisoire qui doit être concrétisée après publication des bans n'est donc pas un engagement à la légère. Aussi les officialités sont-elles vite surchargées de nouveaux dossiers épineux.

La difficulté, pour les tribunaux ecclésiastiques amenés à se prononcer, c'est que ces promesses n'ont aucune forme particulière et qu'on distingue difficilement la séduction, la badinerie et l'engagement solennel. Elles se font, selon les régions, comme les *sponsalia* (« épousailles ») antérieures : don d'un soulier, partage d'un gâteau, coupe commune... Les officialités fourmillent de plaintes émanant de jeunes filles qui se sont crues fiancées. Le 29 juin 1386, par exemple, Amelot la Févresse se présente devant l'officialité de Paris pour accuser Jean Tiphaine de séduction. Ils étaient tous deux allés acheter des souliers à Domont, chez Étienne de Meneville, cité comme témoin. La jeune fille s'était plainte que ses souliers étaient trop étroits, tandis que ceux de Jean lui conviendraient mieux. Celui-ci propose de les échanger au nom du mariage, et lui donne sa main, en demandant licence néanmoins de pouvoir contracter ailleurs. On peut supposer qu'il y a eu plaisanterie innocente, car l'échange de souliers ne se réalisa pas. Mais la jeune fille se dit fiancée, de bonne foi ou non [23].

Des engagements au cabaret autour d'un verre de vin ne sont pas rares, et l'état des témoins ne leur permet pas toujours de se rappeler s'il y a eu *uerba de futuro* ou *de præsenti*. Rude tâche pour les juges ecclésiastiques, de trancher entre plaisanterie d'étudiants, fiançailles ou mariage secret... Souvent, la parole du fiancé suffit pour prononcer la rupture, mais quand la jeune fille arrive enceinte au tribunal, il échappera difficilement au mariage, ou au moins aux frais d'éducation de l'enfant. La parole de la fille séduite peut alors suffire pour identifier le père. C'est pour éviter la multiplication de ces abus que les fiançailles finissent par s'officialiser, devant le prêtre et avec des cadeaux plus rituels. Dès le xiiie siècle, le don d'un anneau, distinct de l'anneau de mariage, tend à se généraliser. Lorsque l'union s'officialisera, la bague de fiançailles passe tout simplement à la main gauche.

Sur ces trois points liés à la nouvelle doctrine sacramentelle (compétence exclusive de l'Église, consensualisme et fiançailles), les protestants, qui dénient cette dimension au mariage, entreront également en conflit avec la législation catholique. Le droit conjugal ressortit pour eux aux tribunaux civils et non aux officialités. La Réforme abonde sur ce point dans le sens de la politique des États naissants, et le gallicanisme, en France, développera dès le XVIᵉ siècle des thèmes semblables. Enfin, le droit naturel prime dans ce domaine sur la théorie canonique, et l'autorité parentale, de droit naturel puisque reconnue par tous les peuples antiques et imposée par les Tables de Moïse, ne peut être bafouée par les mariages clandestins. Pour les protestants, donc, le consentement des parents sera obligatoire – au point, dans certaines communautés, que son absence annule le mariage. Pour le garantir, on développe tout ce qui favorise la publicité, en particulier les fiançailles et la publication des bans [24].

Pour des raisons purement linguistiques, d'ailleurs, les fiançailles se distinguaient mal du mariage en Allemagne. La formule « Ich will dich nehmen » constituait-elle des *uerba de futuro* ou des *uerba de præsenti*? Paroles de futur, si *wollen* est auxiliaire de temps (« je te prendrai »); paroles de présent, s'il est auxiliaire de mode (« je veux te prendre »). Le problème agitait déjà les théologiens, qui ergotaient sur la différence entre *uolo te prendere* (« je veux te prendre », promesse de futur) et *uolo te habere* (« je veux t'avoir », promesse de présent). On voit à quels excès pouvaient mener ces fiançailles trop récemment intégrées dans le droit ecclésiastique.

Cette subtilité est dénoncée par Luther, qui plaide pour de véritables fiançailles, indissolubles, sinon pour les mêmes causes limitées que le mariage. Les fiançailles protestantes deviennent alors des engagements officiels, qui ne se forment pas, comme c'est encore parfois le cas dans l'Église catholique, par des promesses hâtivement échangées entre deux jeunes amoureux en mal de consentement paternel. Un consistoire protestant de Montauban, ainsi, déclara invalides des fiançailles de cabaret, que deux jeunes gens avaient conclues « en mangeant ensemble; et pour signe rompirent une boniette par le milieu : chacun en princt la moitié, la mangea et après burent de vin dans ung verre ». Malgré l'échange d'anneaux et cette image de la Cène, on jugea cette promesse « frivolle et par conséquent de nul effect [25] ».

Le mythe du mariage

À la base de la doctrine chrétienne sur le mariage, il y a la fameuse comparaison de saint Paul entre l'union des baptisés et celle du Christ avec son Église. Ce rapprochement n'eut pas que des conséquences dogmatiques : il contribua également à renouveler la mythologie du mariage dans une perspective chrétienne. Dans la pensée de Paul, l'union mystique concerne toute la vie du chrétien, et pas seulement le temps de ses noces. Par exemple, pour désigner le baptême, il utilise le terme grec *loutron*, qui évoque le bain lustral de la fiancée dans les rites nuptiaux de la Grèce antique. Ainsi, ont vite conclu les commentateurs, dès le baptême, le chrétien se prépare aux noces mystiques en s'incorporant au corps de l'Église. La métaphore n'est encore qu'esquissée. Le mari est le chef (la tête) de la femme comme le Christ est le chef de l'Église. La femme doit donc être soumise à son mari comme l'Église à son Seigneur, et ceux-ci, en échange, leur doivent leur amour. Vient ensuite une allusion au bain lustral du rite antique, l'eau étant assimilée à la Parole purifiante (Ep 5, 21-33).

C'est dans la pensée de saint Augustin que le bourgeon éclos chez saint Paul arrive à maturation. Dans ses commentaires sur l'évangile de saint Jean notamment, l'évêque d'Hippone développe cette image. Les fiançailles de Dieu avec la chair humaine ont eu lieu dans le sein de la Vierge, cette « chambre nuptiale » où le Christ est devenu la tête de l'Église. Mais pour que les noces aient lieu, il faut que l'Église naisse, et c'est dans les souffrances de cette gésine que le Christ meurt sur la Croix. Reprenant une lecture symbolique aussi ancienne que le christianisme, puisqu'on la retrouve dès le premier siècle chez Clément de Rome, Augustin explique l'enfantement de l'Église par celui de la première femme. Adam fut endormi pour que la mère de tous les vivants soit tirée de son flanc (droit, dans la tradition médiévale). De même, le Christ meurt sur la croix pour que la mère des nouveaux vivants sorte de son côté droit, ouvert par le coup de lance de Longin.

Cette naissance est aussi mariage, et la croix, un lit nuptial. L'eau et le sang qui jaillissent de la plaie sont les deux principaux sacrements – baptême et eucharistie – qui assureront la croissance de l'Église. Et ils sont assimilés respectivement au bain lustral et à la dot du mariage antique. L'Église, qui a trouvé sa tête dans le sein de la Vierge, va peu à peu gagner ses « membres », et la consommation des noces viendra à la fin des temps, quand la vierge humanité se dépouillera de son vêtement de mortalité pour épouser son Créateur. Sans doute ne faut-il pas prendre cette image au pied de la lettre ; les images de mariage et de naissance, de virginité et de maternité s'y mêlent sous couvert du « grand mystère » paulinien. Mais ces noces mystiques fascineront le Moyen Âge, qui les réalisera à sa manière.

Un autre texte biblique a nourri le mythe : c'est la célèbre parabole des vierges sages et des vierges folles rapportée par saint Matthieu (25, 1-13). Les cinq vierges avisées qui ont prévu de l'huile pour leur lampe sont accueillies à la noce lorsque le fiancé arrive en pleine nuit. Les cinq insensées qui se sont endormies devant leur lampe vide se voient refuser l'entrée de la salle. S'il s'agit, selon les coutumes antiques, de « paranymphes », ces jeunes filles qui convoient, durant la nuit de noces, l'épouse jusqu'à la maison de son nouveau maître, le Moyen Âge y vit autant d'épouses au Fiancé par excellence, à l'exemple de celles qui Lui étaient réservées dans les couvents. Très tôt, la prise de voile fut calquée sur la cérémonie nuptiale, au point qu'on a pu se demander si certaines coutumes (le voile, l'anneau) issues de l'Antiquité romaine n'avaient pas transité par le cloître avant de revenir à la chambre nuptiale. Le chœur des vierges vient juste après celui des martyrs dans la hiérarchie céleste, avant celui des confesseurs, des veuves ou des mariés. Et les poètes ne manquent pas de célébrer ces épousailles divines : « Bienheureuses noces, où il n'est point de souillure, point de ces terribles douleurs de l'enfantement, pas de belle-mère à craindre, pas de nourrice pénible... Le Christ dans ces lits s'endort avec elles : heureux ce sommeil et doux ce repos, où la vierge fidèle étant à l'abri entre les deux bras de l'époux céleste, le bras droit de l'époux entourant l'épouse, l'autre sous sa tête, elle dort soumise [26]. »

Mais ce mariage mystique entre la vierge et le Christ n'est qu'un premier pas, qui n'engage que la personne. Il y en a un second, entre l'âme et son Dieu, que seule la mystique peut connaître. Telle est la révélation que reçoit à la fin du XIIIe siècle Angèle de Foligno. « Dans Celui qui est sur l'autel est la perfection et le complément du sacrifice que tu cherches. Prépare-toi donc à le recevoir. Tu as déjà au doigt l'anneau de son amour ; déjà tu es son épouse. Mais l'union qu'il veut contracter aujourd'hui avec toi est une union nouvelle; c'est un mode d'union que personne ne connaît[27]. » Et pour décrire ce troisième type d'union mystique, une troisième référence biblique vient immédiatement à l'esprit : le *Cantique des cantiques*, qui, depuis les commentaires qu'en donne saint Bernard au XIIᵉ siècle, nourrit les élans mystiques des hommes comme des femmes.

Car les hommes aussi, par le biais de poèmes, deviennent « épouses du Christ ». C'est à Bruno de Ségni qu'on attribue une charmante paraphrase du *Cantique* : « Qui est-ce qui frappe à la porte, rompant le sommeil de la nuit? Il m'appelle : Ô toi la plus belle de toutes, ma sœur, mon épouse, ma perle entre toutes, lève-toi vite, ouvre, ma toute douce. » Et Abélard, pour les religieuses du Paraclet, compose un recueil d'hymnes d'amour céleste. « Tout en montant au palais paternel, en gravissant le trône de son père, il crie à sa fiancée : Vite, ma bien-aimée, assieds-toi avec moi à la droite du Père[28]. » La fiancée, dans le cas d'un homme, est bien entendu l'âme.

Les mystiques des XIIᵉ-XVᵉ siècles ont développé cette thématique conjugale. Lothaire de Ségni, avant de devenir le pape Innocent III, écrit en 1198 un traité *Sur les quatre espèces de noces* où le mariage est soumis aux quatre lectures scolastiques des Écritures. Il y a d'abord un « mariage historique », entre l'homme et la femme, prophétisé par Adam et par lequel on est deux dans une seule chair. S'y superpose un mariage « allégorique », entre le Christ et l'Église, signalé dans l'Apocalypse où apparaît « l'épouse de l'Agneau »; ils sont « deux en un seul corps ». Le mariage « tropologique » (moral), prophétisé par Osée, s'accomplit entre Dieu et l'âme humaine, qui sont « deux en un seul esprit ». Le mariage « anagogique », enfin (qui concerne le salut de l'Homme), implique le Verbe et la nature humaine; sur l'exemple du *Cantique*, les époux sont « deux en une seule personne ». C'est surtout ce dernier que développe le futur pape. Il est décrit dans tous les détails de la cérémonie : fiançailles avec Abraham, dot de l'épouse (la terre) et donation du mari (le pouvoir sur les animaux); Gabriel sert de paranymphe et la couche de la Vierge est le lieu où il s'accomplit. Lothaire de Ségni voit même l'anneau de mariage dans les multiples allusions au « doigt de Dieu » qui parsèment les deux Testaments (Lc 11,20...), et l'oscle dans le baiser du *Cantique* (« qu'il me baise du baiser de ses lèvres »). Ces développements ingénieux témoignent surtout d'une valorisation du mariage à la fin du XIIᵉ siècle, à l'époque où il est attaqué par les hérétiques, méprisé par l'amour courtois, et où l'Église tente de spiritualiser les cérémonies privées [29].

Le mariage entre Dieu et l'âme humaine trouvera lui aussi ses chantres inspirés. À la même époque, Hugues de Fouilloy, dans la tradition cette fois des attaques contre le mariage charnel, lui oppose les noces spirituelles entre le Christ et l'âme [30]. Au xiv⁰ siècle, *L'Ornement des noces spirituelles* de Ruusbroec s'adresse à celui qui veut « rencontrer le Christ comme son époux bien-aimé » : la « vierge prudente », l'épouse du cantique, est désormais « l'âme pure », ce qui permet à l'homme d'avoir vers un Dieu mâle des élans sans ambiguïté. Les noces débouchent sur un « combat amoureux », une « rencontre » et une « union » dans l'esprit, « dans la nature nue ». « L'attouchement de Dieu » fait alors « déborder la fontaine de l'amour » : « Ici l'homme est possédé par l'amour, au point qu'il s'oublie lui-même, qu'il oublie Dieu, et qu'il ne peut plus rien qu'aimer. » L'esprit et l'amour de l'homme s'en retrouvent « féconds en vertu [31] ».

Les métaphores sexuelles ne sont pas gratuites dans ce traité d'amour conjugal avant la lettre. L'amour des mystiques pour leur Dieu est profondément charnel, de sainte Lutgarde qui vivait corporellement la présence de Dieu à ses côtés jusqu'à Hadewijch d'Anvers qui parle en termes crus de la « jouissance commune et réciproque, bouche à bouche, cœur à cœur, corps à corps, âme à âme ». Il est vrai que sa jouissance, *gebruiken*, est plus prudemment traduite par « fruition » pour le public moderne [32].

Le développement extraordinaire de cette thématique amoureuse, au xii⁰ siècle, ne sera pas sans influence sur la vision que les prêtres auront du mariage entre laïcs. Nous avons vu que la société féodale, et certains écrivains ecclésiastiques, se méfiaient de l'amour comme d'un trublion dans l'ordonnance du mariage. La mystique, qui décrit les noces divines sur leur modèle humain, réhabilite l'amour conjugal en multipliant les références bibliques. Et son influence semble réelle sur la vie quotidienne, s'il faut en croire certaines formules de chartes de mariage qui parlent d'amour en citant les Psaumes [33]. Malgré l'ironie de certains ou la désapprobation des autres, l'amour conjugal existe bien au xii⁰ siècle. Mais, bien entendu, il est toujours subordonné à l'amour divin. L'affection que se portent les époux est le premier des quatre « degrés de l'amour ardent », chez Richard de Saint-Victor comme chez Hugues de Fouilloy ou chez Lothaire de Ségni [34]. Et cette spiritualisation de l'amour conjugal aboutit à une méfiance accrue vis-à-vis de l'amour physique, qui empêche de le faire progresser jusqu'au véritable amour, celui de Dieu. On comprend mieux pourquoi, au tournant des XIIᵉ-XIIIᵉ siècles, la définition consensuelle du mariage tend à s'imposer contre l'antique définition germanique de la consommation.

On comprend également pourquoi l'amour courtois, né dans les pastourelles très charnelles de Guillaume d'Aquitaine, tend de plus en plus à un platonisme ambigu. Marie-Odile Métral fait très judicieusement le rapprochement, à la fin du XIIᵉ siècle et au XIIIᵉ, entre le développement de la courtoisie, les vies de saintes mariées en conservant leur virginité et les traités d'amour mystique qui éclosent dans les monastères [35]. Sous l'impulsion de la nouvelle mystique, mais aussi de la réforme morale des monastères et du combat contre les hérésies cathares, la fin du XIIᵉ siècle est en quête d'une nouvelle pureté qui passe à nouveau par l'exaltation de la virginité.

Ainsi voit-on se multiplier, aux XIIᵉ-XIIIᵉ siècles, les vies de saints exaltant la chasteté conjugale sur le modèle de saint Alexis. Mais alors qu'Alexis avait fui sa femme le soir de ses noces, c'est une virginité commune que l'on voue désormais à Dieu. L'exemple vient de loin : Grégoire de Tours raconte le glorieux mariage blanc d'un sénateur auvergnat, Injurieux, et de sa femme Scolastique, vers l'an 500. Les époux, connus sous le nom des « deux amants » dans la tradition clermontoise, gardèrent leur vœu secret jusqu'à leur mort. On les plaça alors dans deux sarcophages situés sur deux murs opposés de l'église Sainte-Illide, à Clermont. Le lendemain, les tombeaux s'étaient rapprochés [36]. Exemple fameux, sans doute, mais encore rare.

Or ces renoncements édifiants se multiplient soudain aux XIIᵉ-XIIIᵉ siècles. L'empereur Henri II et sa femme Cunégonde avaient ainsi été canonisés au XIIᵉ siècle. Comme ils n'avaient pas eu d'enfants et que la stérilité est toujours suspecte d'une malédiction divine, un supplément à leur vie, un siècle plus tard, nous apprend qu'ils avaient fait vœu de virginité le soir de leurs noces [37]. C'est ce que fait aussi une autre Cunégonde, fille du roi de Hongrie et mariée au roi de Pologne au XIIIᵉ siècle : la discussion argumentée qu'elle a avec son mari et avec des prêtres pour conserver conjointement son époux et sa virginité est longuement rapportée dans son hagiographie : elle obtient de son royal époux un an de délai avant consommation du mariage, délai qu'elle fera renouveler trois fois avant que leur vœu commun soit prononcé devant l'archevêque de Varsovie [38]. Mais il faudra une intervention de saint Jean pour calmer la colère du mari frustré de descendance.

Pour les saintes qui ont eu des enfants, il est difficile de nier l'aspect charnel de l'amour conjugal. Mais elles seront dispensées du péché, même véniel, qu'entraîne le plaisir sexuel. Ainsi sainte Ida de Herzfeld, malgré ses cinq enfants vivants, conserva toute sa vie une sainte frigidité. « À l'occasion de l'union charnelle, nous renseigne son hagiographe, elle ne s'en appliquait pas moins à rendre à Dieu ce qui était à Dieu : elle tempérait son amour extérieur de façon à ce qu'aucune tache ne puisse obscurcir la sévérité de son esprit [39]. » Le thème sera repris dans la vie de sainte Pauline, engendrée sans que sa mère oublie « son époux intérieur ». Sainte Ida de Boulogne, mère de Godefroi de Bouillon et de Baudouin de Jérusalem, quant à elle, servit chastement le mariage, selon le précepte de Paul, et « usa de son mari par devoir *(debite)*, comme si elle n'avait pas de mari [40] ». Obsédée par sa diabolisation de la chair, l'Église finit par confondre noces spirituelles et schizophrénie.

Et la sexualité, que nous considérons aujourd'hui comme la preuve de l'amour conjugal, finit par en devenir la négation. Révélateur à ce sujet le fabliau du « souhait contrarié » : deux époux qui s'aiment tendrement sont séparés pendant un long moment. Au retour du voyageur, la femme prépare un festin et attend avec impatience le moment de manifester plus vigoureusement sa joie des retrouvailles entre deux draps. Mais le mieux est l'ennemi du bien : à force de mettre les petits plats dans les grands, elle gave si bien le pauvre homme qu'il s'assoupit sans apaiser les flammes conjugales. Va-t-elle le réveiller pour lui rappeler son devoir ? Nenni, car « il la croirait dévergondée »... et la voilà forcée de refréner ses ardeurs [41]. Depuis saint Jérôme, en effet, on identifie à un adultère l'amour conjugal excessif, et les maris finiront par confondre le plaisir de leur femme avec de la débauche. Triste mariage, où l'amour pourtant devrait présider au plaisir !

Le Moyen Âge est relativement pondéré sur cette question, car le plaisir féminin passe alors pour nécessaire à la conception. Mais lorsque la vérité médicale s'établira au XVIe siècle, au moment où les mœurs se libèrent, la meilleure preuve d'amour conjugal pour une femme sera de se comporter en sainte Ida. Montaigne et Brantôme trouvent scandaleux qu'on se comporte avec sa femme comme avec une maîtresse – c'est-à-dire en faisant l'amour par plaisir et non pour avoir des enfants. Lui apprendre l'Arétin (le Kama-Soutra de l'époque), estime Brantôme, c'est risquer de l'exciter à la paillardise. Quant à Montaigne, qui enseigne à « toucher sa femme prudemment et severement, de peur qu'en la chatouillant trop lascivement le plaisir la face sortir hors de ses gons de raison », il est plus radical : « Qu'elles apprennent l'impudence, au moins, d'une autre main [42]. » Dans la société plus libre du XVIᵉ siècle, l'antinomie entre plaisir sexuel et devoir conjugal aboutit à de troublantes conclusions.

Tel est le paradoxe de l'amour conjugal dans la littérature édifiante du Moyen Âge. Modèle de l'amour mystique qui unit l'âme à Dieu, il est largement réhabilité, à condition qu'il ne se commette pas avec la sexualité. Nous retrouvons le mythe originel des deux mariages, celui d'Adam avant la faute, destiné à la génération, et celui d'après la chute, simple remède à la fornication. Les saintes, au moins, retrouvent le mariage édénique. Les hommes mariés et pieux ont une dernière solution, depuis le XIIIᵉ siècle : rejoindre le tiers ordre de saint François, celui des laïcs fascinés par la spiritualité sans vouloir ou pouvoir renoncer au monde. Ils gardent leur femme... à moins que, comme frère Puccio dans la nouvelle de Boccace, ils ne se la fassent voler par un moine [43]. Car le miroir ecclésiastique renvoie aussi une autre image : celle du religieux et du prêtre qui supportent mal leur chasteté et leur célibat.

Le célibat des prêtres

Si la virginité était le gage d'un mariage spirituel ou mystique, il peut sembler normal de l'exiger de ceux qui se sont consacrés à Dieu. Le célibat des clercs, et en particulier de ceux qui parviennent à la prêtrise, est un vieux débat qui remonte au haut Moyen Âge. Les Écritures, comme souvent, fournissent des arguments aux uns et aux autres; quant à l'exemple des apôtres, il est moins clair encore. Saint Paul, protestant auprès des Corinthiens de sa qualité d'apôtre, souhaite par exemple obtenir, ainsi que Barnabé, les mêmes droits que les douze, et notamment celui de se faire entretenir par les communautés. « N'aurions-nous pas le droit de manger et de boire ? N'aurions-nous pas le droit d'emmener avec nous une femme chrétienne comme les autres apôtres, les frères du

Seigneur et Céphas? Moi seul et Barnabé n'aurions-nous pas le droit d'être dispensés de travailler? »

La chrétienté primitive a compris que les apôtres étaient mariés, puisqu'ils menaient une femme avec eux. Tertullien, qui prône une morale plus stricte, s'oppose à cette interprétation et ne voit, dans ce passage, qu'une allusion aux servantes des apôtres. Il admet cependant le mariage de saint Pierre, « à cause de sa belle-mère ». Les trois évangiles synoptiques rapportent effectivement la guérison par Jésus de la belle-mère de Pierre. Et pas question de croire à un mariage chaste et spirituel, puisque la tradition médiévale, jusqu'à la *Légende dorée*, reconnaît une fille au premier pape : sainte Pétronille, dont on fera par la suite sa servante, ou sa fille spirituelle. Quant à l'apôtre Philippe, il prêche avec ses deux filles, qui sont ensevelies à ses côtés ; mais, ajoute la *Légende dorée*, il ne faut pas le confondre avec le diacre Philippe qui, lui, eut quatre filles [44]. Sans doute la légende de Pétronille est-elle fausse – son nom la ferait d'ailleurs descendre d'un Petronius, plutôt que d'un Petrus. Sans doute aussi saint Paul, en réclamant le droit d'emmener avec lui une femme, comme les autres, rappelle-t-il constamment qu'il est et entend rester vierge (1Co 7, 8). Mais il est significatif que le mariage des apôtres, réel ou supposé, n'ait pas choqué le Moyen Âge. Ainsi saint Ambroise, discutant la virginité prônée par l'évangile, entend-il lui donner un sens symbolique : sans quoi, on exclurait de la gloire divine de nombreux saints, « car tous les apôtres, excepté Jean et Paul, ont eu des femmes [45] ».

Il y avait d'ailleurs une échappatoire : les apôtres ayant été appelés, il est tout à fait possible qu'ils aient été mariés et pères de famille avant leur rencontre avec le Christ. De même que ceux qui sont mariés avant leur conversion ne peuvent répudier leur femme (1Co 7, 10), de même les apôtres auraient conservé la leur tout en vivant dans la chasteté.

Quant aux prêtres, saint Paul leur accorde explicitement le droit de se marier. La seule chose qu'il demande aux « épiscopes », responsables des communautés, c'est de n'avoir qu'une seule femme (1Tm 3, 2 ; Tt 1, 6). Les premiers chrétiens se montreront tout aussi tolérants, et saint Clément d'Alexandrie, à la fin du IIe siècle, reconnaît encore à l'homme, qu'il soit clerc ou laïc, prêtre ou évêque, la possibilité de se marier et d'être sauvé en engendrant des enfants [46]. Il est vrai que de plus en plus de clercs optent pour le célibat et que, dans les communautés chrétiennes, les prêtres mariés ont déjà mauvaise presse. Un canon du concile de Gangres, conservé par Gratien, condamne les fidèles qui refusent d'assister à la messe des prêtres mariés. La pression a donc pu se faire par en bas, dans les premiers siècles.

Au témoignage de saint Jérôme, certaines communautés, en Égypte et à Rome notamment, interdisent déjà le mariage des prêtres, et de plus en plus de conciles, aux IVᵉ et Vᵉ siècles, entérinent cette nouvelle politique matrimoniale. À Elvire, en 305, on prescrit aux clercs, diacres, prêtres et évêques de s'abstenir de leurs femmes et de ne plus engendrer d'enfants, ce qui indique au moins que le mariage n'était pas un obstacle à la cléricature ⁴⁷. Les papes étendront par la suite à toute la chrétienté les décisions de conciles locaux qui réclament également cette abstention des ordres inférieurs ⁴⁸. Mais l'Orient se montre sur ce sujet moins intraitable que l'Occident : depuis le VIIᵉ siècle, le mariage des prêtres restera ainsi une des pommes de discorde entre Églises d'Occident et d'Orient. Le concile *in Trullo*, en 692, et toute la tradition orthodoxe, permettront aux clercs mariés de conserver leurs femmes ; seuls les évêques seront appelés à garder la continence, sans pour autant devoir rompre un mariage antérieur.

Si les décisions pontificales et conciliaires sont difficiles à faire respecter, il semble que le célibat ecclésiastique se soit imposé en Occident dans un premier temps, avant un relâchement des mœurs aux Xᵉ-XIᵉ siècles. Les prêtres, qui ne peuvent plus se marier, commencent alors à entretenir des concubines, une forme d'union que l'Église cherche précisément à combattre. Aussi conciles et papes tonnent-ils à nouveau contre les prêtres impurs. L'œuvre de Pierre Damien (1007-1072), les conciles de Bourges (1031), de Rouen (1064), de Lisieux (1055), les papes Léon IX, Grégoire VII (qui attachera son nom à la réforme « grégorienne »), Urbain II, Calixte II... reviennent sans relâche sur la question.

La corruption du clergé est alors générale, et la bâtardise n'est plus un obstacle à la transmission des charges et des bénéfices. On peut craindre dans la carrière cléricale les mêmes dynasties de prêtres que dans la société civile, où la transmission des fiefs commence à devenir héréditaire. En Bretagne, déjà, on constate cette tendance aux familles épiscopales : à Quimper, Benoît II meurt en 1029, laissant le siège épiscopal à son fils, qui le léguera ensuite au sien ; à Nantes, Gauthier II verra lui aussi son fils lui succéder, ainsi que Thibaut, évêque de Rennes ⁴⁹... À l'époque où la société se constitue en ordres fermés, le mariage des prêtres, s'il avait été toléré, aurait engendré une seconde aristocratie. Une classe sacerdotale se serait constituée, comparable à celle des Lévites chez les Hébreux, des Mages chez les Mèdes ou des Brahmanes chez les Hindous. Jack Goody rappelle que Grégoire VII, d'origine modeste, ne serait jamais devenu pape si les charges s'étaient transmises par héritage. Est-ce cela qui l'a incité à faire appliquer avec plus de rigueur le célibat des prêtres [50] ?

Les nouvelles mœurs ne s'imposeront que lentement. Les prédicateurs et la littérature ne cessent de mettre en scène des prêtres vivant en concubinage plus ou moins officiel. Un fabliau évoque ainsi les difficultés rencontrées par un évêque qui engageait un prêtre à se séparer de sa concubine. Surtout lorsque ce prêtre découvrit une maîtresse à son évêque [51]. La leçon est claire : vaut-il mieux une liaison scandaleuse et cachée ou un concubinage interdit, mais moins hypocrite ? On sent où va la préférence du public, sinon des auteurs, de ces fabliaux : la fréquence des maris cocufiés par le curé dans cette littérature gaillarde suggère qu'un prêtre célibataire est ressenti comme une menace pour les ménages.

Au-delà du lieu commun littéraire, il y a un fait de société qu'on ne peut ignorer. L'autorité religieuse, cependant, reste bien impuissante à mettre au pas les réfractaires, surtout dans les diocèses où le concubinat est généralisé. À Paris, les prêtres accusés par l'évêque s'en tirent en multipliant les procédures, et il faut que le pape permette à l'évêque, Maurice de Sully, de supprimer l'appel pour imposer des sanctions immédiates [52]. Un synode tenu à Liège en 1131, en présence du pape Innocent, s'en prend ainsi aux ouailles faute de toucher les pasteurs : il anathématise ceux qui assisteront à la messe d'un prêtre dont ils sauraient sans le moindre doute qu'il a une concubine ou une épouse, retournant la prescription recueillie par Gratien à la même époque. Quant aux prêtres liégeois, ils vivent ouvertement en concubinage, quitte à renoncer à leur femme sur leur lit de mort... « Demandez à ceux qui prétendent qu'ils veulent avoir des femmes légitimes, pourquoi à leur mort ils renoncent à elles et changent du tout au tout ? Si le mariage est légitime, nul besoin de changer de vie ni d'y renoncer. S'il est illicite, c'est de la fornication [53]. » Entre mariage légitime et fornication, dans la pensée et le vocabulaire des réformateurs, il n'y a plus place désormais pour le concubinage.

Un autre pas est franchi en 1139, au concile de Latran, qui

fait du sacrement d'ordre un empêchement dirimant, qui annule donc le mariage. Outre les sanctions prises contre les clercs ordonnés mariés, leur union est déclarée nulle et leurs enfants deviennent bâtards. Les collections de décrétales entérineront cette décision. Encore faut-il la faire respecter, et un autre concile tenu également à Latran, en 1215, punira, « plus lourdement » que les clercs incontinents, les prêtres qui se sont mariés « selon la coutume de leur région », puisqu'ils souillent non seulement leur sacerdoce, mais aussi la dignité du mariage [54]. À la fin du Moyen Âge, d'ailleurs, des voix autorisées plaident à nouveau pour le mariage des prêtres. Dès le XIIIᵉ siècle, quand la doctrine sur le célibat fourbit ses dernières armes, on sent la réticence de Jean de Meung : Genius, dans le *Roman de la Rose*, excommunie tous ceux qui ne se servent pas de leurs « outils » de procréation ; en évoquant ceux qui restent continents pour des raisons religieuses, il s'en remet prudemment aux théologiens, car la foi doit l'emporter sur la raison. Mais la raison, apparemment, ne le convainc pas : si Dieu trouvait si bonne la continence, pourquoi ne l'aurait-il pas imposée à tout le monde [55] ?

Théologiens et canonistes jugent trop lourd le fardeau qui leur est imposé, et leurs idées passeront chez les protestants au XVIᵉ siècle. C'était paradoxalement les condamner. Sans doute est-ce leur succès auprès des Luther et des Calvin qui stoppe net leur développement : célibat et mariage des prêtres deviennent un choix de religion et sortent du domaine purement moral. On peut se demander si le célibat qui ne s'est jamais véritablement imposé au Moyen Âge aurait triomphé sans la Contre-Réforme, si le protestantisme s'était réduit à une petite hérésie qui ne menaçait pas directement le catholicisme.

Désormais, il ne fait plus bon revenir sur le célibat des prêtres. Seule la Révolution française permettra brièvement le mariage à ses prêtres assermentés. Par la suite, les arguments avancés depuis le début du XXᵉ siècle pour un assouplissement de la doctrine se sont régulièrement heurtés à une fin de non-recevoir.

Du clerc à l'intellectuel

Pourquoi les clercs ne peuvent-ils succomber au mariage ? Les raisons invoquées sont multiples, et parfois futiles – telle l'impossibilité de garantir le secret de la confession devant sa femme. Deux grands types d'argumentation ont prévalu. Le premier est purement religieux et, s'il se distingue de la chasteté limitée exigée de certains prêtres antiques (vestales...), il reste de l'ordre du « tabou ». Il s'appuie sur un célèbre passage de Matthieu où le Christ évoque ceux qui se font eunuques pour le royaume des cieux (Mt 19, 12). « Comprenne qui pourra », conclut-il. Mais ceux qui sont amenés à comprendre, ne sont-ce pas précisément ceux que le Christ a appelés en leur demandant de tout quitter, y compris femme et enfants (Mt 19, 29 ; Mc 10, 29 ; Lc 18, 29) ? Et pourquoi leur demander la chasteté dans cette vie, à l'opposé de toutes les traditions antérieures ? Sans doute pour donner ici-bas l'image du royaume des cieux, où « l'on ne prend ni femme ni mari » (Lc 20, 35). L'Église est en effet la préfiguration de la Jérusalem céleste. Ceux qui y vivent doivent être « comme des anges » et, par anticipation, vivre chastes comme eux.

Cette explication très ancienne, puisqu'on en trouve l'esquisse chez saint Paul, a été réactualisée au xxᵉ siècle lorsque la question du mariage des prêtres a été reposée. La réflexion de Jean-Paul II a notamment fait du célibat une « orientation » vers cet « état eschatologique » du royaume des cieux, où on ne prend ni mari ni femme, et que le clergé réalise ici-bas par « choix charismatique [56] ». Cette argumentation n'est pas développée directement dans les évangiles, mais est déduite de divers passages juxtaposés et interprétés dans le même sens. Le fait que certains se soient rendus eunuques pour le royaume des cieux implique-t-il une « consécration plus parfaite encore au règne des cieux par la virginité, fruit d'un don particulier [57] » ? Il n'y a pas de hiérarchie dans l'évangile entre mariage et virginité. Et ceux qui préfèrent cette voie pour y parvenir sont-ils nécessairement des prêtres, et tous les prêtres ? Ce sont les moines et non le clergé séculier qui faisaient vœu de chasteté. Quant à la nécessité de réaliser ici-bas la pureté du royaume céleste, elle n'est nulle part exigée par le Christ. L'explication eschatologique paraît surtout vouloir justifier une décision préalable.

La seconde explication a une origine aussi ancienne, puisqu'elle prend le relais des arguments contre le mariage avancés par les philosophes de l'Antiquité (Cicéron, Théophraste, Épictète...) et par les premiers chrétiens (saint Jérôme, Clément d'Alexandrie...). On invoque alors la disponibilité que doit garder le prêtre pour s'occuper en toute liberté des affaires de Dieu et de sa paroisse. « Je voudrais que vous soyez exempts de soucis », disait saint Paul (1Co 7, 32-34). « Celui qui n'est pas marié a souci des affaires du Seigneur : il cherche comment plaire au Seigneur. Mais celui qui est marié a souci des affaires du monde : il cherche comment plaire à sa femme, et il est partagé. » Cet argument d'origine stoïcienne, véhiculé avec d'autres par saint Jérôme dans son *Contre Jovinien*, connaîtra une singulière fortune au Moyen Âge, et en particulier à partir de la seconde moitié du XIIIᵉ siècle. L'antiféminisme de certains clercs, le concile de Latran de 1215, la sclérose de l'amour courtois extra-conjugal expliquent le retour d'arguments qu'on entendait peu depuis huit siècles.

L'amour courtois, ce jeu dans lequel l'amour est dédramatisé et soigneusement banni du mariage, a-t-il entraîné à cette époque une crise de l'institution matrimoniale, propagée par des clercs aigris, désormais cloîtrés dans leur célibat ? On a pu le soutenir, mais essentiellement à travers des témoignages littéraires ou polémiques. Il est exact que la diatribe antimatrimoniale éclôt dans la société française dans la seconde moitié du XIIIᵉ siècle, à une époque où l'amour courtois tend à se figer en un jeu gratuit et codé. L'amour est de moins en moins idéalisé et le mariage de plus en plus attaqué dans les romans et les poèmes de clercs, entre 1260 et 1300. C'est dans cette période que se développent tous les thèmes qui nourriront la polémique à la fin du Moyen Âge. Sans doute s'inspirent-ils d'exemples anciens. Mais leur concentration en France dans une même génération est caractéristique. À l'inverse, les romans qui concernent davantage un monde aristocratique et qui véhiculent moins les obsessions des clercs conservent l'idéal d'un mariage d'amour – même s'ils ne parviennent pas à le décrire [58].

La polémique sur la correspondance d'Abélard prend ici tout son sens. Car les lettres d'Héloïse constitueraient le chaînon manquant entre saint Jérôme et le XIIIᵉ siècle. Mais ont-elles été écrites par l'héroïne en 1132, ce qui constituerait un témoignage isolé avant l'éclosion dans le nord de la France de l'amour courtois, ou s'agit-il d'un « roman épistolaire » récrit au XIIIᵉ siècle, peut-être par Jean de Meung ? Si l'on admet au moins aujourd'hui une refonte ou une réécriture tardive d'un matériau original, l'aventure d'Abélard et d'Héloïse permit d'actualiser le thème du philosophe marié par un exemple plus récent : le problème concerne désormais le mariage du clerc, à la fois « intellectuel » avant la lettre et consacré à Dieu, réunissant les deux termes de l'antique polémique matrimoniale, le prêtre et le philosophe. Professeur éminent qui a séduit son élève, Abélard propose réparation à l'oncle de la jeune fille, « à la seule condition que le mariage fût tenu secret, afin de ne pas nuire à ma réputation ». L'oncle accepte : c'est Héloïse qui s'y oppose, ne voulant pas devenir une charge pour l'homme qu'elle aime. Après avoir appelé à la rescousse les auteurs chrétiens et païens qui ont écrit contre le mariage, elle invoque Cicéron, qui refusa, après avoir répudié Térentia, de prendre une autre épouse, « ne voulant rien entreprendre qui pût entrer en concurrence avec l'étude de la philosophie ».

La jeune femme énumère alors tous les soucis matériels, vagissements du nouveau-né et chansons de la nourrice, qui empêcheraient le père de travailler, et conclut par un éloge de la retraite qui permet au philosophe de se consacrer aux études loin du monde. Quant à elle, elle préférerait le titre de concubine ou de fille de joie à celui d'épouse, mais se résoudra à entrer en religion pour se livrer avec plus de liberté à la prière tandis qu'Abélard pourrait retourner à ses études [59].

Cette théorie selon laquelle l'amour empêche les philosophes de travailler à leur œuvre est d'origine antique, et Héloïse se montre surtout une fidèle lectrice de saint Jérôme, qui renvoie lui-même à Théophraste et à Cicéron. Le traité sur le mariage de Théophraste n'est connu que par saint Jérôme, mais il est devenu une référence obligée dans la littérature antiféministe médiévale [60]. Par saint Jérôme ou par Abélard, dont l'*Histoire des calamités*, authentique ou apocryphe, est très lue au XIIIᵉ siècle, les mêmes thèmes illustrés des mêmes exemples reparaissent dans le *Roman de la Rose* de Jean de Meung, fans le *de Nuptiis* de Hugues de Fouilloy ou dans le *Miroir du mariage* d'Eustache Deschamps... L'opposition entre un mariage mondain, qui assure la descendance mais grève la vie intellectuelle, et un mariage spirituel, dont les fruits sont les œuvres, découle tout naturellement de ce roman épistolaire avant la lettre. Abélard qui, par amour pour Héloïse, délaisse ses élèves et perd sa réputation, n'est pas éloigné d'Érec et des héros courtois qui s'enlisent dans le mariage et oublient leur « prix ». On finira par opposer les deux sortes de descendance qu'assurent les deux sortes de mariage. Le *Miroir du mariage*, qu'Eustache Deschamps compose entre 1381 et 1396, développe cette thématique [61].

Ce long poème allégorique ne se limite pas à une satire contre le mariage comme toutes les époques en ont produit.

Franc-Vouloir, le narrateur, est poussé à prendre femme par quatre amis, qui lui résument les traditionnels biens du mariage, et en particulier le devoir de perpétuer son espèce. On convoque bien entendu saint Paul, l'Ancien Testament, tous les oiseaux et animaux de la Création qui n'ont d'autre hâte que de s'accoupler deux à deux, et toutes les héroïnes sacrées et profanes qui ont illustré l'état conjugal. La femme y est présentée comme l'administratrice des affaires intérieures quand l'homme gouverne à l'extérieur de sa maison. Le plaidoyer serait convaincant, si les amis en question n'avaient nom Désir, Folie, Servitude et Fantaisie (« Imagination »). On sent qu'ils plaident pour leur paroisse.

Franc-Vouloir hésite : il garde en lui les vieilles images où le mariage devient une bataille, ou un esclavage. Il écrit à son ami Répertoire de Science pour lui demander conseil. Le réquisitoire qu'il reçoit en retour occupe les trois quarts des douze mille vers du poème. À toutes les références avancées par nos quatre compères répondent des citations opposées. Contre les épouses intègres des Écritures marchent les Dalila et les Salomé. La rhétorique scolastique fournit son arsenal de syllogismes et d'alternatives. Épouse-t-on une femme belle ? C'est courir le risque de porter des cornes. La choisit-on laide ? C'est se rendre malheureux soi-même. Le mariage est proprement mis au tapis par barbara et baralipton.

Pourtant, de ce long réquisitoire, on retient surtout l'opposition entre le mariage et la science. L'exemple de Cicéron, qui répudia sa femme pour mieux se consacrer aux études, vient tout droit de la *Consolation* d'Abélard :

> « Et dist qu'a femme et a clergie
> Ne pouoit bien uns homs servir [62]. »

Le mot *clergie*, qui désigne à la fois la science et l'état ecclésiastique, est révélateur. Cicéron n'est pas « clerc » au sens religieux du terme, mais en se consacrant à la philosophie, il a choisi une vie que seuls les clercs peuvent se permettre au Moyen Âge. Le discours des philosophes antiques est détourné pour justifier le célibat des prêtres. De la même façon, le livre, inachevé, gauchira dans les dernières pages en une virulente attaque contre Folie, qui prend l'allure d'une satire contre le monde et les scandales politiques de l'époque. Le débat n'a plus rien à voir avec le mariage : il oppose un monde corrompu par Folie dont se retire un philosophe qui n'a d'autre solution, pour y échapper, que la cléricature. Au mariage mondain s'opposent les noces spirituelles des clercs et des chevaliers.

C'est ici que la mythologie chrétienne du mariage réapparaît. Répertoire de Science invite le narrateur à s'abreuver à la « fontaine de Componction » et aux sept fontaines d'Israël (Sagesse, Discernement, Conseil, Vaillance, Connaissance, Piété, Crainte de Dieu) dans lesquelles on reconnaît les sept dons du Saint-Esprit. L'étude à laquelle doit se consacrer Franc-Vouloir est exclusivement religieuse, et pour cela, il doit choisir les noces spirituelles, qui lui assureront une descendance plus durable que des héritiers mortels. Pour les clercs et les chevaliers, les enfants sont leurs œuvres, et il est facile d'énumérer les hauts faits qui ont conservé la mémoire des preux, ou les villes qui perpétuent leur nom.

Cette descendance spirituelle est prise alors au pied de la lettre. Ainsi chez Lambert le Bègue, prêtre liégeois, qui se retrouve en 1176 seul héritier de sa famille. « Je sais qu'après la mort de mon frère, la nécessité m'est imposée d'avoir une descendance », écrit-il. Dans la même situation, nous l'avons vu, le roi Ramire le Moine sortira de son monastère le temps de se marier. Pour un prédicateur célèbre comme Lambert, la solution est plus simple : c'est la semence de sa parole qu'il répand, et ses enfants seront ses disciples. Dans la correspondance d'Abélard et d'Héloïse, également, un mariage spirituel s'oppose implicitement au mariage mondain, mais la descendance n'en est pas moins concrète : le monastère du Paraclet, né dans « l'amour sacré » et qui donnera des « rejetons », les religieuses réunies autour d'Héloïse. La tradition est lointaine d'opposer l'engendrement spirituel à la descendance par le sang : le Nouveau Testament proclame en effet l'enfantement par la parole et Paul nomme couramment ses « enfants » tous ceux qu'il a « engendrés » dans le Christ [63].

Cette opposition entre les deux mariages peut prendre des proportions effrayantes. N'en prenons pour exemple qu'Angèle de Foligno (1248-1309) qui, mariée, ne pouvait répondre à l'exaltation mystique qui bouillait en elle. « J'étais encore avec mon mari, écrit-elle... Ce fut alors que Dieu voulut m'enlever ma mère, qui m'était, pour aller à lui, d'un grand empêchement. Mon mari et mes fils moururent aussi en peu de temps. Et parce que, étant entrée dans la route, j'avais prié Dieu qu'il me débarrassât d'eux tous, leur mort me fut une grande consolation. Ce n'était pas que je fusse exempte de compassion; mais je pensais qu'après cette grâce, mon cœur et ma volonté seraient toujours dans le cœur de Dieu, le cœur et la volonté de Dieu toujours dans mon cœur [64]. » Sentiments « exceptionnels » qui tiennent à la « voie exceptionnelle » où la bienheureuse s'est engagée, estime, non sans malaise, son commentateur. Mais on peut penser que la compassion de notre mystique se satisfait bien vite d'une pensée émue pour ces parents dont elle a souhaité l'hécatombe.

C'est donc chez les clercs de la seconde moitié du XIIIe siècle que la polémique antimatrimoniale atteint son premier apogée. Il serait tentant d'y voir une conséquence indirecte de la campagne menée depuis deux siècles contre les mariages qu'ils contractent, et qui trouve son aboutissement au concile de Latran en 1215. Les clercs qui ne peuvent renoncer à leur épouse ou à leur concubine voient leur carrière bloquée et retombent dans la pauvreté des « clercs vagants ». Le mariage serait devenu à leurs yeux la cause de leur malheur et la femme, jadis considérée comme source de richesse, devient le symbole de la pauvreté. Le thème est largement exploité chez Rutebeuf, ou chez Matheolus, qui ne trouve qu'un seul bénéfice au mariage : celui d'accomplir son purgatoire sur terre [65].

Il serait intéressant d'étudier les développements de cette opposition à travers les âges. La fécondité spirituelle de la chasteté corporelle est devenue un leitmotiv de la pensée religieuse, et on la retrouve tout au long de l'histoire jusqu'à nos jours. Ainsi Benoît XIV, en 1746, promet explicitement le mariage divin à ceux qui ont su renoncer aux noces terrestres : « Avant même le jour fixé pour les épousailles, ceux qui possèdent la chasteté corporelle et spirituelle participent parfois aux joies nuptiales elles-mêmes : se trouvant encore dans l'exil de cette vie, ils sont en effet comblés de si précieuses et si grandes faveurs célestes qu'ils semblent parvenus d'ores et déjà, par anticipation, à l'union avec l'Époux [66]. »

Notons simplement qu'en traversant les siècles l'argumentation est ressortie du domaine chrétien. On la retrouve par exemple chez Schopenhauer : « L'homme marié porte tout le poids de l'existence, le célibataire n'en a que la moitié. Quiconque se consacre aux Muses doit prendre le parti de ce dernier. Le philosophe a besoin de son temps [67]. » Nietzsche l'a résumée dans une formule restée fameuse : *Aut liberi au libri* – « Ou des enfants, ou des livres ». Et ce « complexe de Xanthippe » sert d'argument à un des grands romans de Mircea Eliade, *Noces au Paradis* (1981) : « Il me semblait que l'état d'homme marié fait obstacle à l'acte pur de la création. Par le mariage on acquiert une nouvelle dignité civile qui trouble l'intuition de l'artiste. Par ailleurs, je concevais l'artiste comme un homme en éternelle disponibilité, créateur de valeurs esthétiques, un point c'est tout. Sa vie peut changer, et il est bon qu'elle change, d'un jour à l'autre. Son expérience, prodigieuse comme il se doit, ne peut être limitée, immobilisée. »

Un piège pour les intellectuels, le mariage? Sans doute, pour ceux en tout cas qui cherchent des certitudes. Car toutes les questions s'effacent devant les réalités auxquelles l'homme seul n'a pas accès. N'est-ce pas ainsi qu'il faut comprendre la sérénité dont fait preuve *L'Étranger* de Camus face au prêtre venu le consoler dans sa prison? « Il avait l'air si certain, n'est-ce pas? Pourtant, aucune de ses certitudes ne valait un cheveu de femme [68]. »

III

Annulation ou séparation?

Paris, 1381. Jean de Saucourt, originaire de Cambrai, convole en justes noces avec Jeannette. L'amour du mari est sans réserve : il le prouvera suffisamment par la suite. Quant à Jeannette, a-t-elle cédé à des arguments plus matériels que spirituels ? Jean de Saucourt est orfèvre, un métier honorable et lucratif ; et manifestement, les sentiments de sa femme ne répondent pas aux siens : « un pou après qu'il furent assemblez », elle le trompe déjà avec un certain Jean le Lièvre, « meüe de mauvaise volenté et ymagination », précise la lettre de rémission qui nous relate l'affaire.

Le mari trouve le galant « mussié en un anglet de sa maison » et le bat « vilainement », en lui rompant un « grand coutel » sur la tête. Magnanime ou amoureux, il pardonne à sa femme, mais, prudent, l'emmène chez son frère dans la région parisienne, « pour eschever l'esclande d'elle et afin qu'elle se voulsist adviser et repentir de son péchié ». Peine perdue : la rusée parvient à communiquer sa nouvelle adresse à son amant, qui l'y rejoint et l'enlève. Elle reste quinze jours sans donner de nouvelles, tandis que son mari « la queroit et faisoit querir par la mere et autres amis charnelz d'elle ». Au bout de deux semaines, on la retrouve tout bonnement... chez son père ! Et l'on commence à soupçonner que ce mari un peu vif, présenté comme l'innocente victime dans une lettre de rémission, effraie peut-être tout simplement l'épouse qu'il a cloîtrée chez son frère.

Quoi qu'il en soit, elle lui a donné tous droits sur son corps, et elle doit le suivre quand il la reprend. Car le mari pardonne une fois encore, « afin qu'elle se peüst ou voulsist mettre en voie de bien fere et soy retraire ». Il pousse d'ailleurs bien loin la complaisance : pour soutenir moralement sa femme, il fait vœu de pèlerinage à Saint-Jacques de Compostelle... et s'y rend. Naïf... ou quelque peu coupable ? Quand on s'aperçoit qu'on a une épouse volage, l'abandonne-t-on aussi longtemps, même pour le plus pieux des motifs ?

Le pèlerinage en tout cas produit l'effet inverse de celui escompté. À son retour, il apprend que sa femme en a profité pour « s'acointer » de Pierre de Sens, receveur de Montpellier, « et de plusieurs autres ». L'arrivée du légitime n'interrompt pas ses frasques. Il pardonne, une fois encore, et voilà notre Jeannette en fugue pour trois mois, « pour se plus abandonner » – pour être plus libre de se méconduire. Cette fois, la coupe est pleine, et il fait citer sa femme devant l'official de Paris pour s'en séparer. Celui-ci n'accorde que la séparation de biens. Le mari trompé peut donc continuer à exiger son devoir conjugal et, pour cela, il colloque l'épouse adultère chez sa mère (celle de Jeannette, croit-on comprendre). « Meü de pitié », suggère la lettre de rémission. Curieux : une conduite aussi désordonnée aurait dû motiver une séparation de corps. Ne serait-ce pas le mari, toujours amoureux, mais incapable de surveiller sa femme, qui aurait suggéré cette solution qui ne le prive pas de ses droits sur elle ? Elle n'est plus à sa charge, elle vit désormais « à ses coux et despens », mais est toujours sa femme. Peut-être n'a-t-il pas vraiment à se plaindre.

Jeannette cependant voit les choses autrement. Femme libérée avant la lettre, elle va vivre « a son mesnage » contre l'avis de sa mère, et mène « vie mauvaise et desordenée ». Ce qu'apprenant, le mari renouvelle son pardon et parle de la reprendre. « Mais elle respondi qu'elle n'avoit cure de sa compaignie. » Sans doute ! Elle est à présent « acointiée » de frère Jean de Malines, « avec lequel elle a demouré par grant temps en adultere ».

Un grand temps : de Pâques à Noël. Mais un dimanche, en allant à la messe à Saint-Nicolas-des-Champs, le mari toujours amoureux et de plus en plus jaloux se trouve nez à nez avec sa femme – « sanz panser à aucun mal ou villenie, mais seulement pour oïr messe ». Il la suit jusqu'à son nouveau foyer, « esmeü et eschauffé de chaleur et volenté désordenée, et par temptation de l'ennemi » : il la poignarde et se réfugie dans l'église. La brave assassinée a le bon goût de se confesser publiquement et de pardonner à son meurtrier avant de mourir, « en disant que a bonne et juste cause avoit fait le dit fait, et qu'elle l'avoit bien desservi ». Le cocu vengé, qui s'est enfui de peur des rigueurs de justice, sera gracié par le roi[1].

Le déclin du divorce

Conséquence malheureuse d'un mariage mal assorti, ou drame d'un divorce désormais impossible? Le christianisme est le premier à considérer le mariage comme indissoluble. Dans bien des cas, et notamment par rapport à la société juive, il s'agit d'un incontestable progrès pour la femme, qui n'avait jamais l'initiative de la séparation. Dans la plupart des civilisations primitives, il semble bien que seule la répudiation de la femme par son mari puisse mettre fin à un mariage. Le seul adoucissement introduit par Moïse était l'obligation faite au mari de fournir à l'épouse renvoyée un« acte de divorce » qui officialise sa situation (Dt 24, 1-4). Pour le Christ, en revanche, la répudiation n'est pas inscrite dans la loi originelle du mariage. Le mariage tel que Dieu l'a voulu au Paradis est indissoluble puisque l'homme et la femme ne font qu'une seule chair (Gn 2, 24). Aussi ne faut-il pas séparer ce que Dieu a uni (Mt 19, 6). Si Moïse a permis la répudiation, c'est à cause de la « dureté de cœur » du peuple élu. La nouvelle Loi restaure donc la Loi primitive contre une tolérance mosaïque.

Mais lorsque le christianisme pénètre dans le monde romain, la situation n'est pas la même. Sous l'empire, en effet, le droit romain a considérablement amélioré la condition de la femme, qui n'est plus « sous la main » de son père ou de son mari et qui peut donc jouir de la séparation de biens. Elle passe des actes, dispose elle-même de sa fortune, et peut elle aussi répudier son mari. Sans doute le divorce vient-il le plus souvent de l'homme, mais la doctrine consensualiste romaine suppose avant tout l'entente totale entre les époux. L'union ne repose que sur l'accord des deux parties ; elle disparaît automatiquement si l'une des deux veut reprendre sa liberté. Aucune formalité juridique ne doit être accomplie : le mariage est du strict ressort familial. Tout au plus le juge peut-il intervenir s'il y a contestation sur la dot, ou, à partir de 293, pour décider qui gardera les fils – quant aux filles, elles ne semblent pas compter... Non seulement le remariage est possible, mais il est encouragé, et le divorcé est assimilé au veuf et au célibataire dans les mesures discriminatoires prises sous Auguste[2].

On comprend que ce système très souple n'ait pu être du jour au lendemain remplacé par l'intransigeant refus des chrétiens. Les empereurs chrétiens resteront très tolérants vis-à-vis des divorcés. Constantin, en 331, autorise le divorce pour faute grave, et Honorius, au ve siècle, le permettra pour des fautes légères *(mediocres)*. Si la faute grave incombe à la femme, le mari conserve sa dot et peut se remarier; pour une faute légère, il restituera la dot à sa femme et se remariera après deux ans; s'il veut renvoyer sa femme sans qu'elle ait commis une faute, il ne peut se remarier.

La femme est un peu moins bien traitée : en cas de faute grave du mari, elle peut se séparer de lui en conservant sa dot, et se remarier après cinq ans; en cas de faute légère, elle perd sa dot et ne peut se remarier; si elle s'en sépare sans motif, elle est condamnée à la déportation. Des dispositions similaires sont prises en Orient, avec des assouplissements progressifs. Tout au plus, devant la facilité des divorces, Justinien réduira la liste des fautes graves, mais, dans la pratique, le divorce par consentement mutuel ne pose guère de difficultés. Par exemple, « un acte de divorce de 569 rappelle que les époux avaient eu la ferme volonté de vivre une union paisible et durable, et attribue " au diable " les dissensions qui les obligent à se séparer [3] ». *Instigante diabolo* : la formule devient presque une clause de style pour rétablir un divorce par consentement mutuel.

Les lois germaniques qui se fixent par écrit à cette époque sont fort influencées par le droit romain. Celles qui sont écrites pour les sujets romains des royaumes germaniques (chez les Wisigoths et les Burgondes) acceptent ainsi le divorce par consentement mutuel ou la répudiation pour faute grave, de l'homme ou de la femme. Celles destinées aux populations germaniques sont à peine plus sévères pour la femme. Le divorce est alors symbolisé par un geste : la femme jette la clé de la maison, chez les Francs; on déchire un linge, chez les Danois. Il s'agit d'un acte privé entre époux, dont l'autorité civile prend simplement acte.

Des formules nous ont été conservées, pour constater le divorce et remettre aux époux le document officiel qui l'entérine. En voici une utilisée dans les chancelleries franques : « Puisqu'entre Untel et sa femme Unetelle, ne règne plus l'amour selon la loi divine, mais la discorde, et qu'ils se dressent l'un contre l'autre pour cette raison, et qu'ils ne peuvent plus être l'un à l'autre, ils sont venus à cette assemblée, devant le comte Untel ou les autres hommes de bien, et il a plu à l'une et à l'autre volonté de se dégager de leur union, ce qu'ils ont fait [4]. » Le divorce est donc annoncé dans l'assemblée officielle *(illo mallo)* devant le comte *(ante comitem)*, mais ce sont les époux qui se séparent *(ut se a consortio separare deberent)*. Il ne s'agit pas cependant d'un divorce par consentement mutuel, mais du constat à l'amiable d'une séparation dûment motivée, répondant sans doute aux exigences des lois. C'est ce que nous confirme le formulaire de Marculfe, dont la formule est fort semblable à celle-ci. « Pour certaines raisons et pour des causes vérifiées, commence-t-il, l'état de divorce est apparu entre un mari et sa femme [5]. » S'ensuit la formule, destinée à des lettres échangées entre les parties : « Pour cette raison ils ont ordonné de rédiger et d'enregistrer ces lettres écrites entre eux d'une même teneur. » Chacun s'y donne la liberté de se remarier à sa guise ou d'entrer en religion. Aucune contestation ne pourra par la suite être élevée par une des parties, sous peine d'une lourde amende (une livre d'or). Le remariage est donc autorisé, à l'encontre de toutes les décisions des autorités religieuses.

Face à cette tolérance générale des autorités civiles, le pouvoir ecclésiastique, qui n'a toujours pas la mainmise sur le mariage, ne peut qu'émettre des vœux pieux, menacer du jugement dernier ou prévoir des sanctions canoniques. Les premiers conciles, les Pères des premiers siècles, surtout en Orient, n'ont pas l'intransigeance qui sera de mise après saint Augustin. Saint Épiphane permet le remariage après une séparation pour adultère, pour stupre ou pour « autre crime » ; Origène admet le divorce pour des fautes plus graves que l'adultère, parmi lesquelles il cite l'infanticide et l'empoisonnement [6]. Quant à la législation ecclésiastique, elle est alors très fluctuante. Certains conciles interdisent le remariage à la femme, d'autres imposent des pénitences, ou excommunient les époux divorcés sans préciser la durée de la sanction ; d'autres encore autorisent le divorce et le remariage pour faute grave constatée par l'évêque [7]. L'effort des théologiens consiste surtout à définir les limites de l'interdit prononcé par le Christ. Deux directions sont alors exploitées, qui auront des répercussions jusqu'à nos jours dans le droit canonique : les « incises matthéennes » et le « privilège paulin ».

Les incises matthéennes [8] sont deux passages insérés dans l'évangile selon saint Matthieu (Mt 5, 32 ; 19, 9), aux endroits où le Christ interdit le divorce, « sauf pour cause de *porneia* », dans le texte grec original[9] ; de « *fornicatio* », dans la traduction latine de saint Jérôme[10]. Quel est le sens de ces mots, qui n'apparaissent pas dans les passages parallèles des autres évangiles ? « Fornication », « prostitution » sont des termes bien vagues, tout le monde est d'accord sur ce point. Pour les préciser, il faut les rapprocher d'autres passages où ils figurent. Et c'est là que les opinions divergent. Hellénistes et hébraïsants continuent à s'agonir de citations contradictoires, soit pour réintégrer dans la parfaite orthodoxie catholique les paroles sulfureuses du Christ, soit pour justifier au contraire un relâchement de l'indissolubilité. Cette incise de trois mots aura suscité des milliers de pages d'exégèses érudites.

Il serait vain de vouloir les résumer en quelques lignes ; mais il faut néanmoins donner un aperçu de la complexité du problème. Depuis une cinquantaine d'années, une explication satisfaisante pour la doctrine a été avancée et adoptée dans les traductions catholiques de la Bible. Elle conclut à l'indissolubilité du mariage « sauf en cas d'union illégale » (T.O.B.), rapprochant le mot *porneia* d'un passage de saint Paul[11]. Le texte renvoie donc non pas à une faute de la femme, mais à un « état du couple », ce qui, dans la pratique, subordonne la parole du Christ aux décisions des canonistes, et la transforme en pétition de principe : si l'union est illégale, la séparation va de soi. Il y a annulation et non divorce, et pour des raisons sur lesquelles le Christ reste muet : le droit canon les élaborera très lentement. Le texte est ainsi vidé de toute substance et l'autorité ecclésiastique a les mains libres pour définir l'union illégale.

Mais cette traduction est loin de faire l'unanimité. D'autres rapprochements sont en effet possibles, notamment avec le Deutéronome cité par le Christ dans le verset précédent[12], ce qui élargirait la « fornication » non seulement à l'adultère, mais aussi à toute conduite impudique, voire à des paroles offensantes ou à la transgression d'un commandement divin. Enfin, il faut tenir compte du contexte dans lequel ont été prononcées ces paroles : dans certains cas, en droit romain comme dans la tradition rabbinique, la punition de l'adultère n'était pas uniquement un droit, mais aussi un devoir du mari, qui risquait la confiscation des biens, la relégation ou la mort s'il ne dénonçait pas le crime. Le Christ (ou Matthieu) ne pouvait méconnaître cet aspect s'il voulait que son message fût universel[13].

Les discussions philologiques sont loin d'être terminées ;

les exégètes, après avoir discuté les substantifs, s'en sont pris aux prépositions, et enchérissent continuellement dans la subtilité des analyses. Sans se prononcer sur le fond, on peut supposer que le Christ (ou Matthieu) a pu avoir en matière d'indissolubilité une attitude plus souple, plus proche peut-être des lois hébraïque et romaine. Ce qui nous importe surtout, c'est que le Moyen Âge occidental ait cru à l'authenticité de ces incises et à la restriction touchant l'adultère [14]. Restait, pour les Pères de l'Église, à expliquer cette apparente contradiction dans le message divin.

Longtemps, à cause de ce passage, l'adultère est en effet resté une cause valable de divorce. Le *Pasteur* d'Hermas et de nombreux autres auteurs des premiers siècles semblent même en faire une obligation, quand saint Augustin l'admet sans y contraindre [15]. Puisqu'on fait « une seule chair » avec sa femme, comprenait-on alors, la chair du mari devient pécheresse en même temps que celle de l'épouse adultère. Certains théologiens, comme Pollentius, combattu par saint Augustin, ont compris que l'adultère de la femme correspondait à un veuvage, puisque le péché est une « mort de l'âme ».

Le second cas où l'indissolubilité est égratignée par le Nouveau Testament, le « privilège paulin », est plus restreint encore : saint Paul permet en effet au conjoint chrétien de quitter un conjoint païen et de se remarier avec un chrétien (1Co 7, 12-15). Ce cas ne se présente en principe que si l'un des deux a reçu le baptême après son mariage et que l'autre refuse de lui laisser vivre sa foi. Dans une société entièrement christianisée comme le fut l'Occident médiéval, le problème ne se pose guère, sinon pour épouser quelque captive convertie qu'on peut en toute bonne conscience séparer de son païen de mari. Dans la société actuelle où les mariages mixtes ne sont pas rares, le privilège paulin a de nouveaux échos [16].

Ces deux exceptions à la règle canonique ont cependant une importance symbolique capitale : ce sont deux failles dans l'affirmation de l'indissolubilité, qui n'a de sens que si elle est totale. C'est pourquoi les théologiens ont tenté de colmater la brèche en assimilant l'adultère à une mort de l'âme, et l'idolâtrie à un adultère spirituel ou en ergotant sur le sens exact d'une préposition. Dans l'un et l'autre cas, le conjoint intègre est assimilé à un veuf (ou à une veuve) qui peut se remarier.

Peu à peu, cependant, les moralistes chrétiens refuseront ces interprétations jugées trop laxistes – le relâchement sexuel aurait fini par multiplier les divorces. À partir de saint Augustin, mais surtout dans les décisions pontificales, on commence à refuser la séparation pour fornication et à prôner une indissolubilité absolue du mariage. Cette sévérité accrue des théologiens s'oppose à la tolérance des conciles, auxquels participent conjointement des laïcs et des ecclésiastiques. Ici, on admet le divorce et le remariage en cas de longue absence d'un époux (prisonnier ou disparu) ; là, on songe à celui qui est atteint de la lèpre ou qui fait profession religieuse ; ailleurs, on admet le divorce du mari que la femme a voulu tuer ou qu'elle refuse de suivre quand il est obligé de s'exiler [17]. Ces exceptions ne seront jamais ratifiées par les papes et, même si elles se retrouvent dans certaines sommes pré-canoniques, elles n'ont jamais fait loi dans l'Église. Certains pontifes, comme Alexandre III, ne se contentent pas, par exemple, d'interdire le divorce lorsque le conjoint devient lépreux : ils imposent en outre le devoir conjugal [18]. On ne badine pas alors avec les liens sacrés du mariage.

La sévérité des théologiens n'a que des conséquences limitées tant que les juges civils font respecter des lois civiles. À l'époque carolingienne, cependant, l'autorité de l'Église en matière de droit conjugal s'accroît progressivement et le divorce devient de plus en plus difficile. Quelques affaires célèbres, comme celle de Lothaire et de Theutberge que nous avons évoquée, imposent la compétence des prêtres en cette matière. Sans doute, dans une époque troublée, l'autorité de l'Église est-elle encore relative. « À la fin du Xe siècle, rappelle Pierre Daudet, l'on peut recueillir dans les chroniques plusieurs preuves que les laïques, tout au moins les grands, rompent à leur convenance les liens conjugaux, de façon plus ou moins arbitraire, au prix de plus ou moins de scandale, sans que l'autorité ecclésiastique soit consultée, sans qu'elle paraisse protester [19]. » Les divorces de Louis V (981) et de Robert II (989), tous deux rois de France, n'ont pas entraîné une ligne de condamnation officielle. C'est au XIe siècle, avec la réforme grégorienne, que l'autorité théorique de l'Église devient effective.

À la fin du XIe siècle, donc, seules les officialités, tribunaux ecclésiastiques, peuvent prononcer la séparation entre l'homme et la femme, dans des cas sévèrement définis et dans des limites très restreintes. Mais l'observation stricte de l'indissolubilité, révolution dans toute l'histoire du mariage, pose de nouveaux et graves problèmes. Il faut trouver d'autres solutions, si l'on ne veut pas que l'assassinat devienne le moyen le plus commode de divorcer. Hincmar raconte déjà au xe siècle que les maris lassés de leurs femmes les font purement et simplement conduire à l'abattoir pour les faire découper par les bouchers, ou demandent à leurs cuisiniers de les égorger comme des porcs, quand ils ne se chargent pas eux-mêmes de les trucider. Pour cela, il suffit de les accuser d'adultère, sans la moindre présomption de preuve, et le meurtre ne sera pas puni. Les épouses, terrorisées, demandent d'elles-mêmes à entrer au monastère quand elles sentent diminuer l'affection maritale et le mari épouse une maîtresse qui, parfois, vivait depuis longtemps dans son foyer[20].

Aussi, jusqu'au xiie siècle, des disciplines locales plus relâchées persistent. On permet le divorce suivi de remariage si le conjoint entre en religion, même s'il y a eu consommation et malgré les enfants éventuels. En 1165, ainsi, l'archevêque de Tarragone prononce le divorce entre Raymond de Montecatano, sénéchal de Barcelone, et sa femme Béatrice. Un arrangement est convenu pour que la femme puisse habiter le château où ils vivaient six mois par an, « jusqu'à ce qu'elle trouve un mari[21] ». La liberté laissée aux églises locales permet une plus grande souplesse dans l'interprétation de la doctrine. Il faut qu'une partie ait le courage, comme Ingeburge, d'entamer un long procès en appel à Rome pour faire appliquer la loi stricte.

Entre la tolérance des églises locales et les dangers d'une intransigeance excessive, la voie de l'Église romaine est étroite. Si elle veut affirmer l'indissolubilité absolue du lien conjugal, il faut qu'elle trouve au mariage une autre porte de sortie que le divorce ou l'assassinat.

Annulation, divorce, séparation

Ce n'est donc pas un hasard si la théorie de l'annulation se précise au moment où s'affirme le caractère sacramentel du mariage et donc son indissolubilité. Puisque le lien ne peut plus être rompu, on fera comme s'il n'avait jamais existé. La substitution de l'annulation au divorce n'est bien entendu pas consciente, du moins dans l'esprit des théologiens et des canonistes. Les laïcs prennent parfois moins de gants : nous avons vu Philippe Auguste, exaspéré par la lenteur de son divorce, demander que son mariage soit dissous pour n'importe quelle raison...

Dans le vocabulaire canonique, il faut attendre le XIIIe siècle pour que la différence soit nettement ressentie entre séparation, divorce et annulation, même si tous les éléments sont antérieurs, à partir desquels se construira la théorie [22]. Le divorce est la rupture du lien conjugal, pour des raisons qui sont donc postérieures au mariage ; il permet le remariage, mais il n'est en principe plus accordé par l'autorité religieuse. La séparation, de corps ou de biens, laisse subsister le lien conjugal, et ne permet pas le remariage. Au Moyen Âge, elle est accordée assez facilement en cas de mésentente grave dans le couple. L'annulation est la constatation de l'inexistence du lien, pour des raisons donc antérieures au mariage et inconnues lors de sa célébration. Il est possible de conclure un nouveau mariage, puisque le premier n'était qu'une apparence. On annule le mariage lorsqu'il est illicite, lorsqu'il est entaché d'un empêchement dirimant [23]. De ces trois cas, seul le premier remet en cause le lien conjugal ; aussi le divorce est-il désormais interdit. Lorsque le mot apparaît dans les textes médiévaux, il est en fait synonyme de séparation *(diuortium quoad bona, quoad thorum...)* ou d'annulation *(diuortium quoad uinaulum)*.

La séparation est prononcée par les tribunaux ecclésiastiques, les officialités. La plus fréquente est la séparation de biens (quoad bona), qui oblige toujours au devoir conjugal ; elle est prononcée en cas de mésentente grave entre les époux (violence, dilapidation de biens...). De nombreux cas sont signalés dans les registres de l'officialité épiscopale de Paris, dont Jules Petit a publié trois années de causes civiles. En 1386, ainsi, Symon Julien et sa femme Jeannette sont séparés de biens « à cause de l'inimitié, la haine et les rancœurs nées entre eux ». Mais avant d'en arriver là, on peut exhorter le mari à ne pas maltraiter sa *femme ultra modum coniugalem*, *etc.* (« au-delà de la juste mesure conjugale »), comme on le recommanda à Laurent Sampson, dont la femme Guillemette se plaignait des multiples corrections qu'il lui avait administrées [24]. En cas de séparation de biens, les époux vivent chacun de leur côté, et le tribunal fixe le lieu et la périodicité des rencontres nécessaires au devoir conjugal – par exemple, trois fois par semaine chez la mère de la mariée... Comme le lien n'est pas rompu et qu'ils ne peuvent se remarier de leur côté, il faut éviter qu'ils ne tombent dans la « fornication ». Le mari doit alors jurer de ne pas battre sa femme au cours de ces trêves sexuelles [25].

La séparation de corps *(quoad thorum)* est beaucoup plus rare, et n'est en principe accordée que pour adultère. On la voit tout à fait logiquement refusée à la femme d'un lépreux. Ne sont-ils pas mariés pour le meilleur et pour le pire ? Au risque de contracter la maladie, elle devra se soumettre aux appétits de son conjoint. Ainsi, le 7 mai 1386, à l'officialité de Paris « il est enjoint à Jeannette, femme de Simon Chevrier, atteint de la lèpre, d'obéir à son mari et de lui rendre le devoir conjugal dans un lieu sûr, sous peine d'excommunication [26] ». Les époux sont tout au plus séparés de biens.

Encore, même en cas d'adultère, la séparation de corps n'est pas toujours accordée (ou demandée) : nous avons vu le malheureux cas de l'orfèvre Jean de Saucourt, incapable de faire respecter son droit conjugal. L'officialité peut bien sûr absoudre la faute, contre amende, à condition que le conjoint trompé veuille reprendre la vie commune. S'il ne veut pas être condamné à une continence éternelle, il a d'ailleurs intérêt à se montrer conciliant. Sinon, le plus sage est de se borner à la séparation de biens et d'ordonner un jour pour le devoir conjugal. Devant l'impossibilité de divorcer et les problèmes posés par la séparation, on comprend que l'annulation puisse sembler la solution idéale, puisqu'elle seule permet le remariage.

Les empêchements et l'annulation

Annuler un mariage, c'est constater qu'il n'a jamais existé. Dans ce cas, chaque partie peut se remarier de son côté sans que soit atteinte la théorie de l'indissolubilité. Pour cela, il faut prouver qu'il y avait un « empêchement » au mariage, qu'on ignorait au moment de sa conclusion. La sévérité des théologiens, qui se montrent de plus en plus vétilleux sur les conditions du mariage, se retourne alors contre eux : même si les deux théories sont indépendantes dans leur esprit, les empêchements deviennent, surtout dans la pratique, des causes d'annulation.

Les listes d'empêchements dirimants (qui annulent le mariage) ont varié au cours des siècles et parfois selon les diocèses. Qu'ils soient absolus (défaut d'âge, vœu monastique, sacrement de l'ordre, différence de religion...) ou relatifs (parenté charnelle, adoptive ou spirituelle, affinités, adultère...), les empêchements dirimants entraînent l'annulation, quand les empêchements prohibitifs (mariage avec quelqu'un qui a rompu ses fiançailles, à une époque interdite, comme le carême, défaut de publication des bans...) entraînent simplement des sanctions disciplinaires, au pis le renouvellement de la cérémonie [27].

Des douze à quinze empêchements dirimants, qu'on cite généralement, deux peuvent facilement être invoqués pour annuler le mariage. Le premier est l'alliance à un degré de parenté proscrit. La sévérité des critères aurait pu multiplier les annulations, si la généalogie, en l'absence de registres paroissiaux ou d'état civil, n'était très difficile à établir, surtout pour les roturiers moins au fait que les nobles des ramifications de leur arbre. Nous avons vu cependant que, dans certains cas, l'Église a pu craindre que cette solution ne réintroduise le divorce de façon détournée.

La seconde raison fit couler plus d'encre et mérite quelques développements. De toutes les exceptions à l'indissolubilité du mariage qui s'étaient ajoutées jusqu'au IXe siècle, la nouvelle législation élaborée depuis Hincmar jusqu'aux grandes sommes du XIIe siècle avait retenu un cas : l'impuissance du mari antérieure au mariage. Il faut en effet des raisons sérieuses pour dissoudre une union : tant qu'au moins un des trois biens définis par saint Augustin est préservé, on se garde d'intervenir! Ainsi, la stérilité qui empêche la génération *(proles)* n'empêche-t-elle pas de remplir le devoir conjugal *(fides)*. Aussi, malgré les protestations de ceux qui veulent avant tout assurer leur descendance, ne sera-t-elle jamais admise comme cause d'annulation.

En revanche, l'impuissance empêche à la fois *proles* et *fides*. Quant au troisième bien, le *sacramentum*, il n'est pas sûr que le mariage d'un impuissant le réalise. Le grand « mystère » du mariage est en effet son analogie avec celui du Christ et de l'Église ; or celui-ci exige la fusion des chairs, puisque, selon la formule de la Genèse, « de deux ils deviennent une seule chair ». L'argument était délicat : on pouvait toujours se demander si le mariage de la Vierge réalisait ce *sacramentum*. Oui, répondaient les théologiens, puisque la virginité n'était pas le résultat d'une impuissance de saint Joseph, mais de la continence volontairement conservée par le couple. Il avait cependant fallu de longs siècles de discussion pour valider le mariage de la Vierge, que Jean Chrysostome, par exemple, n'acceptait pas entièrement [28]. C'est pour cela que l'admission de l'impuissance parmi les empêchements dirimants a été tardive.

Les premières traces d'une réflexion sur ce sujet apparaissent au viiiᵉ siècle dans le pénitentiel d'Egbert et le concile de Verberie, qui autorisent déjà la femme à quitter un mari impuissant [29]. Mais il faut attendre Hincmar de Reims (ixᵉ siècle) pour que la législation s'affine. Lors du divorce de Lothaire et de Teutberge, en effet, le roi invoque l'impossibilité de consommer son mariage avec la reine, alors qu'il ne connaît aucun problème avec son ancienne concubine Waldrade, qui lui donnera d'ailleurs un enfant. L'homme étant alors censé pouvoir satisfaire n'importe quelle épouse, on ne peut penser qu'à un maléfice qui aurait annihilé une virilité par ailleurs confirmée. Citant un cas semblable parmi ses ouailles, Hincmar se demande s'il ne s'agit pas d'un sort lancé par l'ancienne maîtresse abandonnée. En l'absence de toute explication psychologique et face à la méconnaissance physiologique de l'époque, telle est en effet l'explication favorite du ixᵉ siècle pour expliquer l'impuissance masculine.

Hincmar n'avait fait que jeter un pavé dans une mare aux eaux déjà bien troubles. Jusqu'au xiiᵉ siècle, en effet, le divorce pour impuissance n'est accepté que dans des églises locales ; à Rome, on ordonne encore aux conjoints de « vivre comme frère et sœur [30] ». Lorsque s'élabore au xiiᵉ siècle la théorie classique du mariage, l'impuissance prend place parmi les empêchements dirimants. Mais cette cause d'annulation est-elle compatible avec la nouvelle définition du mariage, ce consensualisme qui constitue désormais la pierre de touche du mariage chrétien ? Ne risque-t-on pas, à l'heure où cette conception toute nouvelle, ressuscitée du droit romain, est encore bien fragile, de donner des armes aux tenants de la conception germanique, où la consommation fait le mariage ?

Aussi la doctrine sur l'impuissance occasionne-t-elle un différend sérieux entre les deux écoles de droit du xiiᵉ siècle, l'italienne (Gratien et ses disciples bolonais) et la française (Pierre Lombard). Gratien distingue ainsi le mariage commencé (*initiatum*, par l'échange des consentements) du mariage accompli (*ratum*, par la consommation), et permet sous certaines conditions de rompre le premier. C'est donc la consommation qui parachève le mariage, et l'impuissance n'est qu'un cas particulier qui empêche cet accomplissement. Le consensualisme n'est donc que relatif. Mais il y a d'autres conséquences socialement plus graves. Si, entre l'échange des consentements et la nuit de noces, le marié par exemple a des relations sexuelles avec une autre femme, celle-ci aura la priorité et le mariage « commencé » ne pourra pas s'achever. Hypothèse d'école ? Non pas : l'habitude de marier les héritiers très jeunes, parfois au berceau, oblige à attendre de longues années avant que les époux puissent véritablement ratifier leur union. Si, à leur puberté, ils refusent ces mariages arrangés et se choisissent des partenaires selon leur cœur, une simple copulation suffit à rompre le premier lien.

C'est contre cette fragilité du lien conjugal que réagit l'école gallicane. À la suite de Pierre Lombard, nous l'avons vue opposer les « paroles de futur » (fiançailles), qui peuvent être rompues sous certaines conditions et au prix de lourdes sanctions, et les « paroles de présent », l'échange de consentements, qui exigent cette fois-ci un âge minimum (douze ans pour les filles, quatorze pour les garçons), mais qui ne peuvent plus être rompues. Elle ne résout pas le problème des mariages clandestins, aussi faciles à nouer par paroles de présent que par la consommation, mais en cas de promesses préalables d'impubères, ce sont des fiançailles, non un mariage, qui sont rompues. Elle rend ainsi sa totale infrangibilité au lien matrimonial. Mais si les jeunes gens se sont unis par paroles de présent, rien ne pourra plus les séparer, même s'ils ne consomment pas leur union et concluent par ailleurs un autre mariage suivi d'union charnelle. Dans ce cas, Gratien aurait dissous le premier ; Pierre Lombard annule le second. L'indissolubilité s'en trouve renforcée.

Reste l'impuissance. Pas de problème, pour l'école bolonaise : la consommation créant le lien sacramentel, l'annulation pour défection maritale ne remet pas en cause celui-ci. Mais si le sacrement est réalisé par l'échange des consentements, est-il remis en question quand on constate l'impuissance ? Il faut trouver une autre justification à l'annulation pour impossibilité de consommation : on considère que, dans ce cas, la légitimité de la personne fait défaut. Après une opposition ouverte entre les deux écoles, les principes de Pierre Lombard seront entérinés par l'Église romaine sous Grégoire IX (1227-1241). La doctrine gallicane est en effet plus souple : elle permet une définition purement consensuelle du mariage tout en gardant la porte de sortie de l'impuissance [31].

La théorie de l'impuissance *(impotentia coeundi)* arrive donc à maturité à la fin du XIIe siècle. Pour faire bonne mesure, elle ne se limite plus à une incapacité masculine, mais recouvre tous les obstacles physiologiques à l'union sexuelle : la « frigidité » chez l'homme (qui empêche l'érection) et

« l'arctitude » chez la femme (étroitesse ou malformation des organes génitaux). C'est cette « impuissance féminine » qui sera invoquée lors de la séparation de Louis XII et de Jeanne de France, malgré les dénégations de la reine et les nombreux témoignages de consommation.

Pour que cette impuissance annule le mariage, il faut bien entendu qu'elle lui soit antérieure – sans quoi, à partir d'un certain âge, bien des femmes voudraient se séparer de leur mari... Le problème s'est posé à la fin du XIIe siècle dans un cas soumis au pape Alexandre XIII et ensuite intégré par Raymond de Peñafort aux décrétales de Grégoire IX. Une jeune fille mariée à treize ans a été déflorée avec une telle sauvagerie qu'elle ne peut plus avoir de rapports sexuels. Peut-elle être répudiée ? Le pape fait alors la distinction entre un défaut qui vient de nature, et qui entraîne l'annulation du mariage, et une infirmité acquise après le mariage, pour laquelle le problème est plus délicat. De la même manière, on n'accorde pas l'annulation si un homme est blessé à un mauvais endroit après son mariage. L'exemple célèbre est celui d'Abélard, mutilé après avoir épousé et honoré Héloïse : la légitimité de l'union n'est pas entachée pour autant.

L'annulation pour impuissance, cependant, ne règle pas tout. Si l'un des deux conjoints – celui qui introduit la plainte – a licence de se remarier, celui qui est déclaré inapte au service est prié de reboutonner définitivement ses chausses. Logique, peut-on estimer. Mais la logique peut aller loin. Si, par exemple, le mari estimé impuissant se remarie et se prouve guéri, il pourra être accusé de parjure et son second mariage sera rompu. La première femme pourra alors accuser son ex-mari d'adultère, et les premières noces pourront être rétablies si les juges estiment qu'il y a eu tromperie. En 1426, une action est ainsi entreprise contre Jeannette et Garnier, qui avaient été séparés pour impuissance du mari. Tous deux s'étaient remariés et avaient eu des enfants : les seconds mariages sont dissous et le premier rétabli par l'official de Troyes, puisque Garnier n'était pas impuissant et que le mariage avait été annulé à tort [32]. La logique religieuse est alors désincarnée, et la puissance virile, censée universelle. Qui peut avec une femme doit pouvoir avec toutes.

Ces « accidents » de parcours de la théorie invitent à réfléchir. Pour certains rois, d'ailleurs, comme Lothaire ou Philippe Auguste, qui ont eux-mêmes invoqué leur impuissance pour se séparer d'une épouse encombrante, il n'est pas question de rester célibataires... D'autant que leur impuissance se limite – preuves à l'appui – à une seule femme : la leur!

On en vient ainsi à des distinctions plus subtiles. L'impuissance peut être temporaire (liée, par exemple, à un trop jeune âge) ou perpétuelle, si le médecin ne laisse aucun espoir de guérir. Celle-ci à son tour peut être absolue ou relative. Absolue si elle empêche l'union dans tous les cas; relative, si elle est provoquée par une « caractéristique » (et non un défaut) du conjoint. Par exemple, une femme dont les organes sont estimés trop étroits pour le sexe de son mari pourra se remarier avec un calibre inférieur. De même, un homme trop faible pour déflorer une vierge pourra se remarier... à une veuve. Henri de Suze, cardinal d'Ostie au XIIIe siècle, connu sous le nom d'Hostiensis, développe longuement tous ces cas particuliers dans sa *Somme dorée*. De tous ces distinguos qui peuvent sembler laborieux, un jouit d'une faveur particulière : l'impuissance accidentelle pour « cause occulte », ce terme recouvrant presque toujours un maléfice[33]. Si, en effet, l'impossibilité de consommer l'union vient d'un maléfice jeté sur le couple, rien ne s'oppose à ce que chacun des deux époux, en recouvrant sa liberté, ne retrouve sa *potentia coeundi*. Coïncidence, si l'élaboration de cette théorie correspond à l'âge d'or de la sorcellerie et des noueurs d'aiguillettes? Craints, sans doute, pour leurs pouvoirs inquiétants, ceux-ci peuvent surtout devenir l'unique recours pour faire annuler un mariage... Si l'on en use avec modération, la théorie du maléfice est la réponse la plus subtile à la fermeture du mariage dans le droit canon médiéval.

Mais la modération ne dure qu'un temps : la hantise des noueurs d'aiguillettes explose brutalement au XVIe siècle, grande époque des procès pour sorcellerie. Entre 1579 et 1585, l'accumulation des conciles et assemblées ecclésiastiques semble traduire un véritable « climat de psychose[34] ». Les évêques recommandent aux curés de rassurer leurs paroissiens afin d'éviter les coutumes superstitieuses qui tentent d'exorciser les maléfices et qui ternissent les cérémonies de mariage. C'est alors en effet que les noueurs d'aiguillettes s'en donnent à cœur joie. Et plus précisément au moment où le curé prononce la formule rituelle, *Ego in matrimonium coniungo vos*. Le « sorcier » sort alors un cordon – ou une aiguillette, ce lacet qui retient les chausses au pourpoint et qu'il faut dénouer pour se déshabiller. Il suffit de prononcer trois fois le nom et le surnom des nouveaux mariés, la première fois en formant un nœud, la deuxième en le serrant, la troisième en le nouant tout à fait, et la malheureuse victime ne consommera jamais ses noces. On peut aussi faire à l'aiguillette trois nœuds accompagnés de trois signes de croix et de paroles magiques. L'art des ensorceleurs se perfectionnant, on finira par utiliser des ligatures complexes, dans des aiguillettes de nerf de loup, de peau de chat, de chien enragé, teintes en trois couleurs et nouées trois ou neuf fois à grand renfort d'hocus-pocus divers et variés [35].

Tout cela est si simple, témoigne Bodin dans sa *Démono-manie*, que les enfants eux-mêmes s'en mêlent [36]. Si efficace, renchérit Venette, qu'une menace est bien suffisante : en affirmant (faussement) à un tonnelier qu'il lui a noué l'aiguillette, il réussit à couper tous ses effets au pauvre homme, « son imagination estant a lors embarrassée des idées de sortilège ». Après un mois d'essais infructueux, il faudra que le curé rompe ce charme imaginaire [37]. Plus charitable, Montaigne guérit un ami en lui donnant une médaille sans pouvoir pour laquelle il invente un rituel compliqué : « ces singeries sont le principal de l'effect », commente-t-il, inventeur sans le savoir de l'effet placebo [38].

Pour combattre ces maléfices, le jeune marié dispose cependant de tout un arsenal superstitieux. Il doit laisser tomber l'anneau à terre lorsque le prêtre prononce la formule ou, après la cérémonie, uriner par la serrure de l'église, oindre la poignée de la chambre nuptiale avec de la graisse de loup ou de chien noir, attacher des testicules de coqs au lit ou jeter dans la chambre des fèves coupées par moitié. Certains anticipent même la nuit de noces, et tout l'art des noueurs d'aiguillettes est réduit à néant [39]. On comprend que l'Église ait cherché à décourager ces pratiques, qui continuent à être dénoncées au XVIIᵉ siècle.

Si l'expérience de l'Église l'a rendue plus circonspecte vis-à-vis des maléfices, la doctrine est restée la même en ce qui concerne l'impossibilité de consommer le mariage. Selon le code promulgué par Jean-Paul II en 1983, « l'impuissance antécédente et perpétuelle à copuler de la part de l'homme ou de la part de la femme, qu'elle soit absolue ou relative, dirime le mariage de par sa nature même [40] ».

Faites vos preuves

Le problème qui se pose concrètement, dans le cas d'annulation pour impuissance, est de produire la preuve de cet empêchement dirimant. Au XIIe siècle, lorsque la théorie s'élabore, on accepte encore des preuves décentes : serment des époux, témoignages de sept voisins qui ont « ouï dire » que l'homme était impuissant, ordalies de nature mal précisée... Lorsqu'il y a malformation évidente, un examen médical peut suffire ; pour les femmes, il est attesté dès le XIe siècle. Mais le mauvais fonctionnement de parties pourtant bien conformées échappe à la vérification des médecins.

Du moins jusqu'au XVIe siècle. Car la Renaissance a un rapport un peu plus libre avec le corps humain. C'est alors que se répand la preuve du « congrès », mot qui, jusqu'au XVIIe siècle, ne désigne que l'acte sexuel. La médecine médiévale avait déjà préconisé cette union publique de deux époux dont l'homme était accusé d'impuissance. Voici comment elle est décrite en 1363 par Guy de Chauliac : « Le Medecin ayant licence de la justice, examine premièrement la complexion et la composition des membres génitifs. Puis il y ait une matrone accoustumée à cela, et qu'on ordonne qu'ils gisent ensemble durant quelques jours en presence de la matrone. Laquelle leur donnera des espices et clerets, les eschauffera et oindra d'huiles chauds, les frottant aupres d'un feu de sermens [*sarments*], et leur commandera de deviser, se caresser et embrasser. Puis cette matrone rapportera au Medecin ce qu'elle aura veu. Et quand le Medecin en sera bien informé, il en peut deposer devant la justice en vérité. Mais qu'il se garde d'estre abusé : car on a accoustumé de commettre plusieurs tromperies en telles choses : et il y a tres-grand danger de separer ceux que Dieu avoit conjoints, sinon, que tres-juste cause le requiere [41]. »

Si ce type d'épreuve est connu au XIVe siècle, c'est au XVIe siècle qu'il se répand en France avec une ampleur insoupçonnée. La pudeur est-elle plus malmenée ici que dans les autres pays chrétiens ? Toujours est-il que le congrès reste une spécialité française, et qu'il passionne les foules plus que tout autre procès. Une des premières affaires matrimoniales de ce genre est l'affaire Quellenec, si célèbre qu'elle entre dans le dictionnaire historique de Bayle, deux siècles plus tard. Charles de Quellenec, gentilhomme breton, avait épousé le 20 juin 1568 Catherine de Parthenay de Soubise, âgée de douze ans. Deux ans après, l'adolescente se plaint de n'avoir toujours d'épouse que le nom. Sa mère répand la plainte en haut lieu, puisqu'elle va jusqu'à la reine de Navarre, Jeanne d'Albret, et jusqu'au petit roi Henri, qui n'est pas encore le

Vert-Galant. L'impuissance de Quellenec devient une affaire d'État, dont se mêle toute la cour protestante. Et le mari se réfugie dans ses terres, suivi, bon gré mal gré, de l'épouse délaissée. S'ensuit une rocambolesque correspondance entre la mère et la fille, dont les passages compromettants doivent être écrits au jus de citron et n'apparaissent qu'à la flamme. Le mari finit par se lasser et assigne sa belle-mère en justice, en 1571. L'issue de ce procès ne nous est pas connue, mais peu après, la jeune fille doit subir une visite (« la demoiselle de Soubise se découvre », note sobrement le chroniqueur), et Charles de Quellenec, à sa demande, est convoqué à Blois pour un congrès. Il y subit un échec cuisant, mais n'a pas le temps d'en connaître toutes les conséquences : le 23 août 1572, il est victime de la Saint-Barthélemy.

C'est là que nous découvrons la curiosité morbide que suscitaient ces affaires matrimoniales. Catherine de Médicis, la reine mère qui avait inspiré le massacre des protestants, « donna ordre que l'on cherchât le corps de Soubise, gentil-homme soupçonné d'impuissance, et après qu'on l'eut trouvé, elle y considéra les parties naturelles avec de grands éclats de rire, en présence d'un grand nombre de ses dames [42] ». Bayle, qui rapporte l'anecdote, a-t-il forcé un trait peu compatible avec la majesté d'une reine et l'horreur du massacre ? Tous les témoignages en tout cas concordent pour faire des procès en impuissance un déchaînement de sarcasmes et de gauloiseries auquel ne répugnent pas de se mêler les grandes dames, qui n'ont pas encore découvert la préciosité.

La fin du XVIᵉ siècle voit l'apogée de ces procès. Une bulle de Sixte Quint, datée du 22 juin 1587, vient en effet de brandir les foudres célestes contre le mariage des « eunuques » qui sont « privés des deux testicules », mais capables d'émettre « une humeur semblable à la semence ». Les femmes les recherchent, dénonce le pontife, par un « raffinement de débauche » qui leur permet les plaisirs du mariage sans risque de grossesse. Aucune loi canonique cependant ne permet de sévir, et le pape doit assimiler les eunuques aux impuissants pour ordonner que leurs mariages soient dissous. Il s'agit là d'un élargissement dangereux de la procédure habituelle : l'impuissance, qui n'entraînait la nullité que sur plainte de l'épouse, devient un empêchement public qui doit être dénoncé en dehors même de toute plainte. Est-ce cela, ou le goût du scandale, qui multiplie les causes ? Sébastien

Roulliard, en rapportant les pièces d'un procès qui passionne le début du XVIIᵉ siècle, penche pour sa part pour cette seconde raison. « Comme la corruption du siècle ha donné le cours libre à telles procédures, au lieu qu'en douze cens ans que la pudeur auroit possédé l'âme et couvert le visage des matrones de France, à peine se seroit-il autant meu de procès en telles matières qu'ils sont aujourd'huy fréquens et journaliers [43]. »

Quoique le congrès puisse être demandé par les hommes comme par les femmes, ce sont surtout celles-ci qui traînent leur mari devant la justice. Et l'on se doute que dans ce cas, elles ont intérêt à faire échouer leur victime, malgré les huiles échauffantes dont l'enduisent les matrones. Quant à l'homme, amené sous les huées de la foule dans la maison où il sera prié de s'exécuter (souvent un établissement de bains), il n'arrive pas au mieux de sa forme au pied de son devoir conjugal. Outre le ridicule qui, dit-on, ne tue pas, il est menacé en cas d'échec d'être séparé de sa femme, de devoir rembourser sa dot et d'être condamné au célibat pour le restant de ses jours. Voilà de quoi refroidir les plus fougueux !

L'âge d'or du congrès dure un siècle. Le 18 février 1677, il tombe sous la brillante ironie du procureur François de Lamoignon qui fait abolir cet « abus... qui offense les bonnes mœurs, la Religion, et la nature même ». On cherche alors un type d'épreuve qui égratigne moins la pudeur, du moins celle de la femme, et la justice doit se contenter des preuves de « l'érection », de la « tension élastique » ou du « mouvement naturel [44] ». L'exercice de la médecine s'en trouve simplifié, mais guère plus honorable.

Le tribunal de l'impuissance, selon l'heureuse formule de Pierre Darmon, a encore quelques beaux jours devant lui. Ce ne sont plus les couples qui lui sont livrés en pâture, mais de malheureux maris à qui il est demandé de fournir devant une assemblée de Diafoirus vétilleux la preuve de leur virilité, jusqu'à l'émission de semence, le cas échéant, puisque l'érection ne suffit pas à la puissance. Les accusés, on s'en doute, ne sont guère plus enthousiastes devant cette solution humiliante, qui ne leur laisse que la docte mais mâle main d'un praticien pour échauffer leur imagination défaillante. L'un d'eux s'enfuit au Danemark pendant neuf ans, pour ne pas « entrer dans ces éclaircissements ». L'Église, qui manie les concepts de façon un peu théorique, tiraillée entre les interdits de la Bible et sa hantise d'annuler un mariage valide, finit même par demander la « preuve de l'éjaculation » sans recours à la masturbation. Mais aucun official ne se dévoua pour expliquer la méthode idoine.

L'annulation pour impuissance devient caduque en France à la Révolution, lorsque la loi de 1792 permet le divorce : ne pas consommer le mariage, n'est-ce pas une incompatibilité d'humeur ? On peut en tout cas expliquer ainsi le silence de la législation révolutionnaire sur un point qui a tellement excité les juristes des siècles précédents. Lorsque la loi sur le divorce est abrogée, à la Restauration, l'annulation pour impuissance rentre dans le droit français par la petite porte : dans la pure tradition de Pierre Lombard, on considère que l'impossibilité de consommer entraîne une erreur sur la personne qui vicie le consentement. La future, estime-t-on, aurait refusé le mariage si elle avait eu connaissance de cette particularité avant de donner son accord. Un raisonnement dangereux : pourquoi ne peut-il être invoqué pour accorder l'annulation en cas de stérilité de la femme ? Mais il témoigne surtout de l'importance tout à fait secondaire de ce problème à une époque sanglée dans une vertu austère. De fait, rarissimes sont les procès pour impuissance au XIXe siècle, ce qui évite de s'interroger sur les preuves à fournir.

Lorsque la loi accordera à nouveau le divorce, mais pour cause grave uniquement, la non-consommation sera assimilée aux « injures » qui peuvent entraîner le divorce aux torts exclusifs du mari. Mais, à l'occasion, on pourra aussi accorder l'annulation, preuve que cette culpabilisation de l'impuissance gêne les magistrats. La question a cessé de se poser depuis la loi de 1975 qui permet à nouveau le divorce par consentement mutuel.

Quant à l'Église, elle n'avait pas de raison de revenir sur ses principes. Le code de droit canon édité en 1917 prévoit toujours l'annulation et les théologiens, confrontés à une médecine plus sérieuse qu'au XVIIe siècle, s'enferrent bientôt dans les délicates preuves à fournir. C'est le code de Jean-Paul II, en 1983, qui résout la difficulté... en la contournant. Il statue en effet que la consommation est présumée s'il y a cohabitation « jusqu'à preuve du contraire ». La preuve n'a fait que se retourner, mais c'est toujours sur elle qu'achoppe la théorie. Des « experts » peuvent néanmoins être consultés en vertu d'un autre canon... mais on se garde bien de définir leur travail [45].

Troisième partie

L'éclatement du système
La Renaissance

Un mariage à Metz vers 1550

À la veille du concile de Trente, le mariage est déjà devenu une cérémonie purement religieuse. Les rites jadis accomplis par le père sont désormais intégrés à la messe et réservés au prêtre. Devant l'église, le prêtre accueille les promis en chantant le psaume Ad te levavi *suivi d'une courte prière. Tout le reste de la cérémonie s'accomplit à l'intérieur de l'église. La promise va prier à genoux devant l'autel, qu'elle embrasse avant de regagner sa place. Le prêtre entonne la messe du Saint-Esprit.*

Après l'offertoire, les promis s'avancent vers l'autel, l'homme à droite, la femme à gauche. Le prêtre unit leurs mains au-dessus du pain et du vin et le futur prononce son engagement en français: «Je N. prens pour ma lealle femme et espouse N. cy presente, et luy promects par la foy de mon corps, du pain, du vin, et par les sacremens que par yceulx journellement en nostre mere saincte Église se font, ne l'abandonner a nulz jours mais pour aultre plus belle, meilleure, pieure, ou aussi bonne; et des biens que Dieu m'a donnés et donnera ne luy laisser avoir nécessité jusque a leal solve. Et ainsi me veuille Dieu aider.»

La femme a un rôle plus réduit. Lorsque le prêtre lui demande: «Mamye, vous avez ouy les promesses que vous a faictes N. Vous y accordé-vous, et l'en faictes-vous les semblables?», *elle se contente de répondre* «Ouy». *Le curé peut alors les marier en latin:* «Et sic vos coniungo. In nomine Patris, et Filii, et Spiritus Sancti. Amen.»

La messe reprend alors son cours. Après la communion, les époux retournent à l'autel, où l'anneau (un seul, toujours) est

*béni et aspergé d'eau bénite. Le mari le passe alors à l'annulaire
de la main gauche de sa femme :* « De cest anneau je t'espouse,
de mes biens je te doue; de mon corps je te fais present. In
nomine Patris et Filii, et Spiritus Sancti. Amen. » *S'enchaînent
alors un* Veni Creator *chanté par les époux, une bénédiction
très ancienne par le Dieu d'Abraham, d'Isaac et de Jacob, une
autre prière et quatre bénédictions... Le soir, le prêtre ira bénir
le lit nuptial* [1].

I

Schismes et divorces

Catherine d'Aragon, Anne Boleyn, Jane Seymour, Anne de Clèves, Catherine Howard, Catherine Parr : on égrène les six reines de Henry VIII comme les sept femmes de Barbe-Bleue. Ne dit-on pas que c'est le roi d'Angleterre, mâtiné de Gilles de Rais, qui s'est perpétué dans le conte ? C'est mal lui rendre justice. Si, comme tous les grands de son époque, il ne dédaignait pas de donner quelques coups de canif dans le contrat conjugal, rien ne le prédestinait à devenir le premier grand divorcé de l'histoire chrétienne et l'infâme schismatique de l'Église anglicane.

Divorcer ? Il n'y pense guère durant son premier mariage, qui dure vingt-quatre ans, quoique son épouse soit plus âgée que lui et qu'il ne l'ait épousée que pour satisfaire aux dernières volontés de son père. Sur ses six mariages, d'ailleurs, deux seulement seront rompus par divorce, deux par mort naturelle, et deux... par exécution. Il est alors des procédés plus expéditifs pour changer de reine.

Rompre avec Rome ? Non seulement il n'en est pas question, mais ce roi dévot n'a de cesse d'obtenir un titre qui rappelle officiellement sa légitimité auprès du Saint-Siège, comme ses voisins « très chrétiens » de France et « catholiques » d'Espagne. Fin connaisseur de la Bible, il publie en 1521 un ouvrage contre les thèses de Luther, et la même année, Léon X le nomme « Défenseur de la Foi ». Ironie de l'histoire, cette *Assertio septem sacramentorum* (« Affirmation des sept sacrements ») en fait notamment un défenseur du mariage, et les chefs de l'Église anglicane qui descendront de lui continuent à porter le titre accordé par Rome. Les pièces de monnaie anglaises désignent toujours le roi (ou la reine) comme un *Fid. Def.* (« Fidei Defensor »).

Alors pourquoi cette brutale rupture de 1534? Par une lente dérive et à cause des difficiles équilibres internationaux. Second roi d'une dynastie qui s'était affirmée dans le sang de la guerre des deux Roses, le Tudor doit assurer son trône. Or des cinq enfants que lui a donnés Catherine d'Aragon, tante de Charles Quint, seule a survécu une fille, la future Marie Tudor. Tout roi rêve d'un héritier mâle, et l'Église, lorsque la première reine ne le fournit pas, trouve souvent un accommodement. Aussi, lorsque Catherine atteint quarante-deux ans, en 1527, le roi songe-t-il à prendre une reine plus féconde plutôt qu'une nouvelle maîtresse. Peut-être aussi ce croyant sincère a-t-il de réels scrupules sur la validité de son mariage. Quatre enfants sur cinq morts en bas âge, cela ressemble fort à une malédiction, telle qu'elle est formulée dans la Bible : « Quand un homme prend la femme de son frère, c'est une souillure ; il a découvert la nudité de son frère, ils seront privés d'enfants (Lv 20, 21). »

Or, c'est précisément ce qui s'est passé. Catherine d'Aragon, avant d'être mariée à Henry VIII, avait épousé en 1501 son frère aîné, Arthur, prince de Galles. Elle avait seize ans et était fille du roi d'Espagne ; il en avait quatorze et devait hériter de la couronne d'Angleterre. Ce mariage qui consolide les alliances extérieures de la toute jeune dynastie Tudor est naturel pour l'époque. Il n'est pas encore consommé lorsque le prince de Galles meurt, en 1502. Pas question de renvoyer la petite princesse en Espagne : on la promet aussitôt au second héritier, Henry, duc d'York, qui va alors sur ses douze ans. Une dispense pontificale est nécessaire pour cette alliance prohibée au premier degré d'affinité. Elle est accordée en 1504, et en 1505, lorsque le petit Henry atteint l'âge légal pour se marier, tout est prêt pour entériner l'accord.

Second problème : l'âge nubile est aussi l'âge de raison. Et à quatorze ans, notre bouillant duc d'York ne veut pas de cette « vieille de vingt ans » ! Il faudra encore attendre quatre ans pour que le mariage s'accomplisse. Le 22 avril 1509, Henry VII meurt en demandant, une dernière fois, de consolider l'alliance espagnole. Avant de recevoir la couronne paternelle, le 24 juin, son fils épouse Catherine d'Aragon, le 11 juin. Respect des dernières volontés d'un mort ou condition mise à la succession? Toujours est-il qu'on peut légitimement douter de l'affection qui unit les deux époux, et louer la durée comme la fécondité de leur mariage. De toute évidence, le roi s'est montré aussi bon prince que bon mari et bon catholique.

Telle est la situation en 1527, quand le roi tâche d'obtenir la nullité de son mariage. Il est déjà épris d'Anne Boleyn, qui a vingt ans, et songe à l'épouser, à l'inverse de ses précédentes maîtresses. Pour cela, il lui faudrait une seconde dispense, puisque Marie, la sœur d'Anne, avait été une de ses précédentes favorites, créant de ce fait un empêchement d'affinité au premier degré. Curieusement, le pape accorde cette dispense en 1528 : dans la logique des choses, il ne peut avoir l'intention de refuser l'annulation du premier mariage, puisqu'il autorise anticipativement le second! Alors pourquoi les choses traînent-elles en longueur?

C'est que le pape, alors, est prisonnier de Charles Quint, neveu de Catherine d'Aragon. Allié avec la France contre l'Espagne, Clément VII a dû s'incliner en 1527 devant le puissant empereur qui met Rome à sac. Le moment est mal choisi pour annuler le mariage de sa tante! Mal choisi aussi pour heurter de front son tout nouveau « Défenseur de la Foi ». Alors, il ménage la chèvre et le chou, le roi et l'empereur, laisse miroiter à l'un son remariage et à l'autre l'indissolubilité du lien. Il demande une enquête tout en sachant qu'elle prendra du temps. L'ennui, c'est que le Tudor est impatient, et consulte de son côté les théologiens des grandes universités européennes. Et le formulé de sa question est singulièrement maladroit. Pour annuler son mariage, il faudrait invalider la dispense pontificale de 1504. Le roi ne peut plaider l'erreur de fond ou de forme, et n'a donc plus qu'une solution : soutenir que l'interdit de la Bible est de droit divin et non de droit ecclésiastique. Autrement dit, seul Dieu pouvait le lever et le pape n'aurait accordé la dispense que par abus de pouvoir.

Voilà qui est bien plus difficile à admettre pour le pape : il s'agit non seulement de remettre en cause une décision d'un de ses prédécesseurs, mais encore d'accepter une limitation de son pouvoir à un moment où son autorité est déjà bien chancelante. Les consultations des universités ne l'éclairent d'ailleurs guère : toutes celles d'Angleterre et de France soutiennent le roi d'Angleterre; toutes celles de l'empire Habsbourg soutiennent Charles Quint. Quant aux universités italiennes, également favorables à l'annulation, elles ont été défrayées par le roi d'Angleterre, et la cour pontificale émet de justes soupçons de corruption.

L'affaire se présente de plus en plus mal pour le roi

d'Angleterre, qui accélère à nouveau les choses. En 1532, il fait nommer à l'archevêché de Canterbury Thomas Cranmer, partisan de l'annulation. Peu après (15 janvier 1533), il épouse secrètement Anne Boleyn, avant même que la séparation ne soit prononcée d'avec Catherine d'Aragon. Cranmer annule le premier mariage le 23 mai et, le 1er juin, officialise le second en couronnant reine Anne Boleyn. La raison de cet empressement est claire : l'héritier tant attendu est en route, et on saura seulement le 7 septembre qu'il s'agit encore d'une fille, la future Elizabeth Ire. Rome ne peut laisser faire ; Henry VIII est excommunié. La fuite en avant est inévitable : en 1534, le Parlement affirme l'indépendance de l'Église anglaise. Cet « Acte de suprématie » marque la naissance de l'Église anglicane et la rupture définitive avec Rome.

L'engrenage des épouses va alors s'emballer. Anne Boleyn, de seize ans plus jeune que son roi, finit sur l'échafaud pour « inconduite » (19 mai 1536) sans avoir donné à son mari l'héritier mâle escompté. Le 29 mai, Jane Seymour prend sa place, mais meurt en couches en apportant enfin à la couronne un futur roi, Édouard VI (12 octobre 1537). La descendance assurée, on peut proposer au roi un mariage politique : pour rapprocher le schisme anglican de l'Allemagne protestante, on lui fait épouser Anne de Clèves, mais le roi n'a guère d'attirance pour sa « jument de Hollande ». L'exemple étant déjà donné, il divorce après six mois de mariage (janvier à juillet 1540). Catherine Howard, épousée sans tarder, connaît pour les mêmes raisons le même sort qu'Anne Boleyn et monte sur l'échafaud le 13 février 1542. Le roi semble alors trouver l'âme sœur en la personne de Catherine Parr, qu'il épouse le 12 juillet 1543 : elle en est quant à elle à son troisième mariage, et ne restera pas veuve après la mort du roi, en 1547. En quatorze ans – la moitié de ce que dura son premier mariage – le roi aura connu cinq autres femmes [2].

Le retour du divorce

L'affaire du « divorce » de Henry VIII est intéressante à plus d'un titre. Elle montre d'abord les limites du consensualisme, doctrine officielle de l'Église et héritage du droit romain unanimement respecté. Le refus (courageux) d'un adolescent de quatorze ans d'épouser la femme qu'on lui impose ne résiste pas aux dernières volontés paternelles. Et lorsqu'on

cherche à invalider le mariage du roi, personne ne songe à
invoquer l'absence de consentement, clairement établie et
qui, pour un canoniste actuel, entraînerait la nullité du
mariage. En fait, la primauté du consentement n'est pas
encore entrée dans les mœurs, du moins dans la haute société.
« Le fait que l'idée n'ait pas jailli alors malgré l'importance que
prit l'affaire en est la meilleure preuve [3] ! »

Mais c'est surtout la rupture avec l'Église romaine pour
une question de divorce qui a rendu célèbre cet épisode.
L'audace, pourtant, reste pratiquement sans lendemain.
L'Angleterre, même anglicane et proche du protestantisme,
manie avec prudence les nouveaux concepts. Les tribunaux
accorderont rarement ce que s'était copieusement octroyé le
roi ; le divorce, admis pourtant au XVIᵉ siècle, ne s'imposera
guère outre-Manche. À la Révolution française, quand il se
développera sur le continent, les Anglais ne seront pas les derniers à s'offusquer de la dépravation française.

La discussion sur le divorce, au XVIᵉ siècle, a deux aspects
complémentaires. D'un côté, l'humanisme, qui redécouvre
dans le droit et la morale antiques une conception du mariage
oubliée depuis des siècles ; de l'autre, les théologiens protestants, qui refusent toute la législation canonique sur le
mariage et n'acceptent que les prescriptions bibliques. Les
premiers, nourris de droit romain, se montreront parfois plus
hardis que les seconds, limités par les références aux Écritures.

La première génération d'humanistes n'ose pas s'en
prendre trop ouvertement au mariage indissoluble. Seul un
Érasme, avant que la condamnation de Luther n'envenime la
situation, peut commenter les incises matthéennes en disant
que l'adultère attaque la nature même du mariage et que la
femme cesse par là d'être une épouse. En commentant saint
Paul, il ose aussi demander s'il y a bien sacrement quand la
femme est stérile, ou quand le mari s'enivre : quelle image, en
effet, donne-t-on là du mariage entre le Christ et son Église ?
Non seulement on peut dissoudre ces unions, mais il s'agit
presque d'une obligation pour respecter la dignité du mariage
mystique. Pour le philosophe de Rotterdam, l'indissolubilité
n'appartient pas au droit divin, mais s'est peu à peu glissée
dans les commentaires de tel ou tel évêque (bien qu'il n'ose
pas le citer, c'est saint Augustin qui est ici visé) – des hommes
comme nous, sujets comme nous à l'erreur.

Quant à saint Paul, « je pense, conclut Érasme, qu'il nous

donnerait une interprétation plus civile que la nôtre de ses écrits ». Si « l'amitié » entre les époux réalise le sacrement du mariage, lorsqu'elle n'existe plus, le sacrement n'a plus de raison d'être. C'est le droit romain qui affleure ici sous les habits chrétiens. Érasme multiplie les arguments en faveur du divorce, parfois très osés, puisqu'il invoque le droit de récuser certains préceptes des apôtres, ou la possibilité pour le pape de se tromper. Si l'on accepte, d'ailleurs, la comparaison avec le mariage mystique du Christ, il faut bien reconnaître que pour cela, le Seigneur a d'abord dû répudier la Synagogue. La raison est évidente et sera une des causes de divorce admises par les protestants : la Synagogue avait comploté la mort de son divin époux [4].

Après la condamnation de Luther, cependant, la prudence est de mise, et Érasme lui-même, dans son *Institution du mariage chrétien* publiée en 1526, imite désormais la prudence du serpent. Certains ont même parlé de revirement, et il faut toute la subtilité des commentateurs pour lire entre les lignes la continuité de sa pensée. De fait, l'humaniste ne prétend plus parler que du mariage parfait, laissant entendre qu'il y en a bien d'autres qui sont loin de la perfection, mais dont il n'a pas le droit de parler. Avec des précautions oratoires et au conditionnel, il entrouvre quand même la porte : « On pourrait dire, en un certain sens, qu'il n'y a jamais eu de véritable mariage entre les personnes qui se séparent. S'il a dit juste celui qui a dit que l'union qui a pu cesser n'a jamais été sincère, on peut dire avec plus de raison que l'union qui a pu cesser n'a jamais été une véritable union. » Et il s'empresse de proclamer l'indissolubilité du mariage... idéal [5]. Dans son colloque sur le mariage, seule Xantippe, l'épouse revêche qui se laisse convaincre par la douce Eulalie, se permet de vouer aux gémonies ceux qui ont interdit le divorce.

Quant à Rabelais, les attaques contre le mariage qu'il rassemble dans son *Tiers Livre* ne vont guère plus loin que la classique polémique misogyne. Le divorce n'est guère son problème, entre un Gargantua veuf sans parvenir à pleurer sa femme et un Pantagruel désespérément célibataire. C'est dans la seconde moitié du XVIe siècle, après les réflexions protestantes sur la matière, que des penseurs comme Montaigne, Jean Bodin ou Pierre Charron se montreront plus hardis, tout en gardant en arrière-plan l'antiféminisme médiéval.

Montaigne, qui raille ce « marché qui n'a que l'entrée libre » (I, 28), estime, en comparant la société romaine à celle de son temps, que la possibilité de divorcer est un garant du mariage. « Nous avons pensé attacher plus ferme le neud de nos mariages pour avoir osté tout moyen de les dissoudre; mais d'autant s'est depris et relâché le neud de la volonté et de l'affection, que celuy de la contrainte s'est estroicy [*resserré*]. Et, au rebours, ce qui tint les mariages à Rome si long temps en honneur et en seurté, fut la liberté de les rompre, qui voudroit. Ils aymoient mieux leurs femmes d'autant qu'ils les pouvoient perdre (II,15). » L'argument sera repris par les défenseurs du divorce au XVIIIᵉ siècle.

Jean Bodin, dans ses livres *De la République*, discute « De la puissance maritale, et s'il est expedient de renouveller la loy de repudiation [6] ». S'il trouve « pernicieuse » l'indissolubilité du mariage, c'est moins pour délivrer les mal mariées que pour assurer aux maris la totalité de leur pouvoir patriarcal. Il se prononce plutôt pour la répudiation unilatérale, la femme ne pouvant se permettre de faire passer devant le juge celui à qui elle doit obéissance et respect. Tout au plus demande-t-il qu'on n'accorde jamais la répudiation sans préciser la cause, pour éviter les abus... Mais il s'agit surtout pour lui d' « un moyen pour tenir en cervelle les femmes superbes [*orgueilleuses*] : et aux fascheux maris de ne trouver pas aysément femme, si on cognoissoit qu'ils eussent repudié la leur sans juste cause ». Pour lui, l'autorisation de la répudiation est une loi de Dieu, puisqu'elle se trouve dans l'Ancien Testament et qu'elle est demeurée en Afrique et en Asie, malgré son abolition en Europe. Elle se justifie par l'inimitié qui peut naître entre les époux : « d'autant qu'il n'y a point d'amour plus grand que celuy du mariage, comme dit Artemidore, aussi la hayne y est la plus capitale, si une fois elle prend racine. »

Pierre Charron, dans ses livres *De la Sagesse*, parus en 1601, parle en juriste du divorce et de la polygamie. Sous couvert de comparer la morale musulmane à la chrétienne, il lance quelques vérités à l'Église de son temps. Tandis que les mahométans, se plaint-il, « font des Amas de trois à quatre cens mille combattans », le christianisme « tient plusieurs personnes attachées ensemble, l'une des parties estant sterile (*sic*), quelquesfois toutes les deux : lesquelles colloquées avec d'autres l'un et l'autre laisseroit grande posterité, mais au mieux toute sa fertilité consiste en la production d'une seule femme [7] ». Le divorce pour la natalité : aussi surprenant que nous paraisse aujourd'hui cet argument, il sera le cheval de bataille des philosophes. Et ne pensons pas aux droits de la femme : Pierre Charron, en effet, est un fervent partisan de l'autorité maritale, et préfère le système des Hébreux (répudiation sans motif de la femme) à celui des musulmans (divorce accordé pour certaines causes limitées). La répudiation lui semble meilleure, « pour tenir en bride les femmes superbes » – la formule est la même que celle de Jean Bodin ; quant au divorce, qui oblige à dévoiler les causes de la rupture, il « deshonore les parties, empesche de trouver party, decouvre plusieurs choses, qui devroient demeurer cachées [8] ». Rebondissant sur l'argumentation de Bodin, Charron entend encore augmenter les droits des maris, y compris les « fascheux ». L'humanisme redécouvre dans l'Antiquité une sévérité accrue vis-à-vis des femmes.

Les protestants pour leur part n'osent aller aussi loin que les humanistes dans la justification du divorce. D'une part parce qu'ils se réfèrent avant tout au Nouveau Testament ; d'autre part parce que, dans plusieurs États, ils ont l'appui des princes et ne peuvent plus raisonner dans l'absolu. Leur législation est destinée à être appliquée : elle doit rester prudente. Ils se bornent donc, dans leurs discussions sur le divorce, aux incises matthéennes et au privilège paulin, dont nous avons parlé plus haut. Les premières permettent le divorce, suivi d'un remariage, en cas d'adultère : ce sera le seul point sur lequel il y aura unanimité. Pour le reste, chaque réformateur, chaque tribunal, chaque école aura ses nuances. Luther étend fort habilement le privilège paulin à l'abandon : s'il n'y a plus communauté matérielle, il n'y a plus, *a fortiori*, communauté spirituelle, et le privilège paulin, qui permet au conjoint de se séparer d'un païen pour se remarier à un chrétien, pourrait justifier le divorce. Il semble même aller plus loin en assimilant le refus de devoir conjugal à un abandon. Si, d'ailleurs, des disputes constantes ont entraîné une séparation de corps momentanée, et qu'un des conjoints refuse de reprendre la vie commune, n'y a-t-il pas aussi abandon ? « On aboutit finalement à un divorce par consentement mutuel qui ne dit pas son nom », conclut Pierre Bels [9]. En fin de compte, Luther se contentera d'autoriser le divorce pour adultère et abandon (ou absence prolongée) et renoncera à l'accorder pour impuissance postérieure au mariage et pour refus du devoir conjugal, comme dans ses premiers écrits.

Les calvinistes de Genève acceptent les deux mêmes raisons. Mais d'autres sont plus laxistes, comme Bucer, qui multiplie les raisons de divorcer, jusqu'à évoquer une sorte de divorce pour incompatibilité d'humeur, lorsqu' « on ne peut faire autrement et que deux esprits ne peuvent s'accorder ». Nourri de droit romain autant que d'Écritures saintes, il reprend à son compte le vieil adage *Sicut consensus facit matrimonium, ita dissensus soluit* (« de même que le consentement fait le mariage, la dissension le dissout »). Mais il sera peu suivi dans cette audace [10].

Melchior Kling, professeur à Wittenberg, accepte seulement quatre causes de divorce : l'adultère, l'infidélité (manquement à la foi religieuse), l'impuissance (qui annule si elle est antérieure au mariage, mais non si elle est postérieure), les machinations contre le conjoint (tentatives d'assassinat). Dans tous les cas, « selon les théologiens modernes », le conjoint innocent peut se remarier. Position modérée, puisqu'elle se limite aux deux cas de divorce tirés du Nouveau Testament, à un élargissement de l'empêchement pour impuissance et à un danger de mort. L'abandon n'est pas envisagé [11].

Basile Monner enfin, dont le *De matrimonio* paraît en 1561, envisage six cas de divorce : l'adultère, l'abandon malicieux, l'impuissance, l'apostasie, les sévices, et l'inconduite antérieure de la femme. C'est sans doute le plus laxiste des théoriciens protestants. Un résumé des doctrines protestantes au xvie siècle est impossible à établir : chaque juridiction a ses règles et chaque auteur, ses arguments. Seul le divorce pour adultère est accepté par tous. En second lieu, dans la plupart des cas, la « désertion malicieuse », comprise très largement. Parfois, également, la mort civile, la perte de droits politiques, les sévices graves... La France, qui suit la discipline genevoise, n'accepte le divorce que pour les deux premières causes et, dans la pratique, la jurisprudence protestante suivra longtemps cette voie étroite. Mais les autres arguments, que les tribunaux protestants repoussent de plus en plus souvent, n'en influenceront pas moins la discussion sur le divorce lorsqu'elle reprendra au xviiie siècle [12].

De nouveaux arguments

Entre la Renaissance, humaniste et protestante, et le xviiie siècle, philosophe et éclairé, il y eut la Contre-Réforme qui, dans les pays catholiques, figea les thèmes dangereux dans un attentisme prudent. Les quelques tentatives des casuistes pour défendre certains cas de divorce furent immédiatement condamnées [13]. Mais la réflexion n'en continua pas moins à évoluer dans les pays protestants, qui serviront de transition en France entre humanistes du XVIe siècle et philosophes du XVIIIe.

La référence fréquente au droit naturel, chez ces derniers, nous renvoie en effet à une école née dans l'Allemagne du XVIIe siècle autour de Samuel Pufendorf (1632-1694), né à Leipzig et fondateur à Heidelberg de la première chaire de droit naturel. Son enseignement se résume en 1672 en un traité *Du droit de la nature et des gens* qui connaît un large succès international grâce à une traduction en français par son disciple Barbeyrac. Le droit matrimonial est au centre du droit naturel ; nous connaissons mieux les positions de cette école sur cette épineuse question grâce à une thèse récente d'Alfred Dufour [14].

Le droit naturel voit dans le mariage un contrat et non un sacrement – une position radicale qui sera notamment celle de Voltaire dans son *Dictionnaire philosophique* (article « mariage ») et qui deviendra celle de la première constitution française en 1791. Le divorce y est donc admis pour adultère et désertion malicieuse, assimilés à des ruptures de contrat. Certains, comme Pufendorf et son disciple Thomasius (1655-1728), poussent ce « contractualisme » jusqu'au divorce par consentement mutuel. D'autres, appelés « institutionnalistes », sont plus prudents et limitent le divorce aux causes traditionnellement retenues dans les pays protestants : adultère, désertion malicieuse, refus du devoir conjugal, stérilité, mauvais traitements... Chez Christian Wolff (1679-1754), professeur de mathématiques et de philosophie naturelle à Halle, on voit apparaître au nom du droit naturel une préoccupation qui prendra de plus en plus d'importance dans les débats sur le divorce : le sort des enfants, dont la présence suffit, chez Wolff, pour refuser toute séparation.

Au XVIIIe siècle, la discussion revient sur le sol français [15]. Si le règne de Louis XIV n'a guère toléré la polémique religieuse en France, le siècle des Lumières sera plus hardi. Après Fontenelle, qui voit dans l'indissolubilité une « loi barbare et cruelle » [16], la plupart des grands noms du siècle prennent position sur la question à côté d'une multitude de témoignages moins connus. L'influence de l'école de droit naturel allemande y est souvent évidente. Le « mythe du bon sauvage » qui atteint alors sa pleine expansion fait rechercher dans les peuples primitifs l'expression de ce droit préservé depuis l'origine. Ainsi, Diderot allègue les « mœurs naturelles » des habitants d'Otaïti pour justifier non seulement le divorce, mais aussi l'union libre et le mariage à l'essai. Son *Supplément au voyage de Bougainville*, écrit en 1772, ne sera cependant publié qu'en 1796. Chez ceux même qui, comme Voltaire, succombent peu à ce mythe, la conception d'un mariage purement contractuel trahit l'influence des juristes allemands.

Le premier grand type d'arguments est celui que nous avons rencontré deux siècles plus tôt chez Charron : la natalité gagnerait au divorce, puisque celui-ci permettrait à l'époux d'une femme stérile de chercher une meilleure pondeuse. Montesquieu reprend la même idée dans les *Lettres persanes*, où l'interdiction de se remarier après une séparation aboutit, selon un des visiteurs, à la « dépopulation des pays chrétiens ». La même idée est défendue dans un *Mémoire sur la population* publié par Cerfvol en 1768. Certains, comme le maréchal de Saxe, proposent même une sorte de mariage à terme, pour cinq ans renouvelables. À la première échéance, si le couple est sans enfants, l'union est rompue d'office, même si les époux s'entendent. Si des Persans, dans un roman léger, peuvent se moquer des couples indissolubles (après « trois ans de mariage », ce sont « trente ans de froideur »), le magistrat de *L'Esprit des lois* se doit d'être plus prudent : Montesquieu se range alors derrière l'opinion de l'école du droit naturel pour déclarer le divorce « conforme à la nature », pour peu que les deux parties, ou au moins une d'elles, y consentent. Mais « lorsque ni l'une ni l'autre n'y consentent, c'est un monstre que le divorce [17] ». On voit que le divorce, pour lui, doit s'entendre comme une séparation en général, qui peut encore être imposée à un couple : s'il parle ouvertement de l'Antiquité romaine, où les pères pouvaient exiger le divorce de leur fille, le lecteur chrétien pense tout naturellement à l'annulation pour empêchement dirimant.

L'argument nataliste, plutôt spécieux, deviendra rare à la fin du siècle, quand la querelle sur le divorce entrera dans sa phase décisive. Si les héritiers des grandes familles, soucieux de leur descendance, ont sans doute conservé cette préoccupation médiévale, le mariage est de plus en plus considéré, au XVIIIᵉ siècle, comme une union sentimentale et il n'est pas dit que les époux stériles, si la faculté leur en était donnée, se précipiteraient dans les officialités pour divorcer. Un Linguet, en 1789, voit encore dans le divorce « la sauve-garde des mœurs, et le plus sûr appui de la population [18] ». Contre lui, un

Mémoire sur le divorce publié au lendemain de la Révolution
prétend que le divorce fera tort à la population, mais estime
qu' « il vaut mieux que le monde soit un peu moins peuplé, et
que ses habitants vivent heureux [19] ». L'approche, on le voit,
est fondamentalement opposée.

Mais dès le milieu du siècle, d'autres types d'arguments
sont invoqués. Dans son *Dictionnaire philosophique* (art.
« adultère »), Voltaire publie ainsi le mémoire d'un magistrat
anonyme qui se plaint, en 1764, d'être puni pour le crime de sa
femme adultère, puisque la séparation à laquelle il a droit lui
interdit de se remarier. Le philosophe de Ferney revient plus
longuement sur le problème à l'article « divorce », qui lui inspire des commentaires plus généraux et plus ironiques. « Le
divorce est probablement de la même date à peu près que le
mariage. Je crois pourtant que le mariage est de quelques
semaines plus ancien ; c'est-à-dire qu'on se querella avec sa
femme au bout de quinze jours, qu'on la battit au bout d'un
mois, et qu'on s'en sépara après six semaines de cohabitation. » Au-delà de la vieille polémique misogyne héritée elle
aussi des humanistes du XVIᵉ siècle, le divorce est intégré à la
« loi naturelle », celle des « bons sauvages » alors fort à la
mode.

À l'opposé, Voltaire présente le mariage indissoluble et
l'annulation qui tient lieu de divorce comme des complications inutiles de la vie sociale. Des « paroles inintelligibles » (la
théorie du sacrement considéré comme un signe visible d'une
chose invisible) empêchent l'homme de se remarier après
s'être séparé de sa femme. S'il veut le faire, il lui faut « mentir
hautement devant Dieu pour obtenir la grâce d'un divorce
sous un autre nom, de la part d'un prêtre étranger [*le
pape*] [20] ». La diatribe, dans une France qui est alors au faîte de
son rayonnement, n'est pas exempte de gallicanisme.

La mésentente dans les ménages – même si, par tradition,
on envisage surtout le cas d'une femme acariâtre – commence
donc à l'emporter sur l'argument nataliste. C'est la direction
qu'empruntent Diderot et Helvétius, avec des nuances qui
opposeront violemment les deux encyclopédistes. Helvétius,
philosophe proche de l'athéisme mort en 1771, ne verra pas
paraître son livre *De l'homme* (1772) et ne connaîtra pas les
critiques de Diderot. Critiques justifiées, à vrai dire, d'un système assez curieux. Helvétius considère en effet l'indissolubilité comme le souvenir inconscient d'un état primitif de
l'homme occidental, essentiellement laboureur. Le mariage,

pour lui, aurait consisté en une sorte d'union économique pour l'amélioration des terres à cultiver. L'homme et la femme, réunis par un désir commun, « supportent sans dégoût et sans inconvénient l'indissolubilité de leur union ». Il n'en va pas de même pour les autres professions, prêtres, magistrats, philosophes, hommes d'affaires et soldats. Ceux-ci sont détournés de leurs fonctions par le mariage, et c'est avec raison qu'on l'interdit aux prêtres. Mais qu'en sera-t-il des autres ? « Une femme corrompt les mœurs du guerrier, éteint en lui l'amour patriotique et le rend à la longue efféminé, paresseux et timide. » Aussi notre philosophe prône-t-il une sorte d'union libre avec une fille de passage : « l'union des deux époux dure autant que leur amour et leur convenance [21] ». Pas d'indissolubilité, donc, néfaste à la carrière. Quant aux enfants, qu'ils soient élevés par l'État. De toute façon, le changement est dans la nature humaine, et le plaisir même devient fastidieux s'il n'a pas de fin.

C'est dans une longue note sur ce passage qu'Helvétius développe ses idées sur le divorce. « S'il est vrai que le désir du changement soit aussi conforme qu'on le dit à la nature humaine, on pourroit donc proposer la possibilité du changement comme le prix du mérite : on pourroit donc essayer de rendre par ce moyen les guerriers plus braves, les Magistrats plus justes, les artisans plus industrieux et les gens de lettres plus studieux. » Le divorce comme récompense pour inciter chacun au zèle ? L'idée est pour le moins originale. Si elle n'a à ma connaissance jamais été retenue, elle eut au moins le mérite de faire bondir Diderot, qui répliqua point par point à son honoré confrère de l'*Encyclopédie*. « Est-ce que le sot n'est pas aussi malheureux avec une mauvaise femme que l'homme du plus grand génie ? Est-ce que la jouissance n'amène pas le dégoût également pour tous ? Est-ce que tous les mariages ne sont pas indistinctement exposés aux incompatibilités de caractère qui font le supplice de deux époux [22] ? »

Ainsi, vingt ans avant la première loi française sur le divorce, l'incompatibilité d'humeur et la simple lassitude de la vie commune seront considérées comme des motifs possibles, sinon valables, de rompre le lien conjugal. Dans des analyses très théoriques, sans doute, et très éloignées de la vie quotidienne. Mais l'idée, désormais, est dans l'air. Et le mariage, effectivement, vacille sur ses bases. Sans doute peut-on en partie incriminer le renforcement de l'autorité paternelle, depuis le xvie siècle : dans certaines classes, en tout cas, les mariages forcés sont de plus en plus fréquents, et les mésalliances traquées, si possible annulées. Dans une époque romanesque qui commence à croire à l'amour, cela laisse des rancœurs, et bien des ménages d'intérêt ne sont que des façades mal ravalées.

Les tableaux que certains dressent de la misère conjugale indissoluble sont effrayants. Linguet, se plaignant que la séparation ne soit prononcée que s'il y a danger physique, semble évoquer ce qu'on appellerait aujourd'hui des sévices moraux, lorsqu'un mari, sans battre sa femme, « est assez adroit pour lui déchirer le cœur sans entamer la peau ». Comme il reste impuni, dans le cas bien rare où la femme demande à être séparée et se voit déboutée par le tribunal, « ce tigre ressaisit en rugissant la proie qui avoit paru près de lui échapper, et pour signaler sa victoire il lui brise lentement les os avant de la dévorer [23] ».

On constate en tout cas une augmentation des demandes en séparation tout le long du xviiie siècle. Ainsi à l'officialité de Cambrai, où 76 % des plaintes émanent de femmes, et surtout pour sévices corporels, juste avant l'adultère et les dépenses excessives du mari. Loin derrière, l'hérésie ou la mésentente avec les enfants d'un premier lit. La justice ecclésiastique a conscience du problème : 80 % des séparations sont accordées, au moins pour trois ans, plus souvent à vie [24]. Avec, bien entendu, interdiction de se remarier.

La législation sur le mariage, l'annulation et le divorce, estimait Voltaire, est « l'écurie d'Augias, il faut un Hercule pour la nettoyer ». Un fleuve va effectivement balayer les écuries de l'Ancien Régime. Le mariage indissoluble sera parmi ses victimes. « Ce lien, de quelque manière qu'on le considère, ne nous offre qu'un tyran et une esclave », résume un mémoire révolutionnaire anonyme [25]. Et toutes les tyrannies ne sont-elles pas à abattre ? « Un vœu indissoluble est un attentat à la liberté de l'homme, et le système actuel est, et doit être celui de la liberté », surenchérit un libelle sur les *Griefs et plaintes des femmes mal mariées* [26]. En 1789-1790, le thème bourgeonne. Une vingtaine de livres et de libelles sont consacrés au divorce. De nouveaux arguments sont avancés en sa faveur. Pour la première fois, le droit des femmes est défendu, ainsi que celui des enfants. *L'ami des enfans* répond ainsi au vieil argument de l'éducation qui empêche le divorce : les rejetons de parents qui se disputent, explique-t-il, sont plus malheureux que ceux de parents divorcés. « Une bonne éducation demande un accord parfait entre ceux qui en sont chargés ; si l'un contrarie l'ouvrage de l'autre, tout est perdu [27]. » Le droit canonique prévoit bien la séparation, peut-on répondre. Mais elle entraîne « des désordres plus coupables » – l'auteur pense manifestement à la difficulté d'y conserver la chasteté de rigueur – et donne à l'enfant des « leçons de vice ». L'argument a une résonance très moderne.

Le divorce finit par se parer de toutes les plumes quand le mariage, décrit comme une guerre permanente, descend du piédestal trop élevé où avait voulu le hisser une Église de célibataires. « Chez les peuples où le divorce a lieu, rêve un pamphlétaire poétique, les époux vivent toujours ensemble comme des amans qui ont peur de se perdre, delà naissent les égards, les attentions, les complaisances réciproques [28]. » La liberté mère de l'amour : le thème sera repris plus tard par les partisans de l'union libre. L'unanimité se fait sur le principe : reste à trouver le moyen.

Dans la monarchie constitutionnelle qui précède la République, deux voies sont possibles pour rétablir le divorce : élargir le mariage religieux ou le laïciser. En 1789, Simon-Nicolas-Henri Linguet, un des avocats les plus célèbres et les plus contestés de son siècle, opte pour la première solution en publiant *La légitimité du divorce, justifiée par les Saintes Écritures, par les Pères, par les Conciles, etc.* : dans la veine des humanistes et des protestants, il veut démontrer que le divorce n'est pas interdit par l'Écriture. Sa thèse est habile : au concile de Trente, on n'a pas prononcé contre le divorce. On a anathématisé ceux qui taxeraient d'erreur la doctrine de l'Église latine, mais on n'a pas voulu condamner clairement les Grecs, qui ont d'autres pratiques. Conclusion : il ne s'agit pas d'un article de droit divin, et l'Église, si elle le souhaite, peut se réformer sur ce point [29]. Ce qu'il demande, donc, c'est une révision de la position de Rome, et non une loi civile qui heurterait les consciences catholiques. Pour provoquer cette révision, il accumule les passages (rares et bien connus) de l'Écriture qui prévoient des exceptions à l'indissolubilité, les témoignages des Pères (surtout grecs) et des conciles qui semblent avoir permis, ou au moins toléré, le divorce.

Il ne convainc pas, et la même année, le comte d'Antraigues lui répond par ses *Observations sur le divorce*, pamphlet prudent qui, sans nier le mouvement général, incrimine les unions forcées dans la crise du mariage, et repousse les arguments scripturaires de Linguet. La réforme même modérée de la position catholique n'est pas pensable. Il faut donc s'engager dans la seconde voie, celle du gallicanisme. La monarchie française avait instauré dès 1787 un mariage civil pour les protestants et pour tous ceux qui ne pouvaient se marier à l'Église. Il suffisait de généraliser ce système. La Constitution du 3 septembre 1791 le fit dans son article 7 du titre II.

Le triomphe du divorce

Contrairement à l'idée reçue et répandue par les historiens du XIXᵉ siècle, la Révolution, qui rétablit le divorce, n'est pas hostile au mariage. Au contraire, en le considérant comme la base de la famille, comme une « école de patriotisme », elle en fait un garant de la vertu, le pilier fondamental des nouvelles institutions. Dans l'idée des législateurs, le divorce ne doit toucher que les « mauvais mariages », arrangés par les parents, et de l'avis même des orateurs qui le défendent, cette liberté nouvelle accordée aux époux ne sera guère demandée. Ils comprendront vite leur erreur. Dès que le mariage est défini comme un contrat civil, de nombreux couples se présentent aux officiers d'état civil, prétextant qu'ils ont été mariés par le pouvoir religieux et que leur mariage n'est donc pas reconnu par la loi. Il y a là une lacune dans le nouveau droit, qui n'admet pas encore le divorce et qui ne sait comment répondre à ces rescapés du mariage religieux. En attendant, on accepte tacitement les séparations demandées au nom de la Constitution, et elles finiront par être confirmées le 4 floréal de l'an II (23 avril 1794).

C'est qu'entre-temps, l'Assemblée nationale s'est prononcée sur le divorce. Le 30 août 1792, le député Aubert Dubayet soulève la question laissée en suspens depuis la Constitution : si le mariage est un contrat civil, il peut être rompu comme tous les autres contrats. Au vu, sans doute, des quelques demandes qui ont été déposées par des citoyens bien informés, il estime d'ailleurs que le divorce, si on le légalise, restera rare. C'était, on s'en souvient, l'opinion de Montaigne, qui croyait que la possibilité de divorcer renforçait les liens conjugaux, et Linguet l'avait à nouveau défendue en 1789, tout en prévoyant dès l'adoption d'une loi sur le divorce « une espèce de flot d'époux mécontents, qui se hâteroient d'user d'une liberté si chère [30] ». Il ne savait pas à quel point ses paroles seraient prophétiques !

Le projet s'élabore rapidement. Le 19 septembre, Mathurin Sédillez, procureur du roi en la maîtrise des eaux et forêts, tente de le limiter en présentant un projet de divorce pour cause grave, lorsqu'il ne reste aucun espoir au couple de trouver le bonheur dans l'union. On voit le progrès qu'a fait, même chez un de ses partisans très modérés, la conception du divorce : la notion d'échec a remplacé celle de faute. Il n'y a plus besoin d'accuser le conjoint de crimes épouvantables, l'absence de bonheur est une raison suffisante pour tâcher de le trouver ailleurs. Malgré sa formulation vague qui aurait permis une application large, le projet de Sédillez est jugé trop restrictif pour les partisans d'une liberté totale et inconditionnelle. Cette ultime tentative de limiter les causes de divorce échoue. Le lendemain, 20 septembre, veille de la proclamation de la République et du remplacement de l'Assemblée législative par la Convention nationale, la loi sur le divorce est votée.

Et la loi est particulièrement large. Elle prévoit un divorce par consentement mutuel, qui n'a pas besoin d'être motivé, et dont l'officier d'état civil dresse acte sans possibilité d'intervenir. Si un seul des deux époux le souhaite, la dissolution des liens conjugaux peut être accordée « sur simple allégation d'incompatibilité d'humeur ou de caractère », à condition qu'une assemblée de parents ait tenté une conciliation. L'intention est louable, puisqu'on tâche de ne pas obliger le plaignant à dénoncer une faute ou une infirmité de son conjoint – adultère ou impuissance –, mais l'assemblée de parents censée limiter les dégâts n'est guère efficace. Enfin, on accepte le divorce proposé par un seul des époux pour quelques fautes ou infirmités graves : démence, condamnation à une peine afflictive ou infamante, crime, sévices, injures graves contre le conjoint, dérèglement notoire des mœurs, abandon du conjoint pendant deux ans, absence sans donner de nouvelles pendant cinq ans... De la reconnaissance d'un échec du couple à une faute grave en passant par une répudiation faiblement motivée, la nouvelle loi ouvre aux prisonniers du mariage classique l'éventail le plus large qui ait jamais été imaginé de possibilités de divorce.

L'effort législatif ne s'arrête pas là. Le mariage, et en particulier le divorce, reste un des points chauds de la Révolution française. Une quinzaine de lois, entre 1792 et le Code civil de 1804, s'y ajouteront, le plus souvent pour faciliter la séparation en raccourcissant les délais ou en allongeant la liste de causes graves. On permet ainsi le divorce pour incivisme et émigration, ce qui n'est pas sans évoquer le privilège paulin qui permettait jadis la séparation d'un chrétien et d'un infidèle.

Le principal défaut de cette législation est de n'avoir pas demandé la vérification des éléments avancés pour dissoudre une union et notamment en cas de divorce unilatéral. On en arrive vite à des situations aberrantes qui discréditeront les efforts méritoires des législateurs. Ainsi, le citoyen Emmanuel-Gervais Serviés, général de brigade réformé, voit son divorce prononcé le 17 nivôse de l'an VIII (7 janvier 1800), au vu d'un acte rédigé par six honorables citoyens de Saint-Gervais (Hérault), attestant qu'il est séparé de son épouse « depuis plusieurs années ». Le problème, c'est qu'au moment où cet acte est rédigé, le couple habite depuis trois mois et demi à Saint-Gervais – ce que rappelle imperturbablement l'acte de divorce! À moins d'imaginer un déménagement collectif de sept familles, on se demande d'où les honorables citoyens tenaient leur certitude [31].

Malgré les abus des lois révolutionnaires, malgré le moralisme du Directoire et les nombreux adversaires qui osent se manifester après le Concordat de 1801, le divorce est admis dans le Code civil de 1804, qui ne lui consacre pas moins de soixante-dix-sept articles. Il est permis pour les trois causes devenues traditionnelles : adultère; excès, sévices et injures graves; condamnation à des peines infamantes. Le consentement mutuel est soumis à une procédure si lourde et si longue qu'il devient presque inaccessible. L'incompatibilité d'humeur, qui avait entraîné les excès les plus scandaleux sous la Révolution, est supprimée.

La Restauration, royaliste et catholique, supprime le divorce le 8 mai 1816, dans une ambiance polémique particulièrement chaude [32]. Certains maires ou officiers de l'état civil refusent d'entériner des divorces prononcés avant la nouvelle loi, ou de remarier des divorcés de l'ancien régime, tentant ainsi de donner à la loi un effet rétroactif qu'elle n'a pas prévu. Les cours d'appel ou de cassation leur donnent tort et créent ainsi une jurisprudence qui n'est pas défavorable au divorce. Ce retour à l'indissolubilité, avec toutes les injustices et toutes les frustrations qu'il suppose, a-t-il entraîné une recrudescence de la criminalité domestique? C'est l'opinion en tout cas du comte de Lanjuinais, défenseur à la Chambre des pairs d'un retour au divorce sous la monarchie de Juillet : selon lui, les assassinats se sont multipliés entre 1816 et

1830 [33]. Une statistique aussi difficile à vérifier qu'à interpréter.

La question sera en tout cas sur le tapis à toutes les fractures politiques du XIXᵉ siècle. Depuis la révolution de 1830, le catholicisme n'est plus religion d'État. Rien n'interdit donc le pouvoir civil, royal, républicain ou impérial, de voter une loi autorisant le divorce. Mais des projets déposés en ce sens échoueront en 1831, 1832, 1833, 1834, 1848, 1876, 1878... Au mieux, les projets sont adoptés en Chambre des députés et repoussés en Chambre des pairs. Mais la multiplication de ces projets de lois entretient une émulation permanente autour du thème. Livres, pétitions, manifestations, pamphlets se multiplient tout au long du siècle. *La Voix des femmes*, journal des femmes séparées judiciairement et qui réclament le divorce, publie aux élections des listes de candidats qu'il recommande à ses lecteurs. Le divorce, cependant, n'est pas une affaire politique. La droite, comme on l'appelle désormais, compte des « divorciaires » dans ses rangs, et la gauche socialiste, soucieuse de donner des gages de respectabilité, n'ose pas s'engager à fond dans le débat. Si les saint-simoniens sont favorables au divorce et les fouriéristes à l'abolition du mariage, les socialistes se rangent le plus souvent du côté de la famille traditionnelle. Dans leur sillage cependant naissent des mouvements féministes qui luttent pour les droits de la femme, et pour le divorce. Seuls les républicains s'engagent à fond, en mettant le divorce à leur programme [34].

La IIIᵉ République reprend les débats, et les écrivains entrent dans la bataille. Alexandre Dumas fils, dont *La Question du divorce* fait scandale en 1878, est la partie émergée d'un iceberg littéraire contre lequel se heurte le vieux paquebot de l'indissolubilité. Entre 1874 et 1880, on a en effet constaté une multiplication des pièces de théâtre – qui ont alors le succès et l'impact que connaît le cinéma aujourd'hui – sur ce thème [35]. De grands auteurs, comme Victorien Sardou, académicien depuis 1878, font monter des divorcés sur les planches (*Daniel Rochat*, 1880 ; *Divorçons*, 1880). C'est que l'arrivée des républicains au pouvoir, entre 1877 et 1880, a changé les données du problème. Alfred Naquet – qui est au divorce ce qu'est Jules Ferry à l'enseignement [36] – dépose proposition de loi sur proposition de loi. La troisième deviendra la loi du 27 juillet 1884.

Dans l'ambiance chaude de l'après-Commune, la loi républicaine se montre plus prudente encore que le code impérial.

Après le divorce pour incompatibilité d'humeur, c'est celui par consentement mutuel qui est sacrifié sur l'autel de l'apaisement. De l'héritage révolutionnaire, il ne reste plus que les trois causes graves retenues par Napoléon : heureuse innovation, la notion d'adultère est élargie à la faute de l'homme comme à celle de la femme; la condamnation à une peine infamante est limitée à une condamnation à une peine afflictive *et* infamante; les sévices et injures graves deviendront une des raisons les plus souvent invoquées par les femmes pour obtenir le divorce. La conséquence la plus grave de la limitation à ces trois causes est sans doute d'entériner la conception du divorce comme sanction d'une faute et non comme constat d'un échec, conception dont les mentalités auront du mal à se débarrasser.

Dans une France de plus en plus divisée en deux fronts inconciliables, on se rend compte cependant qu'un projet plus audacieux n'aurait eu aucune chance d'aboutir. Car les réactions sont vives à cette loi pourtant timorée, et la discussion dans les deux chambres, au moment de son adoption, est animée. Chez Monseigneur Freppel, député-évêque d'Angers, on découvre pour l'occasion une des premières manifestations de cet antisémitisme qui gangrénera la France dix ans plus tard. Il s'en prend sans détour à un projet demandé par « quelques femmes écervelées » et « quelques romanciers qui se font un jeu des mœurs et des lois », appuyés, pour cette « campagne antifrançaise, anticatholique », sur « une poignée d'israélites ». Mais la gauche sera aussi virulente que la droite, dénonçant de son côté un divorce cher, à cause des pensions alimentaires qu'il prévoit, et par conséquent inaccessible aux ouvriers [37].

Quant aux injures graves, dans la république bourgeoise et pudibonde de la fin du siècle, elles seront parfois inattendues. On voit ainsi, en 1894, une femme demander le divorce pour l'impuissance de son mari. Il le lui est sèchement refusé, pudeur féminine et prestige du mari obligent. Mais – funeste excès de zèle – l'époux mis en cause, et qui pouvait cependant compter sur l'indulgence de la Cour, croit utile de prouver sa bonne foi en révélant publiquement les moyens qu'il a mis en œuvre pour tenter de dépuceler sa femme. C'est sur ce témoignage que l'épouse déboutée gagnera son divorce en appel... pour injures graves. Le mari, disent les attendus, s'est « rendu coupable envers elle d'une injure non moins grave en substituant à l'accomplissement du devoir conjugal des pratiques illicites, honteuses et contre nature, des caresses libidineuses et des attouchements qu'aucune honnête femme ne saurait supporter ». D'une manière plus générale « il importe souverainement que les femmes, en se confiant au mari de leur choix et au protecteur que la loi leur assure, sachent qu'elles ne seront pas exposées à rencontrer en eux des professeurs de débauche et d'immoralité ». Les époux sauront que « traiter leurs femmes comme des filles », c'est « leur faire la plus sanglante injure qui puisse les atteindre[38] ». Les mentalités n'avaient guère évolué depuis saint Jérôme : le mari qui se comporte en amant trop ardent est encore adultère. Tout au plus certaines caresses sont-elles tolérées chez les « filles », mais pas chez une femme mariée. La femme a peut-être gagné le droit au divorce, mais pas celui au plaisir.

Car le divorce, manifestement, est une loi qui profite aux femmes plus qu'aux hommes. Si la séparation de corps, avant 1884, était presque exclusivement accordée sur demande féminine (90 % environ des demandes) et presque toujours pour sévices ou injures graves (plus de 90 % des demandes), le divorce reste, après l'adoption de la loi, majoritairement demandé par les femmes (à 60 % environ) et toujours pour les mêmes raisons. Beaucoup d'entre elles, cependant, préfèrent demander la simple séparation (une sur deux en 1886, puis de moins en moins, jusqu'à une sur quatre en 1889). Les hommes qui ne veulent plus de leur femme, en revanche, demandent presque toujours le divorce[39].

Le xxᵉ siècle légifère beaucoup sur le divorce, pour alléger le plus souvent la loi de 1884. Celle-ci, avec l'évolution des mœurs après la Seconde Guerre mondiale, se révèle de plus en plus inadaptée. Les divorces pour injures graves réciproques rétablissent de fait le consentement mutuel aboli ; des échanges convenus de lettres d'insultes multiplient les situations ubuesques. Quant au divorce pour adultère, il fait le bonheur des agences de détective, à tel point que la loi doit statuer sur les preuves à apporter et sur les limites de la violation de la vie privée.

La loi du 11 juillet 1975 remet les pendules à l'heure[40]. Trois cas de divorce y sont envisagés : par consentement mutuel, par rupture de vie commune (depuis au moins six ans), et pour « violation grave et renouvelée des devoirs et obligations du mariage, rendant intolérable le maintien de la vie commune ». Ce dernier point regroupe à la fois le divorce pour adultère (qui n'est plus un délit, mais une faute civile permettant le divorce), pour injures et sévices, et pour condamnation « à une des peines prévues par l'article 7 du Code pénal en matière criminelle ».

En divorçant par consentement mutuel, on n'a pas à faire connaître la cause, mais on doit « soumettre à l'approbation du juge un projet de convention qui en règle les conséquences ». Le juge peut d'ailleurs refuser cet accord à l'amiable, s'il estime qu'une des deux parties est désavantagée, ou que le sort des enfants est insuffisamment réglé. Il faut pour introduire cette demande au moins six mois de mariage, une demande renouvelée après un délai de trois mois, et une tentative de conciliation obligatoire. Si un seul conjoint demande le divorce et que l'autre l'accepte, il faut un ensemble de faits rendant insupportable la vie commune. On peut toujours demander la séparation de corps, qui conserve le lien matrimonial mais qui met fin au devoir de cohabitation.

Le divorce par consentement mutuel entérine la conception du divorce comme échec de la vie conjugale. Les implications financières (pensions alimentaires) et, de plus en plus, le désir d'obtenir la garde des enfants ont néanmoins conservé sa pertinence à la notion de « faute grave ». Malgré le libéralisme de la loi, le divorce reste une expérience malheureuse.

Un peu partout en Europe, la législation a évolué à la même époque [41]. Les pays de tradition protestante (Allemagne, 1976 ; Pays-Bas, 1971) sont les plus attachés à la notion de divorce échec : seule la « désunion durable » (Pays-Bas) ou la « faillite irrémédiable des rapports entre époux » (Allemagne) sont reconnues comme causes valables, le plus souvent après une période imposée de vie séparée. Les pays de tradition catholique gardent le divorce sanction à côté du constat d'échec. Certains depuis très longtemps, comme la Belgique qui a conservé le Code Napoléon de 1804, ou la Suisse, qui a inscrit dans sa constitution de 1907 le divorce pour « atteinte si profonde au lien conjugal que la vie commune en est devenue insupportable », à côté d'une série de fautes qui permettent à un des deux conjoints de demander le divorce. À la suite de l'Angleterre, la première, dans cette nouvelle vague, à légiférer sur le divorce en 1969, plusieurs pays ont introduit le divorce par consentement mutuel par le biais de l'abandon. Outre-Manche, le divorce est accordé lorsque le lien conjugal est « irrémédiablement rompu » pour certaines causes graves, et notamment par une vie séparée pendant deux ans sur décision commune, pendant cinq ans si un seul des conjoints le demande. L'Italie (1970) et l'Espagne (1981) jugent à la même aune l'absence de « communauté spirituelle et matérielle entre les époux ». Seule l'Irlande, qui a repoussé le divorce par référendum du 26 juin 1986, reste fidèle aux consignes catholiques de l'indissolubilité.

Car le divorce est toujours refusé par l'Église catholique. Le code de droit canon promulgué par Jean-Paul II en 1983 l'interdit formellement (canon 1141) et le catéchisme de 1992 qui résume sa morale en fait « une offense grave à la loi naturelle » et une « injure à l'alliance de salut dont le mariage sacramentel est le signe ».

La *Lettre aux familles* publiée par Jean-Paul II en 1994 rappelle de son côté la « charte des droits de la famille » publiée par le Saint-Siège en 1983. En réclamant « le droit des parents à la procréation responsable et à l'éducation des enfants », Rome parvient à présenter comme un « droit » et non plus comme un devoir l'interdiction de la contraception et du divorce. Ce tour de force n'est possible qu'en considérant l'éducation des enfants comme « un véritable apostolat » qui permet à l'homme de se réaliser « par le don désintéressé de lui-même ». Les époux doivent donc rester « fidèles à leur alliance avec Dieu », « même lorsque la route devient ardue ou qu'elle comporte des passages étroits et raides, apparemment insurmontables ». Grâce à cette conception très chrétienne de l'amour « qui supporte tout », la *Lettre aux familles* accorde aux couples un droit imprescriptible au malheur.

Mais en dehors des consignes strictes de Rome, l'Église, sans accorder le divorce, ne peut nier le phénomène, et son nouveau catéchisme ouvre des portes sur une réalité violemment niée naguère : « si le divorce civil reste la seule manière possible d'assurer certains droits légitimes, le soin des enfants ou la défense du patrimoine, il peut être toléré sans constituer une faute morale » ; de même pour le conjoint « victime innocente du divorce prononcé par la loi civile [42] ». Quant au remariage, il est dans tous les cas considéré comme un adultère. C'est lui, et non le divorce, qui entraîne des sanctions religieuses : excommunication, incapacité à être parrain, à être enterré religieusement... Ouvertures bien timides, sans doute, mais qui témoignent au moins d'une évolution sensible dans les conceptions de l'Église, et qui laissent au croyant quelque espoir de voir, à long terme, s'adoucir la sévérité de sa discipline.

II

La réaction du concile

En 1556, la France s'apprête à célébrer un mariage prestigieux. Diane de France, fille légitimée du roi Henri II, doit épouser François de Montmorency, fils du fameux connétable, qui est alors un des premiers personnages du royaume. Quoique de « mère inconnue » (on songe tour à tour à une dame piémontaise ou à Diane de Poitiers), Diane de France est un parti plus qu'honorable. À dix-huit ans, elle est veuve d'Horace Farnèse, petit-fils du pape Paul III, et l'actuel Paul IV, susurre-t-on dans les milieux bien informés, aurait bien vu la succession assurée par son propre neveu. Un Montmorency peut s'enorgueillir de cette union qui le fait pénétrer dans l'intimité de son souverain.

Mais la veille des noces, coup de théâtre : le jeune homme révèle qu'il est secrètement marié à Jeanne de Halluin, demoiselle de Piennes, fille d'honneur de la reine Catherine de Médicis. Une union qui en soi n'aurait rien de déshonorant, si elle n'interdisait une bien plus brillante alliance. Pas d'affolement : l'engagement apparemment est peu sérieux. Jeanne elle-même, qui n'a pas vingt ans, ne sait plus très bien si elle est mariée depuis cinq ou six ans, ni si l'engagement a eu lieu à Paris ou à Saint-Germain. C'était une idylle d'adolescents – ils avaient alors quatorze et vingt ans –, qui devait logiquement prendre fin lorsque le jeune homme est parti pour la guerre en Espagne.

François reste cinq ans absent, prisonnier. L'éloignement a-t-il attisé sa flamme ? Toujours est-il qu'à son retour, il la déclare à nouveau à celle qui l'attendait. Et par paroles de présent : « je vous prends à femme », ce qui scelle un mariage clandestin, mais indissoluble. Le connétable, qui veut rompre cette alliance sans gloire, demande une enquête. Contrairement aux usages, deux laïques y participent. Le 5 octobre 1556, Jeanne de Piennes est interrogée : sans doute n'a-t-elle pas de preuves et le mariage n'est-il pas consommé, mais elle connaît son droit, surtout son droit canon. Avec une belle candeur, elle répond « ne sçavoir que ledit Mariage fust clandestin et deffendu, et qu'elle pensoit bien qu'il se put marier quoy qu'il eust père et mère, par ce que le Mariage est de Dieu, et les cérémonyes de l'Église ». Que répondre ? D'autant que le marié reconnaît avoir prononcé les paroles de présent, mais invoque le manque de réflexion de sa jeunesse : « s'il avoyt à le faire à ceste heure il y penseroit davantage ». Regrette-t-il davantage son amour de jeunesse ou le beau parti qui lui échappe ?

On se contente d'enfermer Jeanne au couvent des Filles Dieu de Paris, et de demander au pape l'annulation du mariage. Comme il n'a pas été consommé, il ne devrait pas y avoir de problème, une « cause grave » se trouvant facilement dans ce cas : six mois plus tôt, le pape avait accordé une dispense pour un cas similaire. Mais Paul IV tergiverse – s'il a toujours des vues sur Diane de France pour son neveu, le mariage antérieur de François de Montmorency l'arrangerait bien, suggèrent les mauvaises langues.

Le connétable et le roi, pour tâcher d'activer l'enquête, commettent alors maladresse sur maladresse. On fait échanger aux jeunes époux des lettres dans lesquelles ils reviennent sur leur parole, comme s'ils pouvaient eux-mêmes défaire ce que Dieu a lié. Le fils du connétable ne fait pas montre d'un grand courage dans le billet qu'il adresse à sa femme : « Ayant connu l'erreur où j'estois tombé sans y penser et estant desplaisant d'avoir offensé Dieu, le Roi, Monseigneur et Madame la Connestable », lui écrit-il, « je me départs de toutes les paroles et promesses de Mariage qui sont passées entre nous deux ». Jeanne, à qui on présente la lettre dans sa prison, répond en larmes « qu'il a le cœur moindre qu'une femme » et qu'il « aime mieux estre riche que homme de bien ». En insistant, on finit par lui arracher son consentement à la rupture.

Comme par hasard, en février 1556 (dans notre système, 1557, puisque l'année se renouvelait alors en avril), Henri II publie un édit sur les mariages clandestins, qui semble taillé sur mesure pour cette affaire : il concerne les enfants de moins de trente ans pour les garçons (François en a vingt-six) et de vingt-cinq pour les filles (Jeanne en a dix-neuf) et prévoit un effet rétroactif pour les mariages non consommés (ce qui est leur cas). Sans doute l'édit ne prévoit-il que des sanctions civiles, comme la privation d'héritage, sans se prononcer sur le fond, mais c'est la première intrusion d'un roi dans le domaine du mariage, qui jusque-là était de la compétence exclusive de l'Église. Paul IV se vexe d'être ainsi rappelé à l'ordre. C'est ce que souligne clairement un cardinal, qui rapporte au roi et au connétable que « leur grandeur et présence leur nuyst » : un homme plus obscur, qui se serait montré moins insistant, aurait déjà reçu satisfaction.

C'est bien là que le bât blesse. La congrégation que réunit le pape pour prendre une décision se prononce pour l'annulation, mais Paul IV se demande s'il ne convient pas, dans le cas présent, de se montrer plus rigoureux que ses prédécesseurs, voire que lui-même en d'autres circonstances. La formulation de la question montre ce qu'il souhaite entendre répondre.

Henri II enrage. Il souligne à qui veut l'entendre que l'Allemagne et l'Angleterre ont renié à moins l'autorité de Rome. François de Montmorency, empêtré dans cette erreur de jeunesse, revient purement et simplement sur ses déclarations et assure qu'il n'y a jamais eu « paroles de présent » ; on l'avait fait croire, explique-t-il, pour obtenir plus facilement le consentement du connétable. On fait semblant de s'en contenter et, le 4 mai 1557, il est officiellement uni à Diane de France. Après tout, le pape est octogénaire et l'Église soutient le roi de France. Tous les canonistes et presque tous les théologiens se sont prononcés en faveur de l'annulation.

Effectivement, lorsque Paul IV mourra en 1559, son successeur donnera son absolution et confirmera le mariage. Un calcul mesquin pour garder Diane de France dans l'orbite italienne a-t-il motivé les atermoiements du Saint-Siège, ou l'entêtement d'un vieillard opiniâtre a-t-il creusé la première fissure dans l'édifice patiemment édifié du mariage religieux ? Le gallicanisme s'engouffrera bientôt dans la brèche. Sans doute, explique Henri Morel, le pape s'est-il senti le dernier protecteur du sacrement du mariage, après sa négation par les protestants et les anglicans. Peut-être a-t-il voulu faire un exemple frappant pour fixer un point de doctrine que n'avait pas encore abordé le droit canon : celui de la dispense après un mariage non consommé. François n'aura qu'à se féliciter d'avoir épousé Diane : grâce à elle, il connaît la faveur royale jusqu'à devenir maréchal de France. Quant à Jeanne de

Piennes, elle épouse bientôt un homme de petite noblesse, le seigneur d'Alluye, « plus par humeur et caprice que par raison », rapporte Brantôme. Dégoûtée sans doute des mariages d'amour [1].

Les mariages clandestins

Le scandale du mariage secret entre Jeanne de Piennes et François de Montmorency constitue un tournant capital dans l'histoire du mariage. D'une part parce qu'il a suscité, ou hâté, un édit important de Henri II, le premier acte royal en matière matrimoniale, le premier pas donc vers une laïcisation du mariage. D'autre part, parce que l'affaire sera évoquée au concile de Trente, où les représentants français tâcheront de faire du consentement paternel la condition d'un mariage valide. S'ils ne furent pas entendus, il est sûr que l'affaire française pesa dans le décret pris en 1563 contre les mariages clandestins. Pour comprendre le virage pris alors par l'Église, il faut revenir un moment sur le consensualisme du droit médiéval.

Le droit canon avait fait du mariage un contrat consensuel, fondé donc sur le seul consentement des époux, pour diminuer le nombre des unions illicites en facilitant la conclusion du mariage. Il ne soumettait l'échange des consentements à aucune condition de forme, sinon celle des paroles à prononcer (de présent ou de futur). Malgré l'importance de la consommation comme confirmation de l'engagement, celui-ci restait prioritaire, et une femme pouvait être tenue pour veuve si son mari mourait avant la nuit de noces. Il suffisait donc de se déclarer mariés pour officialiser une liaison scandaleuse. Le système avait de gros avantages, mais des inconvénients majeurs : d'abord, l'absence de consentement paternel, dans certains cas, créait des troubles familiaux que ne souhaitait pas susciter l'Église ; ensuite, les filles séduites multipliaient les plaintes auprès des officialités, et le défaut de preuves mettait les juges dans l'embarras. Aussi le contrat consensuel est-il depuis longtemps combattu au sein même de l'Église, au profit du contrat solennel, à l'église, devant un prêtre, en présence de la famille et de plusieurs témoins. Une telle solution est déjà en germe dans la pensée d'Alexandre III à l'époque où s'établit le système consensuel en Occident, vers 1170. Mais cette velléité d'établir un mariage solennel ne dura que quelques années dans la pensée du pape [2]. Le Moyen Âge n'était pas prêt à franchir le pas : il lui fallait d'autres solutions pour combattre les mariages clandestins.

Nous avons vu qu'en 1215, le concile de Latran IV s'était déjà prononcé en ce sens en exigeant la présence d'un prêtre et la publication de bans [3]. Mais il n'avait pas été jusqu'à faire de la clandestinité un empêchement dirimant. Il prévoyait surtout des sanctions sans doute dissuasives dans la plupart des cas, mais insuffisantes pour éradiquer les mariages clandestins. Outre les peines disciplinaires, qui pouvaient aller selon les régions d'une peine pécuniaire arbitraire à l'excommunication, on privait les époux de certains droits accordés à ceux qui se sont unis devant Dieu : en cas d'annulation pour alliance à un degré prohibé, par exemple, leurs enfants n'étaient pas légitimés.

Plusieurs éléments, au XVIe siècle, vont relancer le débat, qui connaîtra alors de célèbres échos littéraires. Durant les deux derniers siècles du Moyen Âge, le mariage a subi une crise profonde, due sans doute au marasme économique et social que traverse l'Europe occidentale pendant la guerre de Cent Ans et les grandes pestes. La surveillance royale, qui se mêlait notamment de faire respecter les lois matrimoniales et l'interdiction de l'adultère, se relâche ; les armées mal surveillées sillonnent le pays. On voit se multiplier une sexualité déréglée (prostitution, viols, adultères, bâtards...) et des unions condamnées (concubinages, mariages clandestins, compagnes de prêtres, bigamie...). La revalorisation de la chair à la Renaissance accentue le phénomène. Aux vieilles alliances entre familles, les jeunes gens préfèrent des unions plus lâches, plus libres, plus sensuelles. L'amour est à la mode – pas toujours d'ailleurs en rapport avec le mariage – et les fils de famille convolent secrètement avec quelque dame d'honneur, voire quelque servante plus accorte que la riche héritière qu'on leur destine.

C'est à cette époque, par exemple, que se constitue la légende de Roméo et Juliette, à partir d'un noyau qui circule depuis le XVe siècle. Deux jeunes gens issus de familles ennemies tombent amoureux et sont victimes des haines plus fortes que leur amour. Le thème, au départ, semble calqué sur celui de Pyrame et Thisbé, emprunté aux *Métamorphoses* d'Ovide et célèbre au Moyen Âge. Mais là où les Romains devaient faire mourir les jeunes gens en fuite, les chrétiens peuvent désormais imaginer un mariage secret plus décent. Si le mariage sans le consentement des parents reste scandaleux, il faut remarquer qu'il réconcilie deux familles ennemies, ce qui, depuis Pierre Lombard, est regardé comme un motif honnête de mariage, plus honnête en tout cas que le mariage d'amour. L'opposition est particulièrement sensible chez Shakespeare, où frère Laurent blâme l'inconstance de Roméo et un amour auquel il ne semble pas croire, mais se félicite d'une alliance qui peut mettre fin à la haine séculaire entre Capulet et Montaigu (II, 3). La place du prêtre dans cette union clandestine est cependant révélatrice de l'évolution du mariage entre le début et la fin du siècle.

Luigi da Porto et Bandello sont les premiers à raconter l'histoire sous les noms que nous connaissons, dans les années 1530, avant donc le concile de Trente. Frère Laurent n'est encore que le témoin du mariage secret (« secreto testimonio » dit da Porto). Les deux amants se présentent à son monastère parce que Juliette est très surveillée et que le mariage ne peut se faire qu'en ayant recours à une ruse. Le seul endroit où une jeune fille de bonne famille se trouve réellement seule à l'époque est le confessionnal. Elle s'y rend donc en compagnie de sa mère, et frère Laurent entre dans le confessionnal avec Roméo. La grille est ôtée pour que celui-ci puisse passer l'anneau à Juliette et lui donner le baiser de mariage. Il l'épouse avec paroles de présent devant le frère, dit da Porto [4]. Le rôle du moine n'est donc pas d'unir les jeunes gens, mais de faciliter leur rencontre dans un endroit où la jeune fille ne risque pas d'être suivie par sa mère.

La scène ne manque pas de saveur dans un poème, mais est difficile à monter au théâtre. Dans les textes anglais, le rôle du moine est déjà plus important : dans *Romeus and Juliet* d'Arthur Brooke, et *Rhomeo and Julietta* de Paynter, il prononce un petit laïus sur les devoirs et les droits des époux, et la formule rituelle de l'Église [5]. Chez Shakespeare, le prétexte de la confession est gardé, mais le mariage ne se fait plus dans le confessionnal : Roméo et Juliette se retrouvent dans la cellule du moine, qui les invite à le suivre pour les marier – et l'on peut comprendre que la cérémonie doit se dérouler dans un endroit plus solennel, sans doute à l'église, devant l'autel.

Sans doute faut-il incriminer l'humanisme et l'admiration pour la famille patriarcale antique, pour cette puissance du *paterfamilias* qui entravait sérieusement le consensualisme romain, dans les attaques menées au XVIe siècle contre la doctrine du consentement. Érasme, ici encore, est un des premiers à critiquer cette évolution du mariage catholique. Dans un commentaire sur l'épître de Paul aux Corinthiens, qui sert déjà de base au philosophe pour remettre en cause le caractère sacramentel et indissoluble du mariage, il exécute en quelques phrases le mariage secret... et le mariage d'amour. « Chez les Chrétiens, dénonce-t-il, on noue très facilement un mariage, qui ne peut être rompu sous aucun prétexte une fois qu'il est entrepris. À la sauvette, entre des enfants et des gamines, par des entremetteurs et des entremetteuses, on noue mariage entre des étourdis et des apeurés. Et ce qui est engagé dans une telle honte devient indissoluble, et, grande nouveauté, cela devient un sacrement [6]. » Il demande pour sa part un consentement plus « sobre », motivé par le conseil des amis, et qui ne soit extorqué ni par la peur ni par la menace. Rompre des unions scandaleuses, ce n'est pas séparer ce que Dieu a uni, mais ce que la jeunesse, le vin, la peur, l'ignorance, en un mot, le diable a uni, par l'intermédiaire de ses diacres, maquereaux et maquerelles. Ce développement, qui plaide plus pour le divorce que pour le consentement parental, trouvera de formidables échos au XVIe siècle.

Dans le *Tiers Livre* (1546), Rabelais consacre tout un chapitre à invectiver les jeunes gens qui se marient derrière le dos de leurs parents. Comme en bien d'autres endroits, il oppose ici le sage Pantagruel à l'évaporé Panurge. Pantagruel, gagné par la fièvre conjugale qui s'empare de Panurge au début du roman, songe lui aussi à convoler. Mais au lieu de consulter oracles et amis, il s'en remet au choix de son père Gargantua. Il ne sera plus question du mariage de Pantagruel, mais il aura donné lieu à une diatribe de Gargantua contre le mariage clandestin. Le géant s'insurge contre les « pastophores taulpetiers » (les moines, qui vivent cachés comme des taupes) qui ont édité des lois sur le mariage. Pour Gargantua, le père des enfants ainsi mariés « les peut, les doibt à mort ignominieusement mettre, et leurs corps jecter en direption des bestes brutes [7] ».

Comme en bien d'autres cas, les humanistes sont ici sur la même longueur d'onde que les réformés. Ceux-ci réclament parallèlement un véritable mariage religieux, où le pasteur ne serait plus le témoin d'un engagement, comme chez les catholiques, mais le ministre qui crée le lien matrimonial : ainsi seraient évités les engagements à la sauvette. La référence pour eux est l'Ancien Testament, où les patriarches mariaient leurs enfants à leur idée. Abraham envoie son serviteur chercher une épouse de son pays pour son fils Isaac, et celui-ci à son tour invitera son fils Jacob à trouver femme chez son oncle Laban. Esaü, au contraire, a pris de son propre chef deux compagnes hittites, qui ont déplu à ses parents. Sans doute est-ce par ruse que Jacob usurpe la bénédiction de son père, mais il n'en est pas moins vrai que l'obéissance du cadet est récompensée face à l'insoumission de l'aîné. Dans la religion réformée, le consentement paternel devient dès lors obligatoire. Chez les calvinistes, les parents peuvent demander l'annulation d'un mariage effectué sans leur consentement, même s'il a été consommé, même s'il a été béni par le pasteur. Les luthériens n'annulent pas cependant, s'il y a eu consommation [8].

Droit romain et protestantisme s'allient parfois, notamment dans le midi de la France, dont les coutumes accusent au xvıᵉ siècle la contamination de l'Antiquité. Jean de Coras, professeur de droit à Toulouse, dont il deviendra un des plus importants magistrats, soutient très tôt la nullité des mariages clandestins, nullité qu'il prône déjà dans ses *Miscellanées de droit civil* parues en latin en 1549. Il n'est pas sûr qu'il soit déjà protestant, mais il a au moins des sympathies pour ces idées nouvelles dont il finira martyr. En invoquant Érasme, seul flambeau de son siècle, mais aussi les jurisconsultes et les empereurs romains, l'Ancien Testament et Innocent III, il s'en prend aux jeunes gens « légers, vains, sots, imprudents, mus par quelque passion secrète » qui s'unissent clandestinement et se condamnent à vivre dans une discorde permanente. Pour lui, un mariage clandestin s'apparente davantage à un concubinage qu'à de justes noces, et tout justifie son annulation [9].

Après l'édit de 1556, Coras exulte, et revient à la charge, en français, cette fois, conscient que le problème intéresse plus de gens que son public latinophone... Son « petit discours et briève résolution » *Des mariages clandestinement et irrévéremment contractés par les enfans de famille, au deceu, ou contre le gré, vouloir, et consentement de leurs Pères et mères,* paru en 1557, traduit les raisonnements et les invectives du précédent, qu'il place « souz l'ombre des fortes ailes » du roi. Les enfants mariés « témérairement et à la volée » devraient « être ôtés du catalogue des hommes » : leur « conjonxion » ne peut recevoir le nom de mariage et rappelle tout au plus les unions d'animaux. « Qui êt celui tant défavori de cervelle, raison, ni entendement, qui juge deux jeunes personnes imprudentes, indiscrètes, follatres enivrées de quelque vaine intention, cupidité lascive, affexion impudique, parolles de maquereaux, ou autre passion, et volonté déréglée, et par ainsi assemblées, contre la loi de Dieu et de nature, honneur et révérence deuë aux parens être conjoints de Dieu? »

Ce sont bien les mariages d'amour *(affectio, afféxion impudique...)* qui sont visés, comme dans tous les textes de l'époque [10]. Sa conclusion est nette : « Je di, être chose trêcertaine, trêconstante, et trêvéritable, le mariage contracté par les enfans, sans le vouloir, consentement, et autorité des pères, être de tout droit divin, naturel, et humain invallable, et de nul éfet [11]. » Seules exceptions à cette règle : le consentement tacite du père qui ne poursuit pas son fils en justice; la consommation qui rend valide tout mariage; l'absence du père pendant plus de trois ans, qui empêche de demander son consentement, et les atermoiements du père, qui perd toute autorité sur sa fille s'il ne l'a pas mariée à vingt-cinq ans! Sans doute faut-il rapprocher cet âge, imposé par le décret de Henri II, de celui où les jeunes filles fêtent sainte Catherine : si, aujourd'hui, les catherinettes donnent l'impression de ne pas avoir trouvé de mari, il est probable que, primitivement, elles fêtaient l'âge où elles pouvaient commencer à en chercher un, si leur père s'y était jusque-là refusé. Quant au chapeau – et primitivement le voile – il a de tout temps distingué la femme mariée de la jeune fille « en cheveux ». Les garçons, de leur côté, fêtent à trente ans saint Nicolas : la différence d'âge semble calquée sur le décret de Henri II.

Ne nous laissons pas abuser, cependant, par des mythes romantiques postérieurs. La sujétion des enfants à la volonté paternelle est alors une preuve de sagesse et non de tyrannie. Lorsque nous pensons aujourd'hui au mariage clandestin, nous avons souvent à l'esprit Roméo et Juliette, le forgeron de Gretna Green, et le despotisme des pères ligués contre de pauvres amants. Deux siècles de romantisme nous ont appris à assimiler amour et mariage. Mais au XVIᵉ siècle encore, ce sont deux réalités différentes, sinon antinomiques. Le plus clair à ce propos est Montaigne, qui approuve sans réserve le mariage organisé par les parents, « à l'opposite des conventions amoureuses ». Les mariages fondés sur l'amour et sur les désirs amoureux, estime-t-il, échouent plus vite que les autres. « Il y faut des fondements plus solides » : un bon mariage refuse la « compaignie et conditions de l'amour », et préfère celles de l'amitié. Toute femme préfère être l'épouse que la maîtresse de son mari. Si le mari, d'ailleurs, a une maîtresse, il préférera qu'il arrive malheur à celle-ci plutôt qu'à son épouse [12]. La passion romanesque de Roméo et Juliette est exceptionnelle et littéraire : personne alors ne songe à la vivre. L'amour, plus concrètement, est le piège dans lequel on attire des adolescents de bonne famille, comme François de Montmorency, pour tâcher de leur imposer des demoiselles d'honneur hardies auxquelles, quelques années plus tard, ils semblent peu attachés. On comprend que les parents s'opposent à ce genre d'unions qui n'ont même pas le mérite d'assurer le bonheur de leurs enfants.

Les mariages clandestins, d'ailleurs, ne sont pas seulement des mariages d'amour et le consensualisme peut n'être qu'une mascarade. Un cas particulièrement scandaleux nous a été conservé par les archives du palais de Chambéry. Le 29 juin 1545, deux frères, dont un prêtre, Jean et Georges Passerat, enlèvent les deux filles de leur sœur Denise, qui reste veuve et chargée de tutelle de Pernette (treize ans) et Étiennette (onze ans). Avec la complicité du vicaire Rubatton, ils fiancent les deux gamines, l'une à un notaire de trente ans et l'autre à un adolescent de seize. Un notaire dresse l'acte de fiançailles, le vicaire obtient les dispenses de bans, et le surlendemain, à l'église, il publie le mariage au prône et marie les fillettes à huis-clos. La mère bien sûr porte plainte et les deux frères seront condamnés par le Parlement à vingt et cent livres d'amende. Les deux jeunes mariés ne seront pas poursuivis... et le mariage sera jugé valide [13]. Et l'exemple n'est pas isolé : en 1308 déjà, une veuve se plaint au Parlement de Londres que son fils ait été enlevé et marié contre son gré. C'est cependant en temps qu'héritière spoliée de son fils qu'elle réclame un arrangement [14] ! Dans la mentalité du temps, l'édit contre les mariages clandestins est donc ressenti par tous comme un progrès qui évitera des abus dommageables aux enfants comme aux parents.

La répression de la clandestinité

Humanisme et réforme sont alors deux groupes de pression sur les pouvoirs catholique et civil. C'est à ceux-ci de prendre des mesures pour réprimer ces mariages clandestins qui font désormais l'unanimité contre eux. La réflexion catholique, contrairement aux apparences, ne se désintéresse pas du problème. Mais elle est plus discrète, et terriblement lente.

Ici aussi, c'est la redécouverte d'anciens textes qui relance le débat, et plus précisément une collection de conciles publiée en 1530. On en exhume une lettre du pape Évariste (fin du Ier siècle) qui condamnait en termes nets les mariages clandestins, et que Gratien, au XIIe siècle, avait partiellement intégrée à ses décrets (p. II, c. 30, q. 5). Un apocryphe, malheureusement, mais que le XVIe siècle tiendra pour authentique. Or, dans la partie qu'avait négligée Gratien et qu'on retrouve en 1530, le pseudo-Évariste se réfère, sur la clandestinité du mariage, à une tradition apostolique! Voilà qui résoudrait la question, l'autorité des apôtres étant incontestable.

Le texte malheureusement met du temps à remonter la hiérarchie catholique. Il est invoqué lors d'un concile provincial à Cologne, en 1536. Le vicaire général, Jean Gropper, ne peut qu'émettre un « vœu pieux », celui de voir un concile général statuer sur la question. Lui-même publiera en 1545 un *Enchiridion christianae institutionis* (« manuel d'institution chrétienne ») où il argumente, sur la base du pseudo-Évariste, pour la nullité des mariages clandestins, qui se font « par amour plutôt que pour Dieu » *(ueneris potius quam dei causa)*. Il n'y a pas sacrement, selon lui, si l'engagement des époux n'a pas une « dimension religieuse ». Le raisonnement, on le voit, n'est pas très éloigné de celui des protestants, mais les références sont plus acceptables pour les catholiques. Les travaux préparatoires au concile de Trente, qui se tiendront en 1547 à Bologne, envisagent le problème de la clandestinité sur base du concile de Cologne et des conclusions de Gropper. Un humaniste français qui y assiste, Gentien Hervet, publie en 1555 un mémoire en ce sens destiné aux pères du concile [15].

Mais l'élection de Paul IV, qui préfère le pouvoir personnel aux décisions collégiales, suspend un moment les travaux du concile, qui ne reprendra qu'en 1562. Entre-temps, l'affaire Montmorency aura éclaté et le pouvoir civil aura légiféré. Un peu dans la hâte, et sous la pression des événements : on travaille avec les textes disponibles, et ce ne sont pas les livres catholiques. Dans la formulation et dans les références de l'édit de Henri II, on sent la réflexion humaniste et protestante : les mots sont ceux d'Érasme et de Jean de Coras, pas ceux de saint Évariste ni de Gropper. Et l'on comprend l'irritation du pape contre un édit qui semble emprunter davantage à la réflexion des réformateurs, quand un mouvement similaire existe dans le sein même de l'Église. Peut-être est-ce à cause de ce malentendu, dû en grande partie aux lenteurs de la réflexion catholique, que la fracture s'agrandit entre la papauté et la royauté française.

L'édit de février 1556 (1557), sensible aux plaintes contre les mariages « qui journellement par une volonté charnelle, indiscrette et desordonnée se contractoient en nostre royaume par les enfans de famille, au desceu et contre le vouloir et consentement de leurs pères et mères », ne peut prendre que des mesures civiles, sans se prononcer, comme le souhaite un Jean de Coras, pour la nullité. Il autorise en premier lieu les pères à déshériter les fils qui se sont ainsi mariés – un droit qui ne leur était pas reconnu jusque-là : dot pour la fille et héritage pour le fils étaient obligatoires. L'édit enlève ensuite aux mariés tous les avantages, profits et émoluments auxquels ils pourraient prétendre par contrat de mariage ou par les coutumes de leur pays – notamment le douaire dû à la veuve sur les biens de son mari. Il demande en même temps que soient punis les complices – donc les prêtres qui auraient enregistré les consentements ou les amis qui en témoigneraient. L'édit s'applique aux hommes de moins de trente ans et aux filles de moins de vingt-cinq, et touche les mariages déjà conclus s'ils n'ont pas encore été consommés. Les contemporains ne s'y sont pas trompés, et déclarent « ambitieux » cet article imposant un effet rétroactif pour atteindre François de Montmorency [16]. Quant au Parlement, il demande d'ôter cet effet rétroactif, mais ne parvient qu'à retarder d'un mois l'enregistrement de l'édit [17]. Les effets de ce texte sont donc purement civils, même s'il insiste à plusieurs reprises sur la « transgression de la loy et commandement de Dieu » que constituent les mariages clandestins. Discret appel de pied au pape [18].

D'ailleurs, certains légistes français semblent près sur ce point de rompre avec Rome et se contenteraient d'un accord de l'Église gallicane. Le pouvoir pontifical n'est pas unanimement respecté, et l'exemple anglican est frais dans les mémoires. À la proclamation de l'édit de Henri II, Étienne Pasquier, avocat au Parlement de Paris, regrette qu'on n'ait pas passé outre l'autorité de Rome sur la légitimité des mariages clandestins. Il voudrait « qu'on eût franchi le pas, et que par une ordonnance faite du commun consentement de l'Église gallicane, on eût déclaré tous mariages des enfans nuls, esquels il n'y auroit que les simples paroles de présent, sans l'authorité et consentement des pères et mères [19] ». Une « ordonnance conciliaire » suffirait selon lui à libérer la France d'une loi concoctée par des célibataires qui ne connaissent rien au mariage et à l'affection paternelle – « quelques Moines rapetasseurs de vieilles gloses nous ont insinué cette barbare et brute opinion [20] ». Ce n'est plus un appel du pied, c'est une ruade dans les brancards de l'Église.

L'appel du pied se fera plus pressant en 1563, lorsque le concile de Trente mettra le mariage à l'ordre du jour de la XXIVe session. L'Orléanais Gentien Hervet en profite pour rééditer sa prière au concile dans laquelle il invoque le pseudo-Évariste. Le 24 juillet, les ambassadeurs du roi de France auprès du concile, Arnaud du Ferrier et Dufaur de Pibrac, font requête pour que les mariages soient légitimés par un prêtre. Les pères renâclent : ils entendent bien prendre des mesures contre les mariages clandestins, mais il est essentiel, pour eux, qu'on puisse toujours conclure mariage devant notaire, comme c'est encore la mode en Italie. Ils se contentent d'exiger la présence de trois témoins. Le cardinal de Lorraine tourne la difficulté : si un de ces trois témoins était un prêtre ? Ainsi présentée, la suggestion est acceptable : les mariés sont toujours ministres du sacrement, le prêtre n'a qu'un rôle de témoin privilégié. Quant au consentement paternel, pas question d'en faire une condition de validité : c'est la position des protestants, et on semblerait leur faire une concession. « Est-il opportun, demande l'archevêque de Rossano, de fournir aux hérétiques par des innovations en matière de sacrement, quelque argument propre à frapper le populaire ? » Son confrère de Venise est plus direct : « ce sont les hérétiques qui condamnent les mariages clandestins ». Aussi, les propositions visant à imposer un âge minimum (seize ou dix-huit ans pour les filles, dix-huit ou vingt pour les garçons, on est bien en dessous de l'édit de Henri II!) sont-elles toutes rejetées [21].

Le concile de Trente, en effet, est avant tout dogmatique, et accessoirement disciplinaire. C'est-à-dire qu'il est avant tout destiné à réaffirmer les dogmes catholiques contre les attaques protestantes, mais qu'il peut aussi trancher sur des cas de discipline comme le mariage clandestin, à condition toutefois de ne pas affaiblir sa position face aux réformés. La XXIVe session, qui s'étale sur toute l'année 1563, se conclut le 11 novembre par la promulgation de douze canons et d'un « décret sur la réforme du mariage » en dix chapitres. Un canon est une loi dogmatique, qui exprime une vérité de foi et dont la transgression entraîne l'anathème. Un décret, de portée disciplinaire, énonce des règles à respecter sous peine de sanctions graves; mais en principe, sa violation n'est pas un acte d'hérésie.

De fait, les douze canons réfutent en quelques mots les longues discussions des humanistes et des protestants en matière matrimoniale. Sous peine d'anathème, le concile proclame le caractère sacramentel du mariage (canon 1), la monogamie (canon 2), le pouvoir de l'Église de décider des empêchements (canons 3 et 4), l'indissolubilité (canons 5 à 7), la possibilité de séparer de corps (canon 8), l'interdiction du mariage des prêtres (canon 9), la supériorité de la virginité et du célibat sur le mariage (canon 10), le calendrier liturgique du mariage (canon 11), la compétence exclusive des juges ecclésiastiques en matière matrimoniale (canon 12). On reconnaît là les principaux thèmes acquis au Moyen Âge et remis en cause par les réformateurs.

Le « décret sur la réformation du mariage », que l'on désigne souvent par son premier mot, *Tametsi* (« cependant »), fixe dans son premier chapitre les formes du mariage solennel. C'est ce passage qui nous intéresse, les suivants fixant la législation sur des thèmes déjà étudiés (consanguinité, affinité, rapt, concubinat...). En premier lieu, le décret *Tametsi* anathématise tous ceux qui tiennent pour illégitimes les mariages contractés sans la permission des parents. Pour ne pas adopter une position défendue par les protestants, le concile ne suit pas, sur ce point, l'avis de l'Église gallicane. Pour lui, le consentement des mariés est la matière même du sacrement, et il ne saurait être question de la subordonner à la permission parentale.

Mais l'Église ne s'en déclare pas moins hostile aux mariages clandestins, et si elle n'interdit pas le principe, elle s'arrangera pour empêcher la pratique. Le décret *Tametsi* frappe en effet de nullité les mariages contractés sans la présence du curé de la paroisse, ou d'un prêtre désigné par lui, et de « deux ou trois témoins » (souvenir de la proposition de faire du curé le troisième témoin). Les prêtres qui uniraient des jeunes gens n'appartenant pas à leur paroisse seraient suspendus. Obligation est faite, pour la première fois, d'inscrire les mariages sur un registre qui servira de preuve de l'engagement. Les mariés sont enfin exhortés à se confesser et à communier, donc à se marier au cours d'une messe solennelle.

Un seul empêchement dirimant, donc, mais de taille : la présence du curé de la paroisse, qui connaît les mariés et leurs parents, et qui n'acceptera pas de mariages clandestins contre l'honneur de la famille. En revanche, si certains parents, par avarice ou pour une autre raison, refusent de marier leurs fils (le cas est évoqué par les juristes), rien ne s'oppose à ce que le curé prenne le relais et enregistre le mariage. Il ne s'exposerait en ce cas qu'à des peines civiles[22]. Tout cela est repris dans le catéchisme qui doit vulgariser les décisions du concile. Tout au plus exhorte-t-on les « fils de famille » à ne jamais contracter de mariage à l'insu des parents, et *a fortiori* contre leur volonté[23].

Ainsi formulé, le décret *Tametsi* semble respecter la conception traditionnelle du sacrement dont les mariés sont eux-mêmes ministres et dont le prêtre n'est que le témoin. La majorité des participants souhaite cependant aller plus loin dans la définition solennelle du mariage. C'est du même décret *Tametsi* que date ainsi la généralisation de la formule *Ego vos in matrimonium coniungo* («Je vous unis en mariage») prononcée par le prêtre après qu'il a reçu le consentement des deux époux. C'est une formule qui apparaît dans les rituels normands du xvᵉ siècle, mais qui restait peu répandue, et totalement inconnue, notamment, en Allemagne et dans le midi de la France. Diffusée par le *Liber sacerdotalis* de Castellani en 1523, largement utilisé en Italie en l'absence de rituel romain officiel, elle doit donc être la plus connue des participants. La question cependant est de savoir si, par cette formule, le prêtre marie les époux, ou s'ils se marient toujours eux-mêmes. Pour conserver le caractère consensuel du mariage, la formule n'est pas imposée, mais conseillée à côté de toute autre selon l'usage du pays, et l'on se garde bien d'en faire la matière du sacrement[24].

Malgré ces précautions, plus d'un quart des participants (55 pères sur 192) marquent leur opposition au décret *Tametsi* lors de la promulgation solennelle du 11 novembre 1563, fait unique dans l'histoire du concile. La plupart des opposants sont italiens (pays où les mariages devant notaire sont encore fréquents), et il y a parmi eux trois légats et deux archevêques. Il leur semble que l'économie sacramentaire est remise en cause, qu'on se rapproche trop d'une théorie protestante, et ils s'indignent qu'il ne puisse plus y avoir de mariage catholique dans les pays qui n'ont plus de curé, comme les pays protestants. C'est dire si l'on est alors sensible à tout ce qui semble menacer le sacrement.

Pour surveiller l'exécution des décrets, Pie IV crée en 1564 la congrégation du Concile, qui reçoit à partir de Sixte Quint le droit de les interpréter. Ainsi se constitue une longue jurisprudence ecclésiastique en matière matrimoniale. Mais la réception du concile par l'autorité civile est moins évidente. Les rois de France, notamment, ne publieront jamais le concile, comme l'ont fait tous leurs prédécesseurs depuis Charlemagne pour les conciles généraux. La situation devient embarrassante pour les magistrats, puisque les décrets promulgués à Trente sont de droit ecclésiastique et non civil.

Sans doute les décisions les plus importantes concernant le mariage se retrouvent-elles en substance dans une série d'ordonnances et d'édits des rois de France. Mais il faut gérer cet hiatus entre les deux législations, et la réflexion des magistrats sur ce sujet sera à l'origine du gallicanisme des rois de France en matière matrimoniale. Pourtant, en dehors des textes officiels qui doivent maintenir l'orthodoxie de la doctrine, l'Église se montre plus attachée aux intérêts des parents. La *Somme des péchés* de Jean Benedicti, parue en 1584, considère ainsi comme un péché mortel le mariage d'un enfant sans le congé de ses père et mère. Mortel aussi, le refus d'épouser le parti choisi par les parents, s'il s'agit du « profit de la maison » – entendez, si le mariage permet de conclure une alliance importante, d'extirper une hérésie ou d' « assoupir les vieilles inimitiés et querelles de maisons ». Péchés mortels, puisqu'ils violent une des trois vertus théologales, la Charité, qui fait passer le bien commun avant le profit particulier[25]!

Les ruses de l'amour

Les rois de France, nous l'avons vu, n'ont pas jugé utile de publier les décrets du concile de Trente. Ce n'était qu'une façon de marquer leur indépendance sans vraiment la prendre : sa majesté très chrétienne ne peut rompre aussi franchement avec Rome. Aussi divers décrets vont-ils imposer progressivement en France la plupart des mesures tridentines. Pour ce qui concerne le mariage, ce sera surtout l'ordonnance de Blois, donnée en mai 1579 par Henri III[26]. On ne peut désormais « valablement contracter mariage » sans la publication de trois bans et la présence du prêtre et de quatre témoins (le concile s'était arrêté à deux ou trois). Mais le roi ne se contente pas d'entériner les décisions du concile : même si l'affaire Montmorency est loin désormais, l'opposition aux mariages clandestins est encore vive, et le roi croit bien avoir trouvé un biais pour les empêcher.

S'il ne peut s'en prendre directement aux époux, il touchera les prêtres, puisque ceux-ci sont désormais nécessaires à la validation du mariage. Et les voilà accusés d'être « fauteurs de crime de rapt » s'ils marient des « enfans de famille, ou estant en la puissance d'autrui », sans le consentement exprès des père et mère. Y a-t-il des prêtres assez téméraires pour braver l'interdiction et les sanctions civiles encourues ? Puisqu'on ne peut annuler le mariage, on rendra la liberté à la jeune fille désobéissante de la façon la plus radicale : en condamnant à mort son mari indésiré. Étienne Pasquier avait déjà plaidé pour cette solution, « afin qu'en la dissolution de sa vie, se trouvast aussi la fin et dissolution de son mariage [27] ».

Le biais légal est de considérer le mariage clandestin avec un mineur d'âge comme une subornation, et d'assimiler la subornation à un rapt, crime grave puni de mort. Les trois délits étaient soigneusement distingués jusque-là. « Sont considérés comme rapts tous les mariages sans le consentement des parents ou des tuteurs ou des curateurs », définit désormais l'ordonnance, même si celui (ou celle) prétendument suborné(e) a donné son accord, même si les parents, pris de pitié, finissent par donner leur consentement après le mariage. On en arrive rarement à ces extrémités, mais certaines peines de mort seront bel et bien prononcées contre des « séducteurs » qui n'ont que le malheur d'être plus pauvres que leur amoureuse [28]. Le plus souvent, on se contente de l'annulation, avec parfois une expiation publique, comme pour ce secrétaire du Roi marié à une fille de mauvaise vie et condamné en 1602 à demander pardon à son père, nu-tête et à genoux [29]. Le bannissement du plus pauvre des ex-époux suffit la plupart du temps à empêcher les récidives.

Si cette solution était acceptée par tous, il n'y aurait pas besoin d'aller aussi loin. Cette extension de la définition du rapt devrait en effet avoir des effets canoniques, puisque l'Église frappe de nullité les mariages par rapt. Bien des pères se contenteraient de cette solution. Mais les tribunaux ecclésiastiques ne sont pas dupes et n'annulent pas un mariage clandestin sur des assimilations aussi grossières entre subornation et rapt. Reste un ultime recours pour faire annuler un mariage sans passer par l'échafaud : le père peut faire « appel comme d'abus » contre le juge ecclésiastique et saisir le Parlement, la justice civile, puisque le mariage est en contradiction avec une loi du royaume. Devant la menace de mort qui pèse sur sa tête, l'époux coupable a tout intérêt à accepter l'annulation de son mariage par la justice civile : entre 1591 et 1640, dix-neuf arrêts du Parlement de Paris annuleront ainsi des mariages clandestins.

Les mentalités ne se changent pas par décret, et pendant un siècle après le concile de Trente, des couples se croiront mariés pour avoir déclaré leur consentement devant notaire ou devant un curé complaisant [30]. Les édits royaux qui dénoncent cette situation tentent d'y remédier. Il faudra ainsi réaffirmer en 1639 (puis en 1697 !) les mesures prises en 1579. L'occasion de cette nouvelle réglementation est un mariage clandestin célèbre : celui de Cinq-Mars, grand écuyer de France, âgé alors de dix-neuf ans, avec la courtisane Marion Delorme, qui portait bien ses vingt-sept ans. Le premier avait le malheur d'être aimé du roi ; la seconde, de Richelieu. Sur plainte de Mme d'Effiat, mère du jeune homme, le mariage fut annulé et une ordonnance promulguée contre les mariages clandestins le 26 novembre 1639.

Les motivations de cette déclaration sur les formalités du mariage sont éloquentes si on les compare à celles qui seront invoquées par la déclaration de mars 1697. Louis XIII entend ainsi « empêcher que les crimes de rapt ne servent plus à l'avenir de moyens et de degrés pour parvenir à des mariages avantageux » ; cinquante ans plus tard, Louis XIV reconnaît que les édits précédents « n'ont pas été capables d'arrêter la violence des passions qui engagent dans les mariages de cette nature [31] ». En deux générations, les hantises ont changé : on commence à craindre davantage les amoureux que les ambitieux... Que ce soit par intérêt ou par amour, d'ailleurs, les mariages des « enfants de famille » contrecarreront encore longtemps les projets d'alliance.

Il y a en effet une parade à l'obligation de contracter mariage devant le curé de sa paroisse : puisque le prêtre n'est qu'un *témoin* privilégié et non un *ministre* du sacrement, on peut le forcer à entendre le consentement, contre son gré le cas échéant. Ainsi naît le « mariage à la Gaulmine », une chasse au curé à laquelle se livrent les amoureux du XVII⁰ siècle. Gilbert Gaulmin, intendant du Nivernais, maître de requête et conseiller d'État (1585-1665), a ainsi forcé la porte de son curé avec quelques témoins costauds et un notaire, et déclaré devant sa victime interloquée son intention d'épouser la compagne qu'il a amenée. La présence du curé suffit au mariage, que le notaire enregistre. Sur son exemple, de tels mariages se multiplient pendant la Fronde, et le Parlement refuse de les annuler. La cure du coup est moins que jamais une sinécure, et les prêtres peuvent se réveiller encadrés de solides gaillards qui vous marient à la six-quatre-deux un couple d'amoureux avant de disparaître comme démons.

Il faut prendre des mesures et, à partir de 1674, des arrêts annulent les mariages auxquels le curé serait présent contre son gré ; en 1697, un édit impose la résidence effective de six mois dans la paroisse (ou d'un an si l'on vient d'un autre diocèse) pour pouvoir être marié par le curé propre ; la bénédiction du curé est alors requise pour valider le mariage, ce qui va au-delà de la pensée tridentine. Un arrêt du 8 avril 1696, en outre, impose la présence des deux curés, si les fiancés n'habitent pas dans la même paroisse : impossible donc pour la partie moins favorisée de compter sur la complaisance de son propre curé[32].

Si nous passons dans l'Angleterre anglicane, qui n'est donc pas soumise aux décrets du concile de Trente, nous trouvons une situation encore plus grave : jusqu'au xviiie siècle, les mariages clandestins y pullulent. Il suffit, dit-on, d'aller à la prison de Fleet pour être marié sans difficulté et sans le consentement des parents. Certains pasteurs s'en font une spécialité, comme le pasteur Keith, au xviiie siècle, qui marie jusqu'à six mille personnes par an. D'ailleurs, l'enregistrement du mariage étant cher (jusqu'à trois mois de salaire d'un ouvrier), les plus pauvres s'en abstiennent purement et simplement. Devant ces abus, un *Marriage Act* publié en 1753 oblige à publier les bans, à demander une licence de mariage, à prouver le consentement des parents et à passer devant le pasteur[33]. Un édit bien tardif, qui imposera longtemps l'image d'une liberté de sentiment plus grande en Angleterre que sur le continent. Les colons d'Amérique étant d'ailleurs partis avant cet acte (le *Mayflower* arrive au Massachusetts en 1620), les États-Unis garderont comme *common law* le mariage consensuel et deviendront, aux xixe et xxe siècles, le symbole de la liberté amoureuse.

Parmi les conséquences célèbres de cet édit, il faut aussi évoquer la légende du « forgeron de Gretna Green », qui forge sur son enclume des liens très spéciaux. Il faut dire que ce petit village, Graithney en écossais, est situé à la frontière entre l'Angleterre et l'Écosse. Ce dernier pays, presbytérien, pratique toujours l'antique mariage canonique, un contrat consensuel donc qui n'exige pas la présence d'un prêtre. La loi anglaise, de son côté, reconnaît les mariages contractés à l'étranger selon la législation du pays où il est célébré. Rien n'empêche donc les amours contrariées d'être solennisées en Écosse... sinon une loi écossaise condamnant à la prison les époux clandestins! D'où l'avantage des villages frontaliers – Gretna Green n'est que le plus célèbre parmi tous ceux qui ont pratiqué le même commerce matrimonial – qui permettent de quitter le pays aussitôt le mariage célébré, et d'échapper à la justice écossaise après avoir contourné la loi anglaise.

Il ne semble pas que ce soit un forgeron qui ait eu cette idée. On se marie plus volontiers devant le juge de paix ou le notaire, même si n'importe quel témoin peut remplir cet office. La grande époque de Gretna Green se situe entre le *Marriage Act* de 1753 et la loi anglaise de 1848, qui punit de bannissement les mariages secrets : en rentrant de leur lune de miel écossaise, les jeunes époux sont invités à la prolonger indéfiniment sous d'autres cieux. D'autres pays fournissant toujours leur contingent de tourtereaux contrariés, l'Écosse à son tour prendra des mesures et exigera, en 1857, trois semaines de résidence dans la commune où l'on se marie.

En France, la répression du mariage clandestin restera d'actualité sous la Révolution et durant tout le XIXe siècle. Le mariage civil, que nous étudierons dans un autre chapitre, prend en cela le relais naturel du mariage religieux. L'obligation de publier des bans et de passer devant un officier d'état civil interdit toute clandestinité; quant à la permission des parents, elle sera exigée jusqu'à une majorité matrimoniale que l'on atteint de plus en plus jeune. Depuis le 21 juin 1907, la majorité civile (alors de vingt et un ans, dix-huit depuis le 5 juillet 1974) suffit pour se marier sans permission des parents. Un droit d'opposition leur reste cependant en vertu de l'article 173 du Code civil. Depuis 1927, il leur faut pour cela énoncer des motifs sérieux fondés sur un texte de loi [34].

L'Église de son côté maintient la législation du concile de Trente, réaffirmée en 1983 dans le code de Jean-Paul II. Selon le canon 1108, le mariage est valide s'il est contracté devant l'Ordinaire du lieu, le curé, un prêtre ou un diacre délégué et deux témoins. Il peut être contracté devant un laïc délégué (can. 1112), voire sans assistant, devant les témoins seuls, en cas de danger de mort ou pourvu qu'« avec prudence », cet état de fait ne soit limité qu'à un mois (can. 1116). Dans tous les cas, les époux sont toujours les ministres du sacrement.

L'évolution des mœurs a progressivement rendu vaines toutes les précautions dont la loi civile ou religieuse s'entoure pour éviter les mariages clandestins. Mais historiquement, ceux-ci ont joué un rôle capital, puisqu'ils ont motivé un des décrets essentiels du concile de Trente et les premières ordonnances royales qui ont rompu le monopole religieux en matière matrimoniale.

QUATRIÈME PARTIE

Les contradictions classiques
Les XVIIe-XVIIIe siècles

Un grand mariage parisien à la fin du XVIIe siècle

M. le duc et pair de France a obtenu, pour son mariage, la permission de ses parents et du roi. Il a fait parvenir à sa future femme de somptueux cadeaux et signé avec elle un contrat de mariage devant toute la Cour. Le roi lui-même l'a signé, ainsi que tous les princes et princesses qui hantaient ce jour-là les couloirs de Versailles. C'est par dizaines qu'on peut compter les signatures des témoins.

Le jour des noces, le père de la mariée donne un grand souper dans son hôtel de Paris. Un concert de flûtes et de hautbois permet de patienter jusqu'à minuit, heure traditionnellement fixée pour la cérémonie. On ne se déplace pas à l'église : le prêtre viendra dire la messe à la chapelle de l'hôtel. Après la bénédiction, les nouveaux époux sont conduits dans les appartements de la mère, où a lieu le coucher. La mère du marié donne la chemise à sa belle-fille ; le père de la mariée aura pour son gendre le même geste déférent. Le prêtre – de préférence un évêque emprunté à une des deux familles, qui ne manquent pas alors de parents dans les ordres – viendra bénir le lit nuptial et la nuit appartient aux jeunes époux.

Le lendemain matin, l'appartement du père est à son tour mis à leur disposition pour qu'ils puissent y recevoir les compliments des deux familles, puis de toutes les personnes distinguées de la Ville. La mariée est richement habillée, mais reçoit sur son lit, comme si elle y avait réellement passé la nuit. On se rend ensuite à Versailles, pour présenter au roi la nouvelle duchesse. C'est une « duchesse à tabouret » : elle aura désormais droit à un tabouret au souper de Sa Majesté, et elle en profitera le soir même. Une amie lui prête pour la nuit son apparte-

ment à Versailles, et le lendemain matin, les jeunes mariés reçoivent, comme la veille à la Ville, les visites de toute la Cour. La journée suivante sera consacrée à les rendre. On pourra alors revenir à Paris, dans l'hôtel du mari, qui donnera un souper à tous les invités de la noce [1].

I

Alliances et mésalliances

« Ma fille sera marquise en dépit de tout le monde ; et, si vous me mettez en colère, je la ferai duchesse. » La célèbre réplique du *Bourgeois gentilhomme* devait résonner dans la tête d'Antoine Crozat, ce 2 avril 1707. Dans son hôtel de la place Vendôme se déroulait en effet un des mariages les plus importants et les plus scandaleux de l'année.

D'un côté, une des plus grandes familles du deuxième ordre, celle de Bouillon. Le père, Godefroi Maurice de la Tour, descendant de Guillaume le Taciturne et des ducs de Guyenne, neveu du grand Turenne, est grand chambellan, prince souverain de Sedan, duc de Bouillon et d'Albret ; sa femme, Marie-Anne Mancini, est une des cinq nièces de Mazarin. C'est un de leurs cadets qu'ils marient, Henri Louis, comte d'Évreux, un jeune homme prometteur de vingt-cinq ans.

De l'autre, une des plus grandes familles du tiers état, celle des Crozat. Antoine Crozat, marquis de Châtel depuis qu'il a acheté une seigneurie en Bretagne, est surtout un financier de haut vol. Receveur général des Finances de la généralité de Bordeaux, il deviendra trésorier à l'extraordinaire des guerres, trésorier général du clergé, puis grand trésorier de l'Ordre du Saint-Esprit. Il a fait fortune dans la banque et dans le commerce maritime, et passe auprès de Saint-Simon pour « un des plus riches hommes de Paris à toutes sortes de métiers ». On estime sa fortune à vingt-sept millions de livres. À titre de comparaison, à la mort de Louis XIV, en 1715, les caisses de l'État contiennent encore quelques centaines de milliers de livres, et on escompte des rentrées d'une dizaine de millions pour 1716. Le déficit de la France s'élève alors à deux milliards de livres, dont soixante-dix-sept millions pour la seule année 1715. La fortune des Crozat est faramineuse.

Mais, estime Mathieu Marais, « son bien n'est pas tout pur », car il l'a gagné autant dans la finance que dans le commerce maritime. Le prêt à intérêt est en effet interdit par le droit canon, donc par le droit civil, dans un pays comme la France où le catholicisme est religion d'État. Les revenus du capital sont donc illicites et les financiers, méprisés. La seule exception est le commerce maritime, car le risque que court le capital purifie en quelque sorte son revenu. Aussi beaucoup de financiers (et notamment tous ceux qu'on voit au théâtre ou en littérature) sont-ils également armateurs, pour laisser planer le doute sur l'origine de leur fortune. Comme l'État a souvent besoin d'eux, il les laisse en paix, jusqu'au jour où de pressants besoins d'argent l'amènent à taxer lourdement certains gros financiers du royaume. En 1716, une chambre de justice sera ainsi constituée pour faire « rendre gorge » aux financiers soupçonnés de gains illicites, et les taxera à quelque 220 millions de livres. Crozat sera le plus sévèrement ponctionné, de plus de six millions, qu'il ne payera d'ailleurs pas entièrement. Cette affaire ne sera pas sans importance pour la suite de notre histoire. En 1707, sa fille Marie-Anne a douze ans à peine : il a fallu attendre son anniversaire pour célébrer la noce[2].

Comment se sont croisés les destins de deux familles séparées par quelques siècles de préjugés nobiliaires ? Les lourdes charges familiales pesant sur l'aristocratie, surchargée de filles à doter et de fils à placer, expliquent les problèmes financiers des plus hautes maisons. La vénalité des offices, même ceux qui sont par tradition réservés aux grandes familles, oblige à des dépenses importantes pour assurer aux garçons une situation à la hauteur de leur rang. Le comte d'Évreux est sans doute un jeune homme plein d'avenir. Séducteur – malgré « une figure fort ordinaire et un esprit au-dessous », jase Saint-Simon, il fait partie de ceux « dont la figure et le jargon plaisaient aux dames » ; courtisan, attaché au comte de Toulouse, fils légitimé du roi, il n'a encore pu s'acheter « qu'un nouveau et méchant petit régiment d'infanterie ». Par ses protections, il peut prétendre à la charge de colonel général de la cavalerie, restée dans la famille depuis son grand-oncle Turenne. Son oncle, comte d'Auvergne, qui la détient, la lui vend au prix fort, 600 000 livres – lui aussi a des problèmes financiers qui passent avant la solidarité familiale. Le jeune ambitieux rassemble la somme grâce à des dons et à des prêts de parents ou d'amis.

Reste à rembourser les amis et à vivre sur un train digne de sa nouvelle charge. « Il se résolut donc à sauter le bâton de la mésalliance », et à courtiser les Crozat. Sans doute est-il conseillé en cela par son cousin le duc de Vendôme, dont Crozat vient de redresser la situation financière. Chez le financier, quelques centaines de mille sont des broutilles. Il promet sans marchander une dot de deux millions qui vainc les derniers scrupules du jeune homme.

S'ensuit une scène d'une grande cocasserie, où Saint-Simon lui-même, parent des Bouillon, joue un rôle de premier plan. Le mariage, plus que l'union de deux personnes, est celle de deux familles, et la tradition veut qu'elles apprennent à se connaître. Voilà donc toute la lignée de Bouillon compromise dans une série de visites amicalement rendues par des personnes qu'ils n'auraient jamais croisées dans une antichambre de Versailles. La mère du jeune marié, l'orgueilleuse nièce de Mazarin, demande à Saint-Simon de rendre les visites d'usage à « toute la parentèle nombreuse et grotesque » de la future. Le mémorialiste s'acquitte scrupuleusement de sa mission, courant les rues de Paris, sa liste de Crozat à la main. Il n'y trouve de bon sens que la grand-mère maternelle, qui, comme Mme Jourdain, désapprouve les mariages mal assortis et décoche au ducal visiteur une politesse venimeuse qu'il apprécie en connaisseur. La plus grande marque de respect qu'elle peut donner à des personnes si fort au-dessus d'elle, explique-t-elle, est de ne pas leur rendre leur visite, de peur de les importuner. Ce qu'elle se garde bien de faire.

Les Mme Jourdain, hélas, ont souvent raison. Rappelez-vous sa tirade : « Les alliances avec plus grand que soi sont sujettes toujours à de fâcheux inconvénients. Je ne veux point qu'un gendre puisse à ma fille reprocher ses parents, et qu'elle ait des enfants qui aient honte de m'appeler leur grand-maman... Je veux un homme, en un mot, qui m'ait obligation de ma fille, et à qui je puisse dire : Mettez-vous là, mon gendre, et dînez avec moi (A. III, sc. 12). » Et notre Crozat-Jourdain eut le temps de regretter son ambition : le mariage de sa fille devint « le repentir et la douleur de tout le reste de sa vie ».

La mère du marié, déjà, dévoile les qualités qu'elle apprécie le plus chez sa bru en ne l'appelant que « mon petit lingot d'or ». Quant au comte d'Évreux, il délaisse totalement sa comtesse de fraîche date, pour partager sa vie entre des parties de chasse et des maîtresses « de bonne maison ». La dot appartient alors au mari, qui peut la gérer et en garder l'usufruit sans la dépenser. Des spéculations heureuses la font fructifier. Avec leur bénéfice, il rembourse la plus grande partie de cette dot et demande la séparation. Hasard historique ou opportunité malhonnête ? La somme avancée en bons louis sera remboursée pendant le court règne du papier-monnaie, sous la Régence. Une partie le sera même grâce à un don du Régent pris sur les six millions dont la chambre de Justice a taxé le malheureux beau-père !

Marie-Anne retourne alors chez son père, « leste, jeune et trop heureuse d'avoir retrouvé sa chambre de fille », conclut Mathieu Marais. Blessée par son mariage précoce et malheureux, surtout. Elle finit dans un couvent où elle meurt à trente-quatre ans, sans mari ni enfants, le 11 juillet 1729. La séparation, qui a été cassée par le tribunal religieux, n'est toujours pas officiellement prononcée, et le procès dure toujours en 1735, quand Mathieu Marais rédige son journal !

Antoine Crozat, d'ailleurs, ne sera pas guéri pour autant de ses rêves de bourgeois gentilhomme. Il mariera son fils à une demoiselle Gouffier, du sang des Rohan, qu'il achètera aussi cher que son gendre. Le mariage, cette fois, sera heureux, et la promotion fulgurante, puisque la fille qui en naîtra épousera un jour lointain le futur ministre Choiseul. Sa deuxième fille épousera un La Tour d'Auvergne et ses autres fils, une Amelot de Gournay et une Montmorency-Laval. L'alliance de la grande noblesse et de la haute finance ne donne pas toujours, quoi qu'en pense Saint-Simon, des mariages malheureux [3].

La course aux alliances

Entre Marie-Anne Crozat et le comte d'Évreux, il y eut mésalliance, sans doute, puisque Saint-Simon le ressent ainsi. Mais mésalliance selon un ancien ordre, celui des Mme Jourdain et des Saint-Simon. En 1695, pourtant, la première capitation, qui taxe « par tête » tous les sujets du roi, entérine un nouveau classement de la société qui s'esquissait depuis les premières années de règne réel de Louis XIV [4]. Pour la première fois, les Français y sont répartis par classes et non par ordre, chacun apparaissant selon son rang, qu'il appartienne à la noblesse ou au tiers état – le clergé, quant à lui, n'est pas soumis à cette capitation. La population est divisée en 569 rangs regroupés en vingt-deux classes, de Monseigneur le Dauphin aux « matelots étrangers servant sur les vaisseaux et galères, et sur les corsaires et marchands ». L'intérêt de cette liste est de dépasser les clivages traditionnels entre deux des trois ordres et d'admettre ainsi en première classe, à côté des grandes familles princières de sang royal, les ministres et secrétaires d'État et quelques très hautes charges administratives, quand la toute petite noblesse servant comme simple soldat peut côtoyer les palefreniers et les bergers dans la vingt-deuxième.

Sans doute cette hiérarchie n'a-t-elle rien d'un protocole et les idées de préséance et de mésalliance n'en restent pas moins vivaces. « C'est le sort de tous les mariages inégaux », estime encore Mathieu Marais en parlant du mariage Crozat : l'inégalité de naissance reste insurmontable. Mais il est symptomatique de retrouver dans la capitation de 1695 un miroir assez fidèle de la vie sociale, où la naissance et la fortune sont les deux facettes du pouvoir. Ainsi, un receveur général des finances comme Crozat (IIIe classe, huitième degré) n'est-il pas trop éloigné d'un prince de Sedan (IIe classe, premier degré). Quoique les trésoriers du clergé ne figurent pas dans la capitation, il est même probable qu'en achetant cette charge, Antoine Crozat soit presque à égalité avec la belle-famille de sa fille. Plutôt que de mésalliance, c'est d'un autre type d'alliance qu'il faudrait parler.

Sans doute les raisons de se marier sont-elles éternelles. L'alliance individuelle (celle des cœurs, des âmes, des caractères, qu'on la nomme amour ou affection conjugale) est un idéal qui n'est possible, en dehors des romans, que lorsque des intérêts supérieurs ne sont pas en jeu. Sinon, d'autres types d'alliance prennent le relais, entre familles ou entre États. Dans tous les cas, il semble qu'un mariage soit destiné à entériner ou à concrétiser une alliance, non à la créer. Les mariages d'acquisition (d'une terre, de richesses, d'un titre, d'une beauté juvénile...) sont au moins tacitement réprouvés, même lorsque chacun des époux semble y trouver son compte. Mais cela n'est possible que dans la mesure où les richesses (essentiellement foncières), la puissance et la dignité nobiliaires circulent en cercles relativement fermés. Le risque de « mésalliance » est considérablement limité. Tout change lorsque la puissance et la fortune se retrouvent de plus en plus fréquemment en d'autres mains que celles veinées de sang bleu. En un siècle, l'évolution est flagrante.

Au début du xviie siècle, ainsi, le système féodal est encore debout. Les mariages entre grands confirment leurs alliances et l'on ne craint de mésalliance que suite à un coup de tête d'un fils indocile ou aux intrigues d'une servante délurée. En 1605, Henri de Rohan, qui courtise depuis longtemps le chancelier Sully, vient d'être fait duc et pair : tout naturellement, il consolide les liens qui l'unissent à son protecteur en épousant sa fille. Que celle-ci soit trop petite pour marcher jusqu'à l'autel et qu'il faille la porter n'inquiète pas l'assistance. Le ministre se contente d'ironiser : « Présentez-vous cet enfant pour estre baptizé [5] ? » Mais lui-même ne proteste pas autrement contre un mariage que nous trouverions aujourd'hui scandaleux : les familles sont de naissance et de richesse équivalentes, le mariage est suffisamment équilibré. L'alliance importe plus que le mariage, et on épouse une famille plus qu'une personne. Saint-Simon demandant au duc de Beauvillier la main d'une de ses filles, quelle qu'elle soit, ne se préoccupe que de conserver son rang ; et l'on trouve des promesses de mariage entre mineurs où le père s'engage à fournir un autre fils, au cas où le promis mourrait avant la consommation [6] ! Le déséquilibre intellectuel – particulièrement sensible dans les pièces de Molière, des *Femmes savantes* au *Bourgeois gentilhomme* [7] – n'est pas plus inquiétant que celui des âges, pourvu qu'on reste sagement dans sa condition.

Dans une famille noble, le mariage de réconciliation est encore de mise. Dans *La comtesse d'Escarbagnas*, de Molière, deux jeunes gens sont obligés de cacher leur amour à cause d'une mésentente de leurs parents. À la fin de la pièce, un mot lapidaire vient faire leur bonheur : « En cas que vous ayez quelque mesure à prendre, je vous envoie promptement un avis. La querelle de vos parents et de ceux de Julie vient d'être accommodée ; et les conditions de cet accord, c'est le mariage de vous et d'elle. Bonsoir. » Le mariage des enfants scelle la paix des parents. Pas besoin de leur demander leur accord : on envoie un « avis » au fils, pour qu'il brise éventuellement une autre relation – l'amour qu'il feignait pour la comtesse d'Escarbagnas. Comme on est dans une comédie, le choix des pères répond à celui des cœurs. Mais manifestement, là n'est pas l'essentiel.

Et l'on peut aussi bien se marier pour un tabouret – surtout s'il est situé dans l'antichambre de la reine. Seules les « duchesses à tabouret » avaient en effet le droit de s'asseoir en présence de la souveraine, et ce droit dut compter dans la détermination de Mlle de la Mothe à épouser le duc de Ventadour, bossu, débauché et dépensier. On connaît le mot de Mme de Sévigné, voyant qu'on n'avait pas accordé de tabouret à la toute nouvelle duchesse : « Hélas ! Qu'on le lui donne, il lui coûte assez cher [8]. »

La montée de la bourgeoisie et les problèmes financiers de la petite noblesse menacent cependant le vieux système. Entre ceux qui cherchent à acheter un titre et ceux qui veulent « redorer leur blason » se nouent des alliances que réprouve la morale nobiliaire aussi bien que bourgeoise. Seules les grandes familles y échappent, et un Richelieu (mort en 1642) peut encore prescrire dans son testament : « Je défends à mes heritiers de prendre alliance en des maisons, qui ne soyent pas vrayment Nobles, les laissant assez à leur aise pour avoir plus d'égard à la naissance et à la vertu qu'aux commoditez et aux biens [9]. » D'amour, il n'en est pas question. Son inquiétude pourtant est symptomatique : sent-il que les temps sont en train de changer ?

Mais établir ses enfants revient de plus en plus cher. Louis XIV, échaudé par la Fronde et s'appuyant de plus en plus sur la bourgeoisie, multiplie les charges vénales. Ce système, qui consiste à vendre les moindres postes dans la fonction publique, sera une des grandes raisons de la multiplication des mésalliances au XVIIe siècle. Développé au XVIe siècle après une lente maturation, il prend toute son ampleur après la « Paulette », un édit de 1604 qui facilite la transmission héréditaire des offices. En quarante ans, les prix des charges se trouvent multipliés par quatre, et parfois par douze, sans que les revenus des terres, principale source de la richesse aristocratique, suivent. De Henri IV à Louis XIV, les rois multiplient ces offices vénaux jusqu'à, certaines années, saturer le marché. La moindre charge administrative ou honorifique est vendue aux particuliers, qui se remboursent lentement sur les revenus qu'elle procure.

Cela suppose une mise de départ importante, et bien souvent, les dots sont affectées à l'achat d'une charge. Dans les contrats, d'ailleurs, on peut spécifier que la dot ne sera payée au mari que lorsqu'il aura obtenu un office pour l'y investir [10]. Furetière, dans le *Roman bourgeois* (1666), caricature cette course aux charges en dressant le « tarif des partis sortables ». Avec deux à six mille livres de dot, une fille devra ainsi se contenter d'un « marchand du Palais, petit commis, sergent ou solliciteur de procès ». De six à douze mille, elle épousera un marchand de soie ou un procureur du Châtelet. Mais si elle veut un président au mortier, un vrai marquis, un surintendant, un duc et pair, il lui faudra aligner de trois à six cent mille livres [11].

Le développement de la vie de cour incite aussi les courtisans à vivre dans un luxe souvent au-dessus de leurs moyens, et les fortunes les plus assurées commencent à vaciller. La possibilité pour les bourgeois d'acquérir la particule en achetant des terres ou des charges dites anoblissantes tend en même temps à réduire le fossé creusé par les siècles entre les deux grands ordres laïcs. La haute aristocratie lutte comme elle peut contre ces nouvelles difficultés. Comment assurer l'avenir de ses enfants tout en soutenant son rang? Les vieilles recettes sont encore les plus efficaces.

Ainsi la distinction entre les enfants destinés au mariage et ceux consacrés à Dieu. Certains utiliseront exagérément la solution ecclésiastique au problème des enfants surnuméraires, pour ne pas diviser à l'infini leur patrimoine. À la grande indignation des prêcheurs, bien sûr, qui estiment avec Claude Joly que c'est là « donner à Dieu le rebut d'une famille, et l'objet de l'aversion d'une mère [12] ». Le premier duc de La Rochefoucauld, par exemple, surchargé de quatre fils et de cinq filles, décrète la vocation de ses huit cadets. Seul l'aîné – l'auteur des *Maximes* – aura le droit de se marier, d'avoir des enfants, d'hériter des terres et du titre. Toutes les filles sont priées d'épouser le même et divin Époux – la seule qui refuse ne sera pas dotée, et finira par se trouver un mari complaisant fier de cette alliance. Quant aux fils, l'un devient évêque, l'autre chevalier de Malte, le troisième abbé – mais resté si attaché à ses passions aristocratiques, comme la chasse, qu'il n'est plus appelé que « l'abbé Tayaut ».

Le rescapé ne sera guère plus sage. François de La Rochefoucauld arrête la rage procréatrice à cinq fils et trois filles : à nouveau un mariage et sept vocations forcées. Une seule fille échappe *in extremis* à la toile d'araignée monacale... en épousant secrètement son domestique. Le même scénario se reproduit de génération en génération pour maintenir intact le patrimoine en peuplant davantage les monastères que les châteaux [13].

L'exemple est presque caricatural, mais n'est pas isolé. La Bruyère évoque ainsi le joueur ruiné qui a pu sauver de quoi marier son aînée : « La cadette est sur le point de faire ses vœux, qui n'a point d'autre vocation que le jeu de son père [14]. »

Et Bourdaloue consacre un de ses interminables sermons au
« devoir des pères pour la vocation des enfants » : « Car enfin,
s'exclame-t-il, un père dans sa famille n'est pas le distributeur
des vocations... Il ne dépend point de lui que cette fille soit
appelée à l'état religieux ou à celui du mariage ; et la destina-
tion qu'il en fait est un attentat contre le souverain domaine de
Dieu... L'établissement de cette fille coûterait : sans autre
motif, c'est assez pour la dévouer à la religion [15]. » Qu'on les
établisse plus modestement, suggère le bon père, ou qu'on les
abandonne à la Providence qui, comme tout le monde le sait,
nourrit les petits oiseaux et les petites filles mal dotées.

Que faire, quand on est une mère de famille très chrétienne assidue des sermons de Bourdaloue ? Il faut être aussi
acharnée et dévouée que Mme de Noailles, qui n'égare qu'une
fille dans la forêt des cloîtres où les familles perdent sans
remords leur Petit Poucet. Mais quelle énergie ! Elle doit partager son temps entre l'établissement de ses filles et ses maternités – vingt et un enfants, dont treize vivants, parmi lesquels
neuf filles... En 1687, l'aînée fait un beau mariage avec le
comte de Guiche. Tous deux ont quinze ans et sont de bonne
naissance ; on dote la fille de quatre cent mille francs. La
deuxième est un cas : c'est « la plus laide et la plus dégoûtante
personne qu'on pût voir ». Il faut sacrifier pour l'établir quelque cent mille francs, ajoutés à sept ans de nourriture pour le
couple et un régiment de cinquante mille livres pour le
dévoué promis. Celui-ci, le marquis de Coetquen, laisse d'ailleurs entendre, pour sauver la face, qu'il croyait avoir épousé
la troisième. Merci du compliment.

Cette troisième, cependant, est mariée encore enfant au
comte d'Estrée, qui a un quart de siècle d'avance sur elle, et
grâce à une dot prêtée par des amis. Cela permet de réunir
cent cinquante mille francs pour marier la quatrième au marquis de la Vallière. Mais la cinquième se retrouve sans dot.
Qu'à cela ne tienne. Un cousin qu'on a recueilli fera l'affaire :
on lui promet un régiment, la charge de son père et la faveur
de la cour ; il préfère mourir, après quelques mois de mariage,
à la bataille de Spire (15 octobre 1703). C'est à la sixième
qu'on fait miroiter une dot fabuleuse, la même qu'à l'aînée des
filles ! Il faut dire qu'elle épouse M. de Gondrin, petit-fils de
Mme de Montespan et du roi lui-même. La dot, en fait, ne sera
jamais payée : la favorite disgraciée en a secrètement dispensé
Mme de Noailles par un écrit qui sera produit après le
mariage. Elle espérait, en mariant son petit-fils à une famille

influente, le faire rentrer dans les grâces de son royal grand-père. La septième est mariée contre la survivance de la lieutenance générale de Bretagne, que les Noailles se flattent avec raison d'obtenir du roi. Après la conversion de la huitième, la neuvième épouse en 1716 le petit-fils de Louvois, suffisamment riche pour se contenter d'une petite dot... et de beaucoup de crédit. Dans le lot, Mme de Noailles parvient même à marier une fille adoptive [16]. Ouf!

Sans doute est-ce là l'exemple exceptionnel d'une femme qui sait user de son crédit pour pallier la faiblesse des dots, et qui refuse de succomber à la facilité des établissements ecclésiastiques. Combien peuvent le suivre? Les enfants – nombreux pour assurer la survivance du nom et parce que la contraception reste insuffisante et interdite – finissent par devenir la plaie des bonnes familles. Car les fils ne sont pas plus faciles à caser, si l'on ne trouve de bonnes héritières pour leur acheter des charges. Bourdaloue lui-même compte les enfants parmi les malheurs du mariage. « Quel amer déboire, par exemple, et quelle désolation de se voir chargé d'une nombreuse famille, et de manquer des moyens nécessaires pour l'établir; d'avoir des enfants capables de tout et de ne pouvoir les pousser à rien; d'être obligé de les laisser dans une oisiveté forcée, où ils passent tristement leurs jours, et dans une obscurité où leur naissance, leur nom, leur mérite personnel demeurent ensevelis [17]. » La crise de l'emploi chez les jeunes ne date pas d'aujourd'hui, même si elle a d'autres noms et d'autres causes.

L'aristocratie commence alors à tourner en cercle fermé. Ce n'est pas en son sein qu'on peut trouver des filles bien dotées pour caser ses fils. Les filles, qui faisaient jadis la richesse des familles lorsqu'on les vendait à leur mari, en sont désormais la ruine. « En nos temps, se plaint Étienne Bertal, père jésuite qui prêchait sous Louis XIV, celui qui a plusieurs filles est pauvre, il en est du moins bien embarrassé et ne sait comment s'en défaire, comme si le prix en était ravalé et qu'elles valussent moins qu'autrefois. Cependant c'est bien le contraire : les filles chrétiennes sont d'un mérite incomparablement plus grand que ni les juives ni les païennes. Mais le prix en semble moindre, parce que l'avarice est plus grande [18]. » Alors, on laisse vieillir les filles sans leur trouver de mari, quitte à les voir se dessécher comme des dattes, selon la surprenante comparaison du père Jean Richard (1638-1719) : « Étant prises avant leur maturité elles *(les dattes)* apaisent la soif, et on se fait un plaisir d'en goûter; mais lorsqu'elles sont trop mûres, elles font balbutier et chanceler ceux qui en mangent, comme s'ils étaient ivres. Faites vous-mêmes, mes frères, l'application de cette figure, à une vérité que de fréquentes expériences rendent trop sensible [19]. » De fait, les grands seigneurs sont prêts à tout pour « se débarrasser » de leurs filles, et la vie sociale en pâtit. La pêche au mari est devenue sport national – et l'image est explicite chez Mme de Sévigné, lorsqu'elle évoque M. de Nevers, « si difficile à ferrer » (10 décembre 1670).

La mésaventure du marquis de Mirepoix, détaillée par la divine marquise, montre à vif les plaies du mariage aristocratique sous Louis XIV. La duchesse de la Ferté est une marieuse aussi acharnée que celle de Noailles. Elle a « jeté son coussinet » (comme sur une chaise où l'on veut s'asseoir...) sur le marquis de Mirepoix, qu'elle destine secrètement à sa fille. Mais la différence d'âge est importante. Aussi, quand la jeune fille atteint l'âge canonique, douze ans, la duchesse prend-elle les devants et propose-t-elle l'alliance à la famille du marquis, qui en a alors vingt-neuf. Elle se contente d'une réponse vague – donnée « assez en l'air » – et court confier ses projets au roi, « ce qui abrège tout ». Louis XIV a beau souligner que la promise est bien jeune. « Il est vrai, Sire, mais cela presse, parce que je veux M. de Mirepoix, et que dans dix ans, quand Votre Majesté connaîtra son mérite, et qu'elle l'aura récompensé, il ne voudrait plus de nous. »

La franchise un peu cynique doit sans doute beaucoup à l'épistolière venimeuse qui nous a rapporté ces paroles... Mais le calcul est évident : un jeune homme prometteur est un pari sur l'avenir, une action achetée au plus bas de sa valeur et qu'on espère faire fructifier rapidement. L'accord du roi obtenu, on arrive chez les parents de la jeune fille en « troupe toute brillante ». La duchesse obtient son marquis pour « cinquante mille petits écus mal payés ». Quant à Mirepoix, il « n'avait jamais vu sa maîtresse ; il ne sait ce que c'est que tout cela ». On se hâte de tout conclure à la stupéfaction générale – « le mariage de M. de Mirepoix me paraît un effet de magie », s'ébahit Mme de Sévigné, qui n'a pas même le temps de s'indigner.

Et bientôt tout s'aigrit : la mère du futur n'assiste pas à la noce, parce que la dot n'a pas été versée. Quant à celle de la mariée, elle répète à qui veut l'entendre « qu'elle a voulu un gendre pour elle, qu'elle s'est mariée à son gendre, et ne finit point de parler sur ce ton ». Le mariage devient « tous les jours plus ridicule » : au lieu de loger les époux, comme elle devrait le faire, Mme de la Ferté entend loger chez eux, et c'est Mme de Mirepoix qui finit par les recueillir. Deux mois plus tard, « la petite poupée meurt d'ennui dans cette noire maison ». Noire surtout parce que le mariage est « devenu sombre », et qu'une gamine de douze ans se retrouve femme à peine pubère, en quatre semaines tourbillonnantes [20].

Ces quelques exemples montrent l'impasse dans laquelle s'embourbe le mariage aristocratique au XVIIe siècle. La réprobation générale contre les vocations forcées, le prix des charges et l'inflation des dots étouffent les familles surchargées d'enfants. On se tourne alors tout naturellement vers les financiers ou les administratifs, quitte à « sauter le bâton de la mésalliance »...

Pendant les deux derniers siècles de l'Ancien Régime, estime un historien de cette période, les mariages sont le plus souvent « le fruit d'une politique tendant à augmenter le prestige ou la richesse d'une famille ». Aussi les mésalliances sont-elles « un des aspects les plus typiques » de cette société [21]. Les prédicateurs du Grand Siècle dénoncent souvent ces pratiques, preuve que les mariages d'argent, qui ont toujours existé, atteignent alors une ampleur et un cynisme inaccoutumés. « N'est-ce pas le sac d'argent qu'on marie avec le sac d'argent plutôt que la personne avec la personne ? », résume le père Bourrée (1652-1732) [22]. Ce sont des mariages « où l'on ne consulte point d'autre divinité que l'argent, qui rend tous les oracles et à qui les parents sacrifient le bonheur de leurs enfants », entonne le père Houdry sur l'air, déjà, du « Veau d'Or est toujours debout [23] ». Quant au père Dufay, jésuite mort en 1774, il rappelle que Jézabel était riche, distinguée et fille de roi. Mais « c'était une impérieuse, une entêtée de son rang et de son pouvoir, et il en coûta cher à Achab de l'avoir épousée [24] ». L'argent ne fait pas le bonheur, serine-t-on dans les églises. Mme Jourdain engrange sa sagesse, mais les bourgeois gentilshommes font la sourde oreille.

La volonté de faire un mariage digne n'est d'ailleurs pas limitée aux nobles et aux riches bourgeois. La société dans son ensemble est traversée par cette hantise de la mésalliance. Ainsi, entre 1705 et 1753, dans le diocèse de Meaux, sur quarante-cinq filles qui obtiennent une dispense de parenté, dix font explicitement allusion à la nécessité d'épouser un homme de leur condition, qu'elles ne trouvent pas en dehors de leur propre famille. Parmi celles-ci, on trouve cinq filles de laboureur et la fille d'un marinier[25].

La hantise de la mésalliance

« Vous l'avez voulu, vous l'avez voulu, Georges Dandin, vous l'avez voulu. » La réplique qui stigmatise désormais tous ceux qui sont responsables de leur malheur est proférée, chez Molière, par un paysan enrichi qui a voulu épouser la fille d'un gentilhomme. « Ah! qu'une femme demoiselle est une étrange affaire! et que mon mariage est une leçon bien parlante à tous les paysans qui veulent s'élever au-dessus de leur condition, et s'allier, comme j'ai fait, à la maison d'un gentilhomme. » La mésalliance est ressentie dans les deux sens, à une époque qui vit sur un juste équilibre qu'il ne s'agit pas de rompre.

Georges Dandin, dans la pièce qui porte son nom, est le digne pendant de Mme Jourdain dans *Le Bourgeois gentilhomme*, elle qui voulait un gendre qu'elle pourrait inviter sans façon à sa table. « Je connais le style des nobles, explique Dandin, lorsqu'ils nous font, nous autres, entrer dans leur famille. L'alliance qu'ils font est petite avec nos personnes; c'est notre bien seul qu'ils épousent, et j'aurais bien mieux fait, tout riche que je suis, de m'allier en bonne et franche paysannerie que de prendre une femme qui se tient au-dessus de moi, s'offense de porter mon nom, et pense qu'avec tout mon bien je n'ai pas assez acheté la qualité de son mari (A. I, sc. 1). » Dans la pratique, trompé par sa femme, notre paysan ne se sent pas « les coudées franches » pour la bâtonner à son aise. L'égalité des conditions ne garantit pas celle des sexes.

C'est cette égalité des conditions qui doit faire le bonheur des époux, chez Molière comme dans la conception générale de son époque. Sans doute les jeunes gens sont-ils tous amoureux, l'auteur plaide-t-il pour le consentement mutuel contre la soumission à l'autorité paternelle, et un mariage d'amour assure-t-il toujours un heureux dénouement. Mais c'est parce que ses jeunes filles sont « raisonnables ». Angélique, la fille du Malade imaginaire, laisse-t-elle entendre qu'elle a « quelque inclination en tête » ? « Si j'en avais, madame, elle serait telle que la raison et l'honnêteté pourraient me la permettre. » C'est bien un « mariage de raison » qu'elle veut faire avec l'homme qu'elle aime, et prendre un mari qu'elle n'aime pas lui semble la pire des folies (A. II, sc. 6). En revanche, le père qui veut marier sa fille à un médecin « suit aveuglément la passion qui l'emporte » (A. III, sc. 3). La bonne alliance n'est pas dictée par la passion, mais par la raison!

Mais le bonheur dépend-il réellement de cette égalité de conditions? On pourrait le croire, si aux jeunes et fougueux amants de Molière ne répondaient, en contrepoint, de vieux époux qui semblent avoir épuisé leur part de bonheur conjugal. Dans ses comédies, les bourgeois épousent des bourgeoises et les valets des servantes; les parents de M. Jourdain étaient marchands, tout comme ceux de sa femme. Cela ne les empêche pas de se déchirer entre eux : si le mariage doit être heureux, l'état de mariage l'est exceptionnellement chez Molière, comme s'il partait du principe que « la mésentente conjugale était une condition *sine qua non* du monde comique[26] ». Mais si les vieux ménages ne s'entendent jamais dans ses pièces, c'est parce que derrière l'égalité apparente des fortunes s'est creusé un divorce plus grave, intellectuel. Que peuvent se dire les époux Jourdain, l'une tournée vers la bourgeoisie et l'autre vers la Cour? Ou, à l'inverse, le mari bien bourgeois des *Femmes savantes* à sa précieuse de femme?

Malgré les apparences, ce n'est pas l'échec du couple que met en scène Molière de façon aussi récurrente : c'est l'échec du couple mal assorti, qui ne peut partager les mêmes valeurs. Aucune de ces « mal mariées » ne conseille à sa fille de rester célibataire. À la fin de chaque pièce, Molière pose au contraire les conditions d'un mariage heureux, où les fortunes comme les caractères semblent s'équilibrer. Au spectateur de conclure, s'il le désire, comme dans les contes : « Ils furent heureux et eurent beaucoup d'enfants. » Le bonheur conjugal est un mauvais sujet de comédie. Il y a donc deux types de mésalliance, qui tous deux engendrent une crise du couple : la mésalliance sociale (celle de Georges Dandin) et l'intellectuelle (celle des Jourdain). Tous deux sont dus à d'aveugles passions (celles notamment de l'amour-propre et de l'ambition), la raison ne conseillant que des mariages bien assortis.

Il ne faut donc pas se laisser prendre à cette revendication du mariage d'amour contre la puissance paternelle. L'égalité est le meilleur gage de l'amour. Molière ne fait d'ailleurs que mettre en scène des idées de son siècle, véhiculées par les sermons des prédicateurs – ces *mass media* du Grand Siècle. Vincent Houdry (1630-1729) plaide pour l'égalité totale dans l'union conjugale : « Qui ne voit qu'il faut de l'assortiment entre les personnes qui la contractent; qu'il y faut une trop grande conformité de mœurs et d'inclinations, et qu'il faut, comme l'on dit, qu'ils soient faits l'un pour l'autre ? » C'est pour cela, explique le père jésuite, que Dieu a fait Ève à la ressemblance d'Adam [27]. Julien Loriot (1633-1715) renchérit : « Il n'est pas même à propos qu'il y est *(sic)* une trop grande inégalité de naissance entre les parties, parce que celles qui sont le mieux pourvues de ces avantages de la fortune méprisent souvent celles qui le sont moins. C'est pourquoi, non-seulement les saints Pères, mais les païens mêmes *(sic)*, ont été persuadés que, pour rendre un mariage heureux, il fallait qu'il fût entre des personnes à peu près égales [28]. »

Et le père Daniel, une génération plus tard : « Il faut chercher l'égalité de la naissance et de la condition, autant qu'il se peut, pour faire un mariage bien assorti. Quand un grand seigneur épouse une personne de basse extraction, tôt ou tard il la méprise, et, après sa mort, la femme est en horreur à ses propres enfants [29]. » Son contemporain André-Guillaume de Géry (1727-1786) prêche la même théorie pour garantir la « solidité » de l'établissement : « l'avis le plus sage qu'on puisse vous donner à ce sujet c'est de vous allier le plus qu'il est possible avec des personnes de votre rang, de votre état, de votre fortune. L'égalité entre les époux est un des moyens les plus sûrs de conserver cette douce union, qui est le bien le plus précieux dont on puisse jouir dans le mariage [30] ». Par la voix de ses prédicateurs, c'est toute une société qui se défend contre la mésalliance. « Il est nécessaire que vous vous souteniez dans l'état où la Providence a voulu vous faire naître », conclut significativement de Géry. Les mariages d'argent comme les mariages d'amour sont les deux écueils contre lesquels ils mettent inlassablement en garde, les Charybde et Scylla du bonheur conjugal. Des dangers sociaux, surtout, quand l'équilibre des pouvoirs est sans cesse menacé par les fluctuations de fortune.

Il n'est donc pas question de laisser des domestiques intrigants ou des servantes délurées déniaiser les adolescents de bonne famille et, sous couvert d'amour, rompre la bonne transmission des héritages à l'intérieur d'une classe dominante. Sans doute les précieuses militent-elles pour le mariage d'amour. Mais si ridicules soient-elles, celles de Molière rompent incontinent avec les amants de leur cœur, lorsqu'elles apprennent qu'ils ne sont que des valets. Le cœur a ses raisons que la raison ne connaît que trop bien ! C'est contre ces tentatives de séduction que sont promulgués les édits royaux et c'est de ces mésalliances que sont saisis les tribunaux. La hantise de la mésalliance est particulièrement sensible au XVIIᵉ siècle, quand elle est le fait d'ambitieux qui tentent par la séduction d'accéder à une classe dont ils sont exclus de naissance. Lorsque les grandes familles useront à leur tour de cette politique, le discours changera peu à peu.

Première arme contre les mésalliances tant redoutées, donc, la répression judiciaire. Les affaires traitées par le Parlement de Paris sont à ce titre significatives. On y trouve nombre d'amours ancillaires, des mariages secrets entre le fils d'un gros marchand de blé et la servante de ses parents, ou entre la fille d'un « seigneur de » (possesseur d'une seigneurie sans être noble de naissance) et son laquais, ou encore entre un maître de musique de trente-six ans et son élève de dix-huit, fille d'un président de l'élection de Senlis... Mais aussi des mariages entre classes très éloignées, entre un « seigneur de » et la fille d'un matelot (deuxième et neuvième strates) [31]. Les parlements finissent toujours par annuler ces mariages, soit pour des raisons canoniques (absence du curé de la paroisse, ou, en faisant d'un empêchement prohibitif un empêchement dirimant, absence du triple ban), soit par la théorie du rapt de séduction.

La séduction, *stricto sensu*, concerne un mineur amené à des relations coupables par un majeur. Mais les parlements élargissent facilement cette conception. Le 10 juillet 1688, par exemple, le Parlement de Paris annule le mariage de Pierre de la Couture, dix-neuf ans, et de Marguerite Pinet, dix-sept ans, à la demande des parents du jeune homme. Celui-ci avait été « séduit »... par les parents Pinet. Surtout, la fille d'un huissier aux consuls ne pouvait prétendre à épouser le fils d'un commis au greffe civil du Parlement. Un arrêt du 12 avril 1704 fera même de la différence des fortunes une présomption de séduction. On ne peut plus éloquemment fermer l'accès aux conditions supérieures.

On élargira encore la notion de séduction grâce à la « séduction commencée en minorité », qui interdit pratiquement à des majeurs de se marier sans la permission parentale si la relation a été initiée durant leur minorité. Ainsi, Pierre de la Couture et Marguerite Pinet, qui renouvelèrent leur engagement à leur majorité, voient-ils à nouveau leur mariage annulé le 1ᵉʳ août 1703 [32]! Le système est bien verrouillé, et l'amour, même s'il résiste au temps, n'a plus sa place dans les mariages.

Quant à la raison profonde de ces annulations, ne nous y

trompons pas : c'est bien l'intérêt des familles et la sauvegarde des patrimoines. Ainsi, lorsque la demoiselle Dupin de la Gerinière s'échappe avec son laquais Tavant, parviennent-ils à se marier sans encombre en Lorraine – il faut dire qu'elle a trente-trois ans, et son époux quarante-trois. Mais lorsque, trente-trois ans plus tard, leurs enfants réclament leur part dans la succession Dupin, on s'aperçoit que leur mariage est abusif et on le fait annuler par le Parlement de Paris le 31 mai 1759. Annulation accordée « à titre d'exception », précise quand même le tribunal [33].

Mieux vaut pourtant prévenir que guérir. Pour éviter ces unions clandestines dont la religion reconnaît toujours la validité, on trouve encore, mais moins qu'auparavant, des unions entre jeunes enfants qui n'ont pas encore eu le temps de découvrir les dangers de l'amour. Plus on s'élève dans la société, plus l'âge moyen des époux s'abaisse. Mais le meilleur moyen d'éviter les mariages clandestins est encore d'encourager la publicité des noces, jusqu'à la transparence totale des unions projetées et des termes des alliances. La seconde arme du Grand Siècle contre la mésalliance est une surveillance constante et générale des partis en vue et des unions.

La cour est alors un tout petit monde, où tout se sait. Mémoires, journaux, correspondance, nous renseignent avec précision sur les dots et les menus arrangements des mariages, stigmatisant par quelques mots incisifs les unions mal assorties ou mal équilibrées. La lettre la plus célèbre de Mme de Sévigné est la dénonciation cruelle d'un mariage à vrai dire pitoyable, entre une princesse vieillissante et amoureuse, et un séducteur habile : c'est bien « la chose la plus étonnante, la plus surprenante, la plus merveilleuse, la plus miraculeuse, la plus triomphante, la plus étourdissante, la plus inouïe, la plus singulière, la plus extraordinaire, la plus incroyable, la plus imprévue, la plus grande, la plus petite, la plus rare, la plus commune, la plus éclatante, la plus secrète jusqu'aujourd'hui, la plus brillante, la plus digne d'envie... » que le mariage entre Lauzun et la Grande Mademoiselle. Mais, hélas, les mêmes termes peuvent s'appliquer, à la même époque, au bonheur d'une amoureuse qui voit son bonheur couronné en dépit des lois sociales.

Personne à la cour n'ignore rien des intrigues qui se tissent et des idylles qui se nouent. Le *Mercure galant* rédige ordinairement les annonces de mariage, dévoilant lui aussi les dots et les détails des généalogies, pour que chacun puisse apprécier leur équilibre. Il se contente parfois d'un simple commentaire, lourd de sous-entendus : « Ainsi vous ne devez pas douter de la satisfaction reciproque et generale que cause un mariage si bien assorty », note-t-il en mars 1695. Mais un mois plus tard, quand le duc de Saint-Simon épouse Mlle de Lorges, il lui faut près de vingt pages pour célébrer dignement l'événement :

« Il est rare de trouver des mariages aussi considerables et aussi bien assortis que celui de Mr le Duc de Saint-Simon avec Mademoiselle de Lorges, qui se fit au commencement de ce mois. Il semble que l'on ait voulu former une société parfaite, puis que les proportions d'âge, de vertus, de qualitez, et de biens s'y trouvent. La Mariée est Fille aînée de Mr le Maréchal Duc de Lorges, Chevalier des Ordres du Roy, Gouverneur de Lorraine et de Barrois, Capitaine des Gardes du Corps de Sa Majesté, et Général de ses Armées, aussi recommandable pour sa grande probité, que par tous ces titres, et par sa naissance. Mademoiselle de Lorges sçait tout ce que peut apprendre une Fille élevée dans un convent, et auprés d'une Grande-mere d'une vertu consommée, et d'une habileté pour l'éducation au dessus de tout ce qu'on peut dire [...] Tout cela est soutenu de quatre cens mille livres qu'elle a euës en se mariant, ce qui ne doit faire un jour qu'une partie de son bien. Mr le Duc de Saint Simon n'a que vingt ans, il est Duc et Pair de France, Gouverneur de Blaye, Gouverneur et Grand Bailly de Senlis, et possede plusieurs grandes Terres [...] Leurs Maisons ne se cedent en rien l'une à l'autre, non plus que le reste; et si celle de Mr de Saint-Simon tire son origine de Vermandois dont il écartelle avec celle de Saint-Simon, celle de madame son Epouse la tire de cette ancienne maison de Foix, si considerable par elle-mesme et par ses alliances, et que la vertu de trois Frères également establis en honneur et en dignité, sçait soûtenir avec tant de gloire [34]. » Tâchez après cela de cacher votre mésalliance à ces « journalistes » aussi inquisiteurs que nos modernes *paparazzi* !

L'alliance : c'est bien ce que Saint-Simon lui-même avait d'abord vu dans son mariage. Quand il en parle dans ses *Mémoires*, il commence par faire longuement le portrait du maréchal de Lorges, par vanter son mérite, ses vertus, sa considération à la cour, sa naissance fort distinguée, ses alliances... Ce sont tous ces avantages, avoue-t-il crûment, qui « m'avaient donné un désir extrême de ce mariage, où je croyais avoir trouvé tout ce qui me manquait pour me soutenir et cheminer, et pour vivre agréablement au milieu de tant de proches illustres et dans une maison aimable ». Ce n'est qu'ensuite qu'il brosse un court mais aimable portrait de sa femme, qui n'a droit qu'à quatre ou cinq lignes. Et pourtant, leur ménage fut un des plus heureux du temps, cité en exemple à la cour, et la mort de sa femme, après un demi-siècle presque de bonheur conjugal, laisse le mémorialiste inconsolable. La raison et l'amour peuvent faire bon ménage, à condition, dans l'esprit du temps, que la première garde le pas sur le second, toujours postérieur au mariage.

Que si l'on doit « redorer son blason » au prix d'une mésalliance, on s'en tire par le mépris ou par un mot d'esprit – le « petit lingot d'or » de la duchesse de Bouillon est presque tendre à côté du mot sur lequel Mme de Grignan marie son fils à la fille d'un fermier général : « il fallait bien de temps en temps du fumier sur les meilleures terres [35] ». Une méchante plaisanterie peut sauver la face dans une société transparente qui juge sévèrement les transgressions à sa loi matrimoniale.

Le roi lui-même, qui a gardé son droit de regard féodal sur les mariages de ses courtisans, veille à l'équilibre des fortunes. Chamfort raconte que M. d'Invau, contrôleur général, avait demandé au monarque la permission de se marier. Mais quand il avait donné le nom de sa future, le roi avait simplement répondu : « Vous n'êtes pas assez riche. » Et comme le malheureux invoquait sa place, qui pouvait suppléer au patrimoine, il s'était entendu rétorquer : « Oh ! la place peut s'en aller et la femme reste. » À bon entendeur [36]...

Ainsi la société classique a-t-elle l'impression d'être arrivée à une certaine perfection, à un équilibre fragile qu'il lui faut préserver à tout prix. Le mariage commence à être défini comme un contrat, un acte raisonné destiné à assurer le bon fonctionnement de la société civile et le maintien des fortunes dans leur état initial. Une société essentiellement statique, qui éprouve une horreur spontanée pour tout ce qui pourrait la remettre en mouvement. L'amour lui-même, cette passion dévorante qu'on avait fini par analyser comme une maladie, est prié de se soumettre à la raison.

Cette recherche de l'équilibre se manifeste tout particulièrement dans les contrats de mariage, qui adoptent à cette époque une formule originale : l'apport identique des conjoints, qui ne mettent en communauté qu'une partie de leurs biens. Il faut pour cela modifier la situation juridique antérieure, et notamment pour la femme, défavorisée par les coutumes comme par le droit écrit. Ce sera le rôle des notaires, qui prennent une importance grandissante au cours de ces deux siècles dans l'élaboration des contrats de mariage dans toutes les classes de la société.

Contrats de mariage

Le contrat de mariage « est sans doute l'acte le plus important de tous ceux qui se font entre les hommes, puisqu'il sert de fondement à la vie civile, au repos des familles et au bien de l'État ». Telle est l'opinion de C.J. de Ferrière, dont la *Science parfaite des Notaires* paraît en 1771 [37]. Cette affirmation traduit bien l'importance que revêt ce contrat aux yeux du xviiie siècle. Sans doute la « charte » de mariage est-elle fort ancienne et pénètre-t-elle sous l'empire dans le droit romain. Mais elle reste rare jusqu'à l'époque classique, et se limite souvent à préciser le montant de la dot ou du douaire. Le droit, écrit ou coutumier, règle le plus souvent les conventions matrimoniales. C'est après le concile de Trente et avec le développement du gallicanisme que le contrat de mariage prend une importance nouvelle. C'est en effet sur la distinction entre *contrat* et *sacrement* que les juristes civils justifient l'intervention du roi en matière matrimoniale. Si, selon les nouvelles définitions, tout mariage est en soi un contrat, et si, depuis l'ordonnance de Blois (1579), les notaires ne peuvent recevoir des promesses de mariage par paroles de présent, l'habitude se répand de plus en plus, dans toutes les classes, de rédiger un contrat écrit avant de passer à l'Église.

Au xviiie siècle, la liberté des conventions matrimoniales est acquise. Le notaire peut corriger ou compléter le droit coutumier, dans les limites bien sûr de la bienséance et des dispositions impératives du droit. Ainsi, il ne pourra pas désigner la femme comme chef de la communauté, ce qui serait d'une inconvenance inadmissible. La multiplication des contrats de mariage aux xviie-xviiie siècles trahit l'inadaptation du droit aux nouvelles situations sociales. Entre 1769 et 1804, époque choisie par Jean Lelièvre pour étudier la pratique des contrats de mariage chez les notaires du Châtelet à Paris, la grosse majorité des contrats sont passés entre roturiers. Seuls 2,7 % concernent des familles aristocratiques : sans doute la noblesse, dont la fortune foncière et les mentalités se satisfont encore du droit coutumier, ressent-elle moins le besoin de préciser celui-ci par un contrat passé devant notaire. Mais l'habitude de faire venir les notaires à la Cour, où tout le monde lit et signe le contrat, fausse les statistiques.

Dans la roture, toutes les professions sont représentées, du « bourgeois de Paris » au « gagne-denier ». Selon Jean Lelièvre, les contrats sont alors beaucoup plus répandus qu'en 1959, année où il publie son étude. Il y a donc bien inadéquation entre le droit et les situations de fortune : presque tous les contrats, en effet, dérogent aux clauses de mise en communauté coutumière, notamment pour en exclure certains biens meubles, caractéristiques de la fortune bourgeoise. Après la réforme du Code civil, le XIXᵉ siècle connaîtra moins la folie des contrats. En 1860, 40 % des mariages seulement en suscitent encore un. Encore le nombre est-il plus grand dans les campagnes que dans les villes et à Paris [38]. L'analyse des possibilités offertes aux jeunes mariés explique cet engouement durant l'époque classique.

Jusqu'au Code civil de 1804, on pouvait se marier selon trois grands droits en France : le « droit écrit », qui désigne le droit romain en vigueur dans le Midi ; le droit coutumier, qui désigne de plus en plus la coutume de Paris telle qu'elle a été fixée au XVIᵉ siècle (1510 et 1580) ; la coutume normande, la plus indépendante des coutumes du nord de la France. Le droit écrit est favorable au régime dotal ; la plupart des coutumes prévoient la communauté des meubles et acquêts ; la coutume de Normandie, plus défavorable à la femme, interdit de stipuler la communauté. On est en principe assujetti au droit de sa région de naissance, mais aussi de celle où l'on réside. À Paris notamment, où les mariages entre personnes issues de provinces différentes posent problème, on peut choisir de se marier selon la coutume de l'homme ou celle de la femme. Mais si, par exemple, certains biens immeubles sont situés en Normandie, il sera impossible de les faire entrer dans la communauté. Le Parlement de Normandie annule ainsi les contrats établis sous le régime de la communauté par des habitants de sa juridiction qui vont se marier à Paris, croyant échapper à la coutume de Normandie...

Le rôle des notaires est donc essentiel dans la rédaction des contrats. Ils contribuent à unifier le droit français avant la refonte du Code civil. Ils conseillent l'un ou l'autre régime qu'ils précisent sur certains points. Un acte du 2 janvier 1775, entre un homme d'Issoire et une Parisienne, stipule ainsi qu' « il est dérogé notamment aux usages du droit romain qui régit la ville d'Issoire », pour donner à la femme les assurances du droit coutumier parisien [39]. Le rôle des notaires consiste surtout à assurer la stabilité des fortunes, et en particulier celle de la femme, souvent mal défendue par les coutumes anciennes.

On trouve ainsi, en juin 1773, une clause curieuse dans un contrat établi à Paris selon la coutume de Senlis : si les parties s'établissent en Normandie, elles s'interdisent d'y faire aucune acquisition, et leurs pères leur succéderont si elles meurent sans enfants. Les parents effectivement ont largement doté leurs enfants (12 000 et 6 000 livres), et veulent être sûrs de récupérer leur argent si les mariés meurent prématurément. Il est même stipulé que « cette clause est très essentielle en ces présentes, et sans laquelle les dots n'eussent été fournies ». Si le couple achète des biens en Normandie, ceux-ci seraient exclus de la communauté et appartiendraient au mari, d'où l'interdiction signifiée par contrat.

Les notaires s'arrangent donc pour que les fortunes restent dans les familles d'origine, en limitant le plus souvent la communauté à une somme fixe. En cas de disproportion flagrante entre les fortunes, on peut même introduire des conditions à la communauté. Un acte du 30 mars 1793 crée une communauté entre deux époux dont le mari est au moins vingt fois plus riche que la femme. « Dans le cas de prédécès de la future épouse, précise-t-il, le futur époux survivant sera réputé n'avoir jamais été commun en biens avec son épouse. » On épouse la femme, soit, mais pas sa famille.

Pour éviter que le patrimoine familial ne tombe dans la communauté, on l'en exclut le plus souvent, et on impose une « clause de réemploi » : en cas de vente d'un bien propre (par exemple, un immeuble hérité), la somme obtenue, au lieu de tomber dans la communauté, doit rester à celui à qui il appartient. D'autres contrats excluent expressément de la succession les héritiers d'un conjoint trop pauvre, pour éviter que les biens mis en communauté ne passent d'une famille à une autre. De plus en plus de précautions sont prises pour que les familles conservent leurs biens par-delà les mariages des individus.

Quant à la communauté, elle a également tendance à s'équilibrer. Dans la plupart des cas, elle se résume à une mise de départ, fournie par moitié par chacun des époux. Elle est souvent réduite : elle correspond généralement au tiers ou au quart des biens de chacun, mais peut varier du dixième à la totalité. Tombent ensuite dans la communauté les revenus des biens propres et les gains de chacun des époux, mais en sont presque toujours exclus les biens meubles ou immeubles reçus par héritage ou par donation. Sous la Révolution, la tendance sera de plus en plus en faveur d'une séparation de biens : le divorce étant à nouveau permis, il s'agit de préserver les avoirs de chacun.

Le succès des contrats de mariage traduit donc bien le même souci de stabilité sociale que nous avons trouvé dans la discussion des alliances. Malgré les calculs d'épiciers et les précautions bien peu romantiques qui grèvent les mariages d'amour, cet équilibre des familles joue en faveur de la femme, dont les biens sont mieux préservés, et qui, au moins sur papier, peut se croire un moment l'égale de son mari.

La popularité des contrats de mariage a engendré une littérature parodique singulière, sous formes de « canards » anonymes dont certains, croit-on, étaient colportés sur instigation de la police pour l'éducation du peuple. Ils se recopient l'un l'autre du début du xviie siècle (le plus ancien est daté de 1627) à la fin du xixe, les plus nombreux se regroupant dans la seconde moitié du xviiie. Le *Contract de mariage de Colas Grandjan et Guillemette Ventru*, suivi du *Festin somptueux et magnifique qui a esté fait à leurs Nopces* et de l'*Inventaire des biens de feu Taupin Ventru, bisayeul du grand-père de ladite Guillemette Ventru, trouvez après son décès dans sa maison*, est encore à l'ancienne mode : ce sont les parents qui marient leurs enfants mineurs, de dix-huit et treize ans. Les donations farfelues qu'ils leur font véhiculent un lourd symbolisme sexuel. Au mari, on donnera trois quartiers d'héritage à Montrouge avec une charrue attelée d'un bœuf et d'un âne ; à la fille, un quartier et demi d'un pré fraîchement tondu, assis au lieu de la Motte, tenant d'une part à la Fontaine Bauduse, d'autre à la rue puante qui conduit au trou Merdelle.

Des allusions grivoises parsèmeront régulièrement cette littérature populaire : on y retrouvera la charrue attelée à deux chiens ou les terres proches du Crotoy – honni soit qui mal y pense. Mais on y raille surtout la pauvreté des jeunes ménages et cette mode de mettre par écrit tout leur petit bien, jusqu'aux cuillers et aux bas du trousseau. Ainsi le contrat du Grand Thomas, expert dentiste qui énumère le contenu de ses trois trousses d'instruments et les « quarante-trois Thèses servant de Tapisserie pour sa Chambre ». Ainsi ce *Contrat de mariage entre Jean-qui-a-Peu et Jacqueline-qui-n'a-Guère*, qui circule sous divers noms (Jean Belle-Humeur et Jacqueline Franc-Cœur...) aux alentours de 1800. On en profite pour glisser une satire de la femme (dans l'infinie énumération de tous les maux dont se déclare exempte la promise), ou du mariage en général. Ces contrats fantaisistes sont souvent signés « à Contrecœur, après les jours les plus heureux de ma vie ». Jean-qui-a-Peu comme Jean-Belle-Humeur y héritent « un petit grand lit fait en bois d'amertume, garni d'un traversin de revêche, entouré d'un rideau de chagrin, une garniture d'inquiétude, et une belle courte-pointe de mauvaise humeur ».

Quant aux notaires, les Pierre Scrupule et Jean Fripault, notaires en sabots à Clermont-Ferrand qui ont marié nos Jean et nos Jacqueline, ils ne devaient guère en remontrer en rapacité aux Alexandre Legras et Boniface Jambon, notaires au Bourg de l'Esclavage, juridiction de la Tromperie, commune de l'Attrape, qui marièrent quelques générations avant Carnaval Lelièvre et Pétronille l'Embarras... Ce que raillent aussi ces énumérations grotesques de hardes et de vaisselle ébréchée, c'est l'illusion de ces belles dots promises et jamais payées. Jean-Gille Dégobillard taillera sa dot dans « six chemises qui n'ont ni devant ni derrière, sauf la toile qu'il faut acheter pour faire des manches »; mademoiselle l'Embarras des Richesses assurera son douaire sur « cinquante arpens de terre à prendre sur les brouillards de Hollande » ou sur « la course d'un lièvre en prairie, située sur les sables entre le Crotoy et Saint-Valéry-en-Somme ». Se plaint-on de n'avoir pas touché son dû ? Le contrat qu'on exhibe est signé par « les témoins qui ne voyent goute, et ceux qui n'y estoient pas », ou au mieux par « quatre-vingts aveugles qui ont vu et lu toute l'affaire ». Et la plupart sont enregistrés « dans la rue inconnue, à l'enseigne effacée, chez monsieur Cherchez », l'an « mil sept cent court après ».

Témoins du succès populaire des contrats de mariage, ces canards le sont surtout de la difficulté à faire respecter les droits. Ils notent cruellement la différence des sexes – la femme reçoit souvent, pour la communauté, des « habillements prêts à être raccommodés »; son apport reviendra à son époux en cas de décès, mais elle n'aura qu'un viager en cas de veuvage... Le XIXe siècle arrondira les angles en rédigeant des contrats en alexandrins, mais le message est le même. Hippolyte Lajoie, qui épouse Hortense Bonnegrâce à l'étude de Maître E. Clerc-Joyeux, le 8 mai 1870, est un soldat sans fortune qui apporte une collection de pipes offertes par d'anciennes maîtresses et des portraits d'actrices à la mode.

En échange, il recevra une jeunesse de dix-huit ans et une dot confortable.

Mais la forme du contrat de mariage se prête aussi bien à la satire politique. Mazarin croyait fermement que le cardinal de Retz avait trempé dans la rédaction du *Contrat de Mariage du Parlement avec la Ville de Paris* publié le 8 janvier 1649 en pleine fronde parlementaire. Trois jours après la fuite du roi et de la cour à Saint-Germain-en-Laye, le Parlement pavoise et épouse la Ville dont il est resté le seul maître. Le contrat qu'il passe est surtout un programme des mesures à prendre, parmi lesquelles la condamnation à mort de Mazarin n'est pas la moins spectaculaire. Quant au *Contract de Mariage de demoiselle Noblesse avec M. Tiers-État*, il n'est guère plus innocent, puisqu'il fut passé à Sarlat en 1789 [40].

Les dangers des alliances

Cette course aux alliances, matérialisée par les contrats de mariage, finit par modifier l'image même du mariage, ainsi que les équilibres sociaux. Ces nouvelles mentalités, épinglées par les écrivains et les satiristes, peuvent avoir des conséquences surprenantes, et parfois dangereuses.

Réduit à une alliance sans amour et à des équilibres de fortune, le mariage perd ses attraits aux yeux de jeunes filles trop sensibles, et la préciosité, malgré ses excès, réagira au nom de l'amour contre les alliances conclues par les parents. Dans *Les Précieuses ridicules* de Molière, Madelon et Cathos ne s'élèvent pas contre le principe du mariage. Mais elles refusent que leur père et oncle leur présente de but en blanc des jeunes gens, si charmants soient-ils, en leur « commandant » de les recevoir « comme des personnes que je voulais vous donner pour maris ». Bien sûr, ce sont elles qui apparaissent insensées aux yeux de Molière, donc aux nôtres. Mais accepterait-on aujourd'hui l'attitude autoritaire de Gorgibus? Et n'approuverait-on pas la réplique outrée de Madelon : « La belle galanterie que la leur! Quoi! débuter d'abord par le mariage! » Malgré ces railleries, la revendication des deux jeunes filles nous paraît on ne peut plus raisonnable : elles demandent qu'on leur fasse un brin de cour et qu'on laisse à l'amour le temps de s'éveiller avant de passer au contrat.

« Voilà comme les choses se traitent dans les belles manières; et ce sont des règles dont, en bonne galanterie, on

ne saurait se dispenser. Mais en venir de but en blanc à l'union
conjugale, ne faire l'amour *(courtiser)* qu'en faisant le contrat
du mariage, et prendre justement le roman par la queue,
encore un coup, mon père, il ne se peut rien de plus marchand
que ce procédé ; et j'ai mal au cœur de la seule vision que cela
me fait [41]. » Sans doute Madelon vit-elle l'amour à travers une
vision romanesque qui en fait une Bovary avant la lettre. Sans
doute aussi les cartes de Tendre qu'elle rêve de traverser nous
font-elles sourire tout autant que Molière. Mais derrière la
caricature, il faut voir le refus des jeunes coquettes d'être traitées comme des « marchandises » livrées par contrat à un
homme qu'elles ne connaissent pas.

Et à la comédie de Molière, bourgeois raillant la préciosité
des salons aristocratiques (ou, plus exactement, les manières
de cour que se donnent de petites-bourgeoises de province),
on peut opposer une pochade raillant les mœurs bourgeoises,
publiée par Philippe Poisson en 1735. *Le mariage par lettre de
change* inspirera à Rossini un de ses premiers opéras *(La Cam-
biale di matrimonio*, 1810). Cléante, commerçant au Canada,
demande à son correspondant français de lui faire parvenir
une femme répondant à des qualités bien précises, qu'il
s'engage à épouser sur présentation de la lettre de change qu'il
lui adresse. Celle-ci, qui semble un ancêtre de la petite
annonce matrimoniale, mérite d'être citée en entier :

« Plus, attendu que j'ai besoin d'une Femme, et que je n'en
trouve point ici qui soient d'assez bonne Fabrique, ne manque-
rez de m'envoyer par le premier Vaisseau une Fille de la qualité et figure qui suit. De Dot, je n'en demande point. Du reste,
d'honnête Famille, entre vingt et vingt-cinq ans ; de visage
agréable ; d'humeur douce ; de mœurs sans reproche ; d'un bon
usé ; et de constitution assez forte pour résister au changement
de climat, et supporter l'état du Mariage ; et qu'il ne soit besoin
d'un second envoi, si le premier venoit à manquer ; à quoi il
faut obvier autant qu'il se pourra, vû l'éloignement et les
risques du transport. Arrivant ici, conditionnée comme ci-
dessus, et rapportant la présente Lettre endossée de votre part,
ou du moins Copie d'icelle, marquée au Numéro Sept, bien et
dûment l'égalisée *(sic)*, à ce qu'il n'y ait erreur ou surprise, je
m'oblige et m'engage à acquitter laditte Lettre, en épousant
dans les six mois la personne qui en sera chargée. En foi de
quoi j'ai signé la Présente,... [42]. »

Le sieur Cléonte sera puni par où il a péché : à peine le
vaisseau amenant sa future est-il annoncé qu'il tombe amou-

reux d'une autre fille. Une troisième ne tarde pas à se manifester, porteuse d'une autre lettre de change qu'il avait expédiée deux ans auparavant : il la croyait morte dans un naufrage et avait renouvelé l'opération. Comme nous sommes dans une comédie, tout finit par s'arranger : la fille dont il était amoureux se révèle être celle à qui il a promis mariage, débarquée anonymement par un précédent bateau pour obliger son futur à lui faire la cour avant de l'épouser. Quant à la rescapée porteuse de la première lettre, elle retrouve en la personne du meilleur ami de Cléonte l'objet d'un amour malheureux qui avait poussé les deux jeunes gens à risquer séparément l'aventure canadienne. Tout finit par un double mariage d'amour, mais la catastrophe n'est évitée que de justesse. Poussé à l'extrême, le contrat est un piège où un honnête commerçant risque à la fois son bonheur et son honneur.

Aussi les moralistes condamnent-ils tout autant les excès de la raison que ceux de l'amour. Bourdaloue, dans son *Sermon sur l'état de mariage*, se plaint que celui-ci soit « devenu parmi nous un trafic mercenaire, où l'on se donne l'un à l'autre, non par une inclination raisonnable, non par une estime honnête, ni selon le mérite de la personne, mais selon ses revenus et ses héritages, mais au prix de l'argent et de l'or ». Conséquence : l'amour ne naît plus entre les époux, et le sacrement ne peut se réaliser. « De tant de mariages qui se contractent tous les jours, combien en voit-on où se trouve la sympathie des cœurs ? » Il ne faut donc pas s'étonner du nombre de « divorces et séparations si ordinaires aujourd'hui dans le monde, et que nous pouvons regarder comme la honte de notre siècle, surtout parmi les chrétiens ». Les mots n'ont pas le même sens, mais la plainte est la même que celle des prédicateurs modernes ! Autre danger : la multiplication des adultères : « On cherche à se dédommager au-dehors ; on tourne ailleurs ses inclinations, et à quels désordres ne se laisse-t-on pas entraîner ? » Le seul responsable est cette faim sacrée de l'or. « Car tel est le nœud de presque toutes les alliances, c'est l'argent qui les forme ; d'où vient ensuite ce dérèglement si commun, qu'après un mariage contracté sans attachement, on fait ailleurs de criminels attachements sans mariage [43]. »

Et la littérature témoigne elle aussi de cette crise matrimoniale dans les deux derniers siècles de l'Ancien Régime. Les époux, même s'ils s'entendent bien et ne songent pas à une séparation légale, ne vivent pas ensemble. Chacun a ses appartements, voire son hôtel. Les maris les plus ombrageux envoient leur femme « sur leurs terres », en province, ou dans un couvent, pour mener la vie de leur choix. Dans *Les Bijoux indiscrets*, Diderot dépeint la surprise de son héros de voir un couple badiner amoureusement, quoiqu'il soit uni depuis une longue semaine. « Il y avait plus de huit jours qu'ils étaient mariés : ils s'étaient montrés dans la même loge à l'Opéra, et dans la même calèche au petit cours ou au bois de Boulogne ; ils avaient achevé leurs visites, et l'usage les dispensait de s'aimer, et même de se rencontrer [44]. » Être encore amoureux après huit jours ? Fi donc ! C'est du dernier bourgeois. Tout au plus, pour sauvegarder les apparences, endosse-t-on les enfants de sa femme. Ainsi, raconte Chamfort, M. de Roquemont prend-il la précaution de coucher une fois par mois dans la chambre de sa femme, « pour prévenir les mauvais propos, si elle devenait grosse [45] ».

Mariage d'argent et calculs retors : c'est la situation épinglée par Marivaux dans *La Fausse Suivante*. Un jeune homme veut rompre une promesse de mariage pour épouser une jeune fille plus riche que sa fiancée. Mais il doit pour cela verser un dédit de dix mille écus, et dévoile sans s'en douter le contrat à la jeune fille qu'il convoite. Tout tourne à sa confusion et il perd les deux alliances. Si le fourbe est en fin de compte puni, le mariage n'est plus ici qu'une alliance d'argent garantie par contrat.

Sans doute faut-il voir dans cette nouvelle préoccupation de l'alliance et du contrat de mariage une des causes de l'importance que revêt l'analyse amoureuse dans la littérature du XVIIIe siècle. L'amour, au siècle de Louis XIV, était encore un sentiment simple, et soumis à la raison. Le type de l'amour, c'est celui qui unit Rodrigue et Chimène – « avoir les yeux de Chimène » est passé dans le vocabulaire pour désigner l'affection qui embellit le bien-aimé. Mais il ne s'agit pas d'une folle passion que rien ne peut atteindre. Rodrigue craint qu'en ne vengeant pas son père il ne perde l'amour de Chimène : « Qui m'aima généreux me haïrait infâme ». Et Chimène, à son tour, doit mériter Rodrigue en vengeant son père : « Tu n'as fait le devoir que d'un homme de bien ; / Mais aussi, le faisant, tu m'as appris le mien [46]. » Ici encore, c'est l'équilibre du couple qui est exigé. La force de caractère doit, comme les fortunes, être également partagée entre les deux amants.

C'est le même équilibre des caractères et des fortunes qui garantit l'amour chez Molière : bourgeois avec bourgeoises et nobles entre eux, sans doute, mais il faut plus. La princesse d'Élide, fière et hautaine, qui méprise tous ses amants, tombe nécessairement amoureuse du seul homme qui la méprise. Il est vrai qu'il est prince. Quant à toutes les autres amours, celles de vieux pour de jeunes filles, celles de médecins pour des filles de marchands, celles de philosophes pour de petites-bourgeoises, elles ne peuvent être que folles et déraisonnables, puisque les caractères ne s'unissent pas. Elles sont écartées d'un revers de manche chez Molière ; elles constituent le fond de la tragédie chez Racine. Tout amour qui met en danger l'équilibre social et intellectuel est une passion dévorante, ressort de la tragédie lorsqu'elle n'est pas maîtrisée.

Le XVIIIe siècle, en revanche, semble avoir perdu ses certitudes sur l'amour. *La Double Inconstance* de Marivaux en est un bel exemple. Une relation de simple convenance entre deux paysans ou entre deux aristocrates ne résiste pas au véritable amour, qui se moque des équilibres sociaux. Le spectateur de Molière est déphasé. Il s'attend à ce que tout rentre dans l'ordre et que chacun se marie à l'intérieur de sa condition. Au lieu de cela, par une « double inconstance », de nouveaux couples se forment : l'amour que l'on croyait sincère entre les premiers amants n'était qu'une habitude trompeuse. Un autre genre de confusion est au cœur du *Mariage de Figaro* de Beaumarchais. Marceline, âgée, veut épouser Figaro, avant de se découvrir sa mère. « Mon cœur entraîné vers lui ne se trompait que de motif ; c'était le sang qui me parlait », conclut-elle (A. III, sc. 18). L'amour a perdu son évidence. Il peut se confondre avec le sentiment maternel ou avec une amitié d'enfance, il n'unit plus nécessairement des personnes de même condition et de même caractère. Il faut donc oublier les lieux communs ancestraux et reprendre l'analyse sur d'autres bases.

Autre conséquence de ces alliances arrangées pour lesquelles on demande des jeunes filles pures : les ingénues qui sont censées n'avoir jamais connu d'homme avant celui qui leur sera imposé finissent par prendre en dégoût jusqu'au mot de mariage. Cathos, une des Précieuses ridicules de Molière, « trouve le mariage une chose tout à fait choquante. Comment est-ce qu'on peut souffrir la pensée de coucher contre un homme vraiment nu ? » Le mot lui-même blesse les oreilles prudes – la tragédie ne le prononce jamais, lui préférant le pompeux « hyménée ». Et l'on finit, dans les bonnes maisons, par ne plus oser le prononcer.

Ce n'est pas grave, lorsque les jeunes filles restent sensées. « Cela est plaisant, oui », sourit le Malade imaginaire, « ce mot de mariage, il n'y a rien de plus drôle pour les jeunes filles ». Mais chez les pudibondes, la répugnance est grave : madame de Maintenon, faisant réciter aux jeunes filles de Saint-Cyr la liste des sacrements, ne parvenait pas à leur faire prononcer le mot « mariage ». Et Armande, la sœur précieuse des *Femmes savantes*, se récrie en cueillant le mot proscrit sur les lèvres de sa sœur : « Ah ! fi ! vous dis-je. / Ne concevez-vous point ce que, / dès qu'on l'entend, / Un tel mot à l'esprit offre de dégoûtant, / De quelle étrange image on est par lui blessée, / Sur quelle sale vue il traîne la pensée [47] ? » On peut être précieuse et avoir l'imagination vive... et précise.

Ne croyons pas excessives ces scènes de comédie. Les tribunaux de l'époque nous en racontent de semblables : ainsi, un jeune homme d'Issoudun demande à être séparé de son épouse qui n'a jamais pu souffrir la moindre de ses caresses et qui, au seul mot de « mari » ou de « mariage », est prise de contorsions et de trémoussements frénétiques, « les yeux tournez et renversez [48] ». Et Tallemant des Réaux raconte comment une de ces prudes, disciple sans le savoir des Cathos et des Madelon, retardait tant qu'elle pouvait l'entrée dans le lit conjugal. Quand elle y découvrit son mari, qui avait été obligé de s'y cacher pendant que les servantes dévêtaient l'épousée, elle se prit à hurler et ne se rendit à son devoir conjugal qu'après une colère de sa mère. Malgré ce triste début, le mariage ne mit pas trois semaines à être fécond [49]. Même candeur surprise chez Mme de la Guette, qui a pourtant choisi son époux contre la volonté de son père, et qui avoue dans ses mémoires : « Si j'avais cru coucher auprès d'un homme, je ne me serais jamais mariée. L'on vit par là ma simplicité [50]. »

Cette pudeur excessive finit même par gagner la chaire. Louis Carrelet, curé de Notre-Dame de Dijon (1698-1780), ne prononce pas sans réticence le traditionnel sermon sur le mariage. « Quoique le mariage, s'excuse-t-il, considéré suivant l'instruction du Créateur, n'ait rien en soi que de chaste et d'honnête, néanmoins, par respect pour la religion et pour la pudeur, il serait à souhaiter qu'on pût se dispenser de traiter cette matière dans l'assemblée des fidèles ; mais la dépravation et l'ignorance des hommes occasionnent tant d'abus dans une chose de cette conséquence, que l'Église se trouve obligée d'en instruire ses enfants, pour remédier au mal et le faire éviter [51]. » Et ceux qui s'attendraient, après un début si promet teur, à trouver sous la plume du révérend un cours d'éduction sexuelle, seront bien déçus à la lecture du chaste sermon.

C'est dans cette atmosphère qui aurait fait la fortune des psychanalystes, que les vieux sermons sur la chasteté conjugale trouvent un nouvel écho. Car cette pudibonderie de vierge effarouchée, avant d'affecter les précieuses du XVIIᵉ siècle, était celle des moines et des théologiens confits dans leur misogynie. On écoute mieux désormais ceux qui voulaient faire du mariage une sainte union des âmes dont la mixtion corporelle n'était qu'un succédané regrettable quoique nécessaire. Plus que jamais, le devoir conjugal est une douloureuse pénitence que l'on tente d'adoucir et de purifier des douteux contacts charnels.

Ainsi est mise au point la redoutable chemise conjugale, revêtue par les deux époux à l'heure du sacrifice, afin que ni l'un, ni l'autre ne voie jamais la moindre parcelle de chair nue de son conjoint. Son carcan laisse à peine dépasser les poignets et les chevilles. Une ouverture à l'endroit pertinent permet juste le contact strictement nécessaire au respect du contrat conjugal. Des sentences judicieuses (« Dieu le veut »...) encouragent à l'utiliser de façon opportune. Dans les modèles élaborés, la femme peut tirer le verrou si sa volonté est ce jour-là contraire à celle de Dieu.... et de son mari. Cette chemise, qui fait alors partie du trousseau des jeunes filles élevées au couvent, porte les noms significatifs de « chemise à faire un chrétien », « chemise de la famille chrétienne », « chemise à ouverture parisienne »... On s'en serait douté, elle n'a pas éclos dans les campagnes, même si c'est là qu'elle sera portée le plus longtemps, jusqu'en plein XXᵉ siècle [52].

Un dernier danger guette une société où les alliances tendent au maintien des fortunes. Ce qui, au départ, peut sembler un facteur d'équilibre social, puisque les familles conservent leurs biens malgré les mariages, aboutit à l'inverse à une accumulation des grosses fortunes, qui s'allient constamment entre elles, et à creuser le fossé qui sépare la pauvreté de la richesse. Jacques Le Scène des Maisons met ce processus en évidence, lorsqu'il analyse les effets de l'édit anglais de 1753 sur les mariages. Il comprend très bien que l'interdiction des mariages clandestins a pour seul but d'empêcher les mariages disproportionnés. Un homme qui a du bien souhaite, par le mariage de ses enfants, « entasser richesses sur richesses », ou « acheter les titres et les honneurs par ses richesses ». Il a donc besoin d'une autorité totale sur ses héritiers.

Or, analyse l'auteur, si les fortunes sont nécessaires, leur accumulation est pernicieuse, et dangereuses les disproportions qui se créent entre quelques riches et des millions de pauvres. Une comparaison médicale ne manque pas d'éloquence : « Les fortunes sont à l'État ce que les humeurs sont à nos corps. Toute obstruction est dangereuse, et une circulation non-interrompue fait la force et la santé. Moins les fortunes s'accumulent; plus elles circulent; et plus le corps politique est florissant [53]. » Ainsi, les « humeurs », ces liquides qui doivent circuler librement dans le corps pour assurer la santé, s'engorgent-elles lorsqu'on entrave leur circulation. Et la médecine classique a un traitement privilégié pour soigner le mauvais flux des humeurs : la saignée. Le remède (sous-entendu dans le livre) prend toute sa pertinence si on se rappelle que ces « loix du mariage » ont été publiées en France en 1781.

De fait, Jacques Le Scène développe sa comparaison politique. Les monarchies absolues, explique-t-il, qui ont besoin de quelques sujets privilégiés pour maintenir le reste de la population sous leur dépendance, ont intérêt à ce système matrimonial qui encourage les grosses fortunes. Il ne parle pas de la France, mais tout le monde sait que l'édit de Henri II, en 1556, va dans le même sens que l'acte anglais de 1753. Avec deux siècles d'avance, la France a favorisé l'éclosion de gros financiers qui tiennent serrées les rênes de l'État.

En Angleterre, se plaint l'auteur, ce pays qui est « le plus proche d'un État libre », il faut que l'amour rétablisse de temps en temps l'égalité des fortunes en laissant le cas échéant l'héritier épouser sa soubrette contre la volonté de son père. « L'avarice cherche à accumuler sans cesse. Si vous accordez à l'âge qui en est le plus susceptible un droit d'empêchement aux mariages, c'est établir son règne à jamais. Si vous ôtez à l'âge, où l'amour et le plaisir se font seuls entendre, la liberté de choisir pour lui-même, vous fermez la porte au seul moyen qui pût, peut-être, rétablir dans les fortunes l'égalité nécessaire à un État libre. » L'amour invoqué par Le Scène des Maisons n'est pas celui pour lequel se battait Molière. C'est au contraire cette passion insensée qui réunit ceux qui appartiennent à des univers trop différents pour pouvoir s'aimer raisonnablement. C'est un « amour romantique », déjà, et son apparition à quelques années de la Révolution est symptomatique. C'est une sonnette d'alarme qui, sous le couvert d'une comparaison et d'une critique d'une loi étrangère, signale les failles d'un système qui n'a réussi qu'à accentuer les écarts de fortune.

La mésalliance est la phlébotomie conseillée par les chirurgiens de la société pour purger l'accumulation maladive des fortunes. Vive monsieur Jourdain, qui l'a compris avec un siècle d'avance! « En dépit de ses allures grotesques, estime C. Venesoen, Jourdain veut renouveler et revitaliser une société dont les privilèges ont été entamés par la puissance de l'argent et par la décadence aristocratique [54]. »

Le rôle du mariage dans la répartition des fortunes sera à nouveau plaidé en 1789 par Claude Fauchet, prélat acquis aux idées révolutionnaires qui deviendra évêque constitutionnel du Calvados. Il publie alors un *Discours sur la religion nationale* qui tente de définir des lois plus justes dans un certain nombre de domaines. Celles sur le mariage s'inscrivent significativement à côté des lois sur l'héritage. Pourtant, s'il plaide pour la communauté de biens, c'est d'abord pour des raisons religieuses : Dieu n'a-t-il pas défini le mariage comme deux personnes dans une seule chair? « C'est l'esprit de la religion; c'est l'avantage des mœurs; c'est le plus grand intérêt de la patrie. » L'utilité de cette communauté est en effet « le transport et la mutabilité très essentielle des fortunes d'une famille à l'autre, de manière qu'on se rapproche le plus qu'il est possible de la fraternité générale. Je sens combien cette idée contrarie nos petites idées nobles, bourgeoises, partielles; mais comme elle est conforme aux grandes idées divines, humaines et sociales, il n'y a pas à balancer [55]. » Cet ancien précepteur des enfants de Choiseul (et donc des arrière-petits-fils d'Antoine Crozat, qui a ouvert ce chapitre) savait ce que signifie le regroupement des fortunes. Il fait partie de ces généreux idéalistes qu'engendra la Révolution et qui, comme bien d'autres, tombèrent sous la guillotine de la Terreur.

II

La simplicité rustique

Le 24 juin 1765, Louis Simon, étaminier de vingt-quatre ans et sacristain de sa paroisse, chante la messe au pupitre de l'église, dans son hameau du Bas-Maine. Il a le cœur lourd : celle qu'il a aimée pendant trois mois a traîné à l'auberge avec des garçons au lieu de se précipiter à son rendez-vous. Il a rompu la relation et juré de ne plus tomber amoureux de sa vie. La jeune fille, déçue, quitte ce jour-là le village. Mais le destin a plus d'un tour dans son sac. « Celle que j'avais aimée san alla et le même jour celle que je devais aimer ariva, citos qu'elle me vit dans l'Eglise je lui plû (c'est elle quil me la dit depuis). » Quarante-quatre ans plus tard, lorsqu'il racontera ses souvenirs, la quasi-totalité de ses mémoires sera consacrée à son étrange histoire d'amour. Le manuscrit, resté dans la famille, a été retrouvé et édité par Anne Fillon [1].

Sans doute Louis Simon n'est-il pas un paysan comme les autres. Ouvrier (il tisse des étamines) dans un petit village, La Fontaine Saint-Martin, il a un métier honorable, entre le domestique méprisé et le fermier respecté, dans la hiérarchie des campagnes. Il a roulé sa bosse à Paris et dans le nord de la France ; il est fier de savoir lire et écrire, savoir qu'il transmettra à ses enfants, et à côté des auteurs anciens, il avoue lire des recueils de chansons nouvelles et des romans d'amour, ces vecteurs des idées à la mode. Des sentiments et des mots de la capitale passent forcément dans son récit. Mais aussi des accents de sincérité qui ne trompent pas, et une émotion réelle quand il évoque ses amours avec Anne Chapeau.

Louisot, selon son « nom de garçon » qu'il porte jusqu'au mariage, est aussi un joyeux drille. Il joue du violon, de la vielle, du hautbois, de la flûte, de la bombarde! Aussi est-il de toutes les noces et de toutes les fêtes pour faire « danser la jeunesse ». Toutes les filles sont amoureuses de lui et, avoue-t-il, il ne manque pas de maîtresses (le mot est moins fort qu'aujourd'hui). Mais lui ne songe pas au mariage, surtout après sa mésaventure. Il se contente de « passer [sa] vie de garçon fort agréablement ». Comme il ne veut plus aimer, ni se marier sans « amitié », il semble s'installer confortablement dans le célibat.

C'est de ce coquelet de village qu'Anne Chapeau, issue d'une famille aisée mais ruinée et installée depuis peu à La Fontaine Saint-Martin, va tomber amoureuse. Un véritable coup de foudre. Pendant quatre mois, elle cherche en vain l'occasion de lui parler, et finit par se confier à une amie qui servira d'entremetteuse. Louis Simon répond mollement. Anne est une « fille domestique », tourière au couvent du village. La Saint-Louis, l'entremetteuse, a beau insister sur les héritages qu'elle attend (l'amour peut être réaliste), il ne prononce que des paroles vagues. « Mais l'Amour qui a toutes les Ruses possibles et qui Enhardie les plus thimides amoureux et amoureuses fit que anne chapeau ne pû garder plus lontems la bien séance que les filles doivent avoir envers les garçons. » Elle fit demander au beau Louis de l'accompagner à La Rochelle. D'entrevue en entrevue, son cœur « commence à s'attendrir » et, malgré ses promesses, malgré ses craintes (« je vais til Encorre aimer pour avoir du chagrain »), le garçon se laisse séduire. La tourière du couvent et le sacristain se donnent rendez-vous tôt matin au cimetière, quand l'un et l'autre vont ouvrir leur église.

C'est alors que les difficultés surgissent. L'un et l'autre ne sont pas tout à fait libres. Louis « aime un peu » une autre fille, jolie, aimable, spirituelle et dotée de deux cents livres de rente, ce qui ne gâte rien. Mais elle a de grosses jambes, juge le père du garçon – Louis fera bien de ne pas l'épouser, elle mourra cinq ans plus tard d'hydropisie! Elle ne passe dans l'histoire que pour prouver la pureté des sentiments qu'il porte à Anne, moins bien dotée, mais mieux aimée. Quant à Anne, elle est engagée avec un homme de trente-cinq ans qui lui a jadis sauvé la vie et dont elle a accepté un anneau. En droit ancien, il y a promesse de mariage, difficile à rompre. D'autant que le père de la jeune fille voit d'un meilleur œil le mariage avec ce troisième larron, qui va s'établir fermier et pourra recueillir son beau-père.

Pendant de longues pages et de longs mois, ce vaudeville à trois va rebondir de l'un à l'autre. Anne veut épouser Louis, mais n'ose pas rendre la bague à Pierre. De brouilleries en réconciliations, de cadeaux en promesses, tous trois se déchirent au propre comme au figuré. « J'ai bien lus des Romans d'amoureux mais je n'en ait point trouvé avec une aussi amere avanture », soupire Louisot. Épisodes sanglants – une bataille avec le rival – ; épisodes burlesques – un rendez-vous nocturne au couvent dont Louis doit sortir déguisé en femme – : rien ne manque à leur roman. Pas même l'opposition au mariage introduite par le rival dès qu'ils publient les bans. Il faudra plaider pour en être dégagé. Les noces même connaîtront leur ultime rebondissement : l'avant-veille du jour décidé pour les célébrer, la milice arrive dans la région. Pour y échapper, Louis doit être marié dans la soirée, quoiqu'on soit samedi et qu'il ne soit pas question de consommer ses noces dans la nuit du dimanche !

Aventures romanesques et mariage d'amour. Louis insiste longuement là-dessus, en énumérant les riches partis auxquels il a renoncé. Anne fut trouvée avec trente francs sur lesquels elle devait un écu. « Je me suis donc marié purement par amitié et sans aucun intérêt puisque ma chere amie n'avait rien et ses parants ne lui donnaient rien. » En quatorze ans, ils auront sept enfants, dont la plupart arriveront à l'âge adulte. À la mort d'Anne, en 1803, Louis refusera de se remarier, malgré les avances d'une fille riche et jolie – une jeunesse de quarante-huit printemps. « Je n'avais qu'un Cœur et je lavais donné a ma pauvre défunte », résume-t-il. Aussi termine-t-il ses mémoires par ce sage conseil à ses fils : « Si vous voulés vous marier Choisissés plutos une femme qui vous conviennes par lhumeur et les bonnes mœurs que par la fortune, Car faut mieux vivres pauvres et contant que de vivres Riche et dans le mécontentement. »

Le miroir bucolique

Malgré la distance entre l'aventure et les souvenirs de Louis Simon ; malgré les modèles littéraires qui structurent son récit, le manuscrit retrouvé par Anne Fillon est un témoin exceptionnel de la liberté amoureuse laissée aux paysans et que commencent à leur envier les hautes classes en cette fin d'Ancien Régime. La quête d'alliance, les dots exorbitantes, la hantise de la mésalliance, la course éperdue au gendre ou à la bru idéaux, ont fait du mariage parisien un système complexe et artificiel sur le point d'éclater. Le libertinage, l'adultère quasi officialisé ou l'inconstance d'une jeunesse peu pressée de se marier en sont les inévitables revers. Il est fatal qu'en ce domaine comme en bien d'autres, la capitale blasée cherche d'autres modèles.

Ce miroir où les coquettes mélancoliques vont chercher le reflet de leur candeur rêvée, ce sera, dans la seconde moitié du XVIIIe siècle, l'Opéra-Comique, dont le directeur, Charles-Simon Favart, est un auteur prolixe et adulé. Avec sa femme, la belle Justine, il contribuera au succès des fantaisies champêtres et des mièvres bergeries qui affadiront la fin du siècle. La Favart, célèbre pour ses amours scandaleuses avec le maréchal de Saxe, n'a-t-elle pas bouleversé la capitale en montant sur scène, en 1753, en jupon de laine et sabots de bois ? Les pièces montées ou écrites par les deux époux sont réunies, entre 1763 et 1772, en dix volumes qui forment un curieux miroir déformant de la vie de cour.

Un des thèmes récurrents de ce théâtre est le triomphe du berger sur le bourgeois ou sur le noble après une joute galante où l'amour bucolique s'impose facilement contre la dépravation aristocratique ou la vénalité du nouveau riche. Tonton repousse successivement un riche entrepreneur des coches d'eau et le seigneur de son village pour épouser Colin *(Les Amants inquiets)* ; Hélène préfère Philinte au gros fermier de son hameau et à un petit-maître parisien *(Les Amours champêtres)* ; Horiphesme, maître des Forges, tente en vain de ravir Doristée à Tircis *(Tircis et Doristée)* ; le meunier Gringole doit laisser Rosette à son Raton *(Raton et Rosette)* et le roi de Lombardie, Ninette à son Colas *(Le Caprice amoureux)*... Les mêmes situations se répètent inlassablement, l'originalité se réduisant aux variations sur le métier ou sur le titre des prétendants. On conclut volontiers ces comédies musicales avant la lettre par un « divertissement » ou un « vaudeville » qui met en scène une noce villageoise.

Ces pièces souvent parodiques ne s'adressent pas à un public populaire, ni *a fortiori* paysan. Leur ambition est d'émouvoir – ou plus souvent de divertir – les gens de qualité. « Par nos pas et par nos voix / Nous savons disposer des ames : / Robins, Financiers, Bourgeois, / Et Grands Seigneurs, tout sent nos flâmes. / Nous allons, par notre Art vainqueur, /

Attendrir aussi votre cœur. / Aimez, rendez-vous : / Pourquoi faire / La sévère. / Aimez, rendez-vous : / Éprouvez un bien si doux [2]. » Et le message est clair : tous ceux qui, par leur place dans la société, ne peuvent se permettre un mariage d'amour et s'empêtrent dans des alliances malheureuses, doivent être sensibles au simple bonheur des paysans qui peuvent s'épouser sans calculs sordides.

Ce qu'on fuit est assez clair. La morale est explicite dans certains couplets : « Ne prenez pas, jeunes Filles, / Le petit Maître manqué. / Il ne vit que de pastilles ; / Il est tout confit, tout musqué. / De ces Amans à l'eau-rose / La tendresse est peu de chose : / On en est la dupe souvent ; / Autant en emporte le vent [3]. » L'amour des précieux parisiens est inconstant ; leur mariage, s'ils vont jusque-là, n'est pas durable. Dans *Les Amours champêtres*, Damon, le petit-maître de Paris, admet sans hésiter qu'il souhaite emmener une bergère dans la capitale pour étonner ses amies en leur montrant une vraie pudeur rustique. Quant au mariage, il n'en est pas question. « Pour la fidélité, l'Amour n'a que des peines, / Pour l'inconstance il n'a que des plaisirs. » Et ce n'est pas un hasard si les pièces se terminent souvent par un mariage : c'est l'amour éternel et conjugal qui s'oppose aux séductions mensongères des bélîtres.

La leçon est la même dans *La Double Inconstance* de Marivaux (1723), antérieure à la mode des bucoliques et dont le dénouement pourtant est exactement inverse, puisque le prince réussira à désunir un couple villageois pour épouser sa bergère. Pour mieux fâcher les amants, il incite une de ses filles à séduire Arlequin, l'amoureux rustique de service. Or Lisette, plus à l'aise avec des courtisans qu'avec un paysan balourd, fait la coquette, se déclare trop ouvertement et échoue dans sa tentative de séduction. La fille des villes, comme le petit-maître, est trop habituée au badinage et ne peut plus exprimer l'amour. C'est l'échec de la galanterie qui faisait la délectation des précieuses un siècle auparavant. Les compliments les plus spirituels sont éculés, on veut du vrai, du vécu. « Ce n'est point par un joli tour / Qu'il faut prouver votre flamme. / Quand l'esprit est si babillard, / Le cœur n'a pas grand'chose à dire. / Hélas ! il suffit d'un regard, / Où le sentiment se sait lire [4]. »

Que recherche-t-on alors dans les amours rustiques ? C'est l'Arlequin de *La Double Inconstance* qui nous le décrit en opposant la modestie de Silvia à l'effronterie de Lisette. « Les

premiers jours, se rappelle-t-il, il fallait voir comme elle se
reculait d'auprès de moi, et puis elle reculait plus doucement;
puis, petit à petit, elle ne reculait plus; ensuite elle me regar-
dait en cachette; et puis elle avait honte quand je l'avais vue
faire, et puis moi j'avais un plaisir de roi à voir sa honte;
ensuite j'attrapais sa main, qu'elle me laissait prendre; et puis
elle était encore toute confuse; et puis je lui parlais; ensuite
elle ne me répondait rien, mais elle n'en pensait pas moins;
ensuite elle me donnait des regards pour des paroles, et puis
des paroles qu'elle laissait aller sans y songer, parce que son
cœur allait plus vite qu'elle; enfin, c'était un charme; aussi,
j'étais comme un fou » (A. I, sc. 6). La mode n'étant pas encore
aux bergeries, Lisette peut se divertir et rire des souvenirs
d'Arlequin. Mais pour les gens lassés de la vie de cour, comme
Flaminia et le Prince, c'est là une naïveté troublante dont ils
ont la nostalgie. « En vérité, le Prince a raison; ces petites per-
sonnes-là font l'amour *(la cour)* d'une manière à ne pouvoir y
résister », rêve Flaminia (A. III, sc. 8).

C'est le même tableau qu'on retrouve dans le théâtre des
Favart. Damon, le petit-maître des *Amours champêtres*,
s'émeut devant les « charmes innocens » d'Hélène, qui
évoquent la nature souriante du printemps, et devant une
pudeur inconnue à Paris. Même trouble chez le roi de Lombardie amoureux de Ninette dans *Le Caprice amoureux*. « C'est la
nature / Simple et pure »... « Sa parure est la décence, / Et son
fard est la pudeur. » La nature : le grand mot est lâché. Ces
écologistes avant la lettre voient dans les campagnes le refuge
d'une vertu épuisée à la ville – on croit encore la pudeur naturelle. Rousseau n'est pas loin, dont le *Discours sur l'origine et
les fondements de l'inégalité* paraît en 1755. La bonté de
l'homme primitif est à la mode; faute de pouvoir épouser un
« bon sauvage », on se replie sur les bons paysans que la vie de
cour n'a pas encore corrompus. Rousseau lui-même fait jouer
son *Devin du village* en 1752.

L'idée se répand alors que le vrai bonheur et le vrai
mariage ne se trouvent que dans les campagnes. Ninette, la
bergère séduite par le roi de Lombardie, sait faire la différence : « La cour n'est qu'un esclavage; / L'avantage / Du
Village, / C'est de vivre en liberté [5]. » Et avec son Colas, elle se
dit bien plus heureuse qu'un riche seigneur qu'elle a vu passer
avec une grande dame dont elle n'a pas bien retenu le nom –
« Danseuse... d'O... d'Opé... mais qu'importent les titres? » Le
ménage semblait s'être disputé et se faisait grise mine, quand

un simple bonheur régnait sur le couple paysan. La satire ici est double : ce qu'elle a pris pour un mariage est une liaison sans doute adultère avec une danseuse d'opéra ; même dans le libertinage qui sert de compensation aux mariages de raison, les unions citadines sont malheureuses.

La campagne devient alors un grand réservoir de pureté ouvert aux citadins blasés et qu'il s'agit de préserver, comme un parc naturel. *La Rosière de Salency*, un des grands succès de la Favart, évoque cette corruption de la campagne par la ville : il n'est pas difficile de trouver chaque année quelques jeunes filles pures pour prétendre au titre, explique le bailli, sauf « quand le hazard nous amène des militaires, des petits-maîtres de robe, de jeunes abbés ». « Oui, plaisante le régisseur, c'est comme un vent d'orage, tout est grêlé ; adieu la récolte. » Et tous deux concluent en chantant « Ah ! quel bonheur que ce pays / Soit si loin de Paris » (A. I, sc. 7).

C'est de cette époque effectivement que date l'extension des rosières, sur le modèle de celle élue à Salency depuis saint Médard, dit-on, en 525. Cette coutume, qui récompense chaque année une jeune fille vertueuse d'une couronne de roses et d'une dot pour qu'elle puisse se marier dans l'année, commence alors à tomber en désuétude dans le village même où elle est née. Une abondante littérature et un opéra de Grétry la revivifient, et sur son modèle, bien des villages français veulent bientôt avoir leur rosière, à partir de 1775. C'est en Normandie principalement que cette institution, destinée à doter les jeunes filles sages pour leur permettre de trouver un mari sans perdre leur vertu, trouve le terreau le plus fertile – quitte, comme dans une nouvelle de Maupassant, à doter un rosier quand on ne trouve plus de rosière *(Le Rosier de Mme Husson)*. Sur leurs terres, les grandes dames se font volontiers protectrices de ces amours paysannes qu'elles ont vues sur scène à Paris. « C'est toujours une bonne œuvre pour une Dame de Paroisse de faire des mariages, cela débarrasse les pères et mères, cela fait plaisir aux enfants, cela peuple un Village, cela fait gagner de l'argent au Tabellion et à bien d'autre gens encore », commente la concierge dans *La Fête du château*, en expliquant que sa « dame » veut marier une fille du village pour fêter la guérison de sa fille. De fait, elle dotera les deux époux de mille écus pour permettre à la jeune fille de choisir qui elle aime et non un parti plus intéressant.

Une autre vision du mariage paysan se retrouve dans certaines pièces des Favart. Elle apparaît bien dans *Les Amours champêtres*, où Hélène est courtisée à la fois par un berger, un petit-maître de Paris et un gros fermier du village. Le Parisien opte pour la galanterie passagère. Mais deux amours villageoises lui sont opposées. Celle du berger (qui s'exprime dans un français pur et ampoulé) vise au mariage d'amour; celle du fermier (qui parle un patois de farce) tend au mariage de raison. Ce que le riche Richard recherche, c'est une solide « minagère » qui s'occupe de sa maison et lui fasse de la bonne cuisine. Sa vision du mariage est simpliste : une femme sans homme est comme une vigne sans échalas. Il fournit le soutien; qu'elle se charge de l'entretien... et de la fécondité.

Face aux épouses citadines qui s'évanouissent pour un oui ou pour un non (on accuse notamment l'abus de café de leur avoir détruit les nerfs) et qui sont à peine capables de porter, et encore moins d'allaiter, un enfant, la paysanne incarne la robuste santé. Dans la pratique, elle sert au moins de nourrice, à défaut de pouvoir toujours être la pondeuse dont rêvent les familles. « Les grossesses sont généralement beaucoup plus heureuses dans les campagnes qu'à la ville », note le médecin Tissot, quoique les accouchements, par faute de soin, soient plus souvent mortels; les paysannes sont moins sujettes que les femmes des villes aux langueurs durant leurs règles. Certaines régions, comme la Sologne, sont réputées pour la fécondité de leurs femmes [6].

Ne cherchons pas bien entendu dans le théâtre des Favart une description fidèle du mariage paysan, mais bien le contre-type du mariage citadin dont le public parisien cherche le reflet dans ce qu'il croit être son miroir des origines. Retenons qu'il voit les bergers moins contraints aux alliances de raison et plus libres d'épouser qui ils veulent. C'est au village que s'est pour lui réfugié l'amour chassé des villes. Cet amour doit se reconnaître par des moyens simples et directs – « simplicité », « nature » et « vertu » fonctionnent comme de quasi synonymes. La sophistication de la galanterie s'oppose au discours sans fioritures et au regard éloquent des bergers. L'innocence est gage de vertu : l'attrait de l'argent, la simple pensée de l'adultère ne corrompent pas l'amour. Le bonheur bénit les noces champêtres dont les divertissements innocents et collectifs valent bien les mondanités ennuyeuses de la cour. On représente volontiers les noces paysannes où l'on couronne les époux de fleurs et où l'on se pare de rubans. Fi des bonbonnières dont on inonde les mariés à la ville : les cadeaux y sont pauvres et utiles. Tout le village participe aux noces de Colin et de Tonton, dans *Les Amants inquiets*; chacun reçoit un ruban et offre aux mariés un ustensile de ménage. Les chants sont naïfs et les danses simples – seuls les mariés s'imposent un menuet pour ouvrir le bal, dans *La Noce interrompue*.

Paris comme la Cour ont alors la nostalgie des mariages d'amour, et un respect sans doute réel pour les passions sincères. Lisette, la coquette de Marivaux, refuse tout d'abord de séduire Arlequin : « Si je ne l'aime pas, je le tromperai; je suis fille d'honneur, et je m'en fais un scrupule », se justifie-t-elle. Mais quand elle apprend qu'en cas de réussite, elle sera dotée pour épouser Arlequin, elle se radoucit : « Oh! voilà ma conscience en repos; et en ce cas-là, si je l'épouse, il n'est pas nécessaire que je l'aime [7]. » Derrière la caricature de la coquette vénale, on sent qu'un sentiment amoureux est plus respectable qu'un mariage arrangé. Et un mari heureux est une espèce rare qui fait envie à ses témoins. Rétif de la Bretonne a connu un grand seigneur marié secrètement à une couturière de l'île Saint-Louis. Elle mourut en couches, mais le jeune homme, devenu riche et puissant, avouait tout bas qu'il n'avait jamais été aussi heureux qu'en ce temps-là. « Il était donc capable de l'être, conclut le promeneur nocturne, et tant de seigneurs n'ont pas cette précieuse faculté [8]. » Sans doute ne se met-on pas à épouser des paysannes pour connaître liberté et bonheur. Lélio, le prince de *La Double Inconstance*, invoque pour excuser son mariage d'amour la loi qui l'oblige à épouser une de ses sujettes (A. I, sc. 2) – une loi incongrue digne d'un royaume d'opérette. Mais si le village fait rêver les princesses, c'est parce qu'on y croit préservées les règles du mariage naturel.

Le refuge de l'amour?

Si l'on se rappelle le portrait-robot que, deux générations à peine auparavant, dressait La Bruyère du paysan (« L'on voit certains animaux farouches, des mâles et des femelles, répandus par la campagne, noirs, livides et tout brûlés du soleil... »), on mesure le chemin parcouru dans l'imaginaire parisien depuis la fin du xviie siècle. Mais on se demande surtout si ce sont les paysans qui ont changé, ou le regard posé sur eux. La réponse est complexe.

Rétif de la Bretonne nous livre la vision, également partiale, mais mieux informée, d'un paysan parvenu. Il sait que sous Louis XV, malgré les bergeries des Favart, le paysan est toujours considéré comme « au-dessous de l'humanité », mais il garde du village le même souvenir d'un paradis originel où la vertu est innocence et où « tout est dans l'égalité ». Sur le point précis du mariage, qui nous intéresse, il est plus réaliste que l'opéra-comique. « Il est certain que les partis se trouvent à la ville plus facilement qu'au village ; peut-être la corruption des mœurs en est-elle cause. On regarde ici *(à la ville)* davantage à la figure, et on sacrifie plus volontiers l'intérêt au plaisir, au lieu que, chez nous *(au village)*, tant pis si les deux ne se trouvent pas réunis, car l'intérêt passe avant tout [9]. » Une note précise bien qu'« on voit tout le contraire au *Théâtre des Ariettes*, mais ce n'est pas notre faute ». Qu'on se le tienne pour dit : tous les villages ne ressemblent pas au petit Trianon. Ce serait même à la ville (Auxerre dans le roman) qu'on aurait le plus de chances de faire un mariage d'amour !

La 105e lettre du *Paysan perverti*, qui constitue un petit traité sur le mariage idéal, tente même de trouver le juste milieu entre les deux types d'union. « Le choix doit être fait également par la passion, ou par les yeux et par la raison, c'est-à-dire d'après l'accord de toutes les convenances. La passion est nécessaire pour s'épouser, comme l'appétit pour se mettre à table. [...] Mais la raison n'est pas moins essentielle que la passion dans le choix d'une épouse, et même d'une maîtresse. Les mœurs, la fortune, la naissance, l'égalité de condition, c'est ce que la raison demande [10]. » Quant à l'innocence et à la pudeur de nos bons sauvages indigènes, ce ne sont pas vraiment celles auxquelles songent Rousseau et rousseauistes. Une jeune fille sortant du couvent pour assister aux vendanges sur les terres de son père à l'occasion de s'en rendre compte. Une foule de garçons et de filles des montagnes du Morvan viennent en effet aider à la récolte, tout en plaisantant « dans un style que je n'aurais pu vous caractériser avant d'avoir lu Rabelais, que mon mari m'a donné, il y a quelques mois, pour que je connaisse toute notre littérature ». La baillive qui lui sert de chaperon la rassure : « Ces bonnes gens sont d'un pays de montagnes où les habitations sont écartées, et leur innocence est la même que dans l'ancien temps de la reine de Navarre, à ce que dit M. le bailli, où même quelque deux cents ans plus tôt ; ils nomment tout par son nom et ne trouvent de mal à rien. » Qu'on ne s'en effraie pas : cette « innocence » est bien inoffensive. Les jeunes Morvaudiaux couchent tous ensemble dans la grange sans que les filles aient à en pâtir : « Elles ont l'innocence de la nature jointe à de très bons principes de leurs mères [11]. »

Voilà pour le contre-exemple... Les rapports entre amour et mariage chez les paysans aux XVIIᵉ-XVIIIᵉ siècles ont intéressé et divisé les historiens de ces trente dernières années. Et les témoignages littéraires comme les coups de sonde statistiques apportaient alternativement de l'eau à chaque moulin [12]. La vérité se trouve entre les deux visions. Il est d'ailleurs difficile de s'entendre sur les critères de l'amour paysan. Les folkloristes du XIXᵉ siècle doutaient des sentiments pouvant unir des hommes frustes et rougeauds à des femmes dodues et « viriles ». Mais les villageois de leur côté auraient-ils courtisé les beautés chlorotiques de la ville ? Les critères de beauté n'étaient pas encore unifiés par les magazines et les médias. L'oisiveté faisait le charme pâle des citadines ; le travail donnait une mâle prestance aux paysannes. Il est imprudent de juger l'amour à la beauté, à la liberté de choix laissée aux jeunes, au chagrin des veufs et des veuves, aux relations sexuelles prénuptiales, au nombre de femmes battues, à l'autorié maritale... Mais l'accumulation des critères donne des indices. Sexualité, habitude conjugale, esprit d'indépendance peuvent se confondre avec l'amour ; les codes même sont différents et les mots varient selon les modes [13].

À partir de ce manuscrit exceptionnel rédigé par un paysan marié un peu avant la Révolution, mais aussi à partir de registres paroissiaux, d'archives notariales et judiciaires, Anne Fillon a reconstitué un remarquable tableau des amours paysannes dans un village du Maine au XVIIIᵉ siècle [14]. Louis Simon, qui rédige ses souvenirs dans sa vieillesse, entre 1809 et 1820, a vécu les profondes modifications de la société rurale dans la seconde moitié du siècle et après la Révolution. Parfois malgré lui, tout son texte en témoigne. Les sources moins partiales, contrats de mariage et registres paroissiaux, renforcent son témoignage.

Il semble bien que ce soit le XVIIIᵉ siècle qui ait répandu le mariage d'inclination dans les campagnes. Quelques témoignages datant du début du siècle nous permettent de nuancer le tableau idyllique qu'on en dresse dans la seconde moitié. Dans les dernières années du règne de Louis XIV, on rencontre surtout des unions d'intérêt préparées par les parents, à l'image de ce qui se passe à la ville. Christophle Sauvageon, prieur de Sennely en Sologne de 1675 à 1710, a laissé dans ses mémoires une description très précise des mœurs de son village. Ses paroissiens, affirme-t-il, « se marient tous par interest plutot que par inclination. La pluspart ne consultent autre chose en recherchant une fille ou une femme en mariage, sinon combien elle a de brebis ». Pour de l'argent, même, les hommes épousent des femmes enceintes d'autres partenaires, ou donnent leurs filles à des bâtards. Les grossesses en dehors du mariage ne les émeuvent pas autant que leur prieur, qui conclut : « enfin, ils prophannent horriblement le sacrement du mariage et tiennent en cela plus de la bète que de l'homme [15] ». Nous sommes encore proches des animaux de La Bruyère... Malgré l'exagération manifeste du prêtre chargé de faire respecter la morale chrétienne, on comprend que l'amour, ou la simple inclination, n'a pas encore une grande place dans le village.

C'est au début du XVIIIe siècle également que nous renvoie le récit de Rétif de la Bretonne sur le mariage de son père. Edmond Rétif, amoureux d'une fille de Paris, est rappelé d'urgence à son village pour recueillir les derniers soupirs de son père Pierre. Il s'agit bien entendu d'une ruse, et le jeune homme, qu'on veut préserver des « coquettes perfides et corrompues des villes », est marié dans les trois jours à « une fille vertueuse, qui ne chérira que son mari [16] ». Si la vie d'Edmond Rétif est recomposée et enjolivée par son fils pour en faire un exemple d'obéissance filiale, le fait du mariage forcé et le préjugé contre les filles de la ville sont sans doute authentiques.

Notons cependant que les Rétif forment une famille aisée qui n'applique pas les mêmes règles que les paysans. Le petit Nicolas (né en 1734) s'en aperçoit vite lorsqu'il joue, avec de jeunes villageois, à choisir des fiancées. Un de ses compagnons affirme tout de go qu'il préfère sa condition à celle du « fils de M. Réti' », car lui est maître de sa volonté et peut épouser qui il veut. De fait, Rétif nous laissera quelques récits d'unions affectives dans sa Bourgogne natale. Un petit propriétaire comme M. Covin, qui possède 600 livres de prés, de vignes et de terre, peut se permettre d'épouser Marguerite Miné « par inclination », parce qu'elle est jolie, et quoiqu'elle n'ait que le cinquième de sa fortune. Mais il ne peut s'attendre à en être aimé en retour [17]. Le mariage d'inclination a ses limites, celles de la réciprocité.

La campagne, surtout, est le lieu d'une éducation plus libre, où les filles ne sont pas cloîtrées dans un couvent dont elles ne sortent que pour se marier. Les veillées et les travaux agricoles collectifs favorisent les rencontres. Bergers et bergères se voient plus facilement (nous en avons conservé l'expression « garder les cochons ensemble »), et Rétif encore nous parle de cette liberté relative laissée aux jeunes gens dans le choix de leur fiancée. « Les garçons vont vers la fille, longtemps avant de parler aux parents, pour voir si elle leur plaira et s'ils lui plairont. » Quant ils ont jeté leur dévolu sur l'une d'elles, ils « rôdent » autour de sa maison, le soir, ce qui finit toujours par venir aux oreilles de l'élue... et de ses parents. Celle-ci invoque alors un prétexte quelconque pour sortir, et si le garçon est agréé, elle obtient facilement la permission paternelle ; dans le cas contraire, le refus du père semble ne concerner qu'une innocente sortie nocturne, et l'honneur du gars est sauf. Ainsi se maintient l'équilibre entre inclination et intérêt des familles [18].

Mais nous sommes maintenant dans la seconde moitié du siècle, une époque où l'on semble moins regardant sur l'équilibre des mariages. On commence à trouver des contrats de mariage entre une veuve et l'ancien domestique de son mari [19]. Dans les archives judiciaires, des dispenses de parenté sont demandées au nom de l'affection qui unit deux jeunes gens malgré la longue résistance de leurs parents. Elles émanent toutes de milieux populaires ou paysans. Leur interprétation sans doute est délicate : l'amour n'étant pas un motif valable pour accorder la dispense, il devait surtout sous-entendre une « fréquentation scandaleuse » (entendez la défloration de la jeune fille), principal motif de dispense pour les pauvres. Une dispense « honorable » se monnayait en effet très cher à Rome, et la curie invoquait le désordre et la corruption des « mauvais pauvres » pour expliquer la fréquence parmi eux de ces relations prénuptiales [20]. Amour véritable entre proches ou seul prétexte possible pour une union à un degré prohibé sans bourse délier, ces exemples imposent au moins l'image d'une plus grande liberté de choix, donc d'affection, dans le monde rural.

C'est l'époque de ce qu'Edward Shorter appelait la « première révolution sexuelle » : la courbe des naissances illégitimes et des grossesses prénuptiales fait un bond significatif entre 1750 et 1850. Si des facteurs purement médicaux (diminution du nombre d'avortements, amélioration de l'état de santé et donc de la fécondité de la femme...) expliquent en partie ce phénomène, l'accroissement de l'activité sexuelle est aussi importante : à preuve l'apparition de la syphilis dans les campagnes au cours de la seconde moitié du XVIIIᵉ siècle [21].

De fait, dans les campagnes, on semble laisser aux jeunes gens la bride un peu plus lâche sur le cou. Dans le Maine, estime Anne Fillon, « les projets matrimoniaux, s'ils existent, apparaissent plutôt comme des souhaits accompagnés de manœuvres plus ou moins transparentes que comme une politique d'alliance [22] ». La Bourgogne de Rétif, la Champagne des dispenses de parenté : des coups de sonde ponctuels confirment son analyse. En revanche, des études similaires menées dans les Pyrénées et le Gévaudan décèlent une politique d'alliances entre familles pour maintenir l'intégrité du domaine familial. Et dans la Haute-Auvergne ou la Basse-Bretagne, les observateurs des XVIIIe-XIXe siècles témoignent plutôt d'une indifférence générale entre les époux [23]. Mais cette absence d'affection peut aussi marquer l'usure d'un mariage qui aurait débuté sous de meilleurs auspices : la dureté des conditions de vie n'est guère favorable à l'entretien de l'amour, au cas où il aurait motivé le mariage.

L'étude de la démographie paysanne est encore trop fragmentaire pour tirer des conclusions de quelques études ponctuelles. Mais le fait que les provinces où l'inclination est moins prise en compte soient situées dans des régions moins accessibles semble confirmer une influence parisienne ou au moins urbaine sur les amours villageoises : Bourgogne, Maine et Champagne sont aux portes de Paris. Le docteur Louis Lepecq de La Cloture, dans les années 1770, n'hésite pas à ranger le pays de Caux, pour les mœurs, « dans la classe même des grandes Villes [24] ». En revanche, au temps du prieur de Sennely, la Sologne ne fournit pas un soldat au roi et on ne voit aucun Solognot à Paris ou ailleurs ; les paysans, en outre, ne sont envieux ni de nouvelles ni de modes. Il n'est pas étonnant qu'on trouve chez eux des mœurs moins policées. Bretagne, Auvergne ou Gévaudan attendront au moins un siècle encore l'arrivée de la civilisation moderne.

En fait, la littérature comme les documents d'archive confirment le rôle de médiateur de la noblesse rurale dans la vision bucolique du XVIIIe siècle. La dame du château qui, dans *La Rosière de Salency*, s'inquiète tant de voir une paysanne choisir l'époux de son gré n'est pas qu'un personnage de fiction. Dans l'histoire complexe vécue et racontée par Louis Simon, tout le village intervient pour arranger les choses de la façon la plus romanesque, de l'abbesse issue d'une noble famille aux beaux-messieurs du coin. « À travers les scènes entrevues, ces gens nous apparaissent plus spontanés, plus tendres, plus romanesques, plus fous, en un mot plus humains que nous ne les imaginions. Même ces dames appartenant à la noblesse et ces messieurs issus de la bourgeoisie s'intéressent visiblement à l'histoire d'amour du petit sarger sacriste et de la domestique du tour [25]. » Ne peut-on croire que tout ce beau monde, ravi de retrouver sous ses yeux les bluettes champêtres décrites dans ses romans, se sent tenu d'y jouer le rôle qui lui est dévolu ? C'est Marie-Antoinette à Trianon, mais avec un matériau humain authentique !

Car c'est bien un roman d'amour que nous décrit Louis Simon. Tous les ingrédients y sont : le coup de foudre, le refus de filles mieux dotées, le rival qui a sauvé la vie d'Anne, la promenade sur la carte de Tendre, les « pièges » et les « ruses » de l'Amour, dont Louis devient le martyr (« si je l'Épouse je vais donc Ressembler [...] à notre seigneur [Jésus Christ] »)... Aussi compose-t-il à tout hasard, s'il était tué par un rival, l'épitaphe « d'un amand mort pour avoir trop aimé [26] ». Cet amour nécessairement malheureux, vécu sous Louis XV mais raconté en 1808-1820, a des résonances romantiques évidentes. Et Louis Simon s'avoue grand lecteur de romans d'amour, dans lesquels, dit-il, il n'a pas trouvé d' « aussi amère aventure ». N'a-t-il pas enjolivé ses souvenirs pour les faire correspondre à ses lectures ?

Ou alors, suggère Anne Fillon, n'a-t-il pas vécu cette passion de jeunesse à travers un filtre littéraire ? L'Amour avec un grand A auquel il se réfère revient fréquemment dans les livres de chansons nouvelles colportés au XVIIIe siècle. Ce sont elles qui véhiculent les mots forts (« amour » qui commence à remplacer « amitié ») et les clichés (« l'Amour est jaloux de ses droits », « l'Amour lance ses traits »...). Une comparaison entre le vocabulaire de Louis Simon et celui des chansons qui nous sont parvenues est édifiante. « Louis Simon a été fortement marqué par le vocabulaire et même par tout le climat affectif des chansons de colportage », conclut l'auteur, qui n'hésite pas à élargir ce témoignage : les chansons répandent « un nouveau langage, un nouveau rituel, une nouvelle conception de l'amour et de la femme [27]. » Il s'agit d'une tendance générale qu'on a pu mesurer statistiquement grâce aux déclarations de grossesse obligatoires enregistrées par les fonctionnaires municipaux de Grenoble au cours du XVIIIe siècle. Pour excuser leur conduite, les filles-mères invoquent d'abord l' « amitié », la « tendresse », l' « inclination »... Mais après 1735, on les voit revendiquer leur « amour » ou leur « passion », mots pratiquement inexistants auparavant [28]. Il est peu probable que les sentiments aient connu un semblable retournement. Ce sont sans doute les mots qui ont changé quand les chansons parisiennes les mirent à la mode.

Au XVIIIᵉ siècle, en effet, le répertoire populaire s'enrichit des chansons du Pont-Neuf, des cabarets et des caveaux parisiens. Au registre traditionnel essentiellement composé de complaintes s'ajoutent des chansons d'amour et des bergeries littéraires – qu'il suffise d'évoquer le célèbre « Il pleut, il pleut bergère » de Fabre d'Églantine. Galamment troussées et composées sur un air plaisant en accord avec la toute nouvelle harmonie, elles se situent au village, dans un cadre idyllique, certes, mais plus proche de la vie paysanne que les traditionnelles complaintes de châtelaines languissantes. Même s'il se reconnaît mal dans ce miroir au cadre chantourné, le paysan se sent plus proche d'Arlequin amoureux que du roi Renaud avec ses tripes dans ses mains.

Ces « chansons nouvelles » répandent des thèmes encore inconnus dans nos campagnes, la quête amoureuse, la soumission à une femme inaccessible, la toute-puissance du dieu Amour, la liberté de choisir ou de refuser, et surtout la glorification du plaisir, du bonheur, de la tendresse, qui tranche sur l'esprit de pénitence, de renoncement et de refoulement transmis par les prônes des prêtres. Aux complaintes des « mal mariées » héritées de la fin du Moyen Âge succède le triomphe de l'amour sur la volonté parentale : « La belle Jardinière / Aime le gros Lucas / Et malgré père et mère / Il aura ses appas », chante-t-on désormais. « Tout paraît donc indiquer que, à partir des années 1750, les jeunes villageois furent soumis – et se soumirent de bon gré – à un véritable matraquage d'idées nouvelles. »

On peut dès lors reconstituer, à partir du matériau littéraire, ces miroirs d'abord destinés à la ville, mais dans lesquels les paysans voudront bientôt se reconnaître. Le point de départ serait cette vision simpliste des amours populaires qu'on rencontre déjà dans les pièces de Molière. Dans *Le Dépit amoureux* (1654), les amours de Gros-René et de Marinette forment un aimable contrepoint à celles d'Éraste et de Lucile (A. I, sc. 2).

Gros-René : « Un hymen qu'on souhaite
Entre gens comme nous est chose bientôt faite.
Je te veux, me veux-tu de même ?

Marinette : Avec plaisir.
Gros-rené : Touche ici : il suffit.
Marinette : Adieu, Gros-René, mon désir. »

L'optique est alors inversée : chez Molière, on s'amuse de cette naïveté balourde quand l'amour exige des raffinements plus subtils. Mais l'échec du mariage de raison au XVIIIe siècle fait envisager avec nostalgie les milieux populaires qu'on croit, sur la foi de Molière et autres Marivaux, les derniers refuges de l'amour. Les bucoliques de Virgile, la légende de Cythère et la mode des bergers d'Arcadie suffisent à investir le monde paysan de valeurs qu'il n'a sans doute jamais connues. Rousseauisme et bergeries du Petit-Trianon aidant, toute une littérature pseudo-populaire éclôt à la fin du siècle. On ne s'y moque plus des paysans, mais des citadins trop raffinés.

Or, dans les années 1735-1750, la France rurale change de visage. De grandes routes traversent le pays et amènent dans les coins reculés les idées de Paris. On s'en rend compte, notamment, dans les modes vestimentaires qui, pour la première fois, sont prises en compte dans les villages. Les auberges sont plus fréquentées, les châteaux de province ne sont plus l'exil des courtisans, mais des demeures d'été qu'on fait aménager au goût du jour. Les notaires apportent dans les villages une nouvelle conception de la communauté conjugale, où les fortunes peuvent être appariées par contrat malgré la coutume. On voit également l'anneau de fiançailles remplacer progressivement les antiques arrhes versées à la famille de la fiancée. C'est un nouveau mariage qui se définit au village à la fin du XVIIIe siècle, un mariage dont va bientôt s'inspirer le romantisme [29].

Le mariage à la campagne

Le paysage sentimental des campagnes, au début du siècle, est encore héritier du passé. Dans le Maine, selon Anne Fillon, le XVIIe siècle dure jusqu'en 1730-1735. Les villageois vivent repliés sur eux-mêmes et se marient majoritairement (59 %) dans leur paroisse, surtout pour les filles (88 %). La quasi-totalité des unions (90 %) se font dans un rayon de dix kilomètres, c'est-à-dire dans la vingtaine de paroisses où l'on peut se rendre à pied et revenir dans la même journée. Des enquêtes effectuées en Bretagne, dans le Bas-Maine, en Blé-

sois confirment ces chiffres [30]. Ce sont les fêtes, noces, baptêmes, fêtes paroissiales, foires, qui constituent les occasions
les plus propices aux rapprochements entre garçons et filles.
De ce point de vue, l'image des plaisirs simples et des amours
faciles qu'on en a à la ville n'est pas erronée.

Contrairement à ce qu'on pourrait penser et à ce que
montrent les opéras-comiques, ce ne sont pas des adolescents
qui filent le parfait amour champêtre. Les bergères de quinze
ans de la Favart sont des femmes mûries, qui se marient en
moyenne à vingt-six ans pour un premier mariage, à trente-
quatre pour un second. Les garçons attendent pour leur part
vingt-huit et trente-huit ans pour leurs premières et secondes
noces. Ces mariages tardifs – que l'on considère comme le
meilleur moyen de limiter les naissances à une époque où la
contraception est exceptionnelle – s'opposent aux unions précoces de règle dans les milieux aristocratiques : si les mariages
au berceau ne sont plus pratiqués au XVIII⁰ siècle, l'âge moyen
chez les ducs et pairs est de dix-huit ans pour les filles, vingt et
un pour les garçons. L'équilibre des âges est respecté dans
70 % des unions paysannes du Maine. On semble suivre la
règle des livres de colportage, pour lesquels l'épouse doit
avoir « autant de fois sept ans qu'il *(l'époux)* en a de fois neuf »
– soit, pour un homme de vingt-deux ans et demi ($9 \times 2,5$), une
femme de dix-sept et demi ($7 \times 2,5$) [31].

La fameuse égalité des villages, qui devrait permettre des
mariages d'amour sans souci de mésalliance, n'est qu'un
mythe de la ville peu familière avec la hiérarchie des campagnes. Si, dans le théâtre de la Favart, le berger l'emporte sur
le laboureur, celui-ci, au village, est un personnage de tout
premier plan. Le laboureur, rapporte Rétif de la Bretonne, est
le premier état après la noblesse, et il peut se prévaloir de
l'exemple d'Adam bêchant la terre sur l'ordre de Dieu [32]. Dans
bien des esprits, cependant, la « main à la plume » vaut déjà la
« main à la charrue », et une fille de laboureur cossu peut être
honorée d'épouser un « très petit notaire de village » qui gagne
bien mal sa vie. La différence entre domestiques et travailleurs
est également très marquée, et de petits métiers (couturière,
lingère...) valent mieux qu'un emploi bien rémunéré dans une
bonne famille. Les unions respectent donc une arithmétique
complexe entre l'équilibre des fortunes et celui des conditions. Mais cette tendance s'amplifie avec le siècle, et il semble
que la crainte d'une mésalliance soit aussi venue de la ville
dans la seconde moitié du XVIII⁰ [33].

Quant à l'équilibre des fortunes, même si l'on refuse les mariages d'intérêt, on y veille soigneusement. On voit ainsi un fils de meunier abandonner une fille de marchand, « ne la trouvant pas assez riche », une entremetteuse faire miroiter les cinq héritages à venir pour doter une jeune fille, ou une fille de dix-sept ans faire la cour à un garçon qui lui plaît en lui annonçant tout de go le montant de sa dot. L'argent est encore le nerf des unions. C'est dans ce domaine, cependant, qu'on voit le mieux l'influence de la ville. L'étude des contrats de notaire montre un changement de politique matrimoniale à partir de 1740. Les communautés avec apport égal de chacun des époux augmentent sensiblement au cours du siècle – de 43 à 78 % entre le premier quart et le troisième, pour lesquels les informations sont représentatives. En fait, avant 1740, chacun apporte ce qu'il a et les familles de même fortune s'allient entre elles. Par la suite, la formule souple que nous avons vue naître dans les études parisiennes au chapitre précédent se répand dans les campagnes. La distorsion entre les fortunes peut être plus grande, mais chacun contribue pour une même part à la communauté [34].

L'autre attrait du mariage paysan pour le citadin coupé de ses traditions régionales, ce sont les fêtes et les rites caractéristiques de chaque village, et qui tranchent sur la lente uniformisation religieuse et civile du mariage. Sans qu'il y ait de volonté folkloriste chez les écrivains du XVIIIe siècle, ils nous ont transmis leur nostalgie des noces paysannes. Même la noce populaire de la capitale semble bien fade à côté des grandes fêtes du village. La différence est à la fois géographique et sociologique. Les grandes villes aussi connaissent leurs noces populaires. Mais leurs festivités sont bien éloignées de celles des campagnes. Cet appauvrissement est perceptible dans la noce que décrit Rétif de la Bretonne dans ses *Nuits de Paris*. Invité chez des artisans du faubourg Saint-Antoine, il participe aux réjouissances collectives. « La bourgeoisie, note-t-il, n'a pas l'usage de la populace, qui se cotise pour se divertir après le déjeuner succinct donné par la famille des mariés. » Différence sociologique, donc, et on s'attend à une savoureuse description des plaisirs du peuple.

Pourtant, cette noce populaire manque singulièrement de pittoresque. On danse, on boit, on cotise dans un chapeau pour payer la nourriture, chacun chante son ariette, et vers onze heures, on raccompagne les mariés jusqu'à l'île Saint-Denis. Une bande de jeunes fait alors irruption pour exiger la

jarretière, qui est découpée en morceaux et distribuée aux
mâles de la noce. La fête continue sans les mariés jusqu'à cinq
heures du matin [35].

Dans le faubourg parisien, un seul rite a survécu – celui
qui est effectivement commun à toute la France, la chasse à la
jarretière. Encore sa signification, ainsi que celle de la fuite et
de la quête des mariés avant la fin des noces, n'est-elle plus
perçue. Pour le reste, chants, danses et ripailles pourraient
être ceux de tous les banquets. Pourtant, derrière ce groupe de
jeunes qui poursuit les mariés de Saint-Antoine à Saint-Louis,
on reconnaît les vestiges d'une coutume encore bien vivace
dans les campagnes, celle des « abbayes de jeunesse » qui
s'organisent pour réglementer la morale sexuelle et la vie fes-
tive de la paroisse. La voilà, la nostalgie de la grand-ville : celle
d'une réjouissance collective et rituelle dont on ne trouve
qu'un écho bien affaibli dans les noces du faubourg Saint-
Antoine. Les réjouissances de la ville sont banalisées ; celles du
village sont théâtralisées. Elles gardent le souvenir des rites de
passage nécessaires à l'acquisition d'un nouvel état. C'est cela
qu'envie la ville à la campagne : cette naïveté, cette fraîcheur
qui permet de croire à certains gestes qui habillent la vie et
rythment le temps.

Les folkloristes du XIXe siècle ont recueilli cet héritage qui
tombe alors en lambeaux et ont tenté de le mettre en relation
avec des pratiques pré-chrétiennes, celtiques ou gréco-
romaines. Même si leur foi romantique en un « génie du
peuple » est exagérée, le matériau qu'ils ont rassemblé
contient des éléments qu'on rencontre sporadiquement
depuis le Moyen Âge et nous permet de nous faire une idée des
noces à la campagne au XVIIIe siècle et dans la première moitié
du XIXe. Par la suite, il est difficile de mesurer l'incidence des
modes folklorisantes, qui ont pu raviver d'anciennes coutumes, ou les créer de toutes pièces.

L'accordée au village

Effectivement, en province, les mariages traditionnels ne
concernent pas que les deux conjoints. Tout le village a son
rôle à jouer, de la châtelaine qui dote une jeune fille pauvre au
curé qui recueille le consentement. Entre les familles interviennent souvent des intermédiaires, occasionnels ou profes-
sionnels, qui se chargent des travaux d'approche. Il peut s'agir

d'un parent éloigné, d'un ami, du parrain d'un des futurs, ou d'un « marieur » choisi pour son expérience dans ces situations délicates. « Menon », « accordeux », « chat-bure » en Berry, « gourlaud » en Bourbonnais, « tsamaraude » (chatmaraude) dans les Alpes, « bazvalan » en Bretagne, le marieur est de toutes les régions. Une dame d'expérience, un berger remplissent volontiers cette fonction. En Berry, dit George Sand, c'est aussi souvent le broyeur de chanvre que le tailleur en Bretagne. Il doit en tout cas être diplomate et disert, quand les pères préfèrent souvent les gestes (parfois violents) à la parole. Il doit connaître parfaitement les affaires des familles et les coutumes du village [36].

Si son avis est favorable, on peut passer à la demande officielle. Selon les cas, ce sont les pères qui s'en chargent – dans la *Mireille* de Mistral, maître Ambroise demande pour son fils Vincent la fille de maître Ramon – ou les jeunes gens eux-mêmes – dans le même poème, Véran, le gardian, s'adresse lui-même à maître Ramon. Pour n'avoir pas consulté la jeune fille, ce dernier voit sa demande refusée par Mireille malgré l'accord du père. Pour n'avoir pas tâté le terrain par un intermédiaire, maître Ambroise se voit insulter par l'irascible père et la demande dégénère.

On peut éviter des scènes aussi dramatiques entre deux pères aussi susceptibles l'un que l'autre. Les paysans, chiches en paroles qui risquent de blesser celui qu'on déboute, préfèrent le geste symbolique à la réponse directe. Plutôt que de refuser sa fille, le père recouvre de cendres les tisons du foyer, place un ustensile (poêle, marmite, assiette...) à l'envers, ou offre au prétendant un mets « pauvre », comme un œuf. Mais s'il propose un verre de vin, de la viande, de la volaille; s'il tisonne le feu ou y ajoute une bûche, il n'a pas besoin d'exprimer autrement son assentiment. Le foyer, emblème de l'amour et du désir sexuel, joue un rôle symbolique évident, de même que le viril tisonnier qui le fouille. Si, en remuant les cendres, le marieur le trouve enceint d'une pomme, c'est que la demande est acceptée; si les tisons sont disposés avec le bout embrasé vers le haut, mieux vaut ne pas insister [37]. Un code symbolique, qui varie d'une région à l'autre, donne à la scène une solennité touchante qui a tenté plus d'un peintre. *L'accordée au village* de Greuze n'est que la représentation la plus connue de cette demande en mariage. Dans certaines régions, on préfère une rencontre en terrain neutre, à l'auberge ou à la taverne, où les alliances comme les contrats se scellent alors volontiers dans un cruchon de vin.

Les promis – qui, le cas échéant, peuvent ne pas se connaître – ont dès lors le droit de se fréquenter officiellement. Une période qui peut être très courte (trois jours pour le père de Rétif!), mais qui se prolonge souvent plusieurs mois. Si l'on sait lire et écrire, on échange des billets, on se voit toujours en présence d'un tiers, on se fait des cadeaux souvent symboliques. Les traditions ici aussi peuvent varier. En Champagne, ce sera un *chanjon*, une ceinture que le garçon donne à la fille, et la fille, au garçon. Ailleurs, on conserve la pantoufle dont on trouve déjà mention chez Grégoire de Tours au VIe siècle. Dans le Maine, après 1760, on voit apparaître les bagues, connues depuis longtemps en ville. Ces cadeaux symboliques créent un lien difficile à rompre dans l'ancien droit. Lorsque les bans sont publiés, un prétendant évincé peut faire valoir ses droits en exhibant le gage qui lui a été confié. Mais au XVIIIe siècle, les tribunaux déboutent presque systématiquement ceux qui, pour un cadeau reçu, s'opposent à un mariage. Au mieux leur accorde-t-on des dommages et intérêts.

Vient le tour de la famille. Comme les alliances concernent des groupes plus larges que le petit foyer, il est important que les parents se connaissent avant le jour du mariage. Le futur couple fait le tour de ceux qui leur deviendront communs. Les fiançailles ne sont pas indispensables, mais constituent une première officialisation dans l'attente de la cérémonie, qui ne peut avoir lieu qu'après la triple proclamation des bans, trois jours fériés consécutifs, dans les paroisses de chacun des promis. On en profite pour faire établir le contrat, bien plus fréquent au XVIIIe siècle que de nos jours, puisque pour certaines périodes et dans certains villages, on trouve jusqu'à 100 % des couples mariés avec contrat.

Le jour de la noce peut alors être fixé. L'Église n'interdit en principe que deux périodes, l'avent et le carême, périodes de deuil ou de méditation qui s'accordent mal avec les réjouissances. En dehors de ces deux quarantaines, les dimanches et les fêtes sont bien sûr exclus, le curé ayant d'autres messes à fouetter. Mais il faut aussi compter avec les superstitions : selon une croyance remontant à l'Antiquité, le mois de mai est peu propice aux mariages. L'*Encyclopédie* témoigne de la survivance du préjugé au XVIIIe siècle. Dans le Berry et en Sologne, on croit que l'enfant conçu ce mois-là naîtra idiot. Il faut dire qu'il a de grandes chances de naître en plein carnaval! Dans l'Ain et dans les Pyrénées, mai est pour cela surnommé « le mois des ânes ». Au XIXᵉ siècle, on christianisera la croyance en consacrant le mois à la Vierge.

N'oublions pas non plus les travaux saisonniers, durant lesquels il est mal venu de faire la noce. Les campagnes écartent les mois de juillet-août, alors que les ports choisissent de préférence l'été, période creuse pour la pêche. Les pays de vendange, de leur côté, convolent rarement en automne. Les mois précédant ces périodes interdites, que ce soit pour des raisons religieuses, économiques ou superstitieuses, voient en revanche des pics dans la courbe des mariages. Peut-être est-ce pour cette raison qu'on a connu, notamment en Bretagne, des mariages groupés. À Plougastel, jusqu'en 1925, toutes les unions s'officialisaient le même jour, dans la première quinzaine de janvier, et il arrivait que le maire ne puisse toutes les célébrer dans une seule journée. Sébillot croit pour sa part à des raisons d'économie, tout le village participant ensuite à la même fête. Dans le Berry, à l'inverse, on dit que si plusieurs mariages ont lieu le même jour, la première mariée emporte le bonheur des autres.

L'Église n'avait pas réservé de jours particuliers pour le mariage, mais l'interdisait le dimanche et le déconseillait le vendredi, jour de deuil à cause de la Passion. De toute façon, qui voudrait faire bombance un jour où on ne mange que du poisson ? À la campagne, on se mariait volontiers en début de semaine, un lundi ou un mardi. Ainsi procédait-on, dit Sébillot, à Trégor, en Bretagne ; mais dans d'autres villages, le mardi était jour de marché et convenait mal. Seul exclu, à part le vendredi : le jeudi, qui ferait les maris cocus, dit-on dans les *Évangiles des quenouilles* (XVᵉ siècle). Dans le Berry, un mari trompé se nommait *Jean Jeudi*.

Jusqu'au XIXᵉ siècle, donc, les variantes locales sont encore importantes. C'est l'industrialisation, au XIXᵉ siècle, qui impose des semaines à horaires fixes et généralise le mariage le samedi. Il se fait en principe le matin, entre le lever du soleil et midi, mais on accorde facilement des dérogations à ceux qui conservent l'usage antique du mariage nocturne. Sans doute décourageait-il les noueurs d'aiguillette, que l'on a craints jusqu'au XIXᵉ siècle. C'étaient surtout les familles aristocratiques qui maintenaient cette coutume. Le mariage nocturne en tout cas devint très romantique : c'est le rêve d'Emma Bovary de se marier à minuit, aux flambeaux, « mais le père Rouault ne comprit rien à cette idée [38] ».

Les festivités des noces

Le grand jour est arrivé! Tôt matin, la toilette de la fiancée regroupe les jeunes filles. La robe est neuve, de couleur vive, avec une prédominance du rouge. En Bretagne, les familles riches ont trois robes de mariée, pour les trois jours que dure la noce : le premier, jour de la célébration, la robe est riche et rouge, avec des galons d'or dont le nombre est proportionnel à la dot; le deuxième, elle sera bleue; le troisième, brune. Chaque soir, la jeune fille revêtira un déshabillé blanc, symbole de sa pureté. Dans toutes les régions de France, en tout cas, la robe garde ses couleurs vives jusqu'au xixᵉ siècle; si une lettre de 1830 décrit déjà dans le Berry une mariée en blanc, c'est à la fin du xixᵉ que la robe telle que nous la connaissons se généralisera sous l'influence citadine. La couleur blanche – qui est aussi un luxe – s'imposera lorsque l'élégance rechignera aux couleurs. Elle n'est permise qu'aux épouses qui arrivent vierges au mariage. Pour la même raison, les bijoux, qui ne peuvent avoir été donnés que par des hommes, sont interdits à la mariée, qui peut tout au plus porter sa bague de fiançailles [39].

La jeune fille n'oubliera pas son tablier, symbole des travaux domestiques qui vont devenir son lot. Dans *La Mare au diable*, la mariée est en vert, avec un tablier de soie violet et un fichu blanc sur les épaules. Elle porte la coiffe et non la couronne, qui se conserve pourtant dans la plupart des folklores depuis l'Antiquité. La mariée a tressé sa couronne de fleurs en été; en hiver, les fleurs artificielles, en cire, font l'affaire. On choisit de préférence des fleurs blanches, symbole de virginité, mais ce n'est qu'au xixᵉ siècle et dans les milieux aisés que la fleur d'oranger devient à la mode. Après le mariage, la couronne ou le bouquet de fleurs d'oranger sera précieusement conservé sous verre. Il finit par symboliser le pucelage ôté à la jeune vierge. On se souvient du refrain de Laurent XVII dans *La Mascotte* d'Audran (1880) : « Mais Bettina, pas de danger, / Lui ravir sa fleur d'oranger / J'en suis tout à fait incapable. » À Châteauroux, une couronne de lilas remplacera la fleur d'oranger si le mariage a été consommé.

C'est à l'occasion des noces que les bandes de jeunes se manifestent en tant que groupe structuré et gardien de la coutume. Ces associations constituent le seul moyen pour les célibataires (le célibat est *de facto* synonyme de jeunesse) d'avoir un statut dans la société, avant d'atteindre l'état honorable d'hommes mariés. Héritées du Moyen Âge, mal maîtrisées par les autorités civiles et religieuses, elles s'intitulent fièrement, selon les régions, « abbayes de jeunesse » ou « royaumes de jeunesse », manifestant par là leur volonté d'un contre-pouvoir parodique et limité. En fait, ce n'est qu'au carnaval, à la fête patronale, aux noces, que ces groupes de jeunes exercent leur autorité, qu'ils achètent parfois au seigneur ou à la paroisse. À quelques fêtes, ils ont le droit de juger certains délits (notamment l'adultère) et constituent une sorte de « police morale » du village. En Languedoc, ils organisent le mardi gras une « cour coculaire », ou « cour cornille » qui sanctionne les délits sexuels. S'ils interviennent dans le domaine du mariage, c'est pour préserver leur droit à accéder à cet état honorable. Aussi s'en prennent-ils à tous ceux qui abusent de l'institution : les époux adultères et les veufs remariés, leurs victimes de prédilection, ne se contentent pas d'une seule femme et restreignent les chances des célibataires de trouver une épouse. Ces bandes de jeunes interviennent rituellement à plusieurs moments des noces [40].

Souvenir de l'antique mariage par rapt symbolique, l'enlèvement de la mariée est le point de départ de la noce. La jeune fille habillée et parée est défendue par sa famille, cachée dans le grenier ou dans la maie. La porte de la maison est verrouillée, et les jeunes garçons miment un assaut qui bien entendu n'aboutit jamais. Il faut alors transiger et monnayer son entrée par une chanson. La coutume sera mise en scène dans *Le roi d'Ys* de Lalo : Mylio, venant chercher sa fiancée pour la noce, ne peut « fléchir ces jalouses gardiennes » et doit se fendre de la célèbre aubade (« Vainement, ma bien-aimée »). La chanson des chevaliers du guet semble aussi un souvenir du temps où les « compagnons de la marjolaine » venaient à la maison de la fiancée réclamer « une fille à marier » vaillamment défendue.

Dans *La Mare au diable*, George Sand évoque à la même occasion un véritable concours de chants traditionnels entre les deux parties. Le groupe de jeunes venu assiéger la maison de la fiancée et la famille qui la défend ont chacun leur « champion », le fossoyeur côté garçons, le chanvreur côté filles. La porte ne sera ouverte que si l'assaillant entonne un refrain que le défenseur ne connaît pas. Ce qu'on protège, c'est encore une fois le foyer : le groupe du fiancé ne demande qu'à y placer une broche symbolique pour y griller son oie. À court d'imagination, le fossoyeur de George Sand énumère tous les cadeaux qu'on apporte. Mais seul le dernier – celui d'un mari – fléchira les « jalouses gardiennes » berrichonnes.

La maison envahie, il s'agit de trouver la promise. Sébillot raconte à ce propos un dialogue rituel un peu différent dans sa Bretagne : le « bazvalan », devant la porte de la fiancée, demande qu'on lui livre une femme. Comme il prétend la trouver tour à tour dans le jardin, le grenier ou la cuisine, on lui amène successivement la petite sœur, la mère, la grand-mère, qui se tiennent à ces endroits. On finit par le laisser entrer pour qu'il trouve la vraie fiancée, bien cachée dans un coffre. La coutume, devenue rituelle, cache une signification perdue : est-ce le groupe de jeunes qui s'oppose à la perte d'un de ses membres, ou qui aide un des siens à trouver femme ? Est-ce le respect de la virginité symbolisée par le refus de se marier ? De la même façon que, depuis l'Antiquité, la jeune fille ne peut être livrée qu'en pleurs et à contrecœur à un « étranger », celle qui se réjouirait de se marier manifesterait trop clairement qu'elle connaît mieux que par ouï-dire les plaisirs de la nuit de noces. C'est en tout cas ainsi que les coutumes de rapt sont ressenties au XIXe siècle : Sébillot raconte qu'en Bretagne, les filles « fautives » ne peuvent ni être cachées, ni s'enfuir au cours de la noce.

Le cortège peut alors se mettre en route pour l'église. Il est parfois précédé d'un animal symbolisant la fécondité promise au couple (une poule blanche, par exemple), qui sera refusé à la mariée de réputation douteuse, dans les Vosges, et qui sera symboliquement tué, dans l'Indre, pour évoquer un peu crûment la défloration. Le cortège est toujours mené par un musicien, violoneux, sonneur de musette ou galoubet, selon les régions. La coutume est ancienne : en 1294, un statut de la ville d'Ypres lui interdit l'accès à l'église, preuve que le bruyant cortège populaire (héritier de la *deductio* antique ?) était déjà en conflit avec la digne cérémonie religieuse [41]. La fiancée suit au bras de son père, et le promis à celui de sa mère, ou de sa future belle-mère. Les invités se reconnaissent à la « livrée », souvent réduite à un ruban de couleur qui les distingue du reste de l'assistance. C'est l' « exploit » que reçoivent les invités dans *La Mare au diable* – en l'occurrence, une croix faite d'un ruban rose et d'un bleu, pour symboliser l'homme et la femme unis.

Le cortège nuptial que décrit Flaubert dans *Madame Bovary* utilise la même symbolique : Emma, empêtrée d'emblée dans son mariage, y accroche sa robe à tous les chardons du chemin –

image déjà de son triste ménage. Flaubert se souvient peut-être, ici, d'une coutume largement attestée, et de signification ambiguë : la mariée, sur le chemin de l'église, doit trébucher sur un caillou en pensant tout bas « comme les autres ». En Bretagne, elle en profite même pour s'enfuir une fois encore, et toute la noce se lance à sa poursuite. Il arrive, assure Sébillot, qu'on arrive à l'église quand la messe est finie et qu'il faille reporter le mariage. La fuite s'appelle là-bas la « happerie ».

La bande de jeunes peut encore se manifester à cette occasion : elle érige une barrière de branchages, de cordes, de ronces ou de bottes de paille pour retarder la noce et exige un octroi pour la démonter. S'il est refusé, un charivari remplace les accords du violon. Ce « droit de pelote », ou de « garçonnade », est en vain interdit par presque tous les parlements du XVIIIᵉ siècle. Robert Doisneau photographiera encore, en 1951, une coutume semblable en Poitou : le cortège est arrêté par un ruban tendu entre deux chaises, que le père de la mariée doit couper et répartir entre les deux célibataires de la noce. En passant entre les chaises, chacun mettra dans une sébile prévue à cet effet une pièce pour les vachers. Quant aux fagots disposés le long du chemin, il faudra les enflamer pour signifier qu'un nouveau foyer se crée au village [42].

Après l'église, les mariés se prêtent aux rites de fécondité qui assurent le mariage aux jeunes célibataires qu'ils viennent de quitter. Le partage d'une coupe de vin et d'un quignon de pain, combattu par l'Église au Moyen Âge parce qu'il rappelle trop la communion, est de moins en moins attesté ; Laisnel de la Salle le signale encore dans le Berry au XIXᵉ siècle, mais il s'effectue au domicile conjugal. La distribution aux pauvres d'une partie du treizain est souvent remplacée par une poignée de grains ou de piécettes jetée à la volée. Lancée au départ par les mariés sur les célibataires – et le symbolisme sexuel est ici évident – elle le sera bientôt par les assistants sur le couple : la pluie de riz qui l'accueille encore au sortir de l'église ou de la mairie a la même signification et féconde le nouveau ménage. Laisnel de la Salle y voit le souvenir du grain jeté par les anciens Hébreux sur les mariés pour qu'ils croissent et multiplient selon la promesse faite à Abraham. Mais le symbolisme est trop évident pour qu'il soit besoin de telles références.

Le repas de noces suit de plus en plus la cérémonie, mais dans les régions qui respectent les « nuits de Tobie », on s'arrange pour que la noce dure les trois jours rituels. On la

prépare le lendemain de la messe pour la célébrer le surlendemain, ou on prévoit trois jours de réjouissances avant la nuit
décisive. Le repas, offert en principe par le père de la mariée,
mais le plus souvent par les deux familles, ou payé par cotisa-
tion, se tient à l'auberge lorsque, comme c'est souvent le cas
dans les familles peu aisées, la maison est trop petite pour
accueillir tous les invités. Sinon, la grange est tendue de draps
et on mange au milieu des bêtes. L'hiver, les places d'honneur
sont au plus près de cette chaleur animale.

Sur le chemin du retour, bien sûr, il faut se méfier des tentations. Les ordonnances synodales répètent l'interdiction
d'enchaîner l'église et le cabaret, preuve qu'elle n'est guère
respectée. Dans certaines régions, le marié sert lui-même, au
moins le vin (pour rassurer sa femme sur sa participation au
ménage?). Les jeunes tentent d'enlever un soulier de la mariée
(pour l'empêcher de s'enfuir?). On cassera de la vaisselle
(pour conjurer les querelles de ménage ou pour porter bonheur aux mariés par un bris de verre blanc?).

Le clou des réjouissances, enfin : un garçon d'honneur
convainc la mariée de se laisser ôter publiquement sa jarretière, qui sera découpée et répartie parmi l'assistance mâle.
Arborée à la boutonnière, elle garantit aux célibataires de
conquérir bientôt la leur. Si la mariée se refuse à ce rite, elle
court le risque de voir les garçons réclamer leur bout de jarretière dans la chambre nuptiale, comme dans la noce décrite
par Rétif de la Bretonne dans ses *Nuits de Paris*. Pour ménager
la pudeur féminine, le garçon d'honneur peut tenir une jarretière toute prête dans sa poche : le moment venu, il se glissera
sous la table, pincera la mariée pour qu'elle pousse un petit
cri, et exhibera un trophée facilement conquis. Aujourd'hui,
égalité des sexes oblige, certains catalogues proposent des jar-
retières pour mariés – « de quoi s'amuser doublement et aussi
faire monter les enchères ». Ornées de cravates, de nœuds
papillons ou de moustaches, elles s'attachent au mollet – à
cause de l'étroitesse du pantalon, l'égalité des sexes ne dépasse
pas le genou [43].

Ensuite, le bal ouvert par la mariée, les chansons reprises
en chœur, les ariettes poussées par les jeunes filles à marier
soucieuses d'exhiber leurs petits talents, les discours parodiques, ainsi que la très sérieuse, souvent émouvante, bénédiction paternelle, sont de rigueur. La mariée est tenue de danser
avec chaque invité. Certaines danses imposées tiennent d'ailleurs plus du jeu symbolique. Ainsi la danse aux cocas (noix)

pratiquée jadis en Touraine : la mère de la mariée danse avec un sac percé laissant s'échapper des noix que les époux doivent disputer aux invités. La danse de la traînée du balai est exigée des parents qui marient leur fils unique ou leur dernier-né : en dansant, ils lancent des dragées aux assistants, qui doivent les récupérer en se gardant du balai accroché à la ceinture des danseurs. Les invités se livrent de leur côté à la danse du cochelin : ils font tourner autour de leur cavalière le cadeau qu'ils destinent à la mariée : celle-ci n'y aura droit que lorsque la danseuse s'en sera emparée [44].

Quant au départ subreptice du nouveau couple, c'est également une coutume ancienne. Abandonnant les associations de célibataires, qui ne laissent pas si facilement s'échapper un de leurs membres, ils ont tout intérêt à prendre la fuite sans être repérés et à se réfugier dans une chambre gardée secrète. Les filles aident le couple à se dérober aux garçons d'honneur. Les boîtes de conserve que l'on accroche aujourd'hui encore à la voiture sont un souvenir de cette coutume : elles signalent les fuyards. Inutile, si on ne s'aperçoit pas de leur départ, de les dénicher au logis : une âme compatissante leur aura prêté une chambre. Les mariés s'arrangeront d'ailleurs pour laisser quelques effets dans d'autres maisons, pour faire croire qu'ils s'y sont réfugiés et retarder d'autant l'irruption inévitable des amis.

Car si les groupes de jeunes retrouvent les mariés, ils investiront la chambre nuptiale pour leur faire ingurgiter un bouillon souvent peu ragoûtant, appelé selon les régions « routie », « chichone », « réveillon », « chaudeau » ou « soupe à la mariée ». Il s'agit d'une bouillie ou d'une soupe au vin généreusement assaisonnée d'épices censées aphrodisiaques. En Bretagne, c'est une soupe au lait dont les morceaux de pain ont été réunis par un fil et qu'il faut manger avec une cuiller trouée. Le breuvage est parfois servi dans un pot de chambre (neuf) rempli de mets évocateurs – boudin noir dans la bière, mousse au chocolat... Les folkloristes y ont vu le souvenir des témoins de consommation, ou un intermède destiné à rendre des forces après un premier assaut.

L'usage en tout cas choquait les prudes, comme Emma Bovary, qui supplie son père qu'il lui soit épargné : le père Rouault, en invoquant « la position grave de son gendre », parvient à écarter les « inconvenances », mais ne peut empêcher un cousin de souffler de l'eau par la serrure de la porte. Quant à George Sand, elle estime que « c'est un assez sot usage qui fait souffrir la pudeur de la mariée et tend à détruire celle des jeunes filles qui y assistent ». La dame de Nohan a beau y faire : le pot de chambre, quoiqu'il ait totalement disparu de nos tables de chevet, fait encore partie des catalogues de gadgets pour le mariage.

C'est à ce moment que peut prendre place le charivari, si la communauté des jeunes désapprouve le mariage – s'il s'agit d'un remariage, ou lorsque la différence d'âge est trop importante entre les deux époux. Condamné par tous les statuts synodaux et par de nombreux arrêts des Parlements depuis au moins le XIVe siècle, le charivari est indéracinable sous l'Ancien Régime. Au XIXe siècle, les nouvelles mœurs conjugales s'y adaptent : le charivari peut se répéter pendant huit jours pour une divorcée remariée! Claude Seignolle en entendra encore l'écho dans le Berry du XXe siècle. En dehors du mariage mal assorti, il peut aussi sanctionner des délits contre la loi matrimoniale (adultère, célibat prolongé d'une fille, soumission du mari à sa femme...). Mais le plus souvent il est associé aux noces qui lèsent le groupe de célibataires. S'agit-il, comme le croyait Van Gennep, d'un tapage apotropaïque destiné à conjurer le mauvais sort bravé par un mariage mal assorti? Ou, comme le propose Henri Rey-Flaud, du retour symbolique des créatures sauvages primitives lorsque la Loi est oubliée? Quelle que soit l'origine de la coutume, elle sanctionne en tout cas le tort ressenti par les jeunes célibataires qui se voient voler une femme par quelqu'un qui n'y aurait pas droit. Le taux de mortalité élevé entraîne jusqu'au XIXe siècle des remariages nombreux – certains se marient trois ou quatre fois – et rapides. Lorsque le temps de deuil est trop court ou le veuf décidément trop vieux, le charivari menace. Plus rarement d'ailleurs pour l'homme que pour la femme : une veuve qui monopolise un jeune homme est plus dangereuse pour la fécondité qu'un homme âgé remarié à une jeunette.

Comment organiser un charivari? Il s'agit le plus souvent d'un tapage mené sous les fenêtres des intéressés à grand renfort de marmites, chaudrons, poêles, « et autres menus objets propres à faire du bruit », qui se termine lorsque le mari accepte de payer l'amende ou d'emmener la bande à la taverne. S'il refuse, malgré la menace de subir le « charivari tout entier », le concert peut dégénérer. En 1402, une fille de la région de Langres qui se remarie voit ainsi « rompre arches et fenestres » de sa maison; son oncle sera molesté pour avoir tenté de la défendre. Au XVIIIe siècle encore, les jeunes gens exigent des droits à certains mariages – notamment avec une femme étrangère au village ; en cas de refus, ils investissent la maison, armés de bâtons, de pistolets, d'épées, et la scène peut finir dans le sang [45].

Notons enfin que le mariage ne se limite pas aux noces. Le lendemain, en Bretagne, les époux, riches ou pauvres, font la quête du lin pour coudre leurs draps. En Berry, on va couper un chou dans le jardin du marié pour le porter en grande cérémonie sur le toit de la maison quittée par la femme. L'opération sera répétée dans l'autre sens. Cet échange de choux est décrit en détail dans *La Mare au diable*. Le premier ou le second dimanche qui suit la cérémonie, les mariés offrent un repas. Pendant un an, ils seront en outre soumis à de petites obligations ou vexations. Ils allumeront le feu de la Saint-Jean, se verront promenés à l'envers sur un âne, en Gascogne, ou, en Bretagne et en Anjou, tireront la quintaine. Il s'agit dans ce cas de renverser l'écu du seigneur, fiché au milieu de la rivière. Le marié, qui doit l'atteindre en bateau, fait vite le plongeon, et il rachète souvent cette ultime brimade [46].

Ainsi le mariage, qui concerne toute une communauté, s'inscrit-il durablement dans le temps par des rites de passage répétés et dispersés. Les folkloristes du siècle dernier qui ont recueilli les vestiges de ces coutumes ont gardé la même nostalgie que les citadins du XVIIIe siècle, devant ces noces qui savaient doser la gravité du rite à la gaieté de la fête. La société industrielle eut petit à petit raison de ces coutumes régionales.

CINQUIÈME PARTIE

Le mariage moderne

Les XIXe-XXe siècles

Un mariage traditionnel en Saintonge
au XIXᵉ siècle

Le cortège prend la route, guidé par le violounaire, *qui joue un refrain connu : « Pauvre malheureux! tu recevras plus de coups de bâton que de galette au beurre. » Au bras de son père, précédant sa mère qui mène son futur gendre, la fiancée ouvre le cortège. Jusqu'à l'église, le chemin a été préparé : les mauvaises herbes arrachées, les ornières comblées, du sable fin répandu, il est devenu une* jonchée *qui conjure tout mauvais sort. Et il n'en manque pas sur le chemin d'une noce! Croiser une belette, un chien, un chat, une pie... ou un curé peut entraîner bien des malheurs! Même s'il faut faire un détour, on ne passera pas devant le cimetière. Mais on s'arrêtera à chaque village pour embrasser les badauds.*

La mairie a la priorité. Une fois les époux unis devant la loi, le maire réclame son droit : *embrasser le premier la nouvelle mariée. Le mari tâche bien de lui ravir ce premier baiser – sans quoi il est déclaré* capot, *mais bien souvent, le maire profite de l'application qu'il met à signer le registre. La mairie, trop neuve, n'a pas développé de folklore particulier. On se rattrape à l'église. Lors de la bénédiction de l'anneau, la fille qui ne veut pas se laisser gouverner pliera le doigt pour que l'alliance s'arrête à la deuxième phalange. En s'agenouillant, elle glisse un pan de sa robe sous le genou de son époux pour le préserver des maléfices – ailleurs, c'est le mari qui doit mettre le genou sur la robe pour garder son autorité. Au XIXᵉ siècle, la Saintonge connaît encore l'*abri-fou, *l'antique poêle tendu sur les époux au moment de la bénédiction. C'est le moment choisi par les noueurs d'aiguillette pour lancer leurs sortilèges : aussi évite-t-on de sonner l'élévation, pour qu'ils ne sachent à quel*

*moment ils doivent opérer! En revanche, les mariés devront
tirer la cloche avant de sortir de l'église, pour que leurs enfants
ne soient pas sourds.*

*Le cortège prend alors le chemin du retour, le mari cette
fois au bras de sa femme. Un porteur de barricot le suit, offrant
du vin à ceux qu'il croise et qui embrassent la mariée. À la maison du mari, on a dressé une barrière symbolique, faite d'usten-
siles de cuisine et d'outils aratoires. Les mariés doivent ranger
avant d'entrer, en prenant soin d'utiliser chaque instrument
sous peine d'être réputés paresseux. La mariée est amenée à
reculons jusqu'à la cheminée, où on lui frotte les pieds contre la
crémaillère, pour qu'elle apprivoise son nouveau foyer. On sert
la soupe aux invités, qui peuvent patienter jusqu'au repas en
regardant les cadeaux entreposés avec le nom des donateurs.*

*Dans la grange tendue de draps blancs piqués de fleurs, le
repas est l'union des familles après celle des époux. Offert par
les parents en fonction des invités respectifs des deux familles,
il accumule les mets dont se privent les paysans en dehors des
fêtes – c'est souvent une débauche de viandes et de pâtisseries.
Les garçons tâchent de voler le soulier de la mariée (que le mari
devra racheter) et sa jarretière, dont les morceaux seront ven-
dus aux enchères. La noce peut durer deux ou trois jours – ce
qui aide à respecter au moins une des trois nuits de Tobie!
Lorsqu'enfin les mariés peuvent se cacher pour consommer
leur nuit de noces, ils risquent d'être débusqués pour avaler la
rôtie, une soupe à l'oignon ou au vin très poivrée, servie dans le
traditionnel pot de chambre décoré d'un œil* [1].

I

Le mariage civil

Tout Paris en fait des gorges chaudes. Le jeune, le beau, le divin Talma, qui fait se pâmer toutes les dames du parterre au Théâtre-Français, dont il vient d'être nommé sociétaire, ce prodigieux acteur de vingt-sept ans qui en trois ans a révolutionné la diction, le jeu et le costume dans la vénérable maison de Molière, Talma se marie! Et celle qui a su fixer ce cœur volage n'est ni jeune, ni jolie : Julie Careau, qui s'est donné vingt-quatre ans sur son contrat de mariage, en a dix de plus bien comptés, et le moins qu'on puisse dire, c'est qu'elle les a bien utilisés. La liste de ses amants recensés est à peine plus longue que celle de ses bâtards. Ancienne danseuse née de père inconnu, c'est ce qu'on appellerait une « fille perdue », si quelques dizaines de milliers de livres de rente n'en faisaient une mondaine. Il faut dire que son amant en titre, Joseph-Alexandre, vicomte de Ségur, est un cadet d'un maréchal de France, ministre de la guerre, et qu'il a offert à Julie l'hôtel de Chantereine, pour la naissance de leur fils. Comme ils ne se sont pas juré fidélité devant M. le curé, la jeune fille a accumulé, d'amant en amant, petites rentes sur petites rentes, jusqu'à se constituer une fortune appréciable. Son salon, rue de Chantereine, attire tout le beau monde de la capitale.

Mais la trentaine est bien entamée, et Julie doit songer à faire une fin. Difficile de songer au vicomte de Ségur, qui se satisfait bien depuis dix ans d'une liaison officielle. Au cours d'une grande soirée chez Louise Contat, sociétaire en renom du Théâtre-Français, on monte précisément une pièce du vicomte, poétereau à ses heures. Sa maîtresse en titre y assiste, bien entendu, ainsi que tous les acteurs du théâtre. C'est là qu'a lieu le coup de foudre. Les lettres écrites par Julie au beau Talma ne laissent pas de doute sur la sincérité de la passion que lui inspire soudain ce jeune homme de sept ans son cadet.

Quant à François-Joseph... Il est pour l'instant dans une période difficile de sa carrière. Le public révolutionnaire ne dément pas le triomphe que lui a bâti l'Ancien Régime. Acquis aux idées nouvelles, il se fait applaudir dans le *Charles IX* de Chénier, que continue à réclamer le parterre quand il n'est plus programmé par le théâtre. Ce n'est pas du goût de ses confrères, qui finiront par l'interdire et le confiner dans de petites pièces. Dépensier et joueur, Talma est criblé de dettes, et les rentes de cette femme mûrissante et amoureuse sont les bienvenues. Le contrat que dresse maître Martinon le 30 avril 1790 est éloquent. Marié sous le régime de la communauté, Talma deviendra l'administrateur des biens de sa femme : 40 000 livres de rente, l'hôtel Chantereine et trois immeubles de la Chaussée d'Antin, sans compter quelques bâtards scrupuleusement compris dans le lot. « Il est convenu entre les parties que les enfants de la demoiselle Careau seront logés, nourris, entretenus et éduqués tant en santé qu'en maladie, aux frais et dépens de la communauté sans pouvoir par ledit sieur Talma exiger à cet égard aucune indemnité. » Amoureuse, mais prudente, Julie Careau.

Et elle a de quoi s'inquiéter. Car François-Joseph apporte à la communauté « ses meubles et effets mobiliers, habits et hardes à son usage » ; dont il faut retirer les « dettes passives » qu'il a accumulées. Alors, la dot de 10 000 livres qu'il promet à sa future fait bien sourire les historiens. C'est sans doute le plus célèbre, mais certainement pas le plus honorable mariage de l'année.

Encore faut-il qu'il puisse s'accomplir ! Car la Révolution a beau être passée par là, on se marie encore selon le concile de Trente. Talma va donc trouver le curé de Saint-Sulpice, sa paroisse, pour qu'il publie les bans. Antoine Xavier Mayneau de Pancemont, en charge depuis deux ans de la cure, a la réputation d'un homme sévère – certains le soupçonnent même de dangereuses sympathies jansénistes. Un histrion acquis aux idées révolutionnaires viendrait épouser dans son église une femme de petite vertu enrichie par son inconduite et surchargée de bâtards ? Pas question. Le brave homme fait résolument la sourde oreille à chaque demande de Talma.

Le comédien est obstiné. Un huissier débarque un matin à

Saint-Sulpice et prend soigneusement note des propos de Pancemont. Nous apprenons donc « Qu'instruit depuis longtemps du projet de mariage du sieur Talma, il a cru de sa prudence d'en référer à ses supérieurs majeurs, qui lui ont rappellé les régles qu'il avoit à suivre, Régles canoniques, constamment suivies dans l'Église Gallicane, de n'admettre à la participation des sacremens, les Comédiens en exercice qu'autant qu'ils se soumettent préalablement à faire la renonciation de leur état ; qu'il ne peut prendre aucune part directe, ni au fait, ni aux préliminaires de ce mariage par la publication des bancs, sans l'autorisation de ses supérieurs ; que par sa qualité de Curé, il est spécialement chargé de mettre à exécution les Loix Civiles et Ecclésiastiques, concernant les mariages ; qu'il ne peut y déroger par lui-même ».

C'est vrai. Depuis les conciles d'Arles et d'Elvire, au IVᵉ siècle, les comédiens sont excommuniés et ne peuvent participer à aucun sacrement. Durant tout le Moyen Âge, tant qu'il n'y avait aucune troupe professionnelle, l'impact de cette condamnation était faible. Depuis l'exemple célèbre de Molière, à qui les dévots refusèrent l'extrême-onction, le problème se pose régulièrement aux comédiens. Ils en sont réduits à de pénibles expédients : renier leur état la veille de leur mariage, quitte à le reprendre le lendemain ; se déclarer musicien pour échapper à la condamnation conciliaire...

Tout cela est admis sous l'Ancien Régime. Mais la liberté et l'égalité sont désormais de mise. « Ce parjure ridicule, estime Talma, ne m'a paru qu'un jeu indécent, indigne de mes sentimens, plus indigne encore de la Religion qu'on invoque contre moi. » Que faire ? Le 12 juillet 1790, l'Assemblée nationale entend son secrétaire, le député Regnaud, lire une bien étrange requête. François-Joseph Talma implore en effet le secours de la loi « pour jouir sans obstacle des droits civils qui me sont acquis par la Constitution ». N'a-t-on pas déclaré, un an plus tôt, tous les citoyens égaux, y compris donc les comédiens ? « Peut-il exister dans l'État une Puissance rivale de la Loi, supérieure à la Loi, qui la rende inutile pour une classe de citoyens, et qui les prive du plus précieux de ses droits, du plus doux de ses avantages, celui de devenir Époux, Père de famille, et de donner à la société des enfans légitimes ? » L'attaque est directe, et ne vise pas uniquement le curé de Saint-Sulpice.

L'Assemblée est embêtée. Plus d'un sans doute partage l'avis de Talma : céder, écrit-il, « ce seroit me montrer indigne du bienfait de la Constitution qui n'a pas distingué ma profession des autres professions civiles, pour répandre sur toutes sans exceptions, sa benigne influence : Parceque ce seroit accuser, par un acte public, vos décisions d'erreur, et nos Loix d'impuissance ». Aussi la discussion n'est pas longue. Entre un député ecclésiastique qui demande le secours d'un canoniste et un avocat échauffé qui voit dans cet acte une « de ces petites méchancetés, de ces petites intrigues qu'on met en jeu pour mécontenter les citoyens », on décide d'urgence de renvoyer le dossier au comité ecclésiastique, qui se débrouillera. Une phrase cependant pose déjà le problème : « il s'agit de savoir jusqu'à quel point s'étend la puissance ecclésiastique sur le mariage considéré comme sacrement ». L'affaire, on le sent, ne s'arrêtera pas là.

Le comité ecclésiastique, d'ailleurs, est tout aussi embarrassé. Durand de Maillane, son rapporteur, déplore bien que la censure de l'Église vise « une profession aujourd'hui morale ». Elle ne se justifie plus comme au temps des « histrions » des premiers siècles, mais il entend laisser à l'Église son indépendance, en vertu de la distinction habituelle entre contrat et sacrement. En conclusion de quoi, il refuse que l'Assemblée nationale délibère sur ce cas et classe l'affaire sans suite. Mais lui aussi espère une loi qui mette les comédiens du Théâtre-Français « dans un tel état, qui les sauve des censures dont l'Église les frappe tous indistinctement ». La machinerie législative est désormais enclenchée.

Talma n'a pas le temps d'attendre. Ni Julie, qui ne veut pas allonger indéfiniment la liste de ses bâtards. Le 19 avril 1791, ils trouvent un brave abbé Lapipe, vicaire de Notre-Dame de Lorette, qui accepte de marier le comédien comme « bourgeois de Paris ». Dix jours après, des jumeaux naissent de justesse légitimes.

La fin de l'histoire n'est pas moins significative. Des projets de loi (dont un signé Durand de Maillane !) demandent à faire du mariage un contrat civil, et la constitution du 3 septembre 1791 instituera, un peu tard pour Talma, le mariage civil. Quant à Julie, qui se croyait si bien casée grâce à ses rentes, elle ne pouvait deviner que la Révolution inventerait le divorce : elle en sera victime le 6 février 1801, quand Talma, au faîte de sa carrière, n'aura plus besoin d'une épouse largement quadragénaire. L'année suivante, il épouse Charlotte Vanhove, une comédienne de trente ans. Talma d'ailleurs ne pardonnera jamais aux curés. À sa mort, le 19 octobre 1826, l'archevêque de Paris viendra en personne administrer les derniers sacrements au plus grand comédien de tous les temps. Fidèle jusqu'au bout à ses convictions, Talma ne lui fera pas ouvrir la porte [2].

Les antécédents : l'école gallicane

Le mariage de Talma fait partie des grands mythes révolutionnaires : un préjugé vaincu, un abus réparé, et tout un pan de l'ancienne société s'écroule du jour au lendemain pour faire place à un droit nouveau. La vision de l'historien n'est évidemment pas aussi simpliste. Un mariage civil s'est lentement élaboré dans l'esprit des juristes français avant que l'affaire Talma – et quelques autres du même genre – ne fasse tomber de la branche le fruit arrivé à maturation.

Si l'Église, à partir du moment où elle s'est occupée des affaires matrimoniales, a toujours milité pour la sacralisation du mariage, elle était bien consciente du fait qu'il s'agissait, avant elle, d'une affaire civile. Elle-même ne l'a jamais nié, et les fondations du mariage civil sont bien ancrées dans le Moyen Âge scolastique. La distinction classique est ainsi résumée par Thomas d'Aquin : « Le mariage, dans la mesure où il ressortit à l'office de la nature, est régi par le droit naturel ; dans la mesure où il s'agit d'un sacrement, est régi par le droit divin ; dans la mesure où il ressortit à l'office de la communauté, est régi par le droit civil [3]. » Bien sûr, à son époque, le droit naturel s'identifie-t-il au droit originel tel qu'il a été établi par Dieu au commencement du monde, et le droit civil, à celui qui s'occupe de la vie sociale grâce à des lois révélées ou précisées par l'Église. Il n'est pas question d'abandonner aux princes et aux juges laïcs les droits dits naturels et civils.

Selon une distinction classique, ceux-ci ne sont concernés que par les *effets* du mariage (dots, douaires, héritages...), l'Église se réservant tout ce qui concerne les *causes* (sacrement, perpétuation de l'espèce...). À elle donc de légiférer sur les empêchements, les séparations, les adultères, la morale sexuelle... La distinction entre droit civil et droit divin lui permet juste de simplifier les procédures en déléguant aux évêques et aux officiaux les affaires courantes, qui regardent la vie civile et ne remettent pas en cause les principes fondamentaux de la religion.

Certaines distinctions cependant sont faites progressivement, qui joueront un grand rôle dans la laïcisation du mariage. Il n'était pas question de multiplier les conditions du sacrement, puisque celui-ci était de droit divin et que Dieu seul avait pouvoir de le modifier. Pour régler les exceptions et les cas douteux, on devait donc préserver ce nœud sacramentel et immuable. Ainsi fut-on amené, par exemple, à dissocier le lien du mariage de ses effets civils. Certaines personnes, déclarées mortes civilement, n'avaient aucun droit dans la vie sociale. Leur mariage était-il annulé pour autant et leur conjoint pouvait-il se remarier? Cela aurait signifié qu'une décision humaine pouvait modifier un sacrement divin, ce qui était inacceptable. Il devait donc exister des mariages valides sans effets civils. De même, les mariages *in extremis*, puis les mariages secrets, purent-ils être privés d'effets civils sans que le lien soit atteint. À l'inverse, les mariages putatifs, conclus dans la bonne foi en contradiction avec les lois du mariage, peuvent-ils être annulés tout en conservant des effets civils, notamment la légitimation des enfants qui en sont nés?

L'évolution la plus importante est la définition du mariage comme un contrat, ce contrat constituant la matière du sacrement. Le système consensuel, qui faisait du prêtre un témoin privilégié et des mariés les véritables ministres, supposait que l'engagement prononcé (le « oui ») était la matière du sacrement, comme l'eau pour le baptême. Mais que faire, dans ce cas, des mariages entre sourds-muets, ou par procuration? Il fallait trouver ailleurs la matière du sacrement; ce fut le « contrat », dans son sens le plus large : la convention passée entre les époux et impliquant certaines obligations. Ainsi, l'Église pouvait-elle légiférer sur le mariage, ajouter de nouveaux obstacles, de nouvelles conditions, sans toucher au sacrement, mais seulement à sa matière, le contrat.

Distinction entre causes et effets, entre contrat et sacrement : telles sont les deux failles de l'ancien droit matrimonial, qui vont permettre aux autorités laïques d'investir progressivement la place. La volonté des seigneurs et des rois d'intervenir dans le mariage de leurs sujets pour éviter les alliances dangereuses marquait déjà leurs prétentions en matière matrimoniale; depuis le xive siècle, les juristes civils cherchent à élargir leurs compétences dans ce domaine : liquidation du contentieux financier en cas de nullité, légitimité des enfants, adultère... Ils en arrivent, au xvie siècle, à contester la compétence des tribunaux ecclésiastiques grâce à une nouvelle procédure : « l'appel comme d'abus ». L'Église entend garder la mainmise sur les affaires matrimoniales? Soit. Ses tribunaux les conserveront... à condition qu'ils respectent les lois et les coutumes du royaume. Si les officiaux (les juges ecclésiastiques) transgressent la législation royale, ou n'appliquent pas comme ils le devraient les canons de l'Église, on peut saisir les parlements civils et l'acte jugé abusif sera annulé s'il y a lieu. Tel est le principe de « l'appel comme d'abus [4] ».

Dans un premier temps, c'est la lutte contre les unions clandestines qui motive les prises de position. Les grands juristes français de la fin du XVIᵉ siècle se penchent sur cette affaire. Guy Coquille (1523-1603), pionnier par ailleurs des thèses gallicanes par son *Traité des libertés de l'Église de France* (1594), développe le problème du mariage dans un *Nouveau traité des libertés de l'Église de France et des droits et autorités de la couronne* resté inédit jusqu'en 1656. Il demande la réunion d'un concile national de l'Église de France qui règle sa discipline ; le Primat de France, estime-t-il, doit pouvoir accorder des dispenses de mariage sans aller à Rome ; le Concile fixera l'âge du mariage, interdira aux enfants de famille de se marier sans autorisation parentale, déclarera nuls les mariages clandestins [5]...

Le gallicanisme qui s'élabore tout au long du XVIIᵉ siècle trouve dans le mariage un terrain de choix. Une déclaration royale de Louis XIII, le 26 novembre 1639, pose nettement le problème en ces termes : « Comme les mariages sont le séminaire des états, la source et l'origine de la société civile, et le fondement des familles, qui composent les républiques, qui servent de principes à former leurs polices, et dans lesquelles la naturelle révérence des enfans envers leurs parens, est le lien de la légitime obéissance des sujets envers leur souverain : aussi les rois nos prédécesseurs ont jugé digne de leur soin, de faire des loix de leur ordre public, de leur décence extérieure, de leur honnêteté et leur dignité [6]. » Tenant, par l'onction, son pouvoir de Dieu et non des hommes, le roi peut s'affranchir de Rome et son Église prendre des positions propres, pour peu qu'elles ne contreviennent pas au droit divin. Telle est la base du gallicanisme suggéré aux États Généraux de 1614 [7] et officialisé par un édit du 2 mars 1682.

Le règne de Louis XIV permet en effet de consolider par un pouvoir fort les prétentions françaises à l'égard de Rome. Les curés, qui jouent un rôle primordial non seulement dans les mariages, mais dans l'état civil, deviennent presque des fonctionnaires soumis à des contrôles stricts. Une ordonnance d'avril 1667 réglemente ainsi la tenue des registres paroissiaux : tenus en double exemplaire par le curé, ils doivent être paraphés et cotés par le juge royal sur la première et la dernière page ; un exemplaire est remis chaque année au greffe de la justice royale, l'autre reste attaché à la paroisse et est scellé à la mort du curé [8].

L'édit ne suscite pas de remous majeurs. Un coup de force peut alors être tenté. Les prérogatives de l'État en matière de mariage sont développées à outrance en 1674, dans le *Regia in matrimonium potestas* (« Puissance royale dans le mariage ») de Jean de Launoy. Le livre, première bible du gallicanisme en matière matrimoniale, suscite une vive polémique en France même. Une thèse de Sorbonne tente de le combattre, mais elle est condamnée par le Parlement de Paris par arrêt du 16 février 1677. L'affrontement désormais se fait entre institutions. De nombreux traités de droit, jusqu'à la Révolution, reprendront et développeront les thèses de Launoy. Un traité anonyme *De l'autorité du clergé et des pouvoirs du magistrat politique* publié dans la seconde moitié du xviiie siècle fera de la prêtrise « une espèce de magistrature » assujettie au pouvoir royal : selon son auteur, le curé ne pourrait refuser de célébrer un mariage « sur de vains scrupules et sur des motifs frivoles » si le contrat est revêtu de toutes les formes prévues par le souverain [9].

Sans doute faut-il être prudent en la matière. Jamais, sous l'Ancien Régime, les parlements ne se permettront d'annuler ouvertement un mariage. Tout au plus le déclarent-ils non valable quant à ses effets civils ou prononcent-ils des peines pouvant aller jusqu'à la condamnation à mort. Mais de nombreux conflits exacerbent les positions. Un exemple parmi bien d'autres montre l'ampleur du problème : la triple publication des bans imposée par le concile de Trente et par l'ordonnance de Blois. Église et État sont d'accord sur le principe. Mais l'absence de publication entraîne-t-elle la nullité du mariage ? Non, pour la congrégation chargée d'interpréter le concile ; oui, pour les parlements français. Les dispenses de bans sont-elles permises ? Oui, pour la congrégation ; non, pour les parlements, qui en réclament au moins une. Si le curé refuse de publier les bans, les sergents royaux peuvent-ils le faire à sa place ? Oui pour ceux-ci, non pour celle-là. Sur un point qui ne devait pas poser de problème, l'accord étant unanime, de petits conflits éclatent au xviie siècle. Après 1650, ils auront tendance à se calmer, les parlements adoucissant leurs positions. Ils ne feront plus des bans une condition de validité que pour les mineurs, et interdiront à leurs sergents de les publier à la place des curés [10].

Entre les positions gallicanes et ultramontaines, une voie intermédiaire est possible, définie en 1690 dans le *Traité du pouvoir de l'Église et des princes sur les empêchements de mariage* de Gerbais. Entre la conception d'un mariage-sacrement qui a des effets civils (position ultramontaine) et celle d'un contrat civil auquel s'ajoute un sacrement (position gallicane), il y a place pour une conception mixte, qui autorise une double législation sur le mariage. Le roi pourra établir des empêchements dirimants touchant la conclusion du contrat, comme le pape le peut en matière de sacrement. Les plus modérés suivent la position de Gerbais.

La situation tend donc à se stabiliser à la fin du XVIIᵉ siècle, du moins quant au problème des mariages clandestins. C'est alors qu'un second conflit vient relancer le débat. Jusqu'alors, en effet, le mariage des protestants posait peu de problèmes. Reconnu depuis la liberté de culte accordée par l'Édit de Beaulieu (1576) et surtout par l'Édit de Nantes (1598), il est célébré selon leurs rites et les principes des synodes, pourvu qu'il respecte les rares prescriptions du droit civil. Des disciplines s'élaborent peu à peu entre le synode général de Paris (1559) et leur première publication, en 1666 [11]. Malgré l'opposition catholique, la royauté se montre tolérante. Mais après l'abrogation de l'édit de Nantes, en 1685, la France ne compte officiellement plus de protestants. Les pasteurs ont quinze jours pour se convertir ou plier bagage ; quant aux fidèles, pour éviter l'exode massif, ils sont autorisés à rester « en attendant qu'il plaise à Dieu de les éclairer comme les autres ».

Tout cela est bien joli, mais pose des problèmes insurmontables. S'il n'y a plus de pasteurs, il n'y a plus de mariages. Les curés refusent de donner le sacrement à ces « hérétiques », qui se trouvent du coup privés d'état civil et de descendance légitime. Les unions deviennent des concubinages et les enfants, des bâtards. La question est immédiatement posée, et le 15 septembre 1685, le roi autorise le mariage des protestants par un ministre de leur culte, à charge pour celui-ci de ne pas faire de prêche et d'officier sous la surveillance d'un officier de justice. Un emplâtre sur une jambe de bois, puisque les pasteurs sont exilés et que les mariages hors de France sont interdits.

La plupart des mariages se font alors à l'« église du désert », comme on nomme les assemblées groupées autour des pasteurs qui ont « pris le maquis » avant la lettre. Des mariages clandestins donc, auxquels on ne peut reconnaître d'effet civil. L'ironie veut que ces mariages soient reconnus par l'Église catholique, puisque la présence d'un prêtre n'est exigée que dans les paroisses où a été promulgué le décret *Tametsi* du concile de Trente... et que les « déserts » ne font pas partie de ces paroisses. Mais le pouvoir civil n'a pas la même souplesse. Il doit donc fermer les yeux ou sévir. Il choisit d'abord la première solution : les parlements reconnaissent le plus souvent les effets civils des mariages dans le désert et les considèrent comme des mariages putatifs, contractés de bonne foi contre les lois et produisant donc des effets civils. Ainsi, les enfants sont légitimés, et les actions en nullité introduites par des collatéraux sont régulièrement repoussées.

Mais ce ne peut être qu'une position d'attente, et les magistrats ne peuvent accepter que le pouvoir législatif contourne ainsi le problème en le leur laissant régler au coup par coup. Au xviiie siècle, ils commencent à annuler des mariages entre protestants pour faire pression sur le roi en faisant éclater un système bancal. À partir de 1756, les mémoires se multiplient sur ce sujet de plus en plus sensible. Et le 9 février 1787, le Parlement de Paris demande au roi de « peser dans sa sagesse les moyens les plus sûrs de donner un état civil aux protestants ». La sagesse de Louis XVI accouche le 17 novembre d'un édit célèbre, qui pose les bases d'un véritable mariage civil en France [12].

Cet « édit de tolérance » institue en effet une alternative civile au mariage religieux : si le curé refuse de marier un couple, le juge pourra le faire à sa place. La déclaration du mariage doit toujours se faire devant le curé, témoin privilégié de l'engagement, mais si celui-ci n'en prend pas acte, un officier public peut enregistrer le mariage. Les protestants mariés au désert ont un délai d'un an pour régulariser les unions déjà contractées. On voit alors les réformés accourir en foule chez les juges ; dans plusieurs contrées, ce sont les juges qui font le tour des communes pour éviter de trop gros déplacements de population ! « L'on vit des vieillards faire enregistrer avec leur mariage ceux de leurs enfans et de leurs petits-enfans », note Rabaud le Jeune [13]. Quelques années avant la Révolution, sous la monarchie très chrétienne, l'intransigeance de l'Église a déjà ébréché son monopole sur le mariage. Les conséquences canoniques sont ici plus graves : le juge en effet ne se contente pas, comme le curé, de recueillir le consentement des époux.

C'est lui qui les marie, quand les conjoints, à l'église, se marient eux-mêmes en présence du curé.

Dans la seconde moitié du xviiie siècle, donc, dans la querelle des mariages protestants, les positions se sont exacerbées et un gallicanisme plus offensif est réapparu. De nombreuses voix s'élèvent en faveur d'un mariage dégagé de la religion, parmi lesquelles celle de Robert-Joseph Pothier (1699-1772), un des plus prestigieux jurisconsultes du xviiie siècle. Il publie en 1768 son *Traité du contrat de mariage*, qui restera un ouvrage de référence après même la publication du Code Napoléon qui périme l'ancien droit.

La base de cette nouvelle thèse est connue : le mariage chrétien, « étant un contrat que Jésus-Christ a élevé à la dignité de sacrement, pour être le type et l'image de son union avec son Église », est « tout à la fois contrat civil et sacrement ». Il est donc « sujet aux lois de la puissance séculière » et les princes peuvent légiférer pour l'interdire à certaines personnes ou régler les formalités le concernant. Mais Pothier va plus loin en déclarant nuls les mariages contractés en opposition aux lois civiles portant la peine de nullité, suivant par là une règle commune à tous les autres contrats. Les tribunaux peuvent en effet invalider tous les contrats (de vente, de location...) contenant des dispositions contraires à la loi. Le mariage est-il dans ce cas ? Surtout, l'annulation du contrat annule-t-il le sacrement ? Sans doute, pour Pothier, puisqu' « il ne peut y avoir de sacrement sans la chose qui en est la matière » et que le contrat civil est la matière du sacrement de mariage [14]. On voit où a mené l'antique distinction entre contrat et sacrement.

La thèse de Pothier a ses excès. On peut sourire de l'antiquité qu'il reconnaît au contrat de mariage : « Aussitôt que Dieu eut formé Ève d'une des côtes d'Adam, et qu'il la lui eut présentée, nos deux premiers parens firent ensemble un contrat de mariage. » Mais il ne fait par là que répondre aux excès des ultramontains. Son livre, qui résume deux siècles de gallicanisme, aura un grand retentissement jusqu'en plein xixe siècle.

Dans cette exacerbation des positions, les ultramontains ont aussi leur part. Mgr de Juigné, archevêque de Paris, publie ainsi en 1786 un nouveau pastoral où il accorde plus d'indépendance aux enfants pour se marier contre l'autorité parentale – et notamment, sans la permission de la mère. C'est un pas vers le consensualisme pur, toujours prêché par Rome et que ne peuvent tolérer les gallicans. La réponse est immédiate : le 19 décembre, le Parlement de Paris présente un long rapport où il justifie l'intervention civile et l'autorité du roi en matière matrimoniale. Pour lui, il n'y a pas de sacrement s'il n'y a pas de contrat civil préalable, puisque celui-ci est la base du mariage. Seule la puissance séculière peut connaître du contrat civil, et prononcer sur les empêchements dirimants. C'est la théorie de Pothier portée à ses extrêmes, deux ans et demi avant la prise de la Bastille [15].

Le mariage révolutionnaire

Telle est la situation à la veille de la Révolution. Pourtant, le mariage civil qui va naître n'est pas la conséquence directe de celui instauré pour les protestants en 1787. Ce n'est pas en effet la priorité du nouveau régime. Le mariage civil n'est pas le problème du peuple, mais des parlementaires et des grandes familles qui veulent appuyer l'autorité paternelle sur le pouvoir royal. Aucun cahier de doléances n'en demande l'instauration. Tout au plus certains se plaignent-ils des systèmes de dispenses, et suggèrent que l'évêque puisse à l'avenir les accorder : ce sera admis par un décret du 11 août 1789.

La Révolution, en effet, s'appuie au départ sur le bas-clergé et ne veut pas affronter trop vite les problèmes de religion. Les questions touchant au mariage tardent à être abordées ; si l'Assemblée constituante examine la question, le 12 juillet 1790, aucune décision de fond n'est prise. Mais la constitution civile du clergé, les 12-24 juillet 1790, échauffe les esprits. Les prêtres réfractaires ont des positions plus intransigeantes, les assermentés veulent par un zèle accru atténuer l'effet de leur serment. Des évêques refusent les dispenses qu'ils peuvent pourtant accorder par le décret du 11 août 1789 ; des prêtres refusent de célébrer les mariages litigieux, notamment entre catholiques et protestants. De l'autre côté, devant le nombre de mariages célébrés secrètement par des prêtres réfractaires que préfèrent encore certaines campagnes, les extrémistes souhaitent la suppression pure et simple du mariage religieux.

Ces tensions apparaissent dans la rédaction de la Constitution d'août 1791, adoptée les 3-4 septembre. La première formulation de l'article 7 du titre II était extrême : « la loi ne reconnaît le mariage que comme contrat civil. Le pouvoir législatif établira, pour tous les habitants sans distinction, le mode par lequel les naissances, mariages et décès seront constatés et il désignera les officiers publics qui en recevront et conserveront les actes ». Après discussion, on atténue la formulation en remplaçant « reconnaît » par « considère » : les mariages religieux existent donc toujours (ils sont *reconnus* par la loi), mais ne sont pas pris en compte par le législateur (ils ne sont pas *considérés*) [16]. Ainsi, le mariage-contrat qui avait permis aux rois de légiférer en matière matrimoniale est-il intégré à l'acte fondamental du nouveau régime. Le mariage ne concerne plus que les individus, et pas encore l'État.

La décision est plus facile à prendre qu'à appliquer. Un mariage civil ? Soit, mais ce sont encore les prêtres qui tiennent l'état civil. À la séance du 3 novembre 1791, Gensonné s'en indigne : « On a laissé subsister trop longtemps la confusion des fonctions civiles et ecclésiastiques qui s'était opérée sous l'Ancien Régime dans les mains des ministres de la religion. Il en est résulté que les personnes qui sont demeurées attachées aux anciens fonctionnaires publics n'ont su, après leur remplacement à qui s'adresser pour faire constater leur état civil ou celui de leurs enfants. Ainsi, lorsque la déclaration des droits semblait garantir à tous les citoyens le libre exercice de leur culte, la réunion incompatible de ces deux fonctions exercées par le ministre d'un culte exclusivement à tout autre, subordonnait en quelque sorte l'existence politique des citoyens à l'administration d'un système religieux [17]. » Il faut donc remplacer tout le système d'état civil de la France, ce qui n'est pas une mince affaire. Après de longues discussions, la loi du 20 septembre 1792 instaure le système sous lequel nous vivons encore : les mariages sont contractés devant l'officier municipal, qui tient le registre de l'état civil.

Ce mariage civil, bien sûr, suscite de vifs remous. Certains prélats, comme l'évêque de Luçon, s'en rapportent à Rome, qui répond par une lettre de la congrégation des cardinaux, le 28 mai 1793. Pour les gardiens de la loi, pas question de laisser les officiers municipaux, schismatiques ou fauteurs de schisme, se mêler de mariage ! Que les Français continuent à se marier devant les prêtres ou, à défaut, devant témoins, si possible catholiques... Une grande liberté est habilement laissée aux consciences religieuses et le mariage consensuel primitif rétabli par nécessité. Ensuite, la congrégation des cardinaux accepte que les nouveaux mariés remplissent les formalités administratives pour s'assurer les effets civils du mariage. À condition bien entendu de ne pas considérer ce passage devant les officiers municipaux comme un mariage, et de célébrer d'abord comme ils le peuvent des noces catholiques. Après la déportation des prêtres, les mariages conclus devant les assermentés ou les officiers municipaux seront déclarés nuls par Rome et soumis à une seconde bénédiction ; celle-ci ne sera possible qu'après le concordat de 1801.

Quant au clergé assermenté, il se plie à la nouvelle pratique, sauf en ce qui concerne le mariage des prêtres et le divorce, qu'il refuse toujours. Le sixième et dernier concile national de France, réuni le 22 brumaire de l'an VI (12 novembre 1797), reconnaît officiellement l'autorité de l'État en matière matrimoniale : « L'Église gallicane ne reconnaît pour mariages légitimes que ceux qui ont été contractés suivant les lois civiles [18]. »

De l'autre côté, certains patriotes ne se contentent pas de ce mariage civil. Charles-François Oudot, député de la Côte-d'Or, publie ainsi en 1793 un plaidoyer pour un mariage de droit naturel qui donne plus de liberté au couple. En effet, ce mariage « n'est pas formé par la loi, mais seulement par la volonté et l'intention des parties », et il peut donc « exister indépendamment de la loi ». Il ne peut par conséquent y avoir de différences entre enfants légitimes, bâtards et enfants adultérins. Est-ce la proclamation de l'union libre ? Pas tout à fait. D'une part, parce que les formalités de la loi et « tout ce qui peut rendre respectable le mariage » restent nécessaires « pour assurer l'état des enfants, l'ordre des successions ». D'autre part, parce que les unions nouées en dehors de l'autorité civile comportent elles aussi des obligations, surtout vis-à-vis des enfants. Le député Oudot en vient à définir le mariage par ses fruits : l'union légale mais stérile n'aura plus le droit au beau nom de mariage (du moins si la stérilité vient d'un refus d'enfanter !). En revanche, « toutes les fois qu'il naît un enfant, la loi doit présumer qu'il y a eu intention de la part des père et mère de remplir le vœu de la nature et les obligations qui y sont attachées, conséquemment qu'il y a eu mariage, à moins que l'intention contraire ne soit vérifiée [19] ».

Cette théorie du mariage naturel est une laïcisation du mariage chrétien considéré comme une institution divine à laquelle l'homme ne peut rien changer. À l'inverse du mariage-contrat sur lequel est fondée toute la législation révolutionnaire, et donc en grande partie la nôtre qui en est l'héritière, le mariage-institution dénie aux époux comme au législateur toute liberté de modifier des règles fondamentales – qu'on les attribue à Dieu, à la Nature ou au Patriotisme. En l'occurrence, ce n'est ni l'homme, ni l'État qui marie, mais la paternité, dont on ne pourrait récuser la décision. Les utopistes révolutionnaires développeront cette théorie du mariage « naturel », aussi opposée à l'union libre qu'au mariage officiel. Elle réapparaîtra sporadiquement durant les périodes de crise du mariage.

On retrouve ainsi les mêmes idées chez Bonneville, dont le *Nouveau code conjugal* paraît en 1792. Dans ce projet de code qu'il voudrait adjoindre au Code civil, le premier article du Titre I définit le mariage comme « un lien social qui unit le Citoyen à la Patrie, et la Patrie au Citoyen ». Les unions entre individus ne sont qu'un cas particulier de ce pacte fondamental, qui comporte des obligations prioritaires : « La loi veut que le Citoyen soit père, et qu'il s'éternise dans son représentant héréditaire. » Seuls les époux et les pères de famille seront donc admissibles à tous les emplois de la « chose publique ». Le mariage devient « la dette de l'homme *intègre*[20] envers la nature, c'est la dette du citoyen envers sa patrie ». En revanche, dès qu'il a payé sa « dette » en enfants, le citoyen est tenu « quitte du reste ». Il peut se séparer de son épouse à sa volonté[21].

On voit donc que le mariage civil s'est défini, en fin de compte, avec beaucoup de modération entre les feux de thèses extrémistes, archaïques ou utopiques. Il est surtout l'aboutissement logique de la philosophie du XVIIIᵉ siècle qui avait fait passer le contrat entre deux individus avant l'institution immuable. Que celle-ci soit civile ou religieuse, elle imposait des restrictions à la liberté qui n'étaient plus acceptables.

À partir du moment où l'État prend en charge ce que la religion avait mis dix-neuf siècles à mettre en place, il faut assumer tous les aspects du mariage. Quoi qu'on en dise, ce n'est pas (encore !) une simple formalité qui se résume à une signature sous un acte. Les noces, qui durent deux ou trois jours dans les campagnes, supposent un apparat qui frappe les esprits et qui fasse de l'union conjugale « le plus beau jour de la vie ». Certains le pressentent. Le député Gohier demande ainsi que l'on crée des « cérémonies vraiment civiques » : il suggère l'érection d'un autel à la patrie où serait célébré le mariage civil, mais sa proposition ne sera pas retenue.

Boissy d'Anglas rêve quant à lui, sans plus de succès, à un

autel de gazon sur un tapis de verdure, sous la voûte d'un feuillage impénétrable. Pas pratique en hiver! Le *Nouveau code conjugal* de Bonneville, en 1792, décrit à son tour une cérémonie civique très théâtrale, où les rôles du célébrant et de l'assistance sont réglés comme pour une messe profane. L'officier public, véritable officiant qui brandit la Constitution comme les Tables de la Loi, dira aux futurs époux, à haute et intelligible voix : « Salut, Citoyens libres, ayez toujours sous les yeux la loi qui vous unit en légitime mariage, par des nœuds que l'amitié seule et vos intérêts doivent rendre indissolubles. (*À l'époux*) Homme libre, (*à l'épouse*) femme libre, (*aux quatre témoins*), citoyens libres, n'oubliez jamais que le dépôt des loix constitutionnelles, qui a coûté à une nation généreuse, tant de sacrifices, a été remis sur-tout à la vigilance des pères de famille, aux épouses et aux mères, à l'affection des jeunes citoyens, (*à l'assemblée*) et au courage de tous les Français. Les époux répondront : Vive la liberté, vive la nation! Que les bons citoyens bénissent notre union! L'officier répondra : *Que ces deux époux soient heureux! Puissent-ils être à jamais unis!* Les quatre témoins répondront : *Qu'ils soient heureux! Qu'ils soient à jamais réunis* [22]! » Il faut vraiment y croire pour répéter cette phraséologie grandiloquente, qui restera confinée dans le déluge inefficace des brochures révolutionnaires.

La loi du 13 fructidor an VI (30 août 1798) se contentera d'instituer le mariage tous les décadis, au cours de la réunion hebdomadaire des citoyens qui prend elle aussi des allures de grand-messe. Dans le local destiné à la réunion des citoyens, on donne en effet lecture des lois et actes de l'autorité municipale, des « traits de bravoure » et « actions propres à inspirer le civisme et la vertu », des naissances et décès de la décade écoulée... C'est au cours de cette assemblée que le président de l'administration municipale procède aux mariages, au milieu des « jeux et exercices gymniques » pour lesquels les instituteurs doivent amener leurs classes. Les bergeries sont aussi indéracinables que la religion de la nature.

Pourtant, derrière ces tentatives que nous pouvons juger ridicules, il y a le souci d'officialiser un acte grave et de concurrencer réellement la religion sur le terrain des cérémonies. La sécheresse des cérémonies publiques engendrera longtemps des sarcasmes – ne rappelons que le mot célèbre des frères Goncourt : « La proclamation de l'union de l'homme et de la femme dans ces endroits civils ressemble vraiment trop à la condamnation prononcée par un président de Cour d'Assises [23]. » Dans les années 1950, la jeunesse étudiante chrétienne, pour faire face à l'endémique crise des mariages, se demande encore s'il ne faudrait pas un cérémonial au mariage civil, « qui est actuellement une formalité sans grandeur [24] ». Pour n'avoir pas réussi à créer un véritable mariage civique, la Révolution ne parviendra jamais à éradiquer les cérémonies religieuses.

Le concordat de 1801 rétablira le mariage religieux sans annuler le mariage civil. Comme on avait vu les protestants, en 1787, faire la queue devant le juge pour officialiser leur union, on verra en 1801 tous les catholiques se presser à l'église pour se marier religieusement. Pour sauver le mariage civil mis en une concurrence aussi abrupte avec la cérémonie religieuse, le Consulat impose alors l'antériorité de l'union à la mairie sur sa consécration à l'église, par la loi du 18 germinal de l'an X (8 avril 1802).

Le Code Napoléon se construit sur ces bases, mais avec une idée plus haute du mariage. La loi sur le divorce, trop libérale pour l'époque, a entraîné des excès dont s'émeut le nouveau pouvoir bourgeois. Le retour à un mariage-sacrement n'est plus possible ; du moins peut-on limiter les effets du mariage-contrat reconnu par la Constitution. Pour les nouveaux législateurs, certains aspects du mariage, comme la fondation d'une famille, la modification de l'état des époux, dépassent le simple accord des volontés reconnu par contrat individuel. On ne peut donc abandonner totalement au droit privé une institution qui touche d'aussi près au sort de la nation. Ainsi reparaît *sotto voce* le droit naturel, qui fait du mariage une institution supérieure au couple même.

Le but est de légiférer plus sévèrement sur le divorce, et de supprimer notamment le consentement mutuel. Telle est la position de Portalis, orateur du gouvernement, négociateur du Concordat et directeur, puis ministre des cultes. Contre les jurisconsultes attachés à l'idée de contrat civil, il soutient que le mariage intéresse la société avant de concerner le couple, et qu'il ne peut être laissé aux « passions » des individus. Le mariage-institution prend avec lui la succession du mariage-contrat.

Depuis le Code Napoléon, le mariage civil, précédant obligatoirement le mariage religieux, n'a varié que sur des détails, le plus souvent pour en simplifier la procédure. Pour le code de 1804, il doit se faire dans la commune où l'on réside depuis au moins six mois, après publication des bans devant la mairie,

deux dimanches de suite, en présence de quatre témoins.
L'officier civil lit aux futurs époux le chapitre 4 du titre sur le
mariage, qui définit les droits et devoirs respectifs des époux.
Il reçoit leur consentement et leur déclare, au nom de la loi,
qu'ils sont unis par les liens du mariage. Acte en est dressé sur-
le-champ. Il contient le consentement des parents si le marié a
moins de vingt-cinq ans, la mariée moins de vingt et un; les
trois actes respectueux obligatoires pour les fils et filles « de
famille » jusqu'à trente et vingt-cinq ans; un acte unique, au-
delà de ces âges. On y spécifie aussi l'absence d'opposition, la
publication régulière des bans, la rédaction éventuelle d'un
contrat, et bien sûr l'identité des personnes dûment constatée
par un extrait d'acte de naissance ou, à défaut, un acte de notoriété signé par sept témoins.

La mise en place de ce système civil n'a pas toujours été
évidente. La publication des bans, par exemple, était mieux
adaptée au système religieux : elle se faisait au prône de la
messe principale, en langue vulgaire et à haute et intelligible
voix, par « trois divers jours de fête avec intervalle
compétent ». Toute la paroisse était nécessairement au courant. Mais l'autorité civile manque de lieux de réunions pério-
diques et obligatoires où faire les annonces. L'édit de tolérance, en 1787, n'avait pu se dégager du système religieux :
lorsque le curé refusait de marier un couple protestant, les
bans étaient publiés par le greffier de justice à la sortie de la
messe. La Révolution et l'Empire tâchent d'échapper à cette
nécessité. L'article 63 du Code prescrit bien de lire ces bans
devant la mairie, où ils restent affichés, mais au témoignage de
l'avocat orléannais qui commente les œuvres de Pothier en
1813, ils sont encore publiés au prône de la messe, même si les
oppositions se font désormais auprès de l'officier de l'état
civil [25]. Seul le passage d'une civilisation orale à une civilisation écrite réglera le problème. Les bans désormais sont affichés à la mairie sans avoir besoin d'être lus à haute et intelligible voix dans une assemblée.

Quant à l'accueil de ce nouveau système par les nostalgiques de l'Ancien Régime, il peut être résumé par un roman
dont l'action se situe en 1805, quoiqu'il soit écrit en 1833.
Dans *Le Mariage et l'Amour* d'Élise Voïard, une jeune aristocrate bretonne épouse (contre son gré) un riche bourgeois.
Pour éviter les déplacements de la noce, les trois autorités
concernées se déplacent le même jour au château. Ce « triple
nœud du mariage » est incarné par le notaire, l'officier civil et

le curé. Dans l'ordre prescrit par la loi, évidemment. Mais tant que ce dernier, qui tarde à venir, n'a pas béni le couple, le père considère sa fille comme « aux trois quarts mariée ». L'absence du vieux confesseur se précisant, force est de faire mander le curé de la paroisse, un ancien prêtre assermenté que la jeune fille avait au départ refusé. À cause de cela, elle ne se sentira jamais vraiment mariée. Derrière la caricature tardive, dressée à une époque où le mariage religieux tente de reprendre le dessus à la faveur de la Restauration, on devine que le véritable mariage, dont des siècles de catholicisme ont appris qu'il se nouait dans le ciel, ne peut être pour les catholiques scrupuleux celui du Code civil.

Les réactions du XIXᵉ siècle

La Restauration ne remet pas en cause le mariage civil, ni son antériorité sur le mariage religieux. Il y a d'autres urgences pour les législateurs qui veulent ressusciter les anciennes structures tout en sauvegardant les apports les plus marquants de la Révolution. Les autorités religieuses, sans doute, tentent de remettre les pendules à l'heure et les mariés aux prêtres, quitte à faire certaines concessions aux États. En 1821, par exemple, la Sacrée Congrégation de la Propagande reconnaît aux « princes séculiers » le pouvoir de légiférer sur le mariage de leurs « sujets infidèles » – entendez, des non-chrétiens –, à condition que leurs lois ne soient pas en contradiction avec le droit naturel et divin [26]. Quant au mariage des catholiques, il ne regarde personne d'autre que le prêtre. Peine perdue : les « princes séculiers » entendent bien conserver leurs droits sur tous les mariages, chrétiens ou non !

Les espoirs sans cesse déçus des catholiques à la restauration de la monarchie ont cependant tempéré longtemps les réactions officielles de Rome, et il faut attendre le second Empire pour voir une condamnation nette du mariage civil, à l'arrivée, sur le trône de Pierre, de l'intraitable Pie IX. Le *Syllabus, ou recueil des principales erreurs de notre temps* qu'il publie le 8 décembre 1864 reprend des condamnations extraites de lettres apostoliques et allocutives de 1851, 1852, 1860. C'est désormais une erreur de croire que « par la force du contrat purement civil, un vrai mariage peut exister entre chrétiens; et il est faux, ou que le contrat de mariage entre chrétiens soit toujours un sacrement, ou que ce contrat soit

nul si le sacrement en est exclu [27] ». Le pape ne se contente pas
de dénier toute valeur au seul mariage civil, mais revient sur la
notion de contrat comme matière du sacrement, qui avait trois
siècles auparavant constitué le défaut de la cuirasse dans la
définition chrétienne du mariage.

Léon XIII, le 10 février 1880 (encyclique *Arcanum*);
Pie X, le 2 août 1907 (décret *Ne Temere*), condamneront eux
aussi cette célébration civile qui s'étend peu à peu à d'autres
pays que la France. Léon XIII s'en prend d'une façon générale
aux « attaques » contre la conception traditionnelle du
mariage : « La raison principale de ces attaques, c'est qu'imbus
des opinions d'une fausse philosophie et livrés à des habitudes
corrompues, de nombreux esprits ont avant tout l'horreur de
la soumission et de l'obéissance. Ils travaillent donc avec
acharnement à amener, non seulement les individus, mais
encore les familles et toute la société humaine, à mépriser
orgueilleusement la souveraineté de Dieu [28]. » L'analyse a au
moins le mérite de la franchise : entre la liberté et la soumission, le problème du mariage est celui d'un choix de vie, sinon
de religion.

D'autres, notamment dans le clergé français encore teinté
de gallicanisme, se montrent moins hostiles à la nouvelle
forme du mariage, qu'ils souffrent comme un acquis qu'on ne
peut remettre en cause. Louis-Auguste Robinot (1756-1841),
dans un des *Discours dogmatiques et moraux sur certains
points de la religion* qu'il publie en 1824, se montre particulièrement conciliant : « Il est sûr, et tout le monde sent que
la société conjugale importe assez au bien de l'État, au repos
des familles, à la tranquillité publique, au sort des citoyens,
pour devenir l'objet des sollicitudes d'un gouvernement
éclairé ; mais vous devez comprendre aussi que le gouvernement peut changer les formes et les dispositions relatives au
contrat civil, sans toucher pour cela à l'essence du mariage,
qui véritablement est invariable. » Le passage devant l'officier
civil avant la cérémonie religieuse ne lui semble pas même
dangereuse : « La forme est changée, mais le fond reste le
même au moins pour vous qui êtes catholiques, et qui savez
fort bien qu'après avoir accompli la loi du prince, il vous reste
à accomplir, pour être réputés époux légitimes, celles de Dieu
et de son église [29]. »

A-t-il présumé de la religion de ses ouailles, ou d'autres
chrétiens sont-ils plus combatifs? La réaction contre le Code
civil va en effet se focaliser sur ce dernier point : s'il faut se

plier au mariage civil, soit, mais que la cérémonie religieuse soit au moins antérieure. La crainte des catholiques : les mariages mixtes, de plus en plus fréquents depuis que les philosophes, les révolutionnaires et les idées socialistes ont sapé l'édifice de la religion. Ce sont surtout les hommes qui sont atteints par ce nouvel athéisme. L'éducation au couvent, l'assistance plus assidue à la messe quand les maris se retrouvent au café, assurent encore un bon ancrage catholique dans la gent féminine. Mais que se passerait-il, si une bonne catholique se fait abuser par un impie, qui lui promet le mariage religieux jusqu'au jour fatidique, et le refuse soudain après être passé devant l'officier civil? La jeune épousée, qui ne pourrait se considérer, ni être considérée par l'Église comme dûment mariée, serait liée à son mari sans possibilité de séparation, puisque le divorce a été aboli en 1816. Et contrainte, ce qui choque particulièrement les plus fervents, de consommer une union qui n'est pas reconnue devant Dieu. La voilà condamnée par la loi à un odieux concubinage! « En France, nos mœurs chrétiennes ont neutralisé les effets de l'article 214 du Code », reconnaît pourtant l'abbé Paoli, qui n'en milite pas moins pour l'antériorité du mariage religieux [30].

Diverses solutions sont proposées pour résoudre ce problème, par des théoriciens qui prennent leur parti du système actuel aussi bien que de l'absence d'amour conjugal dans une union fondée sur une tromperie aussi grossière. On ne peut en effet, sous peine de nullité, inscrire dans le contrat l'intention de célébrer le mariage à l'église : les mariages conditionnels sont interdits par la loi. Quant à inverser l'ordre des mariages, cela poserait d'autres problèmes : les conditions exigées par la loi ne recouvrent pas celles exigées par l'Église (notamment par l'éternel problème du consentement paternel). Qu'adviendrait-il dès lors des mariages célébrés à l'église et que la loi refuserait d'officialiser?

La question des mariages civils avec divergence sur la célébration à l'église n'était pas seulement théorique. Un cas s'était présenté à Montpellier le 4 mai 1847 ; un autre à Angers, le 29 janvier 1859. Dans ce dernier cas, le juge avait prononcé officiellement la séparation de corps entre les deux époux, qui vivaient déjà séparés depuis 1813! Il avait considéré qu'il y avait injure grave dans le refus de célébrer le mariage à l'église malgré promesse préalable. En l'absence de divorce, aucun remariage n'était alors possible. Si, dans l'affaire d'Angers, l'âge des époux ne devait guère y inviter, l'inconvénient est de taille, et certains juristes veulent y voir un cas de nullité pour erreur sur la personne, prévu par l'article 180 du Code Napoléon [31].

La plupart de ceux qui se prononcent sur ce sujet tâchent effectivement de trouver des solutions en accord avec le code. Anselme Batbie, professeur d'économie politique et de droit administratif, suggère ainsi dans un mémoire lu à l'Académie des sciences morales et politiques en décembre 1865, de rendre obligatoire, lors du passage à la mairie, une question sur les intentions religieuses des époux. S'ils s'engagent à passer à l'église, ils seront tenus de revenir ensuite à la mairie pour mentionner le mariage religieux en marge de l'acte civil. D'autres proposent de célébrer conjointement, pour les catholiques, le mariage religieux et le mariage civil, en invitant le maire à unir les époux à l'église. Les plus extrémistes retournent le problème et proposent de célébrer d'abord le mariage religieux, en fournissant au curé un certificat attestant qu'il n'y a pas d'opposition interdisant la reconnaissance civile du mariage [32]. Dans l'atmosphère de rivalité entre les deux pouvoirs, le civil et le religieux, de telles solutions, outre leur complexité, ne sont bien entendu pas viables.

Le problème d'ailleurs ne s'est posé que jusqu'en 1884. Lorsque le divorce est à nouveau permis en France, la jurisprudence reconnaît comme une cause de divorce la promesse non tenue de célébrer un mariage à l'église. Après 1870, d'autre part, le problème urgent, pour l'Église, n'est plus en France. La seconde moitié du XIXᵉ siècle connaît en effet une forte fièvre constituante. Des pays naissent, se transforment, adoptent des constitutions ou des codes civils. Des codes civils sont promulgués en Italie en 1865, au Portugal en 1867, en Espagne en 1889, en Allemagne en 1900. Entre 1848 et 1875, l'Allemagne, l'Autriche, l'Espagne, la France, la Grèce, l'Italie, le Luxembourg, la Prusse, la Roumanie, la Russie, la Suisse adoptent de nouvelles constitutions ou modifient profondément l'ancienne. Sans parler des pays d'Amérique latine qui deviennent souverains et où le catholicisme est bien implanté. Or les modèles souvent restent la constitution américaine et le Code Napoléon : en Belgique, à Genève, en Prusse rhénane, le mariage civil est ainsi un vieux souvenir de l'occupation française, qui n'a jamais été aboli.

L'effort de l'Église au XIXᵉ siècle se concentrera donc sur ces pays d'avenir dans lesquels il ne faut pas laisser se développer la graine de la laïcité. Certains pays (l'Italie, l'Espagne) spécifient dans leur Constitution que le catholicisme est religion d'État; d'autres, comme l'Équateur, n'accordent le droit de vote qu'aux catholiques. Le problème du mariage civil ou religieux est de moins en moins français. L'Église peut se targuer de certaines victoires : si l'Espagne, par exemple, adopte en 1870 le mariage civil sur le modèle français, elle admet à nouveau le mariage religieux en 1875, et le Code civil de 1889 entérine les pouvoirs de ces deux juridictions. La plupart des livres qui traitent du mariage civil à la fin du siècle font un tour d'horizon mondial : on sent que, contraints d'abandonner un front, les auteurs regroupent leurs armes sur les autres [33].

Aux alentours de 1900, cependant, la querelle des mariages civil et religieux trouva un étrange prolongement chez les historiens du droit. Les juristes gallicans prérévolutionnaires (Launoy, 1674; Pothier, 1768...) avaient en effet bâti leurs théories sur l'antériorité du droit civil mérovingien en matière matrimoniale. Autour de Charles Lefebvre (1847-1922), professeur d'histoire du droit à la Faculté de Paris, certains historiens contestèrent, à la fin du XIXe siècle, cette vision qui n'avait jamais été remise en cause. Pour Lefebvre, la puissance de l'Église en matière matrimoniale s'était exercée de manière ininterrompue depuis l'origine. Ses leçons, rassemblées en 1900, puis en 1906-1913, s'opposaient à l'enseignement d'Adhémar Esmein (1848-1913), son confrère à la Faculté de Paris, où il occupait depuis 1888 la première chaire d'histoire du droit. Dans son *Mariage en droit canonique*, qui faisait référence depuis 1891, celui-ci datait du Xe siècle seulement la puissance de l'Église en matière matrimoniale.

L'opposition de Charles Lefebvre n'était d'ailleurs pas uniquement religieuse : accepter la priorité de la législation franque, c'était admettre un héritage germanique important, alors que le nationalisme revanchard, après 1870, tâchait d'éliminer toute référence à l'Allemagne dans l'histoire de France. La querelle entre les deux éminents professeurs, puis entre leurs élèves, semble *a posteriori* bien vaine. L'Église mérovingienne n'était pas cette Église apostolique et romaine qui tente depuis 1870 d'étendre son pouvoir spirituel, mais une Église essentiellement fondée sur des synodes provinciaux auxquels participaient souvent des laïcs à côté d'évêques locaux. Les rapports entre « Église » et « État » étaient moins conflictuels, et les évêques comme les moines, détenteurs de la culture, étaient souvent les conseillers naturels des rois, sinon leurs fonctionnaires. Il semble donc vain de vouloir distinguer un rôle de « conseil » d'un rôle de « juge » en la matière. Mais cette querelle d'érudits se prolongea jusque dans les années 1930, quand les études de Pierre Daudet (1933 et 1941) distinguèrent mieux l'Église en tant qu'institution et en tant que juridiction.

Cérémonie ou folklore?

Le xxᵉ siècle s'ouvrira sur une grave crise du mariage civil, due à sa nécessaire redéfinition après le rétablissement du divorce. L'analyse de Léon XIII est de plus en plus vraie : la République assurée, le divorce établi, on se sent de moins en moins le cœur à la soumission, et le mariage civil est encore fort contraignant aux yeux des Français. Entre les anarchistes qui prêchent l'union libre et les féministes qui veulent abolir la dernière forme d'esclavage légal, l'édifice institutionnel est ébranlé.

C'est un congrès international de la condition et des droits de la femme qui ouvre le xxᵉ siècle à Paris, en 1900. Les orateurs – des deux sexes – y demandent la suppression de la puissance maritale et son remplacement par le principe de la liberté des conventions. La législation permet sans doute de passer contrat quant aux *biens* (répartition des charges et des apports, dots, communauté ou séparation..), mais pour les intervenants, ce n'est pas encore suffisant : il faut y ajouter la possibilité de décider aussi librement sur les *personnes* (et notamment sur le statut de la femme). Les questions que pose l'assistance poussent cette généreuse idée dans ses derniers retranchements. Aura-t-on ainsi le droit de mettre sur le contrat que les époux élisent un domicile séparé, ou qu'ils s'autorisent à avoir des enfants hors mariage, à vivre avec une autre personne, à se séparer après trois ans? Assurément, répondent les utopiques orateurs. Il n'en faut pas plus pour déconsidérer un projet qui partait pourtant d'un bon sentiment [34].

La peur, en période de guerre froide avec l'Allemagne et de politique « revancharde », de voir la France se dépeupler de futurs soldats, se traduit par une méfiance de plus en plus généralisée devant le « mariage-contrat » tel que l'avait institué la Révolution française et que n'avait pas suffisamment corrigé le Code Napoléon. Si le mariage n'est qu'un contrat que des individus peuvent conclure et résilier à leur gré, les intérêts supérieurs de la nation sont-ils toujours garantis ? Certains tentent alors de substituer à cette notion de « mariage-contrat » celle de « mariage-institution », de « mariage-état », qui dépasserait la simple volonté des deux époux, et même celle du législateur. « Le mariage, définit ainsi G. Renard en 1904, est une institution primordiale soustraite, dans son essence, aux variations législatives, et dont aucune volonté privée ou publique ne saurait modifier le type naturel et immuable [35]. » Dans cette conception métaphysique au sens comtien du terme, l'institution matrimoniale devient une idée abstraite et inaltérable, héritière de l'institution divine qu'on s'est contenté de laïciser sommairement.

La même année, Roger Vanhems, dans une thèse pour le doctorat en droit, soutient que le mariage, de par les obligations qu'il implique (fidélité, devoir conjugal...), ne peut être assimilé à un contrat. Ces obligations naissent selon lui d'un *état* que l'autorité civile peut *reconnaître* et non *créer*. Le mariage est un lien naturel qui s'impose à tous et non un lien civil créé par la loi. Conséquence évidente : il ne peut pas non plus être rompu par la loi, et le divorce doit être aboli. L'auteur appelle donc à un « mariage naturel » régi par la loi naturelle, et indissoluble. Il faut dès lors « supprimer l'union civile et la remplacer par l'union de droit, résultat de la reconnaissance de l'union naturelle, tacitement comprise aujourd'hui dans le prononcé de l'union [36] ». On reconnaît ici l'idée défendue par Oudot ou par Bonneville un siècle auparavant, mais qui avait abouti à des conclusions assez différentes.

C'est pour résoudre cette crise ouverte du mariage du fait de la montée du féminisme et du divorce qu'un Comité de Réforme du mariage se réunit en 1906 au ministère de la Justice, sous la présidence de Me Henri Coulon. Le bureau permanent et les membres actifs réunissent une belle brochette d'écrivains, de magistrats, de parlementaires, d'avocats, de philosophes... intéressés par « le problème de l'union des sexes ». Ils se targuent d'« assainir » le mariage en en rendant plus faciles l'accès et la sortie, et en donnant à la femme certains droits dont elle était encore privée. On y retrouve quelques-uns des écrivains les plus célèbres de l'époque, Maurice Maeterlinck, André Gide, Pierre Louÿs, Jules Renard, Henri Bataille, Paul Adam, Maurice Leblanc, les frères Margueritte, ardents défenseurs alors du féminisme et du divorce... La magistrature et la politique ont aussi délégué de grands noms, parmi lesquels on retrouve celui de Poincaré.

La montagne hélas accouche d'une souris. Après avoir rappelé que les seules unions « vraiment dignes » sont fondées sur l'amour, ce qui fait sourire les commentateurs, les participants édictent un projet de loi qui reste sans lendemain immédiat. Ils demandent ainsi de faire de la séparation de biens le régime légal obligatoire, de donner pleine capacité civile à la femme, d'abroger les peines pour adultère, d'instaurer un divorce unilatéral par consentement mutuel ou incompatibilité d'humeur, d'alléger le coût et les formalités du mariage [37]... Aujourd'hui que la plupart de ces propositions sont devenues réalité, on mesure l'audace de ces réformes qui officialisent les revendications formulées par des politiciens ou des écrivains depuis la Révolution. En avance sur son temps, le projet ne voit que la plus timide de ses réformes (la simplification des formalités) prise en compte dans la loi du 21 juin 1907. Si les réactions sont violentes à l'époque contre les réformateurs, elles se sont focalisées sur la peur de voir l'élargissement du divorce permettre une multiplication excessive des unions libres.

En fait, le problème de l'indissolubilité va résumer pour la première moitié du xxe siècle les réactions au mariage civil. Entré dans les mœurs, il ne peut plus être attaqué ouvertement. Entre les deux guerres, la fascination pour le régime mussolinien, qui a rendu à l'Église des droits élargis sur le mariage, entraîne quelques sursauts d'espoir en France, mais il n'est déjà plus question de supprimer totalement le mariage civil. Tout au plus demande-t-on qu'il devienne « subsidiaire », réservé aux non-catholiques, comme en Angleterre ou aux États-Unis, ou qu'un système de droit civil reconnaisse à l'autorité religieuse la possibilité d'intervenir dans la conclusion des mariages ou dans la formulation de ses empêchements.

L'abbé Viollet, ainsi, se garde bien d'opposer mariages civil et religieux, lorsqu'il attribue à l'État le rôle de « défendre la famille contre les abus dont elle peut être la victime » et de « régler les questions temporelles qui découlent de l'existence même de la famille ». Si « l'État moderne abuse de sa puissance » en matière conjugale, estime-t-il, c'est parce qu'il « semble faire dépendre l'existence du lien matrimonial de la volonté du législateur ». Selon la doctrine chrétienne, en effet, le lien ne vient pas « d'en haut », de l'État (ou de l'Église), mais « d'en bas », de la « volonté déclarée des intéressés ». Ainsi, « le rôle de l'État est, en un certain sens, identique à celui de l'Église en face du mariage des chrétiens » : l'un et l'autre peuvent constater le lien qui s'est créé entre deux individus, mais non le former... et encore moins le dissoudre [38]. Habilement, le chanoine invoque la liberté fondamentale de l'individu, le seul à décider s'il crée un lien, pour lui contester une autre liberté, celle de rompre ce lien. L'État et l'Église se trouvent selon lui dans la même impuissance. Le sophisme n'est guère développé au-delà de ce paradoxe aisément contestable. Il montre en tout cas que l'existence même du mariage civil n'est plus remise en cause entre les deux guerres, mais qu'on tente surtout de sauvegarder l'indissolubilité, même pour les non-chrétiens mariés civilement.

Dans ce domaine, la principale arme de l'Église reste l'opinion publique, plus réticente que la loi à accepter le divorce. Mais lorsque celle-ci à son tour évolue et que le divorce devient une pratique courante, l'Église abaisse encore le niveau de ses exigences en les limitant à ses fidèles. Ne pouvant d'ailleurs leur empêcher le divorce civil, elle tâche du moins d'interdire les remariages. Aujourd'hui, aux yeux du nouveau catéchisme, le divorce civil peut être dans certains cas « toléré sans constituer une faute morale ». Mais le remariage est toujours considéré comme un adultère.

Ainsi, le mariage civil est-il totalement entré dans les mœurs, et l'Église a-t-elle progressivement abandonné la plupart de ses revendications, pour les limiter à des obligations morales en matière de divorce et de remariage. Mais la cérémonie civile n'a jamais réussi à trouver la solennité joyeuse des cérémonies religieuses, qui conservent tout leur attrait pour les jeunes gens soucieux de fixer le « grand jour » dans toutes les mémoires. Il semble même qu'en abandonnant à la mairie les formalités nécessaires, mais toujours un peu rebutantes, la cérémonie religieuse soit devenue plus conviviale, plus sympathique, et qu'elle soit davantage recherchée, dans les couples mixtes ou peu pratiquants, pour sa beauté gratuite plus que pour le symbole profond qu'elle incarne.

D'où l'embarras de certains prêtres, comme de certains baptisés non croyants, devant l'ambiguïté du mariage à l'église. « Ils ne voulaient qu'une gentille petite cérémonie, et ils se retrouvent avec la responsabilité de signifier l'amour du Christ pour l'Église. Cette carte forcée défigure gravement le sacrement », estime Michel Legrain, professeur de droit canonique à Paris [39]. Faute de cérémonie laïque, celle de l'Église risque de basculer dans le folklore. Certains prêtres l'assument, d'autres le refusent.

Sans ôter à la cérémonie sa solennité, les prêtres, catholiques ou protestants, associent aujourd'hui les futurs mariés à la préparation de la célébration : c'est désormais au mariage civil d'apparaître comme une formalité sclérosée, face à un mariage chrétien qui veut paraître vivant et interactif [40]. La différence entre les formalités civiles et la cérémonie religieuse est nettement ressentie par les jeunes. Louis Roussel, menant en 1975 une enquête auprès des dix-huit/trente ans, a rencontré un couple qui vit en communauté depuis deux ans, et qui vient de se marier civilement en attendant de passer à l'église. « C'était pas une cérémonie, explique-t-il, c'était une signature civile, administrative. On n'a pas fait le mariage à l'américaine, c'est-à-dire passer à la mairie juste pour des papiers et puis c'est tout. On a quand même ressenti quelque chose, on s'est senti... plus responsable de ce qu'on faisait. On voulait faire un mariage sans les familles parce qu'on considérait que c'était notre mariage à nous. » Deux mois et demi après, le mariage religieux réunira une soixantaine de personnes, « pour éclabousser de bonheur les gens qu'on aime le mieux [41] ». Dans ce cas, le mariage religieux devient une fête, un surplus gratuit qui s'inscrit dans la vie sociale. L'intimité est réservée à l'engagement civil, au cours duquel on ne pense pas pouvoir exprimer ce déluge de bonheur dont on veut inonder les amis.

Aussi la position de l'Église change-t-elle peu à peu sur ce sujet. En théorie, l'Église continue à ne reconnaître comme pleinement valide que le mariage célébré suivant ses règles. Mais pour les non croyants, elle a été amenée à reconnaître la valeur du mariage civil. C'est un premier pas par rapport à son attitude primitive ; certains chrétiens eux-mêmes souhaitent un second pas. « Elle admet aussi qu'en fait nombre de baptisés n'ayant pas la foi posent un acte authentique d'engagement en se mariant civilement. Il faut aller plus loin encore et reconnaître que le mariage civil contracté par des croyants est déjà engagement véritable au niveau profane, même si cet engagement ne prend sa dimension véritablement chrétienne que par le mariage à l'église. » C'est la direction indiquée par Jean-Paul II en 1980, dans une réunion d'évêques à Rome : le pape y « reconnaissait la valeur de ce que peuvent vivre des époux à travers le seul mariage civil [42] ».

Ainsi, la reconnaissance par l'Église du mariage civil pour ses fidèles, dernier point qui fasse encore problème aujourd'hui, est-elle sur le point d'être totalement acquise. Le mariage civil renoue avec la traditon primitive, héritée du droit romain et des lois germaniques, qui laissait aux laïcs tout pouvoir législatif et judiciaire en matière de mariage.

II

Le mariage d'amour

« Je n'avais rien à redire au mariage comme institution, et j'admettais volontiers qu'il peut être une condition du bonheur. En vérité, je comptais bien me marier un jour, mais je répugnais à l'idée d'un mariage arrangé. » Une position qui nous semble bien naturelle aujourd'hui, et qui l'était déjà dans les années 1930, époque où la littérature, les moralistes chrétiens ou laïcs, le législateur même luttent pour la généralisation du mariage d'amour. Position que d'aucuns trouvent extrêmement choquante sous la plume du duc de Windsor, ci-devant Édouard VIII, roi d'Angleterre redescendu de son trône pour l'amour d'une femme. Pourtant, celui qu'on présentait dès son intronisation comme « un roi moderne » ne faisait que refléter les conceptions de son époque.

Si l'abdication d'Édouard VIII stupéfia l'Angleterre, c'est qu'elle en avait fait son « prince charmant », un séducteur international virevoltant dans les bals de la cour et les boîtes de nuit américaines, qui n'en finissait pas de jeter la gourme victorienne en attendant de la reprendre sagement quand il monterait sur le trône. Les journaux anglais et les brochures de l'époque ne connaissent pas le nom de Wallis Simpson, qu'ils vont bientôt imprimer en capitales. Le prince de Galles aux six mille danseuses reste célibataire par « crainte de décevoir tant d'appelées pour une seule élue », se rassure-t-on. Les longues nuits dansantes de l'héritier dans les cafés de banlieue sont des « plaisirs innocents, désormais interdits à Édouard VIII », confirme-t-on [1]. Les Anglais aiment que leur prince de Galles soit aimé. À quarante et un ans, ils attendent un roi rangé.

Les clichés sont alors vieux de cent ans et ne sont plus

valables que pour la haute aristocratie et la famille royale. C'est l'opposition que l'on trouve chez Balzac entre les manières d'Ancien Régime (le badinage amoureux et insouciant) et le mariage bourgeois (de raison et non d'amour). On avait encore en mémoire la jeunesse dissipée d'Édouard VII, attendant dans les froufrous parisiens l'interminable mort de sa mère Victoria. Édouard VIII, pouvait se frotter à l'Amérique – « pays particulièrement stimulant », écrit-il – en attendant de choisir une reine digne de lui.

Telle était l'image donnée à l'opinion anglaise. Dans les hautes sphères, les inquiétudes sont plus précises. George V ne partage pas les vues de son fils sur l'Amérique. Lorsque celui-ci répond à une journaliste d'outre-Atlantique qu'il épouserait une Américaine s'il en tombait amoureux, le roi ne rit plus et « rompt toutes relations privées entre l'Amérique et les membres de sa famille ». Mais l'Amérique est aussi à Londres. Depuis une fameuse chasse au renard de l'hiver 1931, on rencontre souvent le prince de Galles avec Wallis Warfield, mariée à Ernest Simpson, un homme d'affaires américain naturalisé anglais et installé dans la City. Wallis a déjà divorcé d'un premier mari, ce qui devrait l'exclure de toutes les invitations officielles de la cour. Le divorce en effet n'est pas reconnu par l'Église anglicane, dont le roi est le chef. Mais il vaut mieux ne pas faire remarquer au prince que ses danseuses de prédilection ne sont pas de son rang. « Et qui donc, ici, est de mon rang ? » a-t-il répliqué à une dame de qualité au bal du gouverneur général d'Afrique du Sud...

Les milieux bien informés savent que Wallis posera un jour problème. Les journaux américains, d'ailleurs, ne respectent pas le *gentleman agreement* qui musèle la presse britannique, et s'interrogent régulièrement sur la possibilité de voir une reine américaine sur le trône anglais. Mais que cherche le prince auprès de cette femme qui n'est plus ni jeune, ni jolie ? Si on reconnaît à Wallis de la finesse et du jugement, une conversation « adroite et amusante », de la culture et une remarquable connaissance de la situation politique (elle lit quatre journaux par jour), elle apporte surtout un précieux soutien à l'action que le prince mène dans les milieux défavorisés de son pays. Ce n'est pas qu'il soit socialiste ou travailliste, bien au contraire, mais il s'intéresse de près aux problèmes sociaux de l'Angleterre. Dans son entourage, s'il parle de ses rencontres dans les clubs ouvriers du Yorkshire, on lui répond d'un ton apitoyé : « Oh ! Monseigneur, comme vous avez dû vous ennuyer! N'êtes-vous pas trop fatigué? » Wallis est la seule à lui donner la réplique sur ce sujet.

Peut-être est-ce à cause de Wallis que le prince reste célibataire. L'acte de 1772 sur le mariage des princes de sang soumet en effet celui-ci à l'approbation du roi, puis à celle du parlement. Édouard n'a aucune chance d'obtenir l'une et l'autre. Quand il sera roi, la décision lui appartiendra seul. Aussi, le 20 janvier 1936, quand la mort de George V le porte sur le trône, entend-il officialiser la situation. « Je la veux », aurait-il simplement dit à Ernest Simpson. Si les souvenirs de l'homme d'affaires sont aussi déformés que ceux du roi, il est certain qu'Édouard, en 1936, s'est occupé de près du divorce de Wallis. Sans doute est-ce ce qui lui aliénera par la suite la presse de gauche, choquée par la complaisance apparente des tribunaux.

Et la *gentry* anglaise se rend compte, tout à coup, que le roi entend bien vivre comme le prince de Galles. N'a-t-il pas compris que les règles du jeu ont changé, qu'un autre rôle lui était dévolu? Dans le *Daily Mail*, par le truchement d'un de ses amis, il laisse entendre qu'il n'en fera qu'à sa tête : « La question du mariage est l'une de celles qui l'ont toujours inquiété. S'il est prêt à accomplir sans restriction son devoir public, il estime que la question du mariage est une affaire privée et ne regarde que lui, la succession au trône ne se trouvant pas menacée, ses frères ayant des enfants. » Libre à chacun de comprendre qu'il veut rester célibataire. Mais les signes ne manquent plus à qui sait les lire.

À un dîner officiel à York House, Wallis est invitée sans son mari. Shocking. Lors d'une croisière estivale en Méditerranée, on la verra choisir des maillots de bains pour Édouard, et le roi paraît avec elle, en short et torse nu. L'archevêque de Canterbury, le très Révérend Cosmo Gordon Lang, puis le Premier ministre, Stanley Baldwin, tentent en vain de le ramener à la raison. On ne cherche pas à briser les amours du roi, mais à les garder dans l'ombre. « Une maison discrète dans le voisinage, la clef de la porte du jardin, des fréquentations de bon ton – de telles relations pourraient être déplorées dans le privé, mais il y avait des précédents de marque » : voilà ce que retient le roi de sa première entrevue avec Stanley Baldwin. Face à cette solution victorienne, le « roi moderne » oppose son intention d'épouser Wallis Simpson, quitte à « se retirer » si le gouvernement s'y oppose.

C'est là que le roi va commetre une fatale erreur tactique.

Sans doute aurait-il pu imposer son mariage, qui n'est plus soumis à aucune autorisation préalable. Mais, espérant se montrer conciliant en proposant un mariage morganatique, il demande à son Premier ministre de s'informer sur une éventuelle adaptation à l'Angleterre de cette coutume continentale. Il ne s'agit plus d'un conseil d'ami, mais d'un avis officiel : s'il n'est pas suivi par le roi, il entraîne un conflit ouvert qui ne peut se résoudre que par l'abdication du roi ou la démission du gouvernement. Baldwin laissera s'envenimer la situation, à tel point qu'on a pu se demander s'il n'avait pas profité de l'affaire pour régler un conflit bien plus grave entre le roi et ses ministres. Brian Inglis souligne les divergences qui existaient tant en politique extérieure (la germanophilie du roi) qu'en politique intérieure (sa sympathie pour les milieux ouvriers). À terme, une crise constitutionnelle sur les limites des prérogatives royales était prévisible. Il était plus simple de la faire éclater sur un sujet mineur.

Le roi avait en effet contre lui tout le gouvernement (sauf un ministre), tous les conservateurs, la religion, l'establishment, le tout-puissant *Times*. Les travaillistes le soutenaient mollement, les journaux populaires maladroitement. Après un bras de fer d'une dizaine de jours, le roi signe le 10 décembre l'acte d'abdication. Le 11, après une allocution à la radio, il rejoint Wallis en France. Les interventions radiophoniques royales étant soumises à l'avis du gouvernement, c'est la première occasion donnée au roi de se justifier devant son peuple. « J'ai trouvé impossible de porter un lourd fardeau de responsabilités et d'assumer mes devoir de roi, sans l'aide et le soutien de la femme que j'aime », explique-t-il. Dans les quartiers ouvriers, on estime qu' « Édouard avait pris la seule voie raisonnable, puisque l'amour, après tout, est la chose la plus importante du monde ».

Dans les milieux bien-pensants, l'abdication n'apaise pas le scandale. La « loi de dépossession » de 1937 ne concédera au roi que le titre de duc de Windsor et privera sa femme et ses enfants de celui d'Altesse royale. Il sera interdit aux évêques de célébrer le mariage. C'est un pasteur d'une petite commune industrielle qui, découvrant cet interdit dans les journaux, osera se proposer. Le 3 mai 1937, le divorce de Wallis est prononcé ; le 3 juin, elle devient duchesse de Windsor au château de Candé, en Anjou. La France, qui voyait jadis Outre-Manche le pays féerique des mariages d'amour, peut rendre son rêve à l'Angleterre [2].

L'histoire d'amour d'Édouard VIII est significative à bien des titres. D'abord par le refus, entre les deux guerres, des vieilles solutions qui permettaient de préserver sans les confondre mariage et amour, façade et intimité. Refus des vieilles hypocrisies, mais aussi de la respectabilité d'une institution qui devra s'adapter aux nouvelles exigences. Significative aussi de la nouvelle géographie du mariage d'amour, la France et les États-Unis remplaçant désormais la Grande-Bretagne et l'Espagne dans l'imaginaire européen. Significative enfin de la démocratisation de l'amour : au roi de jadis épousant des bergères, on oppose aujourd'hui la romance de midinette. Un roi qui entend la vivre s'expose à un scandale qui lui coûte son trône.

L'amour classique

Nous avons évoqué les rapports ambigus de l'amour et du mariage au Moyen Âge en parlant de l'amour courtois. L'époque moderne, si attentive aux droits du père et à l'équilibre des fortunes, n'était pas *a priori* favorable à l'intrusion intempestive de Cupidon dans ses contrats de mariage. Pendant trois siècles, la sévère opinion de Montaigne reste d'actualité : analysant des vers de Virgile qui peignent une Vénus « toute nue, et vive, et haletante », il trouve celle-ci « un peu bien esmeue pour une Venus maritale ». L'amour en effet est jaloux et « se mesle lâchement aux accointances qui sont dressées et entretenues soubs autre titre, comme est le mariage : l'aliance, les moyens, y poisent par raison, autant ou plus que les graces et la beauté. On ne se marie pas pour soy, quoi qu'on die ; on se marie autant ou plus pour sa postérité, pour sa famille ». C'est pourquoi notre philosophe préfère les mariages conclus par de tierces personnes, peu susceptibles de se laisser émouvoir. « Tout cecy, combien à l'opposite des conventions amoureuses ! Aussi est ce une espece d'inceste d'aller employer à ce parentage venerable et sacré les efforts et les extravagances de la licence amoureuse. » D'ailleurs, les mariages les plus fragiles ont été conclus par amour : « il y faut des fondemens plus solides et plus constans, et y marcher d'aguet [*avec précaution*] ; cette bouillante allegresse n'y vaut rien [3] »·

L'amour conjugal – cette « espèce d'inceste », comme saint Jérôme parlait d' « adultère » ! – ne se relèvera pas de cette condamnation sans appel. S'il ose s'insinuer dans le couple – car après tout, il est bien naturel d'aimer la compagne de sa vie, même si on ne l'a pas choisie –, il se fera tout petit, honteux, du moins dans la littérature, où l'homme veut paraître plus fort que dans sa vie, et qui dessine à travers une loupe grossissante les rêves d'une société. Dans *La Princesse de Clèves*, le prince n'avoue à sa femme l'intensité de sa passion qu'à l'article de la mort : « Je vous en ai caché la plus grande partie par la crainte de vous déplaire ou de perdre quelque chose de votre estime par des manières qui ne convenaient pas à un mari [4]. » Situation romanesque, sans doute, mais qui reflète bien le préjugé aristocrate : aimer sa femme est un manque de dignité, et elle pourrait s'en montrer offensée. On le pardonne à un amant, qui incarne les frivolités et l'accessoire, mais comment une épouse entièrement dépendante de son mari se fierait-elle à un homme qui fait montre de la même faiblesse ? L'image de l'amour est celle des triomphes de Pétrarque : le petit archer aveugle enchaîne à son char ses victimes les plus célèbres. Est-ce ainsi humilié qu'une femme souhaiterait voir son mari ?

Si l'amour fait encore rêver les jeunes filles, c'est toujours en dehors du mariage. Les romans précieux véhiculent cette image. Ainsi *Le Grand Cyrus*, œuvre de Mlle de Scudéry : « L'amour peut aller au-delà du tombeau, mais elle ne va guère au-delà du mariage [5]. » Si, dans les pièces de Molière, un amour raisonnable préside encore aux noces, il s'agit, pour le beau monde, d'un phénomène de classe. Aimer sa femme est du dernier bourgeois. Dans *Les Femmes savantes*, Henriette borne son bonheur à « un homme qui vous aime et soit aimé de vous ». Mais sa sœur ne voit là qu'un « esprit de bas étage » : « Laissez aux gens grossiers, aux personnes vulgaires, / Les bas amusements de ces sortes d'affaires » (A. I, sc. 1). Le bonheur simple dont rêve Molière est un rêve de bourgeois dont l'aristocratie s'est volontairement coupée. En rire au théâtre la console-t-il du jeu sans âme qu'elle a choisi de jouer à la cour ?

Ce n'est pas qu'Armande, notre petite femme savante, refuse l'amour – et son choix précisément s'est porté sur l'amant de sa sœur –, mais elle a découragé son soupirant en écartant toute idée de mariage : « Vous ne sauriez pour moi tenir votre pensée / Du commerce des sens nette et débarrassée ; / Et vous ne goûtez point, dans ses plus doux appas, / Cette union des cœurs où les corps n'entrent pas. » L'amour parfait, pour elle, ne veut « marier que les cœurs », et laisse le reste « comme une chose indigne » (A. IV, sc. 2). Ne nous moquons pas trop vite de ces précieuses désincarnées. Si elles refusent l'amour conjugal, c'est par une exigence peut-être légitime. Clitandre, en effet, qui veut épouser Henriette, à d'abord été amoureux d'Armande, mais s'est lassé de l'amour épuré qu'elle exigeait de lui. Rien à voir avec la passion romantique dans l'amour raisonnable qu'il porte désormais à une fille sensée que n'effraie pas le mariage. C'est cela qui indigne Armande, cette façon de galvauder l'amour en confondant la passion exclusive avec une affection conjugale qui se porte sur la première fille prête à se laisser épouser. « Au changement de vœux nulle horreur ne s'égale ; / Et tout cœur infidèle est un monstre en morale », dénonce-t-elle. Et elle n'a pas tout à fait tort.

Si les précieuses refusent le mariage, c'est parce qu'il est pour elles synonyme de haine, ou d'amour au rabais. Elles aussi sont les héritières de Montaigne et de toute la tradition qui a sevré l'amour du mariage ; mais elles ont choisi le camp adverse, celui de Vénus contre Junon. Leur mépris se focalise sur les aspects matériels du mariage, la sexualité, la grossesse, la maternité. Les héroïnes de l'abbé de Pure proposent des mariages à l'essai, voire rompus dès le premier enfant, puisque c'est la seule raison qui pousse un homme à se marier... Des historiens ont voulu voir l'influence de la préciosité dans la multiplication des séparations de fait et de droit dans les ménages aristocratiques des xviie-xviiie siècles. Pour quitter leur mari, certaines femmes invoquent en effet, comme les précieuses, les trop nombreuses maternités qu'ils leur infligent ; d'autres, prison pour prison, préfèrent le couvent au mariage... Pourtant, dans cette opposition de plus en plus marquée entre le mariage et l'amour, c'est aussi dans la préciosité que naît l'espoir d'un mariage d'amour heureux et fidèle [6].

Comment réagissent les moralistes face à cette dégradation de l'image du mariage ? Les prédicateurs, dont nous avons vu le soutien qu'ils accordaient au mariage de raison et la méfiance qu'ils avaient de l'amour, commenceront, très lentement, à réhabiliter le mariage d'inclination : le cardinal Tolédo, à la fin du xvie siècle ; le cardinal de Richelieu, au xviie ; Antonin Blanchard, en 1713, reprochent aux parents de marier leurs enfants à des personnes qu'ils ne peuvent aimer. Guillaume Le Boux, évêque de Périgueux (1621-1693), soutient même les enfants mariés contre leur gré : « Il vous est permis de résister à vos parents, mais sans jamais vous écarter

du respect que vous leur devez, s'ils voulaient forcer vos inclinations et vous associer avec une personne dont le caractère
vous déplût [7]. » Quant aux magistrats, ils ne se montrent pas
toujours insensibles aux revendications de l'amour. À partir du
milieu du XVIIe siècle, on commence à accorder des ruptures
de fiançailles sur simple déclaration d'un manque d'inclination [8]. Témoignages importants, mais encore trop rares.
Notons la nuance entre les personnes qu'on aime et celles
qu'on peut aimer. Un mariage d'amour, au XVIIe siècle, ne
commence toujours pas dans l'amour, mais fournit les conditions idoines à son épanouissement.

Du côté des philosophes, l'amour fait aussi une timide ren-
trée, à condition de rester « convenable » – pas question de
laisser libre cours aux passions désordonnées qui enflamme-
ront le romantisme. Le retour à la nature dont Rousseau est
resté le symbole privilégie les convenances naturelles (de goût
et de caractère) par rapport aux convenances sociales (rang et
fortune). Le mariage d'inclination est donc déclaré « naturel ».
« N'unissez pas des gens qui ne se conviennent que dans une
condition donnée, proteste Jean-Jacques, et qui ne se conviendront plus, cette condition venant à changer, mais des gens
qui se conviendront dans quelque situation qu'ils se trouvent,
dans quelque pays qu'ils habitent, dans quelque rang qu'ils
puissent tomber. Je ne dis pas que les rapports conventionnels
soient indifférents dans le mariage, mais je dis que l'influence
des rapports naturels l'emporte tellement sur la leur, que c'est
elle seule qui décide du sort de la vie, et qu'il y a telle convenance de goûts, d'humeurs, de sentiments, de caractères, qui
devrait engager un père sage, fût-il prince, fût-il monarque, à
donner sans balancer à son fils la fille avec laquelle il aurait
toutes ces convenances, fût-elle née dans une famille déshon-
nête, fût-elle la fille du bourreau [9]. »

Pour lui, il vaut mieux pleurer ensemble dans le malheur
qu'avoir toute la fortune du monde dans la désunion des
cœurs. L'amour cependant n'est pas cet archer aveugle qui
unit d'un trait les êtres les plus dissemblables, et les unions
entre classes sociales ont leurs limites. Rousseau estime ainsi
qu' « il est difficile de trouver dans la lie du peuple une épouse
capable de faire le bonheur d'un honnête homme » ; non pour
des questions de vertu, précise-t-il, mais par manque d'éducation. Les gens « qui pensent » doivent se marier entre eux.
L'amour reste un équilibre raisonnable entre les qualités ; ce
sont ces qualités qui ont simplement changé de nature. Notons

enfin que cette relative tolérance ne va pas jusqu'à la liberté de choix : c'est bien le précepteur d'Émile qui lui propose une épouse, même s'il est plus attentif à l'accord des caractères qu'à celui des fortunes !

À lire ces réflexions livrées au public en 1762, on se rend compte également que les variations de fortune ont changé les échelles de valeur. Les fortunes financières sont plus fragiles que les foncières ; les banqueroutes retentissantes ont déstabilisé la société. D'un autre côté, les promotions sociales, les bourgeois enrichis et les « paysans parvenus » ont estompé les contours nets des anciennes classes. Les mariages fondés sur l'égalité des fortunes ou des rangs sont peut-être moins solides qu'auparavant. L'union des cœurs, la convenance des caractères semblent de meilleurs atouts. La Révolution, qui apprendra à chacun que le sort est précaire, est peut-être pour quelque chose dans la revalorisation de l'amour. Dans la grande valse des têtes et des disgrâces, en tout cas, les mariages de raison se retrouvent fondés sur des bases aussi instables que les unions de cœur. Alors, à tout prendre...

Retour timide de l'amour conjugal ? On en est loin. Tout cela est bien peu de chose face à la méfiance générale dont restent l'objet les mariages passionnels. Écoutez plutôt François Ballet, prédicateur de la reine (1702-1762) : « Qu'arrive-t-il après ces alliances contractées par la passion ? Ce qui est arrivé à nos premiers parents, quand ils eurent écouté le serpent et désobéi au Créateur, à peine eurent-ils succombé à la tentation que les yeux furent ouverts : alors ils reconnurent leur faute ; ils rougirent de leur faiblesse, ils eurent honte de leur misère. [...] Une amitié pure, innocente, est durable ; un fol amour n'a que des ardeurs passagères. » Puisque les enfants se laissent aveugler par une folle passion, le choix de l'époux reviendra donc à leurs parents : « Dieu nous commande d'honorer nos parents. Les enfants ne peuvent violer ce précepte sans crime. Seraient-ils donc innocents s'ils ne les consultaient pas sur le choix d'un état, et surtout d'un état où il y a tant de dangers à éviter ? » Transgressent-ils ce précepte par un mariage clandestin ? « Que de mariages mal assortis ! Que d'alliances contractées par la passion ! quelle confusion dans la société ! quel opprobre dans les familles ! Un sang vil mêlé avec un sang noble, la pauvreté avec l'opulence ; une éducation basse et grossière avec une éducation distinguée et chrétienne ; des noms obscurs et quelquefois odieux avec des noms illustres et précieux à la nation [10]. »

Même son de cloche chez André-Guillaume de Géry (1727-1786). Les mariages d'inclination sont sans doute conformes à la nature, concède-t-il, mais à la nature avilie, dégradée par la concupiscence et le péché. « Mais les mariages les plus conformes à la nature, telle qu'elle devait être, selon l'institution du Créateur, et telle qu'elle doit redevenir par la grâce médicinale de Jésus-Christ, ce sont ceux où la raison domine plus que les sens ; ceux où l'on pense à se procurer les plaisirs purs et durables de la société, plutôt que les voluptés toujours honteuses, lors même qu'elles sont légitimes [11]... » La religion de la nature a encore du pain sur la planche. Quant à savoir si Adam, le seul homme à avoir connu le mariage originel avant l'avilissement de la nature, a épousé Ève par amour ou par raison, c'est un sujet épineux sur lequel le père de Géry ne se prononce pas. Encore eût-il fallu pour trancher que notre premier père pût aimer une autre femme ou lui en préférer une mieux dotée...

Conséquence : le mariage d'amour est aussi discrédité sous Louis XVI que du temps des précieuses. En 1784, d'anonymes *Réflexions philosophiques sur le plaisir, par un célibataire*, le constatent encore : « Les mariages d'inclinaison *(sic)* sont aujourd'hui fort rares ; ils jettent une sorte de ridicule sur ceux qui les contractent. » Et de conclure à la rareté des unions heureuses, qui se rencontrent presque toujours dans la bourgeoisie, et surtout dans le commerce. Le dictionnaire de Trévoux renvoie, dans ses exemples, à l'avis de Saint-Évremond, épicurien du siècle précédent : « Il semble qu'aujourd'hui un mari se fait une ridicule honte d'aimer sa femme, et que la tendresse conjugale soit une pratique bourgeoise [12]. » La condamnation de l'amour conjugal au nom des principes nobiliaires est un des lieux communs qui ruinèrent l'ancienne société.

Pourtant, mariage et amour sont loin d'être incompatibles aux xviie-xviiie siècles. C'est leur ordre naturel qui est contesté. S'il n'est pas systématiquement interdit, comme dans un roman caricatural de Mlle de Scudéry, d'aimer sa femme ou son mari, il est indécent de se marier par amour. L'amour conjugal n'est pas la passion éphémère qui embrase les cœurs adolescents, c'est un sentiment pondéré qui naît *après* le mariage et ne peut pas en être la cause. C'est ainsi que l'entend par exemple Trissotin, dans *Les Femmes savantes* : il lui semble tout naturel d'épouser Henriette, qui ne l'aime pas. « Le don de votre main, où l'on me fait prétendre, / Me livrera ce cœur que possède Clitandre; / Et par mille doux soins j'ai lieu de présumer / Que je pourrai trouver l'art de me faire aimer (A. V, sc. 1). » Nous en rions, parce que ce vieux fou n'a guère de chance de réussite dans son projet galant, mais après tout, n'adopte-t-il pas la même attitude – la même stratégie – que son rival, le jeune et beau Clitandre, qui cherche d'abord une épouse avant d'abandonner son cœur à l'amour?

Telle reste la démarche naturelle dans la bonne société du xviiie siècle. En 1748, Mlle d'Aquéria, jeune fille de dix-neuf ans, quitte le couvent pour être présentée à un jeune homme. Au retour de cette rencontre – sa première sortie –, elle écrit ses impressions à sa mère : « Je n'ay pas de rebut, on ne peut en avoir. J'espère que si nous sommes unis pour lors, je me laisserai entraîner au plaisir de l'aimer [13]. » L'absence de répulsion pour le mari qu'on lui destine suffit pour laisser s'épanouir l'amour, mais après le mariage. L'amour est bien évidemment un rêve de jeune fille, et il n'y a pas besoin de romans pour le rappeler. Mais c'est un rêve qu'une fille sage sait inaccessible. Symptomatique, la correspondance échangée par deux demoiselles de bonne famille en 1762. Geneviève de Malboissière écrit ainsi à son amie, Adélaïde Méliand : « Je vous trouve admirable, mon cœur : M. de Flavigny, dites-vous, est toujours amoureux de sa femme! En vérité, cet amour-là est bien tenace. À peine y a-t-il six mois qu'ils sont mariés, et s'aimer encore après avoir vécu aussi longtemps ensemble! Ils deviendront réellement un exemple pour la postérité. [...] Je voudrais si j'étais mariée (mais c'est impossible), que mon mari ne s'occupât que de moi, qu'il m'aimât uniquement. Je ferais mon bonheur suprême de lui plaire, mais je voudrais qu'il me rendît le change, afin qu'il vécût toujours avec moi plus en amant qu'en époux [14]. » Derrière le pastiche involontaire de la divine marquise, dans la raillerie qui ouvre la lettre, on trouve, quand il s'agit de conclure, toute la fraîcheur d'un cœur qui rêve de se donner, mais trop bien instruit des contraintes sociales pour laisser libre cours à ce songe. L'amour? C'est bon pour les amants. Mais les époux, pensez donc...

Le choc des mariages

Un roman illustre bien la crise du mariage et de l'amour au début du xixe siècle, sous la Restauration, lorsque les vieilles mentalités côtoient encore le tout jeune romantisme : *Le Contrat de mariage* de Balzac, publié en 1842 mais dont l'action se situe vers 1820. Paul de Manerville, gentilhomme provincial vivant à Paris, décide, à vingt-sept ans, de rentrer sur ses terres pour se marier. Il ne s'attire que railleries de la part d'un ami qui aura pourtant l'occasion de prouver sa fidélité. Pour de Marsay, qui se pique d'une frivolité mondaine de façade, le mariage n'est plus à la mode. « Eh! bien, sois bon père et bon époux, tu deviendras ridicule pour le reste de tes jours. » Une longue conversation précise cette condamnation péremptoire.

Le premier danger du mariage, c'est la fixation de l'être, dangereuse dans le monde mouvant du xixe siècle – « c'est le : – *Tu n'iras pas plus loin* social », résume de Marsay. Dans la floraison d'idées nouvelles, le mariage invite à la pondération et au conservatisme. « Marié, tu deviens ganache, tu calcules des dots, tu parles de morale publique et religieuse, tu trouves les jeunes gens immoraux, dangereux; enfin, tu deviendras un académicien moral. » Dans la foulée de la Révolution et de l'épopée napoléonienne, les jeunes gens de bonne famille ont été pour la première fois dans l'histoire de France frappés par ce virus toujours endémique : l'anticonformisme. Et le mariage, comme toute position stable puisque le divorce est à nouveau interdit depuis 1816, est le symbole même du conformisme intellectuel et moral.

Au-delà de cette crainte, l'argument social pointe le nez : en se mariant, Paul sacrifie aux « mœurs bourgeoises créées par la révolution française ». « Qui se marie aujourd'hui? des commerçants dans l'intérêt de leur capital ou pour être deux à tirer la charrue, des paysans qui veulent en produisant beaucoup d'enfants se faire des ouvriers, des agents de change ou des notaires obligés de payer leurs charges, de malheureux rois qui continuent de malheureuses dynasties. Nous seuls sommes exempts du bât, et tu vas t'en harnacher? » Voilà le fond du problème : le mariage trahit des mœurs bourgeoises face au libertinage mondain des fils de bonne famille. Et précisément, Paul, le candidat à la prison conjugale, entend bien connaître « la vie de ce plus grand nombre auquel j'appartiens bourgeoisement ». Faire une fin honnête avec une honnête fille résume à ses yeux les conquêtes de la Révolution et l'idéal de la nouvelle bourgeoisie.

À l'opposé, de Marsay se fait le chantre du mariage galant que nous avons analysé au xviiie siècle. Le seul mariage possible, pour lui, doit se faire « en grand seigneur » : le mari, séparé de sa femme, lui fait deux enfants légitimes pendant la lune de miel, puis le couple vit dans deux maisons distinctes, et le mari se fait annoncer par courrier lorsqu'il rentre de voyage. C'est le mariage de façade de la ci-devant aristocratie – le seul problème, c'est qu'il exige deux cent mille livres de rente [15]...

Et Paul de Manerville tombera dans le piège de la bourgeoisie romantique : il entend faire un mariage d'amour, malgré les conseils de sa tante, de son notaire... et de son propre for intérieur. Car éduqué à l'ancienne, il n'a appris que le mariage de raison, et en se découvrant un « amour déraisonnable, sur lequel il eut le bon sens de se garder le secret à lui-même, il le fit passer pour une envie de se marier [16] ». Il tombe bien entendu sur une aventurière espagnole qui le plumera grâce à une astuce du contrat de mariage que n'a pu déceler le notaire du jeune homme.

La savoureuse scène où le contrat est discuté entre notaires, puis en famille, permet d'opposer trois attitudes presque caricaturales devant le mariage. Dans le camp des « anciens », nous trouvons la tante du futur, qui pressent le piège dans lequel va tomber son neveu et exige un contrat : « Nous autres vieilles gens, nous tenons fort au : Qu'a-t-il? Qu'a-t-elle? » Mais nous trouvons aussi le vieux notaire rusé et honnête, sceptique comme jadis devant les unions d'inclination. « J'ai entendu dire que les jeunes mariés qui s'aimaient comme des amants n'avaient pas d'enfants. Le plaisir est-il donc le seul but du mariage? N'est-ce pas plutôt le bonheur et la famille [17] ? » Égalité des fortunes et désir d'un héritier, c'est le mariage familial du siècle précédent; amour égoïste qui méprise l'argent et ne s'encombre pas d'enfants, voilà la nouvelle mode.

Nouveau style effectivement représenté par Paul de Manerville – l'idée même d'un contrat de mariage lui semble insultante pour son amour – et habilement exploité par le notaire de la future. L'amour vaut bien une dot, assure ce dernier, et peut être assimilé à « un Avoir dans les Propres d'une fille ». Mais ce mariage d'amour, avant d'être le rêve romantique, est la tradition espagnole à laquelle se réfère la future belle-mère. Dans les pays qui n'ont pas vécu l'édit de Henri II, le mariage arrangé par les parents était plus difficile, et la tradition du mariage passionné après un enlèvement romanesque était restée légendaire : ce n'est pas un hasard si les don Juan et les barbiers de Séville font rêver le XVIIIe siècle. Le notaire de Paul reconnaît la différence : « On se marie en Espagne à l'espagnole et comme on veut ; mais l'on se marie en France à la française, raisonnablement et comme on peut [18] ! »

Balzac n'est pas le seul à avoir ressenti cette particularité française. On ne lui oppose pas seulement le mariage à l'espagnole, mais aussi le *flirt* américain et anglais. Dans une nouvelle d'Edmond About publiée en 1868, un Strasbourgeois amoureux hésite sur la façon de présenter sa demande en mariage. « En Angleterre, aimant Adda, je commencerais par obtenir son cœur d'elle-même, et j'irais ensuite avec elle demander l'approbation de ses parents. En France, il serait mal de parler mariage à une jeune fille, si ses parents ne vous y avaient d'abord autorisé. » Bien qu'il réprouve cet usage national, il s'y soumet. Le refus qu'il essuie auprès des parents, motivé par une différence d'âge et de religion, ne devient dramatique que par l'ignorance dans laquelle a été tenue la jeune fille de la demande en mariage [19].

Montesquieu, dont *L'Esprit des lois* paraît en 1750 avant le *Marriage Act* de 1753, avait déjà noté cette particularité anglaise et latine. En Angleterre, explique-t-il, les filles « abusent » souvent de la loi pour se marier à leur fantaisie. Mais elles sont excusables, car le mariage est le seul état qu'elles peuvent embrasser. La suppression des couvents par la religion anglicane ne leur donne pas d'autre alternative, et elles ne peuvent se réfugier dans la religion si le mari qu'on leur propose ne leur convient pas. Les Espagnoles et les Italiennes, en revanche, n'ont pas droit à la même indulgence : leur habitude de se marier sans le consentement de leur père « n'est pas raisonnable », estime le magistrat bordelais. Que ne choisissent-elles le couvent si elles refusent un parti [20] ?

L'Espagne, paradis des passions brûlantes où l'on enlève sa bien-aimée pour l'épouser en cachette ; l'Angleterre, où les demoiselles se marient selon leur cœur contre la volonté de leurs parents, sont dans l'imaginaire français les principaux refuges de l'amour conjugal. *Le Barbier de Séville* avec son mariage dérobé dans une nuit de tempête, ou le mythe du forgeron de Gretna Green, entretiennent cette illusion qui nourrira largement le romantisme. Car c'est d'abord dans les pays germaniques, puis dans l'exotisme latin, que la France de la Restauration ira ressusciter la passion amoureuse qu'elle avait mis deux siècles à étouffer. La conception du mariage ne pouvait que s'en ressentir.

Et c'est tout naturellement vers l'Angleterre, l'Allemagne ou l'Amérique que se tournent les moralistes qui veulent plus sérieusement réformer les mœurs françaises. Louis Legrand, député républicain de Valenciennes, se fait le défenseur acharné du mariage d'amour en 1879. Il s'en prend surtout à l'éducation des filles dans un couvent, où elles sont coupées de l'autre sexe et ne peuvent que souscrire au choix de leurs parents quand il s'agit de trouver un mari : « nulle sympathie entre les âmes, nul accord entre les caractères », se plaint-il. Il conviendrait à cet égard d'adopter le modèle anglo-saxon. « En Amérique, en Angleterre, en Allemagne, les jeunes filles sortent seules, se dirigent et se marient seules ; nul ne s'offusque de les voir en relations familières et même amicales avec des jeunes gens : c'est de ces relations intimes qu'éclosent les inclinations d'où naissent des mariages [21]. » Cette *flirtation* américaine mériterait d'être introduite en France – et l'absence même du mot en français est éloquente. Est-il besoin de rappeler, pourtant, que le *flirt* anglais vient de ces *fleurettes* que contaient nos aïeux et dont leurs enfants avaient perdu la pratique ?

Pourtant, cette passion que la belle société française a perdue et qu'elle recherche à l'étranger, les classes moins sensibles aux modes ont su la préserver. Plus latinophile qu'anglomane, Stendhal l'a retrouvée en Italie. C'est la vanité des Français, leur peur du ridicule et leur hantise d'être quittés par une femme aimée qui les éloignent de l'amour, dénonce-t-il. On ne trouve donc pas en France de grandes passions comme en Italie, où le désespoir amoureux n'expose personne au ridicule. « Pour trouver l'amour à Paris, il faut descendre jusqu'aux classes dans lesquelles l'absence de l'éducation et de la vanité et la lutte avec les vrais besoins ont laissé plus d'énergie [22]. » Exotisme et intérêt pour le peuple : les deux mamelles du romantisme français ont nourri sa quête de l'amour.

C'est effectivement la littérature qui va nourrir ce rêve de mariage passionné. Les polémistes, les moralistes, les confesseurs... et les littérateurs eux-mêmes tombent d'accord là-dessus. En 1856, l'Académie des Sciences morales et politiques lance la balle en proposant comme sujet de son concours annuel : « l'influence de la littérature et du théâtre sur les mœurs actuelles ». Eugène Poitou, conseiller à la cour impériale d'Angers, publie en 1857 la dissertation couronnée par ce Prix. La même année, on passe à la pratique : *Madame Bovary* et *Les Fleurs du Mal* sont les premières victimes de cette campagne.

Eugène Poitou, qui publie en 1857 *Du roman et du théâtre contemporains et de leur influence sur les mœurs*; Charles Poivin, qui renchérit en 1872 avec *De la corruption littéraire en France*; Ernest Seillière, avec *Le Romantisme et les mœurs*, enfoncent indéfiniment le même clou : la corruption des mœurs, la fréquence des adultères, des divorces, des mariages malheureux, viennent de la fièvre romanesque de la France et du virus de l'amour inoculé aux jeunes gens par d'imprudents littérateurs. « Pour combattre les abus du mariage, dénonce Poivin, on nie, on détruit, on maudit le mariage lui-même. L'amour seul consacre cette union, on en conclut qu'il est incompatible avec le sacrement. La liberté du choix d'un époux mène à la liberté du choix de plusieurs amants l'un après l'autre, et le droit de réparer une erreur aboutit au droit de se tromper sans cesse [23]. »

Dans les romans de l'époque, les mêmes clichés reviennent. Le « bovarysme », s'il a tiré son nom de l'héroïne de Flaubert, est présent dans toute la littérature. Il n'y a pas qu'Emma dont l'âme s'exalte à la lecture des livres interdits aux jeunes filles. Léodile de Champceix, qui publie sous le nom d'André Léo *Un mariage scandaleux* (1862), met en scène un jeune paysan bouleversé par *Paul et Virginie* et qui vit le grand amour avec la fille d'un petit propriétaire. Le professeur Marchal, héros d'Edmond About, juge à l'aune littéraire son amour pour la fille du chanoine, malgré sa formation scientifique et le sang-froid de ses trente-cinq ans : « Est-ce que je l'aime d'un amour passionné, comme dans les romans ? Je n'en sais rien, mais tous mes sentiments et toutes mes pensées depuis un an gravitent autour d'elle [24] ».

Mais les influences anglaise, allemande, espagnole, italienne, la nostalgie des amours paysannes ou populaires et le succès de certains romans suffisent-ils à expliquer la mode soudaine du mariage d'amour tant décrié au siècle précédent ? La Révolution des clichés a-t-elle suffi à faire d'un peuple raisonneur et cynique une nation d'exaltés transis d'amour ? Non sans doute. Il y a surtout un changement d'optique, qui permet à des sentiments bien attestés avant 1789 de s'épanouir dans l'estime de la société et non plus dans son mépris. Tout est dans ce mot « bourgeois » que nous trouvons partout accolé à l'amour conjugal. Par un préjugé de classe aberrant, on avait fini par se convaincre qu'un aristocrate ne pouvait aimer sa femme. En cela, rien de changé au XIXe siècle. Stendhal rencontre encore de ces « jeunes gens riches qui se piquent de paraître frivoles, afin d'avoir l'air de continuer la bonne compagnie d'autrefois[25] ». Ce sont les de Marsay qui, chez Balzac, craignent tant de tomber dans « l'infini ridicule » du mariage. Mais ils sont désormais minoritaires face aux bourgeois qui ont pris les rênes du pouvoir, sinon du bon ton, et les nobliaux de province comme le Manerville de Balzac entendent vivre « bourgeoisement » leur mariage d'amour.

Un nouveau genre de vie traduit la nouvelle mentalité. Pour le bourgeois, les mondanités deviennent un loisir qui récompense le travail, et non plus une règle de vie. Or, selon l'analyse désormais célèbre de Stendhal, l'amour a besoin de temps pour se « cristalliser » : comment tomber amoureux d'une femme apparue un soir de bal si on la revoit le lendemain même dans la frivolité mondaine ? Il faut du temps pour laisser éclore l'espoir et le doute, pour laisser les souvenirs auréoler la nouvelle idole, pour laisser s'opérer la délicate « cristallisation » de l'amour. Voilà le problème : « Le vrai grand monde tel qu'on le trouvait à la cour de France, et qui, je crois, n'existe plus depuis 1780, était peu favorable à l'amour, comme rendant presque impossibles la *solitude* et le loisir, indispensables pour le travail des cristallisations[26]. » Moins aguerris à la vie mondaine qu'ils dirigent désormais, les bourgeois se laissent prendre au piège d'une galanterie sans grande conséquence pour ceux qui la mimaient jadis. Flaubert semble avoir voulu illustrer la théorie de Stendhal dans la célèbre scène du bal qui aura une si longue résonance dans les souvenirs d'Emma Bovary. Aurait-elle si passionnément aimé Rodolphe si le bal avait été une habitude quotidienne ?

D'autres éléments, plus matériels, permettent également l'éclosion des sentiments amoureux dans la France post-révolutionnaire. Notamment la possibilité d'une vie conjugale réelle, dans l'intimité d'appartements personnels qui permettent l'isolement des jeunes couples impossible dans les maisons familiales traditionnelles. La cellule de base devient de plus en plus le couple et non la famille tribale. Les grands hôtels aristocratiques ou les fermes familiales obligeaient jadis à une promiscuité peu favorable au développement de l'amour. La généralisation de la famille conjugale et « les sentiments amoureux qu'elle rend obligatoires[27] » sont une des grandes mutations sociales du xixe siècle. Plusieurs hypothèses ont été avancées pour expliquer cette évolution contemporaine de la révolution industrielle. On a longtemps lié les deux phénomènes, et imputé aux migrants, aux paysans déracinés et

coupés des antiques structures familiales, la création d'un
noyau conjugal plus restreint, où l'amour tenait lieu de patrimoine. Sans négliger cette explication, on y voit aujourd'hui
l'aboutissement d'un processus plus long qui, depuis le
XVIᵉ siècle, a transformé la vie sociale, politique, familiale. La
genèse de l'homme moderne, plus « policé », maître de ses
pulsions, qui a intériorisé sa vie sentimentale et spirituelle,
s'accompagne d'une prise de conscience de sentiments plus
raffinés, d'une analyse aiguë de l'amour. Le modèle populaire,
réel ou imaginé, serait après la Révolution devenu référence.

L'amour littéraire

Rassurons-nous cependant sur la santé morale des Français. Tous n'ont pas perdu la tête à la Révolution. Ce qu'on
appelle « amour » recouvre encore des réalités très variables.
Pour reprendre la terminologie de Stendhal, on rencontre
encore « l'amour-goût », cette galanterie « qui régnait à Paris
vers 1760 », où tout doit être « couleur de rose », jusqu'aux
ombres, et qui sait prendre en compte nos intérêts. On rencontre aussi « l'amour-vanité », celui des hommes piqués
d'exhiber une femme à la mode comme un joli cheval. « Le cas
le plus heureux de cette plate relation est celui où le plaisir
physique est augmenté par l'habitude. Les souvenirs la font
alors ressembler un peu à l'amour [...]; et les idées du roman
vous prenant à la gorge, on croit être amoureux et mélanco-
lique, car la vanité aspire à se croire une grande passion [28]. »
Ces deux sortes d'amour nous replongent dans les idées du
XVIIIᵉ siècle : la galanterie frivole et l'amour conjugal né après
le mariage sont tolérés. Ce n'est que de l'amour-passion qu'il
faut se garder, et au XIXᵉ siècle, les romans qui le véhiculent ne
font que prêter son bel habit à de sages amours conjugales.

C'est la même idée qu'on retrouve chez Edmond About,
qui, dans *Mainfroi*, met en scène une jeune fille noble échauf-
fée par les romans modernes. Dans la tradition aristocrate et
provinciale – grenobloise, en l'occurrence –, elle devait entrer
en religion pour laisser à son frère l'héritage intact. Mais
« c'est un esprit romanesque, se plaint son père, à la mode du
jour. On veut être aimée ; on réclame sa part de bonheur ». Le
lecteur se rassure bien vite : tout ce que cherche la petite héritière, c'est aimer l'homme que son père lui trouvera. Rien
n'est vraiment changé [29].

C'est le même modèle qu'on trouve dans *Le Mariage et l'Amour* d'Élise Voïart (1833), présenté comme une histoire vécue romancée. Deux jeunes héritiers mariés contre leur gré se battent froid : « Mais je ne pourrai jamais aimer cette femme-là », se plaint le jeune homme. Douze ans de séparation et des retrouvailles au terme desquelles ils se font la cour sans se reconnaître éveilleront pourtant l'amour entre les deux époux. Malgré le réquisitoire discret contre les mariages arrangés, on trouve normal qu'un jeune homme tâche d'aimer la femme qu'on lui a donnée pour épouse. Quant à la seconde rencontre des jeunes gens, elle est également arrangée, mais dans un château de la belle Auvergne, un soir d'orage. Tout est dans la manière.

Aussi retrouve-t-on avec intérêt le conflit entre ces différents amours dans le roman de Léodile de Champceix, *Un mariage scandaleux*. Issue d'une bonne famille poitevine, la jeune fille rédige ce premier roman juste après son mariage, à vingt ans. Mais elle devra attendre une douzaine d'années avant de lui trouver un éditeur. Encore le livre devra-t-il paraître sous un pseudonyme masculin, André Léo, composé des deux prénoms de ses jumeaux. Le « mariage scandaleux » qu'elle imagine est celui de Michel et de Lucie, d'un paysan et d'une fille de bonne famille campagnarde. Les mésalliances aussi se sont démocratisées. Quoique tout soit fait pour atténuer le scandale – Lucie a du goût pour le travail et Michel pour la lecture ! –, celui-ci est nettement perceptible dans la façon dont l'héroïne découvre avec horreur sa passion. Épouser un paysan ? « Elle eût accepté la mission de Jeanne d'Arc, ou celle d'Élisabeth Fry. Elle eût passé le Tibre sous une pluie de flèches ; elle eût plongé dans son sein le poignard d'Arria, ou bu le poison de Sophonisbè, tout, plutôt que ce martyre de honte sous les flèches acérées de l'insulte et du mépris [30]. » L'analyse, cependant, est plus subtile que le style pompeux ne le laisserait supposer.

Car le drame des personnages est de raisonner par lieux communs que la romancière s'applique à démonter. Ainsi, la cousine de Lucie, qui fait un mariage de raison avec le fils du sous-préfet, est-elle sincèrement convaincue que « les avantages de son mariage et le mérite de son fiancé » lui inspireront de l'amour. « Vous l'aimez passionnément, n'est-ce pas ? demanda Chérie. – Je dois maintenant l'aimer, répondit Mlle Bourdon. » Les parents l'ont d'ailleurs préparée à son rôle, qui sert de contrepoint au mariage scandaleux, mais heureux, de Lucie. « L'amour est-il une condition nécessaire du mariage ? » s'interroge la mère de la cousine bien mariée. « Pourquoi pas, répondit M. Bourdon avec un peu d'hésitation ? Ma fille est jeune, belle, pure, aimante. Comment ne pourrait-elle pas prétendre au bonheur d'être aimée sincèrement par un honnête homme ! – Aurélie n'est pas romanesque. J'ai cru devoir, dans son intérêt, ne pas lui faire d'illusions. Elle sait que la vie des femmes est toute de sacrifices. Pourvu que son mari garde les convenances, elle fermera les yeux sur sa conduite hors de la maison, et ne sera pas moins une épouse fidèle, soumise et dévouée. » Disons tout de suite que la pauvre fille aura bien besoin de cette éducation à l'abnégation.

Dans les clichés de l'époque, cependant, il y a une alternative au mariage de raison : c'est le coup de folie, la passion irraisonnée devant laquelle il faut bien s'incliner. On n'est pas des barbares et on a des lettres. La mère de Lucie ne connaît que ces deux mariages : une grande passion, justifiée par d'éclatants mérites, ou bien un mariage « qui va de soi-même, fortunes et rangs assortis ». Mme Jourdain ou Rosine : il n'y a pas de moyen terme. Si sa fille est une « héroïne » épousant un « héros » de roman, elle est prête à consentir à cette union inouïe. Pas de chance : Lucie n'éprouve que « l'affection la plus profonde et la mieux raisonnée » et ne demande qu' « un ami, un compagnon tout à soi, auquel on est heureuse de donner sa vie ».

Stupéfaction de la mère. « Tu n'éprouves point de passion, et tu veux te mésallier !... Mais cela est indigne ! abominable !... » La situation effectivement est plus complexe. La romancière se méfie des amours romanesques. « On a trop exalté dans la première moitié de ce siècle la fatalité de l'amour, explique-t-elle. Déclarée *irrésistible et divine*, la passion a justifié trop d'égarements. » L'amour de Lucie n'est pas cette passion irrésistible, « et si quelque loi sacrée eût condamné son mariage avec Michel, assurément elle eût obéi ; car un sentiment vrai ne s'élève pas contre les lois légitimes du sentiment ». Mais ce ne sont pas ces « lois » sacrées qui condamnent la mésalliance : c'est un préjugé dépassé contre les paysans. Lucie ne veut pas se marier follement avec un inférieur, ce qu'accepteraient la mère et le village : elle veut épouser raisonnablement un égal. Là est le véritable scandale, car il bouleverse l'ordre social. Du coup, la situation d'exception est revendiquée comme un droit, ce qui est proprement inadmissible. Et le mièvre roman d'amour prend tout à coup une force qu'on n'attendait pas [31].

Au-delà de cet aspect social du roman, retenons que, sous l'influence de la littérature romantique, la passion semble désormais admise, à titre d'exception, comme raison valable de se marier, au prix même d'une mésalliance. Dans la littérature postromantique, cette passion s'impose comme un dieu jaloux, qui fait valoir ses droits si on les a négligés pour se marier par intérêt. Au mariage bourgeois, la course à la dot programmée et raisonnée, un personnage de Paul Hervieu oppose en 1895 une union laissée au hasard, c'est-à-dire à la nature chargée d'éveiller l'amour d'une femme et le cœur d'un homme. Si les deux grands actes de la vie (naître et mourir) ne dépendent pas de notre volonté, pourquoi vouloir la manifester dans le troisième, le mariage? « Le mariage, dit-il, c'est l'amour!... auquel de vertueux usages ont noblement fait d'ajouter la mairie et l'église [...] On peut, pour un temps, méconnaître la nature, ou ne pas attendre qu'elle se soit prononcée. Soyez certains qu'elle reprendra son œuvre, tôt ou tard, soit pour confirmer le mariage de ceux qui s'étaient passés, à l'origine, de son consentement – et c'est le cas de tant de bons ménages où l'on ne s'est aimé qu'à la longue, – soit pour remarier ailleurs... à la façon de la nature... l'un ou l'autre des époux qu'elle n'avait pas unis [32]. » La « passion romantique », extérieure, foudroyante, reprend désormais ses droits et refuse les facilités de l'amour raisonnable. La mépriser, c'est s'exposer à voir revenir par la fenêtre le petit dieu archer mis à la porte.

Un roman épistolaire publié en 1875 montre ainsi en trois cents pages verbeuses les dégâts d'un amour méprisé qui entraîne tout doucement à l'adultère, à la folie et à la mort. Sans doute le mariage béni à l'église est-il un sacrement. « Mais, l'amour, c'est Dieu aussi... les anciens lui élevaient des autels. Comme Dieu, il punit et châtie les coupables. Lorsqu'on s'unit par le lien indissoluble du mariage, il faut attendre sa présence pour passer et signer le contrat; à l'église comme à la mairie, il faut que l'âme ardente, le cœur ferme et libre il puisse dire : *Oui!...* » Tout le roman est une démonstration de cette thèse : le dieu jaloux se venge de ceux qui l'ont banni des noces. L'amour qu'on a cru étouffer dans un mariage de raison continue à brûler, et l'amant repoussé hante la jeune bourgeoise qui se croyait rangée.

« Tu te trouves punie pour n'avoir pas consulté et suivi les premières inspirations de ton âme », tranche le soupirant évincé. Punition d'origine divine : « Tu m'aimais alors devant

Dieu... Oh! pourquoi n'as-tu pas su résister aux calculs égoïstes des hommes?... » Le mariage des cœurs est un engagement sacré, plus fort que celui conclu pour des raisons matérielles : « Tu n'étais pas libre et elle [*ton âme*] ne t'appartenait plus puisqu'elle s'était donnée secrètement à moi. Ce pacte-là, vois-tu, je le réclame encore, *envers et contre tous*. Je le réclamerai toujours!... Je te l'ai dit cent fois : ton âme, n'étant pas libre, n'a pu être liée [33]. » Derrière ces trémolos qui nous semblent aujourd'hui grotesques, on trouve une conception idéaliste de l'amour, devenu une religion dont les engagements prévalent sur ceux mêmes sanctifiés par l'Église. Pour avoir offensé un dieu vengeur, une femme meurt de maladie nerveuse, son amant va se faire tuer en Afrique, son mari sombre dans la boisson, le jeu et l'inconduite, et ses deux enfants sont l'un fou et l'autre idiote. Beau tableau de chasse pour l'archer mythologique!

À l'époque où se concocte à Vienne la théorie psychanalytique, on connaît déjà en France le prix des pulsions refoulées. Les théories de Freud trouveront le terrain préparé : il est certain qu'elles auront une influence déterminante sur la conception de l'amour, et indirectement du mariage. La fatalité extérieure, le petit dieu jaloux, se retrouvera intériorisée et réduite trop souvent à ses composants sexuels, mais c'est la même idée d'une nécessité à laquelle l'homme ne peut se soustraire.

Cette conception idéaliste a cependant ses dangers. Les romanciers ont beau affirmer que le mariage et l'amour doivent aller de pair, leur conception trop élevée de l'amour le rend incompatible avec le mariage bourgeois. Stendhal, avec *De l'amour*; Balzac, avec *La Physiologie du mariage*, avaient prôné l'union des cœurs par le lien conjugal. Dès la génération suivante on n'y croit plus qu'à moitié. L'amour est plutôt le fait de l'union libre dans *Le Juif errant* de Sue; de l'adultère, dans la *Madame Bovary* de Flaubert ou dans les romans de Sand. Le sommet de ce désespoir est sans doute l'*Axël* de Villiers de l'Isle Adam (1885) : pour éviter de voir leur amour sublime s'épuiser avec le temps, Axël et Sara choisissent la mort. « Mais bientôt, puisque c'est une loi des êtres, si nos transports allaient s'éteindre, et si quelque heure maudite devait sonner, où notre amour, pâlissant, dissipé de ses propres flammes... Oh! n'attendons pas cette heure triste. » Le suicide est conclu comme une noce : dans le chaton de sa bague, Sara garde un violent poison. Elle associe explicitement l'anneau aux fiançailles qu'ils consumeront dans la mort. Dans le lointain, on entend les chants joyeux d'une noce [34].

L'amour républicain

Quant aux moralistes et aux politiciens, ils ont vite emboîté le pas aux romanciers, mais ils ont soin de garder cet amour conjugal dans les limites du... raisonnable. Les parents doivent désormais laisser à leurs enfants le soin de se trouver une compagne. Charles de Monmorel, aumônier de la duchesse de Bourgogne, témoigne de ce retournement radical de la prédication religieuse de part et d'autre de la Révolution : « Comme l'union des cœurs est le moyen le plus sûr pour rendre un mariage heureux, et que cette union dépend principalement de certains rapports d'humeurs et d'inclinations fondés sur l'estime, le mérite et la vertu, vous devez d'ailleurs consulter vos enfants, étudier leur penchant, ne les contraindre jamais, et les suivre même dans tout ce qui n'est point contraire à la raison. » On ne se méfiera pas moins de la passion, et il sera déconseillé aux enfants de conclure un mariage contre l'avis de leurs parents. Monmorel conclut de façon très classique à la maîtrise de soi et à l'obéissance filiale ; la reconnaissance du mariage d'inclination et du droit au bonheur est cependant un grand progrès dans la prédication catholique [35].

Mais c'est sans doute sous la IIIe République que l'amour deviendra la pierre de touche du mariage, du moins dans les villes où se diffusent les idées sociales nouvelles. Dans les premières années du nouveau régime, comme presque tous les phénomènes de société des années 1870, il est mis en relation avec la défaite et la volonté de revanche. Selon Charles Alric, la décadence des mœurs qui a exposé la France « à redouter la vengeance et la convoitise de quelque nation plus prévoyante » vient principalement de « l'inconcevable négligence que nous n'apportons que trop souvent dans la formation de la famille ». On ne peut engendrer des enfants « au cœur chaud, généreux, accessible aux nobles sentiments de dévouement et de patriotisme » avec des parents froids, sceptiques, qui raillent amour, devoir et sacrifice. Conclusion : aimez-vous, mariez-vous par amour et non plus par intérêt, et vos enfants seront élevés dans l'amour... de la patrie. Mais si nous acceptons que nos intérêts matériels passent avant l'idéal conjugal, gare à notre liberté ! « Alors, mais alors seulement, l'étranger orgueilleux et avide, le pied sur la gorge, pourrait nous dire : *Fils d'esclave, je te tiens, tu ne te relèveras plus* [36]!... »

L'amour ? Une vertu vraiment républicaine. Le même

Charles Alric nous le rappelle dans la préface de son roman : « Nous vivons une époque où la liberté civile jointe à une certaine facilité de relations dans les diverses classes de la société, semblent élargir les voies et préparer l'entraînement de nos passions. » La liberté et l'égalité sont les gages de cette nouvelle fraternité. Le mariage de raison était caractéristique de l'Ancien Régime – autorité paternelle ou royale ; fermeture des classes sociales qui se marient en leur sein. Le mariage d'amour est le symbole des libertés reconquises. Cette conception apparaît plus clairement encore dans l'essai consacré au mariage et aux mœurs en France par Louis Legrand, député de Valenciennes appartenant à la gauche républicaine. Écrit vers 1870 par un garçon de vingt-huit ans, le livre sera publié en 1879, dans le triomphe de la République laïque et idéaliste – mais aussi au plus chaud de la querelle sur le divorce.

Notre député républicain fera du mariage d'amour son fer de lance dans la lutte contre la dictature, la religion, l'immoralisme et le divorce. Car la situation qu'il analyse, dans une société où les mariages d'argent sont plus fréquents que les unions amoureuses, lui semble le pitoyable résultat de la dictature – entendez, du second Empire. « On n'a plus demandé au gouvernement que d'assurer l'ordre matériel ; on s'est désintéressé de la chose publique ; on n'a jamais songé qu'à soi, à ses propres affaires. La richesse est devevue le seul but de toutes les activités. » À la République donc de ramener l'amour. Entre la mésalliance des sens (ceux qui épousent contre l'avis de leur père une femme de mauvaise vie) et celle du cœur (ceux qui se marient par amour contre l'avis de leurs parents), celle-ci seule est vertueuse. « Il est beau de fouler aux pieds les préjugés de caste, de ne chercher que le mérite et de s'y attacher, dans quelque condition qu'on le rencontre. » Se marier donc avec une grisette qui vous aime n'est pas seulement une victoire de l'amour : c'est un pacte patriotique ! André Léo et son « amour scandaleux » ont dû applaudir des deux mains.

Il peut cependant y avoir aussi mésalliance dans une République égalitaire, mais selon le mérite des personnes, plutôt que selon leur classe sociale. « Au sein d'une société démocratique, la seule mésalliance qui reste possible est toute dans la différence des conditions morales et intellectuelles, différence qui doit empêcher l'union, parce qu'elle détruirait l'unité. » Un homme de goût peut-il aimer une « ravissante idiote » ? L'amour républicain a lui aussi ses limites... Et ce petit cours d'éducation civique se conclut par un appel à l'amour : « Il est temps que l'amour redevienne ce qu'il n'aurait jamais dû cesser d'être : le mobile déterminant, la condition essentielle de l'union conjugale. Lui seul possède le privilège de discerner ou de créer la convenance entre les personnes. »

Les obstacles à ces mariages d'amour sont aussi éminemment politiques : l'éducation religieuse des jeunes filles, qui ne les prépare pas à choisir librement leur mari ; l'abrutissement de l'usine, qui incite à quitter rapidement le milieu familial pour vivre en concubinage ; le « dilettantisme sexuel », où l'on reconnaît la galanterie pseudo-aristocratique que tentent de maintenir de jeunes nostalgiques de l'Ancien Régime. Aussi ne faut-il pas s'étonner de trouver chez cet ardent républicain une conception quasi mystique de l'amour. Le mot apparaît en toute lettre (« attendrissement mystique ») et le lyrisme semble jailli de sainte Thérèse d'Avila : « Alors les deux âmes sortent d'elles-mêmes et s'épanchent pour ainsi dire l'une dans l'autre. » Le discours politique ne manquait pas de panache il y a cent ans !

Aussi notre député ne se satisfait-il pas d'amitié, et exige la passion entre les époux. Ce « complet épanouissement » qu'ils trouveront alors dans le mariage est le but de notre destinée, et s'oppose aux « résignations de la foi », prêchées jadis pour faire un bon mariage de raison, dans la paix, certes, mais non dans le bonheur. « L'absence de répugnance, l'amitié même ne suffit pas. [...] Quand le fondeur veut amalgamer intimement deux métaux, il ne peut se passer du secours du feu [37]. » On voit comment la morale peut avoir des résonances politiques variées et parfois inattendues. Le mariage d'amour, qui s'épanouit lentement sous la IIIe République, c'est la foi confiante de la société laïque en un bonheur humain acquis contre les préjugés de classe et la résignation religieuse. Important également, ce retour à la « passion », jadis considérée comme la forme maladive de l'amour.

Cette revendication d'un mariage d'amour est alors générale. Les défenseurs de la religion et de la tradition retrouvent sur ce point les républicains. Et si certains gauchistes prônent le divorce et le concubinage, c'est tout autant au nom de l'amour et du bonheur. Un concours de l'Académie des sciences morales et politiques, à la fin de l'Empire, a primé une analyse d'Ernest Cadet, chef de bureau au ministère de l'Instruction publique et professeur de législation usuelle à l'association philotechnique. L'essai publié en 1870 reflète donc l'opinion de la société bien-pensante. Ici aussi, on regrette que « l'acte de la vie qui repose le plus sur l'affection, le mérite personnel, l'estime des parties » soit devenu une « prostitution légale ». Mais on incrimine plutôt le positivisme et l'affaiblissement du sentiment religieux. Le mariage passionnel est encore vu avec méfiance, et c'est l'estime, la sympathie, qui doivent remplacer comme critères de mariage la situation et la fortune. « Mariage d'amour, mariage d'un jour », pontifie monsieur le chef de bureau [38]. Mais dans les causes de la dégradation morale et de la misère matérielle qu'il analyse ensuite, il place, à côté de l'affaiblissement du sentiment religieux, l'ignorance (ah! la panacée de l'instruction du peuple!) et l'indifférence des autorités en ce qui concerne les mœurs (vivement la vertu républicaine!). Les mêmes conceptions, les mêmes aspirations entraînent des analyses totalement différentes chez Ernest Cadet et chez Louis Legrand, qui écrivent à la même époque, mais de part et d'autre du pivot politique 1870. L'un est au déclin de l'Empire; l'autre à l'aube de la République.

La crise engendrée à la fin du XIXe siècle par les lois sur le divorce et leur difficile application n'altérera pas ce bel optimisme. Au début du XXe siècle, l'amour est plus que jamais d'actualité dans le mariage. « On parle un peu partout aujourd'hui d'une crise du mariage, note Détrez en 1907. Quelques romanciers sont partis en croisade vers une autre terre promise avec l'annonce attrayante d'un nouvel embarquement pour Cythère. Les passagers ne manquent pas. Il n'est plus question que de l'amour, on parle même de l'introduire jusque dans le Code. Dieu sait quelle figure il pourrait bien y faire [39]! » Introduire l'amour dans le code? Bien sûr, on ne va pas, et on n'ira jamais jusque-là. Mais cette thèse de droit a été conçue au haut d'une vague de réformes du Code Napoléon qui vise à simplifier les formalités matrimoniales, et à une époque où le Comité de Réforme du mariage songe sérieusement à faire de l'amour mutuel une condition de l'union : Paul Hervieu propose une révision de l'article 212 ainsi rédigée : « Les époux se doivent mutuellement amour, fidélité, secours et assistance [40]. »

C'est en 1896, pour enrayer la crise due au tout récent rétablissement du divorce, que sont proposées une série de dispositions tendant à rendre l'état conjugal plus facile et moins cher d'accès. Il y a longtemps que les politiciens de tout bord réclament un allégement des formalités et des frais qui maintiennent les classes défavorisées dans le concubinage. Le mariage, qui brasse une paperasserie complexe et chère, est un luxe pour les pauvres. Et le projet de loi de 1896, visant à faciliter la célébration, concerne primitivement les « indigents ». Mais à côté de mesures visant à limiter son coût, il contient des dispositions tendant à limiter l'autorité parentale : ce ne sont plus les « indigents » qui sont concernés, mais ceux qu'on nomme encore les « fils de famille ». La Chambre renâcle, discute, mais ne peut exiger un texte qui ne soit destiné qu'à une partie de la population ! La loi du 20 juin 1896 contient donc entre autres mesures la suppression de deux des trois « actes respectueux » exigés pour se marier sans l'accord des parents. Le 21 juin 1907, ce dernier acte respectueux sera supprimé. Il suffira désormais de faire notifier le projet de mariage par un notaire aux parents qui refusent leur accord. La majorité nuptiale est ramenée à vingt et un ans pour les deux sexes et, au-delà de trente ans, la notification ne sera plus nécessaire.

C'est pour préparer cette loi de 1907 que fut constitué en 1906 le Comité de Réforme du mariage dont nous avons vu quels grands espoirs il avait suscités. S'il n'est pas question, malgré ses conclusions, de « faire entrer l'amour dans le code », la seule loi sortie de ce grand vivier de projets va dans le même sens : le mariage d'amour des « fils de famille » se trouve facilité. C'est d'ailleurs le sens général des diverses mesures prises au début du siècle. Le but est d'abaisser l'âge matrimonial, qui reste le plus souvent celui de la majorité nuptiale [41]. D'autres auteurs, pour que les unions ne soient plus un « instrument de spéculation », demandent la suppression de la dot, ce qui permettrait enfin de vrais mariages d'amour dans la bourgeoisie [42]. Ces mesures ponctuelles peuvent paraître mesquines face aux généreuses idées agitées par les écrivains et les penseurs, mais toutes vont dans le même sens : la reconnaissance officielle du mariage d'amour. Les raisons invoquées sont aussi claires : la dénatalité, thème particulièrement sensible en cette période de « revanche nationale ».

L'amour miracle ?

La littérature, les moralistes politiques ou religieux, les nouvelles lois vont profondément modifier l'image du couple après la Première Guerre mondiale. « On se marie rarement sans amour ou, du moins, sans une estime mutuelle capable d'assurer la bonne entente et, à défaut de la tendresse, l'affection », estime Wautier d'Aygalliers en 1926. Optimisme exagéré ? Sans doute, puisque dans le même livre, ce pasteur protestant estime que l'alliance est recherchée « pour des raisons souvent bien étrangères à l'amour [43] » ! Ce qui est symptomatique, c'est que, parmi ces raisons, il ne cite pas la course à la dot ou à la belle situation, mais l'indépendance, la mondanité, le désir de maternité. On mesure le progrès effectué en quelques siècles, puisque, dans la tradition chrétienne, le désir de maternité était une des plus honorables causes de mariage, et l'amour, une des plus suspectes.

Non, le mariage d'argent n'a pas subitement disparu au XXᵉ siècle. Mais il ne semble plus désormais aux moralistes le mal absolu. La suppression de la vénalité des charges après la Révolution, la récession économique après la Première Guerre mondiale, la désaffection du système dotal, la plus grande variabilité des fortunes depuis que le travail et l'enrichissement sont à l'honneur : les mentalités ont suffisamment changé pour construire le mariage sur d'autres bases. Seules les très hautes classes de la société sont encore sensibles à l'attrait des dots, ainsi que les campagnes, où les propriétaires terriens peuvent encore estimer une fille en hectares.

Pourtant, dans la littérature comme dans les œuvres de réflexion, on ne retrouve plus ce bel optimisme qui avait fait de l'amour une vertu républicaine. Le mariage, comme la société, est en crise. La Première Guerre mondiale, la crise économique, la psychanalyse, dada et le surréalisme sont passés par là. Le pasteur Wautier d'Aygalliers oppose le désenchantement de son époque à l'euphorie de la génération antérieure. La confiance absolue dans les progrès de l'humanité et dans la science s'est évanouie, explique-t-il. La science ne résout pas tout ; l'homme est désabusé et un « pessimisme d'origine intellectuelle » s'empare de la société. Heureusement, « l'Amour et la Foi sont le pain nécessaire des âmes [44] ». Laissant la Foi pour la chaire, c'est aux *Disciplines de l'amour* qu'il consacre un livre.

Et son analyse est largement partagée. Le pasteur Wautier d'Aygalliers fait en effet partie de la Ligue française pour le Relèvement de la Moralité publique qui regroupe des personnalités venues de tous les horizons, libres penseurs, médecins, rabbins, enseignants, chanoines catholiques, pasteurs protes-

tants, membres des associations de parents d'élèves... Avec le
Groupe d'Action des Jeunesses françaises contre les fléaux
sociaux, logé à la même enseigne, il publie *La Voix des jeunes*,
une série de « tracts » sur des sujets de société qui prétendent
« établir les notions de morale nationale ». Parmi ceux-ci, un
court texte intitulé *Amour et mariage*, régulièrement réédité à
des milliers d'exemplaires. L'action de notre ligue n'est pas
isolée. Il pullule alors d'associations religieuses ou indépendantes de ce genre : Association du mariage chrétien, Ligue
française pour le relèvement de la moralité, Société de pro-
phylaxie sanitaire et sociale, Comité national d'Études sociales
et politiques... Toutes analysent la crise du mariage,
dénoncent l'égoïsme contemporain, et contre ce mal qui
répand la terreur, prescrivent la même panacée : l'amour.

L'Association du Mariage chrétien a ainsi été fondée
« pour préparer la jeunesse au mariage, aider les époux chrétiens à rester fidèles aux lois de la morale conjugale, faciliter
aux prêtres et aux éducateurs l'apostolat familial et combattre
les propagandes immorales ». Le chanoine Jean Viollet, qui la
préside, s'attache particulièrement à répandre la bonne
parole. *Les devoirs du mariage, La bonne entente conjugale, Le
mariage, La loi chrétienne du mariage, Petit traité du mariage...*
Ses publications, qui vont de la brochure au gros volume,
enfoncent indéfiniment le même clou : amour-toujours, aimer-
pâmer. Qu'y a-t-il de nouveau dans cette floraison de livres sur
le mariage d'amour qui éclôt entre les deux guerres ?

D'abord, l'élargissement du public. L'amour républicain
de la génération précédente a laissé des traces. Edward Montier, directeur des philippins de Rouen, dans la *Lettre à une
jeune fille* qu'il publie sur le mariage, s'adresse surtout aux
jeunes ouvrières : celles-ci en effet « ne sont pas distraites de
l'amour par les autres plaisirs de la vie. Plus que toutes les
autres, elles sentent le besoin d'un appui extérieur à elles ». La
« petite midinette », qui deviendra pour longtemps le symbole
d'un sentimentalisme niais, sait bien mieux que la bourgeoise
reconnaître la fleur bleue de l'amour vrai dans le grand champ
du mariage. « Si elle sait la cultiver, le parfum de cette fleur
peut suffire à embellir son existence entière, et que de princesses l'ont cherchée en vain au long de lambris fastueux ! »
Jadis, la danse macabre chantait l'égalité des hommes devant
la mort ; désormais, Éros ressuscité prend la relève :
« L'amour, voilà le présent divin, le trésor infini qui rétablit
l'équilibre entre tous les hommes. » Et de dénoncer – combat

d'arrière-garde, sauf pour la haute bourgeoisie – le rôle des dots dans les familles bourgeoises, qui empêchent l'amour de se concrétiser dans le mariage. Vivent les « petites midinettes », qui seront les seules à connaître le bonheur [45]. On songe au savoureux pastiche de *Paul et Virginie* que Villiers de l'Isle-Adam a intégré à ses *Contes cruels* : chaque réplique du dialogue amoureux évoque l'argent, jusqu'à la poésie de la lune argentée et la voix argentine du rossignol.

Nouveauté également, cette volonté d'aller plus loin que la simple libération de l'amour pour laquelle se battait le XIXe siècle romantique. Tel était le sens de la contradiction que nous relevions tout à l'heure chez le pasteur Wautier d'Aygalliers. Sans doute, l'amour préside de plus en plus au mariage, mais il ne suffit pas à assurer le bonheur. Le mariage d'amour n'est plus, comme chez Molière, le point rose et final d'une comédie heureuse. Les jeunes gens acceptent trop facilement que le sentiment s'épuise dans la « lune de miel » et considèrent qu'il n'est pas destiné à durer toute la vie. Ils font du mariage un but : une fois atteint, « l'amour se stabilise et, n'ayant plus à se conquérir, s'épuise dans la somnolence [46] ». Analyse fort proche, sans doute, de ce que redoutaient les précieuses du XVIIe siècle : mais après la campagne menée depuis un siècle pour les unions de cœur, on peut désormais constater ce qui n'était jusque-là qu'une analyse théorique.

Et à la « cristallisation » de l'amour inventée et étudiée par Stendhal, Gide peut répondre dans *Les Faux Monnayeurs* : « On parle sans cesse de la brusque cristallisation de l'amour. La lente *décristallisation*, dont je n'entends jamais parler, est un phénomène psychologique qui m'intéresse bien davantage. J'estime qu'on le peut observer, au bout d'un temps plus ou moins long, dans tous les mariages d'amour [47]. » L'influence de Gide fut énorme sur la génération de l'entre-deux-guerres. Cette « décristallisation », c'est celle que craignent les héros d'Anouilh et qui leur fait préférer la mort. Dans un temps de crise où l'on ne peut même plus croire à l'amour, la morale conjugale a du plomb dans l'aile. Et la débauche n'est même plus un plaisir.

C'est avec cet arrière-fond qu'il faut lire la littérature mièvre des moralistes de l'amour entre les deux guerres. La vieille institution n'est plus qu'un « festin de coquilles vides », se plaint Wautier d'Aygalliers, un mot vidé de sa substance auquel on se résigne sans en attendre le bonheur. « On ne se refuse pas au mariage, mais on y entre désabusé, en laissant ses espérances sur le seuil, comme on abandonne, en Islam, ses babouches aux portes de la mosquée. » C'est le rivage auquel on échoue après une vie dissipée, pour « faire une fin », « pour en finir avec l'amour ». Si encore on se révoltait, comme au temps de George Sand, contre cette fatalité de la médiocrité! Et cet éloge de la sulfureuse romancière du divorce sous la plume d'un pasteur vantant l'amour conjugal dit assez jusqu'où est tombée l'image du sacrement matrimonial. « Il suffirait cependant, pour assurer à nouveau la dignité du mariage, de rétablir les termes de la hiérarchie normale des valeurs. Le premier rang, incontestablement, doit revenir à l'amour [48]. »

Mais attention, pas à n'importe quel amour. Un amour durable, qui ne risque pas de se « décristalliser » avec le temps. Et le brave pasteur consacre la troisième partie de son livre à la « préservation de l'amour », énumérant ses alliés (les petites attentions, la cuisine...), ses ennemis (la jalousie, les complaisances honteuses de la femme, la « familiarité vulgaire »...), ses crises (l'indifférence, le démon de midi...) et ses triomphes (foi, maternité...). Conserver les sentiments initiaux devient la meilleure garantie de l'union conjugale.

La perspective catholique, chez le chanoine Viollet, tend au même but par d'autres moyens. L'amour conjugal, base de l'indissolubilité, doit être désintéressé s'il veut durer, et s'appuyer sur la volonté plutôt que sur la sensibilité. Il nécessite des sacrifices et des contraintes – dont la « chasteté conjugale » n'est pas la moindre. L'amour ne peut être un « égoïsme à deux ». « L'amour que Dieu a confié aux hommes, comme le plus précieux des trésors, ne doit pas être confondu avec l'égoïsme qui se cache sous les traits d'un désir passionné et qui ne tend au fond qu'à satisfaire un besoin tyrannique de possession et de domination. » Le christianisme a des siècles de réflexion sur les subtiles distinctions entre ses formes : « l'amour vrai tend à la générosité et au désintéressement, alors que le faux amour tend à l'accaparement et à l'égoïsme ». Idée respectable, si elle ne servait de base à l'éternel sermon sur le renoncement et sur le sacrifice. L'amour vrai ne peut pas être heureux : le bonheur est-il de ce monde pour un chrétien qui se respecte? Telle est l'étrange thèse par laquelle le brave chanoine espère ramener les jeunes au sacrement qu'ils boudent : la « réalisation du bonheur parfait » n'est possible qu'au ciel. Il faut l'enfanter dans le mariage, par un amour conjugal sans concession, et comme tout enfantement chrétien, celui-ci se fait dans la douleur[49]. Les candidats ne se pressent pas aux portes.

Le même appel à un sentiment fort entretenu tout le long de la vie conjugale se retrouve en dehors même des morales religieuses. Mais ici, on songe moins au sacrifice et plus à la sensualité. Le Dr Abrand préconise ainsi une meilleure éducation des jeunes filles, qui ne doivent pas tout découvrir de la sexualité à leur nuit de noces – « le cheminement de l'épouse doit être éclairé prudemment, mais éclairé ». Par la même occasion, on éduquera les jeunes gens à éveiller lentement la sensualité de leur femme avant de consommer leur union. Si la hantise de la masturbation est bien de l'époque – le docteur craint surtout que les insatisfaites n'y trouvent un palliatif aux caresses maritales –, c'est le même souci d'un amour conjugal durable fondé sur un meilleur équilibre dans le couple.

Marguerite Lebrun, qui publie sous le nom de Vérine *Un problème urgent! L'Éducation des sens* (1928), plaint de son côté ces « vieux jeunes » égarés dans la triste liberté de l'après-guerre, et qui « aspirent à quelque chose de propre, à un renouveau de sentiment, de l'honnêteté morale, à quelque chose de frais qui sente bon la pureté ». Elle appelle à un « Code de l'Amour, des disciplines libératrices, qui dirigeant les sens dans un sens unique, l'Amour conjugal, exaltent le sentiment et donnent à l'être humain toute sa valeur individuelle, familiale et sociale[50] ». Le voilà, ce fameux « code » où l'on se demandait si l'on pourrait y faire entrer l'amour. On ne peut mêler les sentiments au Code civil? Qu'à cela ne tienne, on en écrira un autre!

Et il verra bel et bien le jour, ce code, mais hélas sous une forme quelque peu caricaturale. Ce sera le « Code de la famille » voté le 29 juillet 1939. Puisqu'on ne peut légiférer sur l'amour, on tâchera de l'encourager en finançant ses effets concrets : le mariage et la famille. C'est encore une fois la baisse de la natalité qui inquiète les autorités. Depuis 1935, le nombre de décès dépasse celui des naissances, ce qui, à une époque de tensions internationales, alarme autant les militaires que les civils. Les mesures proposées se résument à des allocations versées aux jeunes parents, et aux paysans qui se marient pour ouvrir une exploitation agricole. Avec, bien sûr, un renforcement des mesures contre l'avortement, l'outrage aux bonnes mœurs, l'alcoolisme..., contre tout ce qui, aux yeux des moralistes, menace la famille et la race[51]. Les grands projets, une fois encore, viennent s'échouer sur les mornes plages de la réalité.

Une autre conséquence pratique de cette nouvelle vague de propagande matrimoniale touche plus précisément les formalités du mariage. Depuis longtemps, sociologues et médecins demandaient une enquête de santé qui débouche sur un certificat médical prénuptial. Les progrès de la syphilis, notamment, avant la découverte de la pénicilline, inquiètent le corps médical, et la liberté laissée aux jeunes gens de « vivre leur vie » avant de se fixer dans le mariage aggrave le problème. Les jeunes filles elles-mêmes, se plaint-on, préfèrent les garçons « qui ont vécu » et prétendent qu'ils feront de meilleurs maris [52]. L'idée du certificat est dans l'air entre les deux guerres.

En 1924, le professeur Pinard, député, dépose à la Chambre un projet de loi proposant que « tout citoyen, voulant contracter mariage, ne pourra être inscrit sur les registres de l'état civil que s'il est muni d'un certificat daté de la veille, attestant qu'il ne présente aucun symptôme d'une maladie contagieuse ». Mais le projet n'aboutit pas : ses adversaires craignent qu'il diminue encore le nombre des mariages, en régression depuis 1920. Et puis, faut-il imposer ou conseiller cet examen ? Faut-il se contenter d'avertir le futur conjoint qu'il se révèle positif, ou interdire le mariage ? Il faut dire que dans le climat de l'époque, cette préoccupation généreuse a des relents sulfureux. C'est au nom de la « protection de la race » que se battent médecins et juristes. Et le professeur Pinard est précisément président de la Société française d'eugénisme. On sait ce que les mêmes préoccupations ont entraîné dans d'autres circonstances [53]. Symptomatiquement, c'est d'ailleurs le gouvernement de Vichy qui tranchera en imposant le certificat prénuptial par les lois du 16 décembre 1942 et du 29 juillet 1943. Annulées à la Libération, ces lois seront immédiatement confirmées et intégrées au code de santé publique en 1953.

Aujourd'hui, le mariage d'amour est entré dans les mœurs, à tel point que Paul VI a pu parler pour notre époque de « civilisation de l'amour [54] ». S'aime-t-on plus qu'auparavant ? Sans doute non, mais certaines barrières ont sauté, contre lesquelles moralistes, écrivains et philosophes s'escrimaient en vain avant-guerre. D'abord, celle de l'argent, de plus en plus lié au métier, de moins en moins à l'héritage. Les mythes américains du *self-made man* et du *golden boy* ; les expériences consécutives des « nouveaux riches » et des « nouveaux pauvres » nous ont familiarisés avec l'idée de grandes variations de fortune. Les mariages se construisent moins sur des bases financières que dans des réseaux d'influence. « L'avenir d'un nouveau couple ne repose plus tant sur le patrimoine familial [...] que sur l'acquis personnel des individus, acquis reposant en grande partie sur l'apport de l'ensemble de la société (instruction, garanties sociales). Globalement, l'amour ne se subordonne plus aux impératifs anciens [55]. »

Il faut tenir compte aussi de la formidable libération qu'a constituée pour la plupart des couples la découverte d'une contraception vraiment efficace. Les auteurs chrétiens sont les premiers à le reconnaître. Le neuvième commandement (« Œuvre de chair ne désireras qu'en mariage seulement ») se justifiait en partie par le fait que toute relation sexuelle comportait le risque d'un enfant, auquel il fallait une famille d'accueil. « L'exercice de la sexualité s'en trouve sacralisé, à cause précisément de la possible venue d'une vie nouvelle. Dans cette optique, la virginité prénuptiale s'avère être la meilleure prévention contre toute grossesse indésirable. » Mais depuis que ce risque s'est considérablement réduit, de nouvelles valeurs peuvent se mettre en place : le couple, fondé sur l'amour, tend à supplanter le mariage, fondé sur un lien social. « Nous assistons à un déplacement du sacré. Ce qui prime aujourd'hui, c'est l'amour entre les personnes », analyse Michel Legrain [56]. Dans de nombreuses analyses du mariage d'amour du siècle dernier et de l'avant-guerre, l'écueil était toujours le même : celui des grossesses indésirées.

Les progrès de la contraception ont d'ailleurs eu d'autres conséquences bien connues, entre autres la déculpabilisation de la sexualité et l'émancipation de la femme. Ces deux phénomènes ne sont pas sans conséquences sur le mariage, et sur le mariage d'amour en particulier. L'état de mariage n'est plus la seule promotion possible pour une femme, qui se mariait souvent jeune pour éviter la condition peu enviable de « vieille fille ». Et le mariage n'est plus nécessairement, pour un homme, la seule façon honorable de satisfaire ses besoins sexuels. Dégagé de considérations souvent fort éloignées de l'amour, le mariage a pu se résumer à l'union sincère de deux cœurs.

L'élargissement du divorce, enfin, a multiplié les modèles familiaux monoparentaux : la famille n'est plus la cellule sociale minimale, mais l'individu, éventuellement père ou mère de famille. L'éducation des enfants, qui restait dans les anciennes mentalités un des piliers du mariage, n'est plus ressentie comme un problème insoluble pour une personne seule. Seul l'amour dès lors (sous des masques sans doute fort différents) lie encore les couples.

Les occasions de rencontre se multiplient également depuis que les écoles sont mixtes et que les dancings drainent une jeunesse plus libre de ses soirées. La « cour » à l'ancienne, la fréquentation sous la surveillance du père ou d'un chaperon, semblent des archaïsmes révolus. Le mythe moderne de l'amour pose d'autres problèmes, qu'accentuent les disparités religieuses et ethniques des grandes métropoles : mariages mixtes (entre époux de religions différentes), interethniques...

Est-ce à dire que le mariage « arrangé » n'ait plus cours ? Ce serait caricaturer la situation. Même si l'autorisation parentale n'est plus nécessaire à la majorité (sauf pour les personnes sous tutelle), les pressions, notamment financières, restent possibles, et l'on peut toujours arranger les rencontres si l'on ne peut influer sur le mariage. L'organisation de « rallyes », dans certains milieux aisés ou huppés, permet de mettre en relation des jeunes de même niveau social et de limiter les mésalliances. On ne balaie d'ailleurs pas plusieurs siècles de préjugés, et le mythe du mariage équilibré, bien assorti, où la raison permet l'éclosion de l'amour, a survécu au néoromantisme. Dans les agences matrimoniales, par petites annonces, on cherche désormais l'*alter ego* qui assurera une union harmonieuse : si les parents ne surveillent plus l'équilibre des mariages, les candidats assurent eux-mêmes la relève.

Telle est sans doute la grande ambiguïté de l'amour aujourd'hui. Après la pastorale du siècle dernier et de l'entre-deux-guerres, il a subi un temps de purgatoire dont il n'est pas encore entièrement remis. L'amour « de midinettes », de « roman photo », de « collection Harlequin » fut rejeté par les jeunes intellectuels depuis l'existentialisme, qui avait cessé d'y croire, et depuis une certaine psychanalyse, qui le réduisait à des pulsions sexuelles. Conséquence : à l'époque où, pour la première fois sans doute dans l'histoire de l'humanité, toutes les conditions matérielles étaient assurées pour son triomphe, il est devenu le grand banni de la littérature qui se voulait « sérieuse ». « Comme pour le plus grand nombre la sexualité était taboue, pour certains c'est peut-être aujourd'hui l'amour qui devient tabou », se plaignaient Théo et Denise Pfrimmer en 1972. « Alors que tout le monde parlait d'*amour*, disait, chantait, gravait ce mot, depuis quelque temps son usage est moins fréquent. Commence-t-on à le retirer de la circulation parce qu'il aurait été dévalué, ou le réserve-t-on en attente d'une réévaluation? Beaucoup d'hommes et de femmes, des jeunes et des moins jeunes, hésitent à l'employer [57].

L'amour n'est plus ce qu'on éprouve, mais ce qu'on « fait » – et dans certains milieux il est bien plus valorisant de « faire l'amour » que de « faire du sentiment ». « Je t'aime » est aujourd'hui la parole la plus difficile à prononcer. Pudeur? Peur? Exigence trop forte? À l'époque où le mariage d'amour devient la forme habituelle, le mot et le sentiment produisent un étrange malaise. On n'y échappe qu'en le rationalisant, en énumérant des critères comme pour une petite annonce matrimoniale, et en se persuadant que l'union de caractères si conformes est raisonnable, ce qui dédouane les époux amoureux. Malgré les apparences, nous sommes plus proches aujourd'hui de l'amour posé de Molière que de la grande passion romantique.

Quant à l'Église catholique, qui hésitait huit siècles auparavant à reconnaître l'amour comme une raison valable de se marier, elle n'envisage plus désormais que celle-ci. « En vous mariant vous montrez à votre famille, à vos amis, et aussi à Dieu que votre amour est tellement important que vous avez décidé de ne pas le garder pour vous seuls [58]. » Le nouveau code de droit canon édicté par Jean-Paul II en 1983 tient compte de cette mutation. Le code précédent, datant de 1917, restait dans la droite ligne du catholicisme depuis saint Augustin en donnant comme fin primaire au mariage la procréation, et comme fin secondaire, l'aide mutuelle et le remède à la concupiscence. Dans les années soixante, dans la foulée du Concile Vatican II, des encycliques (*Gaudium et Spes, Lumen Gentium*) ont renversé la vapeur et placé le soutien mutuel avant la fécondité dans les valeurs conjugales. C'était entériner la suprématie du mariage d'amour et donner le pas à la réalité conjugale avant même la parentale. Le code de 1983 est plus nuancé en plaçant à égalité les deux fins traditionnelles du mariage. Pour le nouveau catéchisme de 1993, « on ne peut séparer ces deux significations ou valeurs du mariage sans altérer la vie spirituelle du couple ni compromettre les biens du mariage et l'avenir de la famille [59] ».

Cet « état de grâce », cette « communion » entre époux n'est donc pas le « sommet de l'amour ». Farouchement opposée au divorce, l'Église vit toujours la hantise de la passion brûlant comme un feu de paille et s'éteignant après la lune de miel. Même s'il ne s'agit pas de « gérer son amour comme son compte en banque », il faut apprendre à l'inscrire dans le temps – c'est le sens de l'indissolubilité, qui reste la doctrine officielle. « Quand l'Église parle d'un amour pour toujours, elle ne veut pas vous faire croire qu'il demeure le même au fil des années, elle sait qu'il se transforme. » Et malgré le nouveau catéchisme, les associations chrétiennes semblent conserver parmi les fins du mariage la première place à l'amour et la seconde à la fécondité : « Le mariage ce n'est pas seulement l'union de deux cœurs c'est aussi la fondation d'une famille, avec des enfants. Désirer un enfant quand on s'aime, c'est vouloir que l'union s'incarne et se prolonge avec une troisième personne [60]. »

L'amour passion, celui du « feu de paille » qui jadis excluait la durée, est désormais l'enjeu du mariage et d'une longue vie commune. L'amour conjugal, qui devait naître de la cohabitation, est refusé par les anxieux d'un bonheur immédiat. « Nous mettons une soupe froide sur le feu, et elle se réchauffe petit à petit. Vous mettez une soupe chaude dans un plat froid et elle se refroidit petit à petit », résume un hindou en parlant du mariage européen [61].

Voilà peut-être le grand défi du mariage d'amour à l'heure actuelle : l'espérance de vie s'allongeant, on considère qu'un couple qui ne divorce pas vit ensemble en moyenne cinquante ans. Le désir d'avoir des enfants n'étant plus le but premier du mariage, il faut inventer d'autres raisons d'inscrire l'amour dans le temps. Or ce qui, bien souvent, l'a motivé – la beauté, la jeunesse – est éphémère ; les situations changent de plus en plus vite – rares sont ceux qui peuvent conserver toute leur vie le même travail, voire la même résidence. Il y a donc des crises à traverser auxquelles la réflexion traditionnelle sur le mariage n'avait pas donné de réponse. Le divorce, hélas, en donne désormais une trop facile. Le mariage d'amour est de moins en moins un acte impulsif et de plus en plus un état, une construction commune qu'il faut apprendre à consolider.

III

Union libre ou cocooning?

Il signe simplement : « Un qui est passé par là », dans la lettre qu'il envoie au *Matin*, publiée le 14 février 1908. Par là ? D'abord par l'union libre, puis par le mariage. Mais aussi par Paris, dont il est revenu, comme du reste. Son histoire peut nous paraître banale ; elle n'en est que plus typique. Jeune provincial attiré par la capitale, il laisse en s'en allant une amie d'enfance qui, on le suppose, devait déjà avoir pour lui un petit sentiment. Il se dit adversaire acharné du mariage et partisan d'une union libre où l'on peut « se quitter quand on ne se convient plus, avec arrangement au préalable quand il y a de la famille ». Difficile de dire s'il s'agit d'une opinion antérieure à son expérience, même s'il parle de son engagement dans un vocabulaire quasi religieux (« sacrilège », « sacrifice »...).

À Paris, il connaît la passion de sa vie, sans doute embellie dans les souvenirs qu'il évoque trop brièvement trois ans après. Il s'est mis en ménage avec une amie ; tous deux travaillent. Pourquoi ne pas l'avoir épousée ? L'instabilité de leur situation, peut-être – il ne tardera pas à perdre son boulot ; le refus des conventions, surtout. « Que je regrette mon ménage parisien, soupire-t-il, où sans préjugés aucun *(sic)*, on s'aimait à la face du monde tout en narguant les mœurs de la société actuelle ! » C'est l'anticonformisme de bon ton d'un jeune homme qui vient de jeter sa gourme provinciale.

Le rêve sera court. Lorsqu'il perd son travail, il se décide à rentrer au « patelin », « ne voulant pas vivre de l'honnête travail d'une femme qui m'adorait et était payée en retour ». On a beau s'être débarrassé de tous les préjugés, on ne veut pas passer pour un souteneur – l' « honnête travail » en dit long sur les images qu'il redoute. Croit-il pouvoir vivre dans sa bourgade aussi librement que dans une grande ville anonyme? L'amie d'enfance qui l'attendait le retrouve auréolé de capitale et de bonheur tout frais. Au bout de quelques mois, la voilà enceinte – « tout le monde n'est pas né saint », commente sobrement notre épistolier anonyme.

Mais la campagne n'est pas la capitale. Le jeune homme est sommé de faire son « devoir », ne fût-ce qu' « à moitié » : fidèle à ses engagements, il passera devant M. le maire, mais pas devant le curé. Se marier à l'église, pour lui, aurait constitué « un sacrilège vis-à-vis de [ses] opinions ». « Je comptais être récompensé par les joies familiales de mon lourd sacrifice », avoue-t-il, naïf. Mais hélas, trois ans après, force est de constater l'échec de cette nouvelle expérience. « Ma femme m'avait aimé avant le mariage, j'en suis sûr; depuis, c'était presque de la haine que je lui inspirais. »

Pourquoi ce revirement? Le principal reproche qu'il lui adresse en dit long sur la mentalité de celui qui a tâté de l'hygiène moderne lorsqu'il retombe chez les « bouseux » : « avant, je la croyais très propre, très minutieuse en tout; ce n'était qu'une souillon, dépensant sans compter. De là maintes querelles de ménage expliquant un tant soit peu la haine qu'elle m'a vouée. » L'enfant reste le seul trait d'union entre deux époux unis plus solidement par les préjugés de province que par les liens du mariage. « Mais quelle existence et que d'années encore à la subir? »

L'expérience du petit provincial déçu est typique du choc des mentalités en ce début de XXe siècle, où les idées nouvelles qui circulent dans la capitale atteignent mal la province, malgré les journaux qui les diffusent. Il est difficile, en l'absence d'informations plus précises, de cerner mieux le correspondant du *Matin*. Il n'appartient pas au milieu aisé – lui et sa compagne parisienne doivent travailler. Sans se poser en intellectuel ou en militant (d'autres correspondants affichent plus franchement la couleur), il lit les journaux parisiens et a conscience de suivre des idées encore peu répandues (qui choquent « les mœurs de la société actuelle ») : il s'agit pour lui d'un engagement profond (qu'on ne peut renier sans « sacrilège ») qui n'est pas exempt de provocation (« narguer »). Mais il refuse d'associer la liberté amoureuse à une « chiennerie » sans vertu : il ne veut pas vivre aux crochets de son amie et se montre soucieux des enfants en cas de séparation. Il saura « faire son devoir » quand il sera au pied du mur.

Tout cela évoque l'image du concubinage ouvrier qui se développe à la fin du siècle dernier : il ne s'agit pas d'aller contre la morale, on lutte contre la prostitution et la bâtardise, mais les idées anarchistes teintent la vieille morale chrétienne. Amour et liberté en sont les nouveaux étendards.

Les mots associés au concubinage sont sur ce point révélateurs : « aimer », « adorer », « libre ». Quant au mariage, il éveille l'idée d'un bonheur paisible (« joies familiales ») lié à la paternité plus qu'à la vie de couple, et chèrement payé (« devoir », « sacrifice », « subir »). L'amour qui existait auparavant se transmue en haine. La vieille opposition entre passion et mariage est héritée de la morale chrétienne, mais l'alternative se résout désormais dans le sens opposé. Dans l'échec du mariage provincial, on peut sans doute incriminer le souvenir encore trop brûlant de la capitale : le jeune homme a tenté une nouvelle fois l'amour libre avant d'être acculé au mariage, il s'est aigri de ne pas trouver chez sa femme une hygiène qu'il avait dû connaître à Paris... Il s'avoue lui-même responsable, du moins en partie, de la haine que lui porte désormais son épouse. Comment souffrir d'être perpétuellement comparée à cette femme idéale, adorée et parisienne, qui triomphe dans les souvenirs du fils prodigue rentré au bercail ?

Le concubinage ouvrier

L'union libre est-elle antérieure au mariage ? La question, qui nous semble aujourd'hui saugrenue, a longtemps agité les moralistes : contre la tradition chrétienne qui voyait dans le mariage un héritage de l'union originelle au paradis perdu, les rationalistes donnaient plutôt la priorité au concubinage, encore pratiqué, estimaient-ils, par les peuples « primitifs » [1]. En fait, le problème ne se pose qu'à partir de la christianisation de l'Europe : la plupart des peuples anciens, nous l'avons vu, connaissaient plusieurs mariages et envisageaient, à côté des « justes noces », une union plus souple, *Friedelehe* chez les Germains, *concubinat* chez les Romains. Ces formes secondaires du mariage n'en étaient pas moins des états de droit. Le problème ne s'est posé que lorsqu'un seul type de mariage fut admis, sur le modèle unique des noces spirituelles entre le Christ et son Église. L'union libre ne disparaît pas pour autant, mais le consensualisme médiéval l'assimile à un mariage – clandestin, mais valide. « Boire, manger, coucher ensemble, c'est mariage ce me semble », dit un adage coutumier. Des sanctions disciplinaires sont prévues, mais le couple n'en est pas moins assimilé à un ménage officiel.

L'union libre naît véritablement avec le concile de Trente, qui rejette dans un concubinage illégal les couples qui vivent ensemble sans être passés devant le curé. Certains prélats veulent aller plus loin et excommunier les concubins, voire les punir comme adultères ou hérétiques. On propose des peines pouvant aller jusqu'à l'exil de la femme. Mais les protestations sont vives et on se contente de laisser l'ordinaire (et non l'inquisiteur) prononcer des peines contre les couples non mariés. Comme la France n'a pas publié le concile de Trente, ceux-ci ne dépendent en fait que de la justice royale, qui ne prend des mesures que si le scandale est public. Si les officialités tentent de prendre des sanctions, on fait facilement appel comme d'abus devant les Parlements. Seule l'Inquisition, en effet, a le droit d' « enquêter » et de sévir en l'absence de toute plainte [2].

Cette nouvelle conception du mariage issue du Concile de Trente, qui doit faire disparaître les couples illégitimes, ne fait que poser de nouveaux problèmes. Car les hommes et les femmes ne cessent pas pour autant de vivre librement ensemble. Dans certaines régions, même, des mœurs peu catholiques sont difficiles à déraciner. Ainsi, en Corse, une cérémonie nuptiale profane persiste-t-elle durant tout l'Ancien Régime, malgré les menaces des prêtres qui l'assimilent à un concubinage. Ce sont les parents qui choisissent le mari, et qui présentent l'un à l'autre les deux fiancés, qui généralement ne se connaissent pas auparavant. Ils s'embrassent et échangent des « friteles », sorte de beignets cuits par la mère de la fiancée et que celle-ci présente au jeune homme. La mère elle-même conduit alors sa fille dans la chambre nuptiale, où le mariage est immédiatement consommé. Cela suffit pour être marié, et les noces chrétiennes ne sont conclues que longtemps après, pour se mettre en règle avec la loi civile et religieuse. Il ne s'agit pas bien entendu d'union libre, même si les autorités feignent d'assimiler ces rites familiaux à un concubinage ou à un « mariage à l'essai ». La cérémonie existe et le lien formé par la mère est aussi sacré que celui entériné par le prêtre [3].

Dans les grandes villes et à Paris, les problèmes sont différents : relative indifférence au mariage dans les milieux défavorisés, enfants abandonnés ou exposés au *tour*, bâtards et enfants adultérins dans les grandes familles... L'absence de sta-

tut au concubinat multiplie les situations « scandaleuses ».
Lorsque la Révolution met sur le même pied bâtards, enfants
légitimes et enfants naturels, elle reconnaît implicitement le
concubinage, sans pour autant l'admettre. Le Code Napoléon
ne légifère pas davantage sur ce sujet, mais, comme s'il voulait
nier le problème, il ne reprend pas l'ancien adage juridique :
« don de concubin à concubin ne vaut ». Qui ne dit mot
consent. Dans ce nouveau silence de la loi s'est glissée une
nouvelle pratique : le don mutuel entre les concubins doit
bien être autorisé, puisque rien ne l'interdit. La possibilité de
donation entre vifs ôte une des barrières qui s'opposent
encore au développement de l'union libre : le danger pour la
femme qui ne travaille pas de se retrouver veuve et sans le
sou [4]. Petites causes, grands effets : par son silence sur un problème épineux, le Code Napoléon ouvre la porte à un concubinage toléré.

Ainsi l'union libre est-elle plus largement pratiquée à partir du xixe siècle, essentiellement en milieu urbain et dans les
classes populaires. Par conviction, par pauvreté ou par ignorance, les ouvriers s'établissent souvent ensemble sans déran-
ger maire ou curé. Proudhon le dénonce violemment et
consacre au problème du mariage ouvrier un chapitre de son
programme révolutionnaire, lorsqu'il se présente devant les
électeurs de la Seine, le 23 avril 1848. « Voyez, dans les
grandes villes, les classes ouvrières tomber peu à peu, par
l'instabilité du domicile, par la pauvreté du ménage et le
manque de propriété, dans le concubinage et la crapule ! Des
êtres qui ne possèdent rien, qui ne tiennent à rien et vivent au
jour le jour, ne se pouvant rien garantir, n'ont que faire de
s'épouser : mieux vaut ne pas s'engager que de s'engager sur le
néant. La classe prolétaire est donc vouée à l'infamie [5]. »
Quant à lui, à l'inverse des anarchistes et utopistes de la même
époque, il reste partisan du mariage monogame et indissoluble, adversaire donc du divorce et défenseur de la famille.
Tout au plus demande-t-il de limiter la puissance paternelle et
le principe d'hérédité pour que le mariage ne soit plus la « forteresse de la propriété ». Car celle-ci, aime-t-il à rappeler, c'est
le vol.

L'instabilité économique et psychologique du prolétariat
urbain entre pour beaucoup dans cette difficulté à se fixer
dans le mariage. On ne s'engage pour la vie que lorsqu'on est
sûr de pouvoir assumer ses responsabilités. L'exode rural et la
surpopulation subite des grandes villes ont multiplié ces déra-

cinés dont les cadres de vie et de pensée sont tout à coup brisés. À la campagne, analyse Louis Legrand, les paysans sont souvent de petits propriétaires qui ont encore « la moralité de la vie sédentaire et la dignité de l'indépendance ». Expatriés, parqués dans les grandes villes et abrutis par l'usine, ils deviennent des « rouages mercenaires » qui perdent jusqu'à leur propre estime. La famille est brisée, la femme et les enfants travaillent, souvent même dans une promiscuité avec les hommes qui choque les âmes bien-pensantes. Et lorsque le chômage succède à ce travail précaire, le manque d'argent ôte la possibilité de trouver un foyer décent. Louis Legrand, député républicain de Valenciennes, a connu la seconde génération de cette révolution industrielle et de l'explosion du prolétariat urbain : ce sont moins les paysans débarqués à Paris qu'il vise que leurs enfants, grandis dans ces foyers de fortune, sans image de la famille, et qui se sauvent dès qu'ils sont capables de travailler et de survivre seuls. « Quand ils ne se marient point, ils nouent souvent l'une de ces liaisons irrégulières si fréquentes et si faciles dans les cités industrielles, et quand ils sont fatigués de leur concubine, ils l'abandonnent sans autre forme et en prennent une autre [6]. »

Mais la crise du logement dans les villes industrielles prises d'assaut par de nouvelles catégories sociales a aussi son influence. Pour une jeune fille pauvre, par exemple, il est presque impossible de trouver un logement. Les « garnis », seuls accessibles lorsqu'on n'a pas de quoi s'acheter des meubles, lui sont presque toujours interdits. « Vous comprenez, explique un propriétaire, que si on savait qu'une ouvrière vit seule, on ferait le siège de sa chambre ; ce ne serait plus une maison tranquille. On déferait les gonds, on dévisserait les portes. Le siège durerait je ne sais combien de temps, cela dépendrait d'elle, mais on n'aurait plus de tranquillité un seul instant. Si elle veut vivre seule, qu'elle habite chez sa mère ou chez une parente, mais qu'elle n'aille pas dans un hôtel sans être accompagnée. Une femme à Paris doit avoir quelqu'un pour la défendre [7]. » Cette réaction, caractéristique de l'image que subit encore la femme aux alentours de 1900, n'est apparemment pas isolée. C'est à cette situation que Georges Picot attribue la fréquence des « faux ménages » qu'il rencontre dans les garnis : la seule solution pour les jeunes filles pour trouver à se loger, c'est de vivre avec un homme. On comprend mieux les succès du féminisme, qui explose à la même époque.

Promiscuité de l'atelier qui favorise les rencontres; dépenses élevées du mariage; démarches compliquées; instabilité des situations et des foyers : l'union libre des ouvriers n'a qu'une cause fondamentale, la misère. La plupart de ceux qui se penchent sur ce problème l'envisagent avec sympathie : selon le préjugé philosophique et révolutionnaire encore vivace, la vertu du peuple est toujours opposée à la dépravation bourgeoise. Ce n'est pas par vice, comme chez les jeunes gens de bonne famille, que se nouent des liaisons irrégulières. Bien au contraire, les unions se font avec l'accord des parents, les enfants qui en naissent sont reconnus sans difficulté, les couples sont stables, et l'on finit souvent par se marier, lorsque l'enfant a grandi, pour ne pas nuire à son établissement. Les pères qui acceptent, au nom des lois de la nature supérieures aux lois humaines, de voir leur fille vivre en concubinage, les renieraient si elles devenaient prostituées, preuve de leur moralité fondamentale. Des analyses de ce genre [8], généreuses et optimistes, maintiennent les âmes bienpensantes dans l'illusion que la crise est superficielle et que la morale traditionnelle est encore profondément ancrée dans le terreau populaire. L'institution n'est pas en danger; ceux qui la boudent en gardent l'idéal; il suffirait de leur donner la possibilité de l'atteindre. Bienheureuse illusion!

Comment la société réagit-elle devant ce phénomène pour elle nouveau, et qui menace une de ses institutions fondamentales? Faute de pouvoir (ou de vouloir) prendre le mal à sa racine, les sociétés de bienfaisance et les législateurs proposent une analyse légèrement différente. L'idée s'impose que le reflux du mariage en milieu ouvrier vient de la complexité excessive du système. Devant les formalités diverses et compliquées à accomplir pour se marier légalement, les pauvres préféreraient le concubinage. « L'ignorance est le premier malheur des pauvres. Si à la mairie on leur fait une difficulté souvent très légère sur des actes qu'ils auront présentés, ils se persuadent à tort que leurs papiers sont absolument repoussés et que la position honteuse dont ils gémissent est sans remède. Dès lors ils ne pensent plus à se marier. Ils se font une fausse conscience en demeurant dans le vice sans honte et presque sans remords, parce qu'ils regardent leur triste position comme incurable [9]. »

Cette analyse pleine de bons sentiments est faite par une société charitable chrétienne née sous la Restauration pour résoudre ce problème. L'Œuvre de Saint-François-Régis se constitue en 1826 sous l'impulsion d'un magistrat membre de la cour royale de Paris. Elle se fixe pour but la réhabilitation des mariages en milieu ouvrier, la légalisation des concubinages et la légitimation des enfants. Pratiquement, elle se propose de faciliter les formalités administratives, d'obtenir les actes d'État civil, les consentements, les jugements de rectification... pour ceux qui ne peuvent les réunir eux-mêmes. Elle est donc très vite amenée à se préoccuper des cas difficiles, qui demandent des démarches ou des autorisations particulières : mariages entre beau-frère et belle-sœur, oncle et nièce, tante et neveu, cousins germains, ou mariages *in extremis* toujours interdits par l'Église, entre protestants, entre juifs, ou mariages mixtes... Cette association chrétienne en arrive tout naturellement à favoriser ces unions que l'Église désapprouve, et par là s'attire l'estime générale. Il faut dire qu'en vingt ans d'existence, elle se targue d'avoir légalisé 13 798 unions et légitimé 11 000 enfants. Parmi les couples ramenés dans le filet matrimonial, certains avouaient plus de quarante ans de vie commune ; la plupart cependant vivaient ensemble depuis moins de six mois.

Cette société charitable à vocation catholique aura un impact plus durable sur l'histoire du mariage, en attirant l'attention du législateur sur un point qui lui a apparemment échappé : le problème financier. La loi du 3 juillet 1846 est votée sous son impulsion, et les rédacteurs du projet sont les premiers à reconnaître leur dette et à rappeler les succès de cette entreprise. Pour la fondation, le coût en frais d'actes est énorme (10 638 francs en 1845 pour Paris). Il faut donc que les actes de notoriété, de consentement, de publication, les délibérations des conseils de famille, les actes de procédure, les jugements et arrêts nécessaires soient visés pour timbre et enregistrés gratuitement. Aucun droit de greffe ne sera perçu sur les copies et expéditions. Le 30 décembre, on définit le niveau d'indigence qui donne droit à ces mariages gratuits ou peu onéreux : les personnes non imposées, ou imposées à moins de dix francs, ou celles qui obtiennent un certificat d'indigence [10].

Mais pour beaucoup, cette loi ne fait qu'ajouter un obstacle à un parcours déjà bien ardu. Bouhier de l'Écluse, député légitimiste de Vendée pendant la courte deuxième République, propose un projet visant à simplifier ces démarches. « Abandonné à lui-même, l'indigent est frappé d'une sorte d'incapacité pour l'accomplissement des formalités qui se rattachent à l'acte le plus important de la vie civile. » Or, la loi de 1846 en a ajouté une, le certificat d'indigence, ce qui complique encore l'accès au mariage. Il faut un soutien pour aider les plus démunis à se retrouver dans le labyrinthe administratif. « Les sociétés charitables ont pu en tirer un large parti », reconnaît le rapporteur non sans une pointe d'ironie. La République peut-elle, comme la monarchie, s'appuyer sur la société de Saint-Régis? Il faudrait pour cela l'officialiser pour lui donner les moyens de son action, ce qui répugne aux députés. La loi doit en effet assistance à tous « dans une parfaite égalité de droit ». Or, l'action des sociétés de bienfaisance est « indépendante », et se concentre surtout dans les grandes villes. Il faut trouver une solution, et des intermédiaires valables pour tous jusque dans les hameaux les plus reculés. Et il n'y a guère que les élus eux-mêmes qui puissent assumer ce nouveau sacerdoce. L'éphémère deuxième République laissera ainsi sa trace dans l'histoire du mariage : la loi du 10 décembre 1850 fait des maires les soutiens privilégiés des indigents pour ce parcours du combattant qu'est devenu le mariage républicain [11].

Les utopies du XIXe siècle

Cependant, dans la seconde moitié du XIXe siècle, l'union libre combattue par les associations caritatives et les hommes politiques a de nouveaux partisans, sous des formes bien différentes et pour de multiples raisons. L'origine de ces idées généreuses et radicales sur l'union de l'homme et de la femme est à rechercher dans les utopies post-révolutionnaires. Charles Fourier, dans la *Théorie des quatre mouvements et des destinées générales* qu'il publie en 1808, appelle déjà à la liberté amoureuse. Mais la « liberté » pour lui n'est qu'un nouveau système, aussi strict que celui du mariage, qui aboutirait, s'il était réalisable, à fonder une nouvelle légitimité, donc de nouvelles exclusions. Il distingue ainsi plusieurs grades dans la société amoureuse : les favoris et favorites en titres, qui n'ont pas d'enfants ; les géniteurs et génitrices, qui en ont un ; les époux et épouses, qui en ont au moins deux. Cette gradation fondée sur les idées générales de l'époque, qui tâche de redéfinir le mariage par la paternité, s'accompagne de droits progressifs donnés au conjoint sur une portion d'héritage. Comme il s'agit d'états bien distincts, une femme peut donc avoir à la fois un époux, un géniteur et un favori. La théorie est marquée par la conception du mariage sous l'Ancien Régime : la famille se constitue sans amour pour des raisons financières d'établissement ou de transmission d'héritage, et les liaisons parallèles sont admises. La théorie de Fourier consiste essentiellement à officialiser l'adultère de cœur sous un nom moins infamant (« favori ») et à améliorer le statut du bâtard en lui reconnaissant un droit à l'héritage (« géniteur »). Ce sont les problèmes de son temps, liés à la désagrégation du mariage traditionnel à la fin du XVIIIᵉ siècle, qui inspirent les idées fouriéristes [12].

Réformes tout aussi utopiques chez les radicaux qui voudraient restaurer un mythique système matriarcal. Émile de Girardin demande ainsi que la maternité remplace la paternité dans la transmission du nom et de l'héritage. La fortune serait léguée par la mère, et celle du père reviendrait à ses ascendants maternels ou, à défaut, à l'État. L'éducation des enfants serait assurée par un douaire que les mères se feraient constituer avant de se laisser séduire. C'est faire bien confiance à la vertu des hommes et à la fermeté des femmes dans une situation où on ne se maîtrise pas toujours. Alfred Naquet, celui-là même qui fera voter la loi sur le divorce en 1884, proposait un système proche en demandant la suppression de la famille et du mariage, causes à ses yeux de la prostitution, de l'avortement et de l'infanticide. Le pivot familial redeviendrait la mère, qui élèverait ses enfants grâce à l'intervention de l'État [13]. On comprend l'appréhension de la bonne bourgeoisie, quand il se retrouvera porte-étendard du divorce : cet adversaire de la famille traditionnelle tâcherait-il de saper l'édifice faute de pouvoir l'attaquer de front ?

D'autres voient par exemple dans un mariage à l'essai la garantie d'unions durables, heureuses et sans divorce. Une brochure anonyme publiée en 1848, à l'époque où la loi sur le divorce est encore une fois sur le tapis, propose un tel « noviciat », semblable à celui exigé avant de prononcer les vœux monastiques. Avant de se marier, pour éviter les mariages « arrangés » qui sont encore la plaie des familles possédantes, les fiancés devraient justifier par témoins qu'ils se connaissent depuis au moins un an, « et que pendant ce temps ils ont pu vivre de manière à pouvoir apprécier leurs mœurs et leurs caractères ». Ils seraient donc amenés à déclarer devant le maire un an à l'avance leur intention de se marier, et ne pourraient ensuite rompre cet engagement que pour de sérieuses raisons.

Pourtant, il ne s'agit pas vraiment d'un mariage à l'essai : le principal reste en suspens. Il ne s'agit que de tester la compatibilité des caractères, et la jeune fille devrait résister à son futur mari pour arriver vierge au mariage. Ne serait-ce pas là la meilleure preuve de sa fidélité, puisqu'elle aura témoigné de sa force à repousser les assauts masculins ? Comme il faut tout prévoir, y compris et surtout la faiblesse féminine, l'enfant qui naîtrait durant ces « fiançailles » serait élevé, si le mariage ne se fait pas, aux frais de la République : chaque parent verserait pour cela le quart de sa fortune à l'État [14]. On reste sidéré devant un tel mélange d'audace et de préjugés, de naïveté et de lucidité. Mais cet opuscule est caractéristique d'une époque où la gauche rousseauiste croit encore en la vertu de la nature humaine, et où les utopistes les plus audacieux croient nécessaire de respecter la morale en place pour faire adopter leur système. La cohabitation prénuptiale sans expérience sexuelle devient alors plausible.

Il y a ceux aussi qui s'inquiètent du nombre d'enfants illégitimes encore trop élevé et qui voient dans le retour au consensualisme pur la solution idéale. Pour Paul Lacombe, qui publie en 1867 une étude sur *Le mariage libre*, le législateur « ne s'est pas montré assez laïque » : il a pensé au mariage avant de penser aux enfants. « Il lui a paru moins funeste qu'on abandonnât ses enfants que de les procréer en liberté. Il a prouvé par là qu'il aimait mieux qu'on vécût selon la chasteté que selon la justice. C'est là ce que j'appelle penser en religieux, et j'ajoute penser faussement. » Pour qu'il n'y ait plus d'enfant méconnu de ses parents, il faut revenir à un mariage consensuel, sans passage devant l'officier public, sans cérémonie, un mariage qui redevienne une « société » comme les autres, selon les mêmes dispositions légales applicables aux contrats privés. Dès qu'un enfant naît, il y a aussitôt entre lui et ses parents un « quasi-contrat » et le juge, le cas échéant, présume qu'il y a eu mariage. Tout signe extérieur – cohabitation, contrat, cérémonie privée... – pourra être invoqué pour définir le mariage. Le but est généreux : il s'agit de mettre les jeunes filles à l'abri des séducteurs, qui ne pourront plus, avant d'abuser d'elles, promettre le mariage ou arguer de complications imaginaires pour le leur refuser [15]. Mais ici encore, le système ne pourra jamais s'adapter à la complexité des réactions humaines.

De toutes ces utopies qui n'ont souvent laissé comme trace qu'un opuscule poussiéreux à la Bibliothèque Nationale, une s'est révélée particulièrement féconde, grâce à l'illustre nom qui l'a portée au grand public. Friedrich Engels, cosignataire avec Marx du *Manifeste du Parti communiste*, entend donner avec ses *Origines de la famille, de la propriété privée et de l'État* (1884) le pendant du célèbre *Capital*. Dans la théorie socialiste du développement de l'humanité, production et reproduction sont les deux mobiles essentiels auxquels obéissent les hommes. *Le Capital* avait analysé l'institution économique ; restait à s'interroger sur l'institution matrimoniale. Les deux en effet sont liées dans l'analyse d'Engels. Le travail et le partage des richesses supposent des relations élargies ; le capital et la concentration des richesses tendent à réduire le cercle des relations aux liens de consanguinité. Au fur et à mesure que se développe une économie fondée sur le travail, les classes sociales remplacent les liens familiaux.

Les théories politico-historiques d'Engels ont donné un écho inespéré à une école anthropologique qui, dans les années 1860-1880, renouvela les interprétations traditionnelles de l'origine du mariage. Morgan (1851), Latham (1859), Bachofen (1861), Lubbock (1871), à partir de l'observation des peuples non européanisés, et essentiellement des Indiens d'Amérique du Nord, ont avancé l'hypothèse d'un mariage par groupes primitif, qui aurait évolué lentement vers la monogamie. Engels reprend leurs conclusions en les élargissant, notamment aux civilisations celte et germanique antiques. Des exemples contemporains (comme la fameuse licence hawaiienne, qui fait rêver les Occidentaux depuis le xviiie siècle) sont mis en parallèle avec des anecdotes tirées d'historiens anciens (comme celle des Bretons qui, selon Jules César, prennent femmes en commun par groupes de dix ou douze).

Trois formes de mariage correspondraient ainsi aux trois stades de l'évolution humaine : à l'état sauvage, un mariage par groupe ; à l'état barbare, un mariage « syndiasmique » (monogamie lâche, que l'homme et la femme peuvent rompre à tout moment, et qui correspondrait au système de *gens* des anciens Romains et d'autres tribus primitives) ; à l'état civilisé la monogamie. Ce dernier état, qui entraîne la soumission de la femme à l'homme, correspond à un renversement des puissances : seul l'homme désormais peut rompre (répudiation) ou prendre une autre femme (tolérance légale pour l'adultère masculin). À partir du moment où le couple se referme sur lui même, on peut savoir avec certitude qui est le père de l'enfant à naître, et le matriarcat primitif devient un patriarcat. Entre mariage syndiasmique et monogamie peut aussi être présumée une étape polygamique.

Ces théories [16] intéressent surtout notre sujet pour l'impact qu'elles ont eu sur l'histoire du mariage à la fin du XIXe siècle et au XXe – Breton citera encore *Les origines de la famille* dans *L'Amour fou*. Engels voyait en effet dans le mariage par groupes primitif un progrès sur la monogamie animale, telle qu'on peut la constater, par exemple, chez les singes supérieurs. Il s'oppose sur ce point à Westermarck, qui trouvait dans cette monogamie animale la preuve que la promiscuité sexuelle était déjà dépassée dès les origines de l'espèce humaine. Au contraire, estime Engels, « pour sortir de l'animalité, pour réaliser le plus grand progrès qu'offre la nature, il fallait un élément nouveau, il fallait remplacer le manque de pouvoir défensif de l'homme isolé, par l'union des forces et l'action commune de la horde. Avec des conditions comme celles où vivent aujourd'hui les singes anthropomorphes, le passage à l'humanité serait simplement inexplicable. [...] La tolérance réciproque entre mâles adultes, l'absence de jalousie, étaient les conditions premières de la formation de ces groupes étendus et durables au sein desquels l'évolution de l'animalité vers l'humanité a seule pu s'accomplir [17]. » À l'inverse des animaux qui s'entre-déchirent dans les périodes de rut, l'homme a pu s'unir grâce au mariage par groupes qui le délivrait de la jalousie meurtrière.

Le retour à la monogamie et au mariage indissoluble pourrait donc passer pour une régression – si Engels ne va pas jusque-là, ses lecteurs radicaliseront parfois ses théories. C'est le développement des conditions économiques qui a entraîné cette restriction au couple, qui permet de connaître exactement son héritier : « La monogamie est née de la concentration de grandes richesses dans les mêmes mains – celles d'un homme – et du désir de transmettre ces richesses par héritage aux enfants de cet homme, à l'exclusion de ceux de tout autre [18]. » Certaines coutumes auraient cependant gardé le souvenir de l'état primitif : la prostitution sacrée des civilisations proche-orientales antiques serait l'« amende » payée par les femmes pour racheter leur droit à ne se livrer qu'à un seul homme. De même, droit de cuissage et primanoxisme (coutume livrant la fiancée aux garçons d'honneur la première nuit des noces) seraient la « rançon » due par celle qui s'interdit désormais le mariage par groupe. Ces interprétations ont elles aussi été contestées [19].

Et sur ces fondements théoriques, Engels peut prophétiser un nouveau type de mariage. « Nous marchons en ce moment à une révolution sociale où les bases économiques actuelles de la monogamie disparaîtront aussi sûrement que celles de son complément, la prostitution. » Optimiste, il croit qu'une nouvelle monogamie pourra prendre la place de la première grâce à « l'amour sexuel individuel », une union exclusive qui n'aurait plus pour revers la prostitution, l'adultère et l'asservissement de la femme [20]. Le philosophe allemand rejoint dans cette optique les idées de son temps sur le mariage d'amour qui doit à court terme remplacer le système bourgeois de la dot. On a vu les mêmes idées développées par les républicains elles seront bientôt reprises par Léon Blum. Si l'on excepte l'optimisme exagéré qui voit dans l'amour sexuel individuel le remède miracle à la prostitution, la prophétie d'Engels n'était pas si mauvaise.

Il est surtout curieux de constater la permanence des références et des rêves chrétiens dans ces théories. Les buts sont identiques et la morale comparable : la suppression de l'adultère et de la prostitution grâce à un mariage plus solide. La philosophie de l'histoire est la même : à la fois linéaire et cyclique, le temps doit nous ramener au mariage originel mais purifié par le long parcours accompli. Ce retour à un idéal perdu ne part pas cependant des mêmes bases : pour les uns, il s'agit d'une monogamie stricte, indissoluble et bénie par Dieu au Paradis terrestre; pour les autres, du mariage libre, par groupe, fondé sur l'amour et le désir sexuel ingénu Engels, qui croit encore à la monogamie, n'ira pas aussi loin Mais à la lumière de ses théories et des hypothèses anthropologiques sur lesquelles il les fonde, on comprend mieux l'enthousiasme que manifesteront les anarchistes à la fin du siècle pour l'union libre et la « camaraderie amoureuse » en groupe. Loin d'être la « chiennerie » que dénonceront les âmes sensibles, il s'agit du même rêve bien chrétien de retrouver le paradis perdu, libre et vertueux, aux antipodes de la société corrompue, objet d'une commune exécration.

Ainsi, tout le long du xixe siècle, des penseurs généreux tentent de reconsidérer le problème de fond en comble. Leurs solutions sont souvent proches, héritées des utopies révolutionnaires et caractéristiques de leur temps : la lutte contre la bâtardise, la précarité des unions libres, la prostitution... Ils en arrivent à définir pratiquement le mariage par ses effets (les enfants) plus que par ses causes (le consentement) ou par sa célébration (la cérémonie). Ils auront aidé à sortir des anciennes conceptions canoniques, dont les deux pôles étaient le consensualisme et la solennité. Des principes naturels simples (amour, paternité, liberté de choix) s'imposent contre le vaste édifice religieux et civil construit au cours des siècles. Mais toutes ces idées pèchent par le même point : la réhabilitation d'un mariage « pur » exige des hommes une vertu et une lucidité qu'ils ne peuvent fournir. Ce volet humain qui manque trop souvent aux brasseurs de grandes idées est écrit par les romanciers, de plus en plus intéressés par les problèmes sociaux contemporains.

Amour libre et féminisme

Ces considérations utopiques semblent pourtant bien loin de la littérature romantique qui, au nom de l'amour, s'en prend au système matrimonial du xixᵉ siècle. Pourtant, les rêves sont semblables, ainsi que la nostalgie d'une pureté originelle. Dans *Le Juif errant*, par exemple, Eugène Sue oppose le sentiment pur à son officialisation inutile : « Si nous nous aimons toujours, à quoi bon ces liens ? Si notre amour cesse, à quoi bon ces chaînes, qui ne seront plus alors qu'une horrible tyrannie ? » Mais c'est pour chercher un lien plus essentiel, « le moyen de nous engager vous et moi, soupire Gabrielle, aux yeux de Dieu, mais en dehors des lois... : union sacrée, qui pourtant nous laissera libres pour nous laisser dignes [21] ». Le lien entre union libre, amour et divorce est hérité des réflexions humanistes véhiculées depuis le xviᵉ siècle par les adversaires de l'indissolubilité : la liberté de nouer comme la liberté de dénouer sont essentielles au développement de l'amour ; on tient d'autant plus à une union qu'on la sait fragile.

Mais nous nous trouvons encore ici face à une réaction utopiste, qui s'élève contre le pourrissement du mariage plus que contre l'institution elle-même. Le but est bien de remplacer un système par un autre ; simplement, le romancier est toujours en quête et ne peut exprimer que sa révolte, quand le philosophe construit déjà des théories, séduisantes, certes, mais totalement désincarnées. Les deux démarches sont complémentaires et se côtoient pourtant sans se rencontrer. Bien des écrivains laissent alors éclater leur ressentiment : Eugène Sue, George Sand, Laurent Tailhade, Octave Mirbeau,

les frères Margueritte, Paul Hervieu ne sont que les plus enga
gés. Mais tous les romanciers de l'époque, de Flaubert à Zola
ou à Maupassant, sont confrontés au problème du mariage
Les uns l'attaquent de façon quasi clinique – la *Madame*
Bovary de Flaubert n'est qu'une longue étude sur le mariage e
l'amour en province. D'autres laissent éclater des réactions
plus épidermiques : ce sont essentiellement des femmes ou
des féministes.

Le mariage traditionnel trouve en effet auprès du beau
sexe ses adversaires les plus acharnés. Premières victimes d'un
système qui les fait passer de l'esclavage paternel à l'esclavage
conjugal, elles ne se perdent pas, comme les hommes, dans
des utopies théoriques et irréalistes. Elles se bornent à procla
mer leur refus de ces chaînes dont elles portent presque tou
le poids. Et avec quelle virulence! « Oh! abominable violence
des droits les plus sacrés; infâme tyrannie de l'homme sur la
femme! Mariage, sociétés, haine à vous! haine à mort[22]!
s'exclame la *Valentine* de George Sand. L'« hermaphrodite cir
concis », comme l'appelait Lautréamont, devient vite le porte
parole de ce féminisme radical. « Le mariage est, selon moi
une des plus barbares institutions que la société ait ébauchées
écrit-elle en 1834. Je ne doute pas qu'il soit aboli si l'espèce
humaine fait quelque progrès vers la justice et la raison; un
lien plus humain et non moins sacré remplacera celui-là e
saura assurer l'existence des enfants qui naîtront d'un homme
et d'une femme sans enchaîner à jamais la liberté de l'un et de
l'autre[23]. » Et elle ne manque pas de donner ses référence
dans *Horace* (1842) : Eugénie, son héroïne, se dit de religion
saint-simonienne et ne voit dans le mariage « qu'un engage
ment volontaire et libre, auquel le maire, les témoins et le
sacristain ne donnent pas un caractère plus sacré que ne font
l'amour et la conscience[24] ».

Paroles brûlantes pour la France louis-philipparde! Même
pour les utopistes de gauche, les idées de la romancière
semblent fort audacieuses. Madame Sand confond amour e
mariage, dénonce Proudhon. Le mariage « n'est pas rien que
l'amour; c'est la subordination de l'amour à la justice, subor
dination qui peut aller jusqu'à la négation de l'amour, ce qu
ne comprend plus, ce que repousse de toute l'énergie de son
sens dépravé, la femme libre[25] ». L'histoire a donné raison
l'une et à l'autre : le mariage que dénonçait George Sand n'a
guère survécu au XIXe siècle; mais il n'a pas été remplacé pa
la généralisation de l'union libre. Aussi bien Proudhon qu

George Sand ne pouvaient au milieu du XIXᵉ siècle prévoir la nouvelle extension que prendrait le mariage d'amour.

Les idées féministes se répandent au début du XXᵉ siècle, et l'union libre fut une des revendications des suffragettes. Leur slogan était « la femme libre dans l'union libre ». Il ne s'agit pas, pour elles, d'unions éphémères qui profiteraient surtout aux hommes volages. Mais d'une formule plus souple qui assurerait à la femme la sécurité du foyer sans entraîner ce quasi-esclavage que lui impose le mariage traditionnel. Les femmes souhaitaient une simple déclaration au maire, qui leur assure des droits matrimoniaux en limitant leur sujétion à leur mari. En fait, c'est plus un réaménagement du mariage qu'une véritable union libre qu'elles revendiquent[26]. En attendant, beaucoup se satisfont du mariage. Seules les extrémistes qui ont su conquérir leur indépendance matérielle et sentimentale peuvent s'en passer. Une Isadora Duncan peut proclamer son refus de connaître « la condition d'esclave qui est faite aux femmes[27] », mais combien de Françaises peuvent suivre le modèle de cette Américaine libérée ?

Pour une femme indépendante, en effet, la position de divorcée est encore plus confortable que celle de « fille » – la femme libre par excellence est Colette, divorcée depuis 1910. Marcel Achard, dans *Jean de la Lune* (1929), nous fait comprendre pourquoi. Marceline, fille volage vivant avec son frère aux crochets d'amants successifs, parvient à se faire épouser par le plus amoureux. Au moment où elle pense à le quitter, Clotaire, le frère parasite, vient solennellement prendre congé du naïf Jean de la Lune : « Laisse-moi tout de même te remercier de l'avoir épousée. Pour la famille ! Et aussi parce que ce qu'elle fera maintenant aura moins d'importance. Ce sera une divorcée » (A. III, sc. 3). Malgré les siècles, la mentalité romaine persiste : la « famille » reste responsable de ses filles non mariées. La divorcée ne dépend que d'elle-même. Sa conduite ne remet plus en cause l'honneur familial. Elle sera méprisée, certes, mais elle seule – et moins sans doute qu'une fille trop libre qui, avec la même conduite, passera au mieux pour une « demi-mondaine », si elle a un amant, pour une « garçonne », si elle fuit les hommes. C'est sur de petits détails de ce genre qu'on comprend les difficultés que rencontre l'union libre, et en même temps la nécessité pour les femmes de poursuivre le combat.

Les romanciers Paul et Victor Margueritte, qui ont construit leur célébrité en répandant les idées féministes au tournant du siècle, défendent une union libre bâtie sur le choix de deux personnes, sans « ignoble considération d'argent ». Elle durera le temps de leur amour, « toute la vie si l'on peut », et permettra à l'éducation des enfants dans le respect de soi-même et des autres. Ce sont là des conceptions nobles et raisonnables. Mais pour beaucoup de leurs contemporains, ils en sont conscients, ce type de partenariat amoureux n'est que « l'accomplissement de deux caprices, suivi d'un prompt lâchage », et sans souci des enfants. L'union libre n'est pas adaptée à nos mœurs occidentales, encore trop imprégnées par la prééminence masculine. Il faut une longue éducation pour qu'elle n'entraîne plus d'exploitation de la femme.

Les frères Margueritte ne sont pas des utopistes bâtissant des systèmes sans se préoccuper des hommes qui les réaliseront. Ce sont des romanciers habitués à travailler la matière humaine. Aussi se déclarent-ils partisans du mariage comme pis-aller, en attendant que l'évolution naturelle des mentalités permette de définir un autre type d'union, plus libre et en même temps égalitaire. Tout au plus demandent-ils un mariage « élargi », dont les portes d'entrée et de sortie ne soient pas de minuscules chatières. Au vu des expériences actuelles, on ne peut s'empêcher de trouver leur analyse judicieuse. La libération de la femme, qui n'est plus aujourd'hui aussi dépendante de l'homme sentimentalement et financièrement, a joué un grand rôle dans la multiplication des unions libres [28].

Le problème va être porté sur le forum public en 1908, quand on s'apprête à jouer *Le Divorce* de Paul Bourget, une pièce à thèse écrite en 1904 par un converti de fraîche date – c'est en 1901 que l'académicien monarchiste et antidreyfusard renoue avec le catholicisme. À cette occasion, le journal *Le Matin* publie une interview de l'auteur dans son numéro du 28 janvier 1908. Le brillant polémiste n'a pas la plume légère : « La France révolutionnaire est acculée à ce dilemme, tranche-t-il : ou revenir au mariage indissoluble, ou aller jusqu'à l'union libre. La loi actuelle du divorce est l'étape des pharisiens, de ceux qui voudraient à la fois conserver la réserve de moralité qu'ils sentent nécessaire à la stabilité sociale, et en sacrifier les conditions. » Nous avons vu comment les idées audacieuses d'un Naquet pouvaient justifier ces craintes d'un esprit conservateur. La loi de 1884 passait dans certains esprits pour un premier pas vers une réforme plus profonde du mariage classique. Dans la grande tradition de la réaction frileuse contre l'évolution sociale, d'ailleurs, le problème qu'il traite devient pour Bourget symptomatique de la dégradation générale des mœurs, d'un changement d'optique beaucoup plus large que le problème du mariage : l'individualisme triomphe et l'unité sociale n'est plus comme autrefois la famille, mais l'individu. Le divorce est une « polygamie successive », donc une régression dans l'évolution de l'humanité, puisque le sens de l'histoire va de la polygamie à la monogamie, puis à l'indissolubilité.

Son éditorial, publié en première page, va entraîner une réaction en chaîne qui surprendra le journal. Sans doute le romancier va-t-il fièrement à contre-courant, et aborde-t-il deux problèmes brûlants d'actualité, l'union libre et le divorce. Mais il a surtout gratté une plaie mal cicatrisée depuis la loi de 1884 et les polémiques sur l'union libre. Le lendemain même de cet article, en réponse au romancier, Gustave Théry publie un entretien plus ancien qu'il avait eu avec Aristide Briand, sous le titre provocateur : « Pourquoi pas ? » Le débat sur le divorce rebondit sur l'union libre. L'évolution des mœurs nous y conduit, soutient Briand, mais l'union libre n'est pas, ne peut pas être une « chiennerie universelle ».

« Si l'homme revendique justement la liberté pour tous ses actes, écrit-il, comment la lui refuser pour l'acte le plus grave, le plus essentiel, où se manifeste et s'exprime le mieux toute sa personne morale ? » Ce jeune ministre de gauche assimile même le mariage idéal à une « simple espèce de contrat de louage » : c'est « la meilleure loi qui puisse régler les rapports des sexes sans en changer un mot », estime-t-il en reproduisant le texte sur les contrats de louage. Derrière la provocation, le mariage à l'essai qu'il préconise et qui ne doit pas devenir un donjuanisme sans morale, s'inscrit bien dans l'idéalisme amoureux de l'époque. Union libre, divorce, mariage à l'essai ne sont que des étapes dans la grande quête de la femme idéale. Si l'on s'est trompé en choisissant une autre, il n'y a qu'à recommencer... « Quand on divorce pour des raisons sérieuses, on ne quitte pas sa femme ; on sort... pour aller la chercher. »

Après ces deux avis prestigieux et polémiques, le journal se retrouve soudain inondé sous des milliers de lettres dont il va publier de larges extraits tout au long du mois de février. Chaque jour, les témoignages des lecteurs seront classés en trois catégories : ceux qui sont favorables au divorce, ceux qui le refusent, ceux qui vont jusqu'à l'union libre. Ces derniers nous intéressent particulièrement, puisqu'ils émanent de lecteurs de tous milieux, dont certains pratiquent l'union libre depuis de nombreuses années.

« L'union libre est la seule institution adéquate à la nature humaine et aux lois générales de la nature tout entière, revendique un lecteur; aussi en suis-je partisan. Je la pratique et, jusqu'à ce jour, ma compagne et moi nous en sommes très contents. » Et très contents, apparemment, depuis douze ans. Un autre correspondant avoue vivre ainsi depuis vingt ans, et avoir élevé quatre enfants en dehors du mariage. Un jeune étudiant en droit trouve le mariage ridicule, indécent et hypocrite. Ridicule, notamment, la cérémonie compassée qui l'inaugure. « Moi, monsieur, je ne me marierai jamais, parce que je déteste les chapeaux haute-forme. » Indécente, cette façon de proclamer *urbi et orbi* que tel soir, à telle date, M. Un Tel partagera la couche de Mlle Une Telle.

La provocation d'Aristide Briand fait des émules. Certains proposent une union libre sous le régime de la « société en nom collectif par apports »; d'autres, un simple contrat d'association... Quant aux adversaires, ce sont surtout des patriotes qui, en période « revancharde », craignent la dénatalité : « Ce n'est pas le mariage libre qui fera une nation forte et saine », ressasse-t-on, dans une autre colonne.

En matière matrimoniale, comme d'ailleurs en bien d'autres domaines, la première décennie du siècle connaît un étonnant brassage d'idées. Est-ce un hasard, si ce déluge de témoignages suit les travaux du Comité de Réforme du mariage, la loi sur la majorité matrimoniale, et l'essai sulfureux d'un jeune journaliste socialiste? Léon Blum publie en 1907 son essai *Du mariage*, qui connaîtra de nombreuses rééditions au fur et à mesure de son ascension politique. Il a pris la plume en réaction aux idées émises par le Comité pour la réforme du mariage de 1906. Mais son attitude, plus réfléchie que beaucoup d'autres, tâchant de faire la synthèse entre les tendances libertaires et les nécessités sociales, nous paraît avec le recul d'une étonnante actualité.

Le jeune journaliste se sent proche des idées libertaires – « Il m'a fallu quelque courage pour dominer le préjugé favorable que l'union libre m'inspirait », avoue-t-il. Mais il ne croit pas à la « polygamie », comme il qualifie les unions multiples et précaires qu'entraînerait cette révolution radicale. Il croit au contraire qu'il est possible d'amender la vieille institution.

Polygamie et monogamie ne sont pas dans son esprit deux stades distincts de l'évolution sociale, mais – et c'est l'originalité de sa pensée – deux stades de l'évolution individuelle, deux aspirations qui apparaissent à des âges différents. Il propose donc de « ne se marier qu'au moment où l'on se sent disposé pour le mariage, quand le désir des changements et des aventures a fait place, par une révolution naturelle, au goût de la fixité, de l'unité et du repos sentimental ». En d'autres termes, laissez les jeunes gens jeter leur gourme et s'unir librement et brièvement : ils finiront toujours par revenir au mariage.

Voilà qui n'est guère original, pense-t-on tout d'abord : les jeunes gens, dans tous les milieux, multiplient les aventures discrètes avec la complaisance tacite de leur entourage. La révolution consiste non seulement à officialiser le système, mais surtout à le réclamer également pour les jeunes filles. Nous retrouvons ici l'influence du féminisme alors à la mode : libérer la femme, c'est lui reconnaître les mêmes droits qu'à l'homme, y compris celui d'aventures sexuelles plus libres. La pensée de Blum est aussi marquée par la vieille distinction chrétienne, reprise par la morale bourgeoise, entre amour conjugal et passion romantique. Mariage d'amour? Soit. Mais cette paisible affection que vante l'Église depuis des siècles, pas cette passion torride sur laquelle rien de durable ne peut être construit. Sans doute n'est-il pas question de brimer ce sentiment ennobli par le romantisme. La passion est un sentiment noble et nécessaire, mais il reste l'apanage des jeunes et condamné à la brièveté. Un exemple qu'il prétend authentique le convainc qu'amour fou et mariage ne font pas bon ménage : « Il fallait qu'ils s'aimassent autant qu'ils pouvaient aimer et qu'ils se mariassent ensuite, une fois calmés, chacun avec l'être qui pouvait demeurer, pour le reste de la vie, son allié, son associé, son compagnon, son ami. »

La différence avec la morale bourgeoise, c'est que cette méfiance devant les mariages d'amour n'interdit pas les passions de jeunesse. Simplement, une jeune femme ne doit jamais épouser l'homme qu'elle aime, les passions étant fragiles. « Qu'elle l'aime autant qu'elle en aura le cœur ; qu'elle se marie ensuite, avec un autre. » Multiplier les expériences quand on est jeune est une nécessité contre laquelle on lutte en vain : « Je prétends prouver qu'on ne saurait impunément enfreindre les lois naturelles », affirme Blum. La sanction ici est le divorce, ou l'adultère. Au fait, ne serait-ce pas là une solution qui respecterait le système existant? Et n'est-ce pas celle qu'adoptent, tacitement encore, les jeunes filles de la Belle Époque? Une fille de bonne famille se marie très jeune et « sans attacher personnellement grande importance au choix du mari ». Une fois « riche et bien placée », elle accueille « un nombre suffisant d'amants actifs [...] sans que son mari, qui sait vivre, y fasse obstacle ». Enfin, elle se fixe dans une liaison officielle. De la même façon que les aventures préconjugales sont la solution préconisée pour les jeunes gens, l'adultère est celle des jeunes filles. Une amie de l'auteur « ne voyait point d'embarras dans le mariage dont l'adultère n'eût la solution ».

La société a donc d'elle-même trouvé l'échappatoire, qu'il suffit d'institutionnaliser par des mariages tardifs suivant des unions libres officialisées et répétées. Quand on aura trouvé le partenaire idéal, on se fixera. Il faut cependant attendre trois cent onze pages pour voir poser la question essentielle : « Tout cela est fort joli, mais... les enfants? » Et la réponse fuse aussitôt : « Des enfants, on n'en aura pas. » Du moins, durant la période polygamique de la jeunesse. Blum croit aux progrès de la contraception, qui permettra aux jeunes gens de multiplier les unions passagères sans grand risque. Si un accident arrive, les jeunes femmes pourront se trouver un mari qui les épousera avec leur progéniture. Sinon, on les fera sur le tard, quand on se fixera dans le mariage – de vingt-huit à quarante ans, âges qu'il fixe comme « frontières » matrimoniales. Et de citer le proverbe : « À vingt ans, l'enfant déforme les femmes, à trente il les conserve, et je crois bien qu'à quarante il les rajeunit. » Il se trouve même un médecin dans son entourage pour soutenir que les enfants sont plus vigoureux quand on les met en route après trente ans [29].

Le système est proche de celui adopté par beaucoup de jeunes gens des deux sexes à notre époque, et il est frappant de constater que le progrès des techniques contraceptives et des idées féministes, invoqué par Blum, ait permis assez naturellement cette évolution des mentalités. Sans oublier la découverte de la pénicilline, qui apaisera, du moins jusqu'à l'arrivée du sida, la vieille hantise des maladies sexuelles. Le principal point faible de cette théorie – et il n'a pas changé – est celui des enfants. D'une part, parce que les naissances tardives ne sont pas vraiment conseillées par les médecins; d'autre part, parce qu'après un certain âge, les inconvénients de la maternité (ou de la paternité) apparaissent davantage que les plaisirs qu'on en retire.

Union libre ou amour libre ?

Les idées encore prudentes des socialistes sont radicalisées à la fin du XIXe siècle par les anarchistes. Héritiers des fouriéristes et des utopistes du début du siècle, ils croient encore aux idées généreuses de bonheur et d'amour. Mais ils ne construisent plus des systèmes théoriques biscornus et croient fermement que la suppression de tout système, à commencer par celui de leur époque, réglera le problème du mariage. Pour Élisée Reclus, toute institution qui « fixe la parole sous forme de vœu définitif » est contraire à la liberté de pensée, de parole et d'action. Les anarchistes revendiquent donc hautement et clairement l'étiquette dont on les a affligés : « ennemis de la religion, de la famille et de la propriété. » « Oui, ils veulent la suppression du trafic matrimonial, ils veulent les unions libres, ne reposant que sur l'affection mutuelle, le respect de soi et de la dignité d'autrui, et, en ce sens, si aimants et si dévoués qu'ils soient pour ceux dont la vie est associée à la leur, ils sont bien les ennemis de la famille [30]. »

L'anarchisme idéaliste de la fin du XIXe siècle était généreux et vertueux : il contestait au nom de l'amour les mariages arrangés et malheureux des grandes familles bourgeoises. C'est au nom de la liberté et du bonheur qu'il réclamait cette union libre. Mais de plus en plus marginalisé, de plus en plus extrémiste, il va développer des thèses plus hardies. Presque la même année qu'Élisée Reclus, Charles Albert dénonce l'hypocrisie de l'union libre calquée sur le mariage, et réclame un véritable « amour libre ». L'idée est aussi généreuse, au départ, de vouloir défendre l'amour contre le mariage, institution étatique inventée pour les riches et les puissants. « L'État ne pouvant envisager l'union sexuelle qu'au point de vue de sa répercussion dans l'ordre économique, c'est de ce point de vue qu'il en a réglé minutieusement les conditions, c'est de ce point de vue aussi qu'il a encouragé et soutenu les prétentions de la famille contre l'amour. »

Mais l'amour, dont Charles Albert entreprend une étonnante histoire, est surtout réduit à sa composante sexuelle, et l'harmonie cherchée repose sur une parfaite entente sexuelle dans le couple. Au fond, c'est le même équilibre qui constitue l'accord amoureux, mais Charles Albert préfère l'équilibre sexuel à l'équilibre financier. Les règles du jeu ont changé, mais le jeu reste le même : l'idéal est encore l'union monogame et éternelle. « La monogamie artificielle et imposée du mariage, alors même que rigoureusement observée, ce qui est rare, n'est que la grimace de celle – naturelle et librement consentie – que poursuit l'amour comme sa fin idéale. » Pour atteindre cet idéal, l'union libre n'est pas plus efficace que le mariage : elle se conclut de la même manière, n'échappe guère à la « tyrannie de l'argent », et ne permet pas à l'amour de se développer.

Pour cela, il faudrait d'abord que le progrès technique permette à tous une sécurité de vie matérielle qui assure « l'autonomie des sexes ». Il faudrait ensuite que la femme dispose du même droit que l'homme à multiplier les unions avant de trouver l'idéale, et donc que la virginité cesse d'être une valeur absolue placée au-dessus même de l'amour. L'amour libre n'est donc qu'un préliminaire, le moyen d'arriver à une union durable et harmonieuse [31]. La solution, derrière une formulation diamétralement opposée, est fort proche de celle préconisée par Léon Blum. Fort proche aussi de celle adoptée par de nombreux couples aujourd'hui – ceux auxquels les progrès techniques ont précisément apporté « l'autonomie du sexe » et que la pilule a libérés du mythe de la virginité.

L'opposition entre amour libre et union libre reste donc purement formelle autour de 1900. L'idéal n'a pas changé, seuls les moyens de l'atteindre varient. Et derrière les théories utopiques, on trouve une analyse assez fine des problèmes, analyse qui se trouve confirmée par l'évolution des mœurs et des techniques. Un pas supplémentaire est fait dans la vision anarchiste du couple avec les théories d'Émile Armand, défenseur entre les deux guerres d'une « camaraderie amoureuse » qui abandonne réellement l'idéal monogamique et stable. Armand demande l'amour libre au nom de la liberté : « À l'‟ amour esclave ”, la seule forme d'amour que puissent connaître les sociétés autoritaires, l'anarchiste oppose donc l'‟ amour libre ”. »

Au-delà du jeu de mots, il y a une idée au départ intéressante de revaloriser les fins jugées « secondaires » du mariage : le sentiment et la sexualité. « Les anarchistes considèrent comme irraisonné d'envisager comme ‟ inférieures ” les affinités uniquement d'ordre sexuel ou sentimental qui poussent l'homme vers la femme ou réciproquement. » Irraisonné... et surtout hypocrite : « Le désir d'affinités d'un autre ordre – intellectuelles, morales – est le plus souvent une voie détournée pour aboutir au même résultat : l'étreinte mutuelle », dénonce-t-il non sans raison. Mais la conclusion qu'il en tire est plus contestable, puisqu'il ne peut valoriser ces types d'unions jugées « inférieures » qu'en dévalorisant les autres – les affinités intellectuelles et morales viennent « plus tard, secondairement », affirme-t-il péremptoirement.

L'influence de la psychanalyse, qui réduisait volontiers les conduites humaines à leurs composantes sexuelles, est évidente et reconnue par Armand lui-même. Mais comme Blum et comme tous les utopistes de l'époque, Armand entend se démarquer de la « chiennerie » à laquelle la morale bourgeoise assimile volontiers l'union libre. Ce qu'on en connaît aujourd'hui, se plaint-il, c'est sa caricature bourgeoise, qui se distingue peu du mariage : « Elle est au mariage civil ce que celui-ci est au mariage religieux ou à peu près. » Par « respect des convenances », des individus « papillonnants de nature » vivent en cohabitation et se forcent à la constance, ou à des « adultères » cachés comme un couple marié. Lui est partisan d'un véritable amour libre – qu'il ne faut pas confondre, encore une fois, avec la caricature d'amour libre inventée par les bourgeois : le flirt, la coquetterie, la vénalité, le mensonge, la tromperie...

Il s'agirait plutôt d'une « camaraderie amoureuse » à plusieurs, qui permettrait le pluralisme sexuel pour éviter toute forme de possession, de jalousie, d'hypocrisie. Et l'on sent derrière cet idéal les idées répandues par Engels et les ethnologues de la promiscuité originelle. Pourtant, il ne peut nier les résistances à ce pluralisme sexuel, la tendance de certains camarades à vivre en couple et non en groupe. Ce n'est pas grave, concède-t-il, s'il s'agit d'une vocation profonde et non de l'influence néfaste des mœurs bourgeoises. Aussi ne peuvent-ils accepter cette « pauvreté de l'amour unique » qu'après s'être « rendu compte que ce déterminisme individuel leur est bien particulier et non le fruit du qu'en-dira-t-on [32] ».

Pour sa part, et dans l'idéal anarchiste amené selon lui à triompher, il demande « l'intégration dans la camaraderie de diverses sortes de réalisations *sentimentalo-sexuelles* ». Dans l'attente d'une « civilisation de l'amour », il croit que les relations entre homme et femme pourraient être réglées par un « *libre contrat d'association* (résiliable selon préavis ou non, après entente préalable) conclu entre des individualistes anarchistes de *sexe différent*, possédant les notions d'hygiène sexuelle nécessaires, dont le but est d'assurer les co-

contractants contre certains aléas de l'expérience amoureuse, entre autres *le refus, la rupture, la jalousie, l'exclusivisme, le propriétarisme, l'unicité, la coquetterie, le caprice, l'indifférence, le flirt, le tant pis pour toi, le recours à la prostitution ».* Ainsi se créeraient des groupes de camaraderie amoureuse qui iraient de deux à l'infini [33].

Dans quelle mesure ces idées radicales ont-elles influencé la morale de l'entre-deux-guerres? Plusieurs facteurs vont leur donner un singulier écho. Tout d'abord, la révolution russe et le triomphe, dans un pays européen, des idées de Marx et d'Engels. Dans le nouvel État soviétique, l'union libre est mise en pratique puis jusqu'à côté du mariage célébré, la simple constatation de la vie commune peut le faire présumer. Et certains redoutent en France l'influence de cet exemple sur leurs communistes [34]. L'union libre n'est plus un rêve d'idéaliste, un souvenir littéraire de Tahiti ou la lèpre de la misère : elle devient un véritable choix politique et une menace toute proche.

Le problème est d'autant plus préoccupant que, pour la première fois depuis l'Antiquité romaine, le concubinage acquiert un statut légal entre les deux guerres. Les réflexions des intellectuels, la pression de l'opinion publique, la littérature, ont en effet fait progresser l'idée de l'union libre, que le législateur n'avait pas envisagée. La loi du 16 novembre 1912, qui autorise la recherche de la paternité naturelle dans le cas où le père et la mère ont vécu en état de concubinage notoire pendant la période légale de conception, était un premier pas dans la reconnaissance d'une union stable hors mariage. La guerre de 1914-1918 permettra de la mettre en pratique : peut-on abandonner concubines et enfants des « poilus », quand on prend soin de leurs femmes? Ce serait désastreux pour le moral des troupes. Des circulaires ministérielles accordent donc des allocations militaires, puis des avantages de logement, aux concubines des soldats comme à leurs épouses légitimes. Après la guerre, il est difficile de revenir sur cette assimilation des deux types d'union : la loi sur les loyers du 1er avril 1926 maintient les avantages acquis par les concubines; la jurisprudence entérine cet état de fait [35].

Le concubinage peut alors être avantageux pour la femme, s'il est officialisé par un contrat d'association. Un régime de communauté qui laisserait à la femme la gestion de ses affaires est en effet impossible dans le cadre du mariage tant que la puissance maritale n'est pas abolie. Les donations entre concubins, qui ne sont plus interdites par la loi depuis 1804, sont du fait même plus faciles que celles entre époux, sévèrement réglementées. Ainsi, entre la Grande Guerre qui aide à la reconnaissance du concubinage, et le code des familles de 1939, l'union libre a-t-elle pu sembler préférable au mariage dans bien des cas. Est-ce un hasard si les années 1921-1940 ont connu la première véritable chute du taux de nuptialité de l'histoire moderne [36]? D'autres facteurs, comme la crise économique, peu favorable aux unions durables, ont dû intervenir. La trinité vichyssoise « travail, patrie, famille » est le constat d'un triple échec, à l'heure où le chômage, l'occupation et l'union libre remettent en cause les valeurs ataviques.

La crise du mariage

Toutes ces conceptions de l'amour, du mariage, de l'union libre explosent après la guerre dans le grand feu d'artifice de la Libération. À l'Assemblée constituante de 1946 retentit l'exclamation « La famille au musée! » Il faut dire que la famille, avec les deux autres membres de la Trinité pétainiste, patrie et travail, a plutôt mauvaise presse. Certaines interventions défendent une famille maternelle reproductrice, composée de la mère et de l'enfant, le père véritable étant l'État : c'est la tradition utopiste du siècle dernier qui se perpétue [37]. L'amour libre n'est plus une prérogative de la bourgeoisie corrompue ou des anarchistes libertaires. L'arrivée massive de soldats américains pleins de vigueur et auréolés de victoire donne à bien des jeunes filles le désir et le courage de mettre en pratique sans le savoir les théories de Léon Blum. La jeunesse existentialiste, qui ne croit plus à l'amour, se réfugie dans la sexualité. Les progrès de la contraception; la pénicilline, qui dédouane les rapports sexuels, et une plus grande tolérance morale feront le reste. Pourtant, malgré les débordements de la jeunesse, les années cinquante restent des années sages, qui connaissent le traditionnel rebond des mariages qui suit toutes les guerres. L'euphorie économique est favorable aux unions légitimes et aux familles nombreuses. Mais l'orage ne fait que couver, et les signes précurseurs sont déjà sensibles dans d'autres pays.

Si la libération sexuelle commence aux États-Unis et dans les pays scandinaves dans les années cinquante, il faut attendre la fin des années soixante pour que la vague touche réellement la France. Une réforme du mariage est manifestement attendue et ne se fait que timidement, par la loi du 13 juin 1965 sur les régimes matrimoniaux. Le mari y abandonne les derniers lambeaux de sa tutelle sur sa femme ; la puissance maritale est enfin démantelée. C'est un peu tard. La loi du 28 décembre 1967 dépénalisant la contraception et la brusque flambée de Mai 68 mettent le doigt sur le vrai problème : aucune réforme ne peut adapter la vieille institution au vœu de jeunes générations qui la jugent « ringarde ». Les moralistes ici ne viennent plus au secours de l'historien. Voilà tellement longtemps qu'ils dénoncent la crise du mariage et la détérioration des mœurs que leur discours est éculé. Ils tentent de cacher le problème par de nouveaux mots. Union libre ? Connais pas. La « cohabitation juvénile » est moins inquiétante : transitoire, elle ne manifeste pas un refus du mariage, mais résulte au contraire d'une exigence supérieure. Par peur de l'échec, par refus de la médiocrité, on veut tester ce nouvel état avant de régulariser la situation, souvent au premier enfant. Rien de dramatique, croit-on [38]. Avec le premier recul, on se rend compte cependant que le mal est plus profond.

Ce sont les statisticiens qui apportent une véritable information. À partir de 1972, le nombre de mariages recule régulièrement de deux à trois pour cent chaque année. Après un pic à 8,1 ‰ en 1972, le taux de nuptialité, qui se maintient depuis 1950 dans une fourchette étroite (6,7 ‰ – 7,9 ‰) fort proche du taux moyen depuis cent cinquante ans, va chuter régulièrement jusqu'à 4,4 ‰ en 1993. Sans doute 1972 est-elle la date pivot dans l'histoire du mariage : quatre ans après Mai 68 – le temps de digérer les idées nouvelles – les jeunes commencent à pratiquer l'union libre ; les parents doivent s'incliner. La crise économique (particulièrement sensible après le choc pétrolier de 1974) n'est pas favorable aux projets d'avenir. Le parallèle est tentant avec l'autre grande crise matrimoniale, celle des années trente, qui avait aussi correspondu à une dépression économique. À partir de 1980, les chiffres sont aussi bas qu'au cours de l'immédiat avant-guerre. En 1981, le taux de nuptialité va tomber sous les 6 ‰, sous les 5 ‰ en 1985. Malgré un progrès constaté entre 1988 et 1990, la tendance est à nouveau à la baisse [39].

Si on tente de replacer cette baisse de la nuptialité dans un contexte plus large, on s'aperçoit cependant qu'il faut tenir compte de la durée particulièrement longue de la crise économique actuelle, qui n'a pas été, comme celle des années trente, coupée par un conflit armé. Si on a pu craindre, dans les années soixante-dix, une multiplication des liaisons faciles et instables, on s'aperçoit aujourd'hui que la relative désaffection du mariage n'est pas une crise du couple, mais la recherche d'une autre forme d'union. De 1968 à 1990, en contrepartie, les unions libres recensées ont connu un bond spectaculaire, passant d'un couple sur trente-cinq à un sur huit [40].

Au recensement général de 1990, 13 % des couples vivant ensemble n'étaient pas mariés : chaque recensement depuis 1975 enregistre la progression de ce nouveau type de ménage (446 000 en 1975 ; 810 000 en 1982 ; 1 720 000 en 1990). En revanche, la vie de *couple* est en nette diminution (50 % des hommes et 47 % des femmes en 1990), tandis que le nombre de *ménages* est en augmentation (augmentation de 37 % de 1968 à 1990, quand la population n'a augmenté que de 14 %). L'explication est simple : ce sont les ménages d'une personne (27 % des ménages en 1990) qui augmentent, qu'il s'agisse de jeunes qui ont pris leur autonomie, de divorcés de trente-cinquante ans ou de veufs du troisième âge. La désaffection pour le mariage, les nouvelles facilités de divorce, la baisse de la mortalité, l'augmentation du niveau de vie qui donne plus tôt aux jeunes leur indépendance, ont sensiblement modifié la structure démographique de la France.

Le phénomène, relativement récent, touche davantage les jeunes générations : si le mariage reste majoritaire parmi les couples vivant ensemble (87,53 % en 1990), c'est surtout grâce aux plus de quarante ans. Dans le cas de couples sans enfants de moins de quarante ans, le mariage ne représente plus que 44,14 %, et l'union libre devient majoritaire. Au-dessus de quarante ans, avec ou sans enfant, les couples vivant sous le même toit sont mariés à plus de 90 % [41].

Un nouveau type d'union ?

Le législateur a suivi le mouvement, soit en desserrant les liens conjugaux, soit en assimilant de plus en plus concubins et époux. La loi sur le divorce du 11 juillet 1975 permet ainsi aux époux d'avoir deux domiciles distincts (mais pas deux résidences) sans porter atteinte à la vie commune (art. 108). C'est rompre l'antique association des domiciles dont la formulation n'avait pas varié depuis 1804 : « La femme mariée n'a point d'autre domicile que celui de son mari. »

Des lois de 1977, 1978, 1983 donnent ensuite aux couples non mariés des droits jadis réservés aux époux légitimes : droit à bénéficier de la sécurité sociale de son concubin, à l'assurance maternité, aux prestations familiales, à l'aide personnalisée au logement... Sans doute, depuis 1946, la plupart des prestations familiales étaient liées à la constitution d'un « foyer » et non plus au « mariage », mais les droits réservés aux époux et élargis aux concubins ne concernaient que les couples ayant un enfant. Dans les années 1970-1990, les concubins sans enfants commencent à être reconnus comme de vrais couples. La loi sur le divorce de 1975 a en effet fait évoluer la notion de couple : ce qu'on reprochait jadis aux concubins, c'était la brièveté de leur union. À partir du moment où les mariages sont de plus en plus brefs, la différence s'estompe entre les deux types d'unions. Dans les statistiques, les notions de « famille », de « couple », de « ménage », de « foyer » remplacent désormais celle de « mariage ». La France commence à penser différemment.

À l'inverse, la jurisprudence exige désormais des concubins les devoirs jadis réservés aux époux. Le devoir d'assistance, par exemple, s'il n'est pas automatique, peut devenir exigible par habitude : un concubin qui aide financièrement sa maîtresse ne peut pas interrompre brusquement ses versements [42]. Le concubinage peut ainsi créer des obligations vis-à-vis d'autrui ou vis-à-vis du compagnon. La « théorie de l'apparence » impose de dédommager un tiers qui se trouverait lésé par une personne vivant en concubinage, si les apparences la présentaient comme mariée. Un concubin peut ainsi, dans certains cas, se trouver responsable des dettes de sa compagne. Obligations entre concubins, également : si la femme travaille sans salaire pour son compagnon, elle peut, au moment de la séparation, intenter une procédure pour « enrichissement sans cause » si elle a été manifestement appauvrie par la vie et le travail en commun.

Si les contenus se rapprochent, les formes ne peuvent rester éloignées. Ce qui faisait la spécificité du mariage, l'adoption par la femme du nom de son mari, a tout à fait disparu. Seul l'usage en effet impose le nom unique au ménage. Il est donc aussi bien permis aux concubins de l'adopter qu'aux mariés de le refuser. Et on a vu des épouses garder leur nom de jeune fille comme des concubines prendre celui de leur compagnon. Avec le danger, dans ce dernier cas, de tomber sous le coup de la « théorie des apparences » en se donnant pour mariée à un tiers qui pourrait s'en trouver lésé.

L'officialisation du concubinage est à nouveau en route. Certains maires délivrent des « certificats de concubinage » pour faciliter les démarches ouvrant droit aux avantages sociaux (allocations familiales, réductions à la S.N.C.F. ou sur les transports aériens...). Quoique ces certificats ne soient ni obligatoires (on peut refuser de les délivrer), ni officiels (ils peuvent faciliter des démarches, mais ne sont pas exigibles pour l'obtention des avantages auxquels les couples ont droit), ils sont perçus comme une reconnaissance sociale d'une sorte de mariage parallèle. De même, de plus en plus de concubins passent contrat devant notaire, pour faire une donation au survivant ou pour préserver les biens personnels dans la perspective d'une séparation. En l'absence de contrat, en effet, tout est censé appartenir au propriétaire (ou au locataire) de l'appartement commun.

L'opinion publique, enfin, accepte de plus en plus ce nouvel état de fait. En 1978, seuls 11 % des hommes (et 14 % des femmes) désapprouvaient l'union libre ; 40 % (et 37 %) l'approuvaient entièrement, tandis que 29 % (et 31 %) l'admettaient chez les autres sans être personnellement tentés. Et il ne s'agit pas dans leur esprit d'approuver une « cohabitation juvénile » comme prélude au mariage : le même sondage montrait que 60 % des hommes (et 63 % des femmes) acceptaient l'union libre pour des couples ayant dépassé la trentaine, qui ont donc beaucoup moins de chances de régulariser la situation[43]. Une enquête effectuée en janvier 1994 confirme ces chiffres déjà anciens : 43 % seulement des sondés jugent le mariage « indispensable pour les enfants[44] ».

On en arrive ainsi à la reconnaissance d'un double mariage, un plus souple, l'autre plus solennel, à la manière de ce qu'on connaissait dans la plupart des sociétés antiques. Pour quelles raisons choisit-on l'un ou l'autre système ? Un sondage effectué en janvier 1994 apporte des éléments de réponse. Pour 51 % des catholiques pratiquants, le mariage est « un engagement religieux important », ce qui correspond à l'opinion majoritaire, avant même le bien de l'enfant. Pour l'ensemble des sondés, en revanche, le mariage est avant tout « indispensable pour les enfants » (43 %), et « un moyen de faire reconnaître le couple dans la société » (29 %). Pour 21 % des sondés, c'est aussi « une formalité administrative importante » et « cela renforce les liens au sein du couple ». Seuls 7 % estiment qu'il s'agit d' « une institution dépassée[45] ».

Les statistiques confirment cette opinion. Le nombre de

légitimations d'enfants par le mariage est en progression régulière, passant de 7,8 % en 1981 à 18,5 % en 1991 [46]. Les ménages semblent vivre de plus en plus en union libre jusqu'au premier enfant, qui justifie le mariage. « Ils ont régularisé la situation et supporté sans trop rechigner tout le folklore que les familles exigeaient. Puisque ce qu'ils vivaient était du solide, on pouvait aussi tranquilliser les parents et se ranger [47]. » Plusieurs enfants sont parfois légitimés par mariage (en 1991, 52 000 mariages ont légitimé 70 000 enfants), ce qui suppose, jumeaux et triplés mis à part, que plusieurs couples ont au moins attendu leur second enfant pour officialiser leur situation.

Notons également que ces 18,5 % de mariages légitimant des enfants ne représentent que 30,3 % des naissances « illégitimes » (69 455 sur 229 100 enfants nés hors mariage). La grosse majorité des couples non mariés ne juge donc pas utile d'officialiser l'union à la naissance d'un enfant. La proportion de légitimations augmente d'ailleurs avec l'âge (13 % pour les mères de moins de 25 ans, 21 % pour les 25-34 ans, 34 % pour les 35-39 ans) et varie selon l'activité professionnelle (13 % des unions où l'époux est cadre, 23 % lorsqu'il est ouvrier et 38 % lorsque la femme est inactive [48]). Il est probable que le nombre de parents, hommes ou femmes, élevant seuls un enfant après divorce, a fini par imposer l'idée que le mariage n'était pas une garantie pour l'enfant, et que le couple était aussi stable (ou aussi fragile) sans passer devant les autorités civiles et religieuses.

L'image du concubinage est donc en train de se modifier. « Au milieu des années 70, on parlait de cohabitation juvénile : forme transitoire de mariage à l'essai qu'adoptaient des jeunes couples de milieux sociaux plutôt favorisés. Rares étaient les enfants qui naissaient de ces unions : quand une naissance s'annonçait, le couple décidait de se marier. Aujourd'hui, l'union libre est devenue un passage normal dans la vie des individus. Plus de la moitié des mariages contractés actuellement ont été précédés par une période de cohabitation [49]. » Compte tenu des couples qui se séparent sans jamais s'être mariés et de ceux qui atteignent leur stabilité dans l'union libre, près de 80 % des unions débutent désormais hors mariage.

Après la légitimation des enfants, la reconnaissance sociale est de loin, pour les sondés de *La Croix*, la plus importante raison de se marier. On ne renie pas en vingt ans vingt siècles de christianisme, sans parler des millénaires de mariage qui les ont précédés. Le mariage reste dans notre inconscient collectif un rite de passage. « Même lorsqu'on se marie avec le minimum de formalités et de cérémonies, on quitte la zone du privé et on entre dans la sphère sociale[50]. » Rite social, mais aussi rite individuel. L'adolescent devient adulte, le célibataire sans responsabilité à charge de famille : « Un passage s'est produit. Chacun endosse de nouvelles responsabilités liées à sa situation nouvelle. » Le mariage ne permet pas seulement de faire reconnaître son couple et l'amour qui l'unit, mais surtout de s'intégrer à la société, de se poser comme homme (ou femme) accompli – « de montrer à tous les badauds / Qu'il y a une fille qui m'a trouvé beau », disait jadis Bourvil dans *Vive la mariée*. C'est ce que ressentait un jeune couple interrogé par Louis Roussel : « Lorsqu'on est invité quelque part, c'est plus facile de présenter sa femme que son amie[51]. » Mais l'image sociale du couple est fonction du milieu qu'il fréquente, et le progrès de l'union libre la change petit à petit.

Dans une société qui a perdu tous ses rites initiatiques, le mariage est la seule façon de changer d'état, de se dévêtir de sa vieille peau, de rompre brutalement avec le passé. Le métier ne joue ce rôle que plus tardivement : instable, venant après de longues études, voire après une période de chômage, il ne peut plus « poser un homme ». La cérémonie publique garde pour cela tout son attrait auprès des jeunes. Témoin la volonté de maintenir les traditions que dans tout autre domaine on jugerait « ringardes ». Les timides tentatives des créateurs pour renouveler la mode matrimoniale se sont toutes soldées par des échecs. « Les jeunes femmes gardent encore une prédilection pour la robe blanche. Elles nient ce jour-là toutes les audaces, les impudeurs, les fantaisies du siècle[52]. » La cérémonie de mariage est devenue un commerce rentable pour lequel on multiplie tous les symboles d'une tradition ancestrale : calèche tirée par des chevaux, château pour recevoir les invités, calligraphie vieillotte des faire-part...

C'est tout cela qui constitue le « plus beau jour de la vie ». Sans doute le mot d'ordre est-il le bonheur : « C'est un moment de la vie qui marque, expliquait une jeune femme : faire au moins une journée heureuse, avoir une journée à soi. » Mais une distanciation ironique est fréquente dans cette fête aux références perdues : « La dimension ludique n'est pas absente : on a joué aux présentations, au mariage traditionnel [53]. » Le bonheur théâtralisé est-il aussi pur? Le joue-t-on également dans ce lever de rideau dont on est le héros d'un jour?

Au-delà des raisons qu'on s'avoue, le mariage est aussi une façon de se rassurer dans un monde dont on dénonce de plus en plus l'indifférence. La solitude des villes, le relâchement des liens familiaux, engagent à chercher au sein du couple la sécurité et l'équilibre psychologique dont chacun a besoin. Le mariage traditionnel, plus difficile à rompre, auréolé d'une longue histoire, remplit encore largement cet office.

Quant aux attraits du concubinage, ils semblent bien divers. Fondamentalement différent du « concubinage ouvrier » du siècle dernier, il est revenu en force, dans les années soixante-dix, par le haut de l'échelle sociale. Phénomène urbain plus que rural, l'union libre tente davantage les enseignants, les magistrats, les cadres moyens ou supérieurs. Chez les jeunes, la libération sexuelle qui entraîne des exigences plus précoces, jointe à l'allongement des études qui retarde leur réalisation, peut motiver une vie commune qui débouchera ou non sur un mariage. L'élévation du niveau de vie dans les années 1970-1975 a donné à ces jeunes une indépendance de plus en plus précoce. Qu'ils soient aux études, au travail ou au chômage, les jeunes ont souvent leur appartement indépendant dans les grandes villes. Cette situation a été mise en rapport avec le développement des unions libres. Dans les pays qui connaissent un problème de logement, comme le Japon ou l'ancienne U.R.S.S., on a constaté que le concubinage est moins important [54].

Mais les conditions nécessaires au développement de l'union libre (niveau de vie élevé, contraception, évolution des idées...) ne sont pas les raisons directes du choix de vie. La principale reste sans doute la hantise du divorce, long, coûteux, obligeant pour limiter les pensions alimentaires ou pour obtenir la garde d'un enfant à des déchirements peu glorieux. C'est cela que fuient les jeunes de la « seconde génération », ceux qui étaient encore enfants lorsque la loi de 1975 a facilité le divorce par consentement mutuel. La famille est apparue tout à coup fragile et hostile; les jeunes n'ont pas voulu faire connaître à leurs enfants les déchirements qu'ils avaient connus eux-mêmes. En 1985 et 1986, la courbe des mariages a atteint son point le plus bas. Les optimistes soulignent que les mariages sont surtout plus tardifs : à partir de vingt-six ans pour les hommes, de vingt-neuf pour les femmes, les taux de premiers mariages augmentent en effet régulièrement depuis une dizaine d'années. Le déficit aurait donc été entraîné par un changement d'attitude face au mariage, qui devient le couronnement et non plus le début de la vie commune, ou qui suit une période d'expérience et de recherche plus longue. « Mais ces unions un peu plus tardives restent insuffisantes en regard des déficits accumulés depuis vingt ans aux jeunes âges[55]. »

Les progrès de l'union libre sont surtout liés à une évolution profonde des mentalités, des rythmes de vie, des conceptions de l'existence. Dans une société qui vit en accéléré, où l'on est amené à changer plusieurs fois de travail, de ville, voire de pays, on hésite à faire des projets à long terme. On veut vivre le présent sans se préoccuper de l'avenir et sans tenir compte du passé. Le mariage indissoluble et éternel reste au mieux un idéal, et, plus souvent, un vestige insolite du passé. L'exaltation de la liberté fait ressentir la lourdeur des moindres chaînes. Une société individualiste attache moins d'importance à la construction sociale, celle d'une famille ou d'une nation, et considère que la vie est une valeur à cultiver pour soi sans se préoccuper des problèmes plus généraux : la dépopulation ou la survie de l'humanité semblent des questions bien théoriques qui concernent l'ensemble d'une population, c'est-à-dire souvent les autres. La menace d'une guerre, grande consommatrice de chair fraîche, ne semble plus immédiate – les nouvelles technologies d'ailleurs permettent d'épargner le matériel humain dans les stratégies défensives. Le plus solide argument des natalistes du siècle dernier, la peur de l'envahisseur, perd de son poids.

On peut d'ailleurs aller plus loin : depuis quelques années, l'union libre n'est plus la seule alternative au mariage. Les célibataires vivant seuls et entretenant une liaison stable, quoique plus lâche, peuvent également former un couple socialement reconnu dans un cercle d'amis. C'est parmi eux que le mariage trouve ses plus farouches adversaires. S'ils ont fui la vie de famille et cherché la solitude, ce n'est pas pour retomber dans le système, même sous une forme plus lâche. D'une façon générale, le mariage devient pour certains jeunes le symbole d'une intégration sociale mutilante. « On est obligé de sacrifier une partie de soi-même en se mariant, de s'incorporer au système », entend-on ici. Ou : « J'ai envie de vivre avec un homme, ça oui, et de partager. Mais de lier ma vie à quelqu'un et de me dire : ça ne bougera pas, je vais me flanquer là-dedans, je perdrais ma liberté[56] ! »

Réactions inquiétantes? Non, dans la mesure où on les a plus d'une fois rencontrées dans l'histoire du mariage. De Marsay, le dandy ironique de la *Physiologie du mariage*, ne raisonnait pas autrement avec sa hantise de s'engluer dans un temps arrêté. Mais il s'agissait alors d'un personnage mondain, nostalgique d'une société révolue, dont le type restait minoritaire. Le repli dans le mariage s'opposait dans ce cas à la liberté de la vie sociale. Aujourd'hui, ce n'est plus pour des raisons mondaines qu'on reste célibataire, mais plus souvent par excès d'individualisme. Le mariage s'oppose alors à la vie, tout simplement. Cet avenir qu'on doit construire à deux risque de gâcher le présent.

C'est ce que ressent par exemple Gabriel Matzneff, « épouvanté » par l'idée même de mariage qui lui semble sacrifier le présent sur l'autel de l'avenir : « L'idée du mariage m'épouvante. [...] Je me sens absolument incapable de fonder un foyer. J'ajoute même que dans mon esprit, l'expression " fonder un foyer " a quelque chose de comique : la respectabilité petite bourgeoise dans toute son horreur. [...] Se marier, c'est parier sur l'avenir. C'est fonder quelque chose sur l'avenir. Or je me fous de l'avenir. L'avenir ne m'a jamais intéressé. Dès mon enfance, j'ai toujours vécu dans l'instant, avec une espèce d'horreur – faite de peur et de je ne sais quoi – pour l'avenir [57]. »

Oui, le mariage est une question de temps. La peur du futur, individuel ou social, oblige à se réfugier dans le présent et ne peut lui être favorable. « Aujourd'hui, écrit Odile Bourguignon, l'incertitude sur l'avenir de notre société, et même de notre civilisation, est totale, les progrès qui pouvaient confirmer la justesse de ses orientations sont discutés, les prévisions sont devenues si aléatoires qu'elles interdisent les projets à long terme et favorisent l'indécision et le non-engagement [58]. » Ce n'est pas seulement la crise économique qui explique celle du mariage, mais aussi la crise de conscience d'une société qui a perdu ses points de repère.

Alors, crise momentanée due à une mauvaise conjoncture, décadence inexorable d'une institution dépassée, libération de l'individu par rapport aux modèles sociaux anciens, retour à la pluralité des formes d'union que connaissait l'Antiquité? L'avenir seul nous le dira et fera la différence entre les infléchissements durables et les sursauts sans lendemain des courbes de statistiques.

CONCLUSION

CONCLUSION

Ce survol du mariage occidental au cours de ses deux millénaires laisse une impression d'unité autant que de diversité. Derrière la grande multitude des rites, des conceptions, des buts, des lois... se révèle la permanence d'une institution destinée à assurer la cohésion d'une société grâce à la solidité de sa cellule de base. Dans les civilisations même où l'on conservait à l'union d'un homme et d'une femme son caractère strictement privé, les structures sociales (État, religion) ont joué un rôle capital. Chez les Romains comme chez les Germains, le mariage ressortissait avant tout au droit familial. Mais la *gens* romaine, la tribu germanique jouaient un rôle bien plus important qu'aujourd'hui dans l'organisation sociale. À travers e pouvoir du *paterfamilias* romain, du *mainbour* germanique, c'était l'autorité civile ou religieuse qui se manifestait dans la conclusion d'un lien sacré. Le père est à la fois le chef, le juge et le prêtre de la famille ; les lois primitives devront souvent s'incliner devant ses droits imprescriptibles.

La femme, qui n'acquérait jamais cette puissance religieuse et civile, n'avait aucun rôle à jouer dans cette cérémonie ; l'homme n'y intervenait qu'après son émancipation, qui le rendait apte à célébrer à son tour les rites familiaux et à participer à la vie publique. En somme, lorsqu'il pouvait à son tour devenir *mainbour* ou *paterfamilias*. Au départ, d'ailleurs, l'Église primitive ne s'est immiscée dans la célébration des noces que comme substitut du pouvoir paternel, notamment auprès des orphelins ou des convertis en rupture de famille. Lorsque ce pouvoir s'est affaibli, l'autorité publique, religieuse ou civile, a tout naturellement pris le relais.

Une histoire conflictuelle

L'histoire du mariage, surtout dans une civilisation qui a subi des influences contradictoires, est donc celle de conflits permanents entre les divers pouvoirs qui entendent contrôler cette institution fondamentale. Les familles, d'abord, veulent garder le contrôle des alliances qui concernent à la fois la transmission du patrimoine, du sang qui fait la pureté de la race et l'orgueil de la famille aristocratique, du culte domestique jadis lié à celui des ancêtres. Accueillir un étranger est toujours une opération délicate, susceptible de maints rejets. Pour que les familles abandonnent leurs prérogatives dans ce domaine, il faudra que le mode d'acquisition des richesses change, que le culte des ancêtres périclite, que l'orgueil de classe s'estompe. Ce ne sera possible que dans les classes (ouvriers, paysans), dans les régimes (socialistes, républicains) ou à une époque (xxᵉ siècle) où la richesse sera définie par le travail plus que par l'héritage, et où le mérite tendra à l'emporter sur la naissance.

Le pouvoir civil, ensuite, entend maîtriser les liens qui se tissent autour ou contre lui. À l'époque féodale, où le morcellement des pouvoirs donne aux grandes familles une importance capitale dans la structure sociale, les suzerains sont directement concernés par le mariage de leurs vassaux, dont les alliances pèsent lourd dans la politique d'influence. Lorsque des États plus solides se constitueront, le droit de regard des rois se limitera à la politique internationale (permission royale pour les unions avec des étrangers) ou sur le petit monde de la cour, et principalement des princes de sang, héritiers présomptifs de la couronne. À l'époque des démocraties et de l'internationalisation de la politique, le pouvoir civil pourra se faire plus discret : en matière d'empêchements, il n'intervient plus aujourd'hui que sur les questions de l'âge (mais la majorité légale est bien inférieure à l'âge moyen du mariage) et de la consanguinité (dans des limites très restreintes). Pratiquement, le pouvoir de l'État se borne à fixer le mode de célébration et à faire respecter la monogamie, traditionnelle en Europe occidentale. Le plus souvent, dans l'histoire occidentale, le pouvoir civil n'a légiféré que pour entériner et unifier le pouvoir des familles.

Le pouvoir religieux enfin tente de maintenir la hiérarchie qu'il a instaurée entre les deux mariages, spirituel et temporel, et qui correspond à sa vision générale du monde et de la société. « Les mariages se font au ciel et se consomment sur la terre », dit un vieil adage recueilli par Loisel au XVIe siècle. Mais si ces noces spirituelles ont été décrites par les écrivains ecclésiastiques à partir du modèle terrestre (les *Quatre espèces de noces* de Lothaire de Ségni en constituent un bel exemple), elles se sont peu à peu constituées elles-mêmes en un modèle qu'il convenait de réaliser dans les unions terrestres. Ainsi s'est défini un « mariage-institution » auquel les hommes ne pouvaient toucher, puisqu'il était exclusivement de droit divin. On a vu, occasionnellement, ce pouvoir dénié au pape lui-même. Il s'agit là d'une autre conception du mariage, qui dépasse les hommes et qu'on ne peut que subir au nom d'une entité supérieure. Certains tenteront de laïciser ce « mariage-institution », notamment durant la Révolution française, mais cette conception métaphysique, qui subordonne les lois humaines à une entité supérieure (Dieu, Humanité, Paternité, Patrie...), ne se développera jamais beaucoup.

Mais l'Église a aussi sa politique temporelle qui passe par le contrôle des mariages. L'unification de la chrétienté face au monde païen ou musulman a favorisé les mariages exogamiques (par une sévérité accrue dans la définition de la consanguinité) qui ont permis de fondre les populations celte, germaine et latine, tout en interdisant les mariages mixtes, avec des païens, des juifs, puis des protestants. Elle s'opposait en cela au pouvoir civil, qui préférait des mariages nationaux (y compris entre religions différentes) aux mariages interethniques. Le contrôle sur les mariages a pu aussi, à l'époque féodale, assurer celui des fiefs. L'Église était seule à décider de la légitimité ou de la bâtardise, donc de la transmission des héritages.

De toutes ces autorités qui entretiennent une tension permanente dans l'histoire du mariage, il ne faut pas oublier celle de l'individu qui, en dernier ressort, a tout pouvoir sur son mariage dans le système consensualiste occidental. Pouvoir souvent théorique, les moyens de pression sociaux, économiques, coercitifs étant souvent trop forts sur les jeunes gens à qui l'on demande un engagement éternel.

Pourtant, malgré tous ces conflits, on ne pourra jamais se passer de ces autorités extérieures. La tentative de l'Église d'imposer un consensualisme strict, puis celle des utopistes et des anarchistes de faire passer un vent de liberté sur la vieille institution, se sont heurtées au même écueil. Le mariage clandestin comme l'union libre n'ont aucune reconnaissance sociale. Or le mariage n'est pas uniquement un acte privé. Il a besoin de publicité et de solennité. Les autorités familiale, civile ou religieuse interviennent comme des garants, comme une protection pour assurer une certaine stabilité à l'union. Le mariage religieux a compris plus que tous les autres cette dimension, en exigeant l'éternité de l'engagement, en l'assortissant d'une grâce qui permette de surmonter les épreuves de la vie commune (le sacrement), en multipliant les rites solennels qui frappent les esprits.

Mais d'une façon plus générale, chaque pouvoir a conçu le mariage selon ses propres références. La loi civile l'intègre aux contrats qu'elle protège (à l'extrême, on pourra proposer, au début du xxᵉ siècle, de conclure les mariages en utilisant la législation sur les contrats de location ou sur les baux à terme). Le droit familial fait du mariage un cas particulier de l'héritage. La religion lui impose les rites caractéristiques de l'alliance, et en particulier de l'alliance fondamentale, entre Dieu et son peuple – alliance elle-même assimilée à un mariage dans l'Ancien Testament. Les pactes sont conclus dans le sang, puis dans le vin, de même que l'engagement des époux s'accompagne de l'eucharistie ; leurs conditions sont rappelées sur les tables de la Loi comme sur le contrat de mariage ou les tables dotales ; on élève une stèle commémorative comme on délivre un livret de famille ; on conclut la cérémonie par un repas eucharistique ou festif... Le parallèle chrétien entre noces mystiques et noces terrestres s'ancre dans ces rites communs à toutes les alliances sacrées.

Si l'on continue à invoquer une autorité extérieure, c'est qu'on a besoin de la durée qu'elle garantit. Les mariages que nous avons rencontrés correspondent aux divers types de stabilité qu'on en attend : stabilité financière (transmission ou renforcement des fortunes familiales), familiale (il faut le temps d'éduquer les enfants), affective (peut-on fixer l'amour ?), politique (la paix entre familles ou entre États, garantie par l'union, doit être de longue durée)... Stabilité sociale, également : le mariage est un moyen d'intégrer l'homme dans une tradition, selon un processus analysé par les sociologues modernes. C'est l'instrument avec lequel va se reconstruire, foyer par foyer, l'ordre social qui donne un sens à la vie en communauté. Par la conversation entre mari et femme, par la nécessité de convertir le « possible » en « réalisable », le mariage acquiert un caractère stabilisateur et conservateur.

L'homme sort de l'égocentrisme et de l'insouciance de l'ado-lescence pour affronter ses responsabilités. Le monde s'en trouve changé autour de lui. « Ainsi la stabilisation opérée par le mariage affecte la réalité totale dans laquelle le couple existe[1]. »

Stabilité purement psychologique, enfin : dans bien des mariages, si l'on veut analyser avec sincérité leurs motivations profondes, on trouverait sans doute la peur de la solitude, le vieux *Vae soli!* de l'Écclésiaste. « Combien il est triste de vieil-lir seul, en égoïste », chante dame Marthe dans le *Faust* de Gounod. Et pour éviter cela, elle est prête à épouser le diable... Si tant de couples échouent aujourd'hui dans leur quête du bonheur, n'est-ce pas d'avoir confondu au fond d'eux-mêmes l'amour et la peur? Et si, les rancœurs digérées, chacun est souvent prêt à retenter l'expérience, n'est-ce pas parce que l'angoisse a mûri avec l'âge[2]?

Le second type de conflits que nous avons rencontré dans l'histoire du mariage tient à l'opposition entre ces différents buts fixés à l'union, et qui ne sont pas toujours clairement per-çus par l'impétrant. L'amour souvent est une couverture commode. Conflit entre génération et amour (peut-on répu-dier une femme stérile? Napoléon doit-il préférer l'amour de Joséphine à la fécondité de Marie-Louise?); entre génération et argent (comment légitimer ou déshériter les enfants?); entre argent et amour (mariages clandestins); entre argent et politique (mésalliances entre classes sociales); entre amour et politique (les mariages arrangés et les maîtresses royales)...

Ces deux grands types de conflits, extérieurs et intérieurs, structurent l'histoire du mariage. S'ils semblent *a priori* se recouvrir (l'amour a une dimension individuelle; l'argent et la génération, une dimension familiale; la politique, une dimen-sion civile...), leurs rapports sont souvent plus complexes. L'État peut, selon les époques, soutenir les individus contre les familles ou inversement : la politique nataliste du début du XXe siècle encourage le mariage d'amour, quand celle du XVIIe passait par le contrôle des familles. L'affection qui préside à un mariage peut s'étioler avec le temps si la fortune ou les enfants ne viennent la consolider. L'Église de son côté reconnaissait, dans les trois biens du mariage, l'importance de l'amour comme de la génération, et elle accepta bientôt les mariages d'argent ou d'alliance. Ainsi la mosaïque du mariage se dessine-t-elle avec des nuances souvent subtiles selon la recomposition permanente de ces diverses influences.

L'état de mariage

Le jeu de ces influences n'est pas le seul phénomène important dans l'histoire du mariage. La signification du rite a aussi profondément changé. Dans les sociétés initiatiques primitives, la vie était rythmée par une série de passages à des stades progressifs d'intégration sociale. L'âge le plus souvent suffisait à faire accéder l'individu à un état supérieur. La tonte du premier duvet de barbe, chez les Romains; la remise des armes au jeune guerrier, chez les Germains, marquaient l'entrée dans l'âge adulte. Ces initiations symboliquement importantes avaient souvent un caractère religieux que l'Église ne pouvait tolérer tel quel et qu'elle a tenté de récupérer – par exemple lors de l'adoubement du jeune chevalier.

L'Église a ainsi pris en main les rites d'initiation, notamment par l'intermédiaire des sacrements : le baptême, la première communion, la confirmation, le mariage, l'extrême-onction rythment désormais l'existence du fidèle. De tous ces sacrements, le mariage a acquis une importance particulière, puisqu'il correspondait au passage à l'âge adulte. Par cette cérémonie, le jeune homme prend sa place dans la société comme dans sa famille (à travers la paternité). Depuis la nouvelle morale qui interdit toute sexualité hors mariage, il acquiert en même temps le droit d'être pleinement un homme. Un projet de coutumes pour la ville de Gand, rédigé en 1546, témoigne bien de ce nouvel état : « Nul ne devient son propre maître, si ce n'est par le mariage, l'émancipation, par l'arrivée à l'âge de vingt-cinq ans, par promotion à la chevalerie, à la prêtrise, à une dignité, aux états ou offices du prince du pays ou des villes, et également s'il est reconnu marchand public [3]. » Le mariage est ainsi assimilé aux ordres sociaux (prêtrise, chevalerie) et aux offices publics, seuls capables de donner leur indépendance aux jeunes gens avant l'âge, alors élevé, de vingt-cinq ans.

Cette conception du mariage-état était en germe dans la société antique, depuis la loi Julia qui donnait aux hommes mariés des droits dont ne jouissaient pas les célibataires, les veufs et les divorcés. Mais toutes les structures romaines reposaient encore sur l'âge, qui donnait seul accès à certaines dignités. Le mariage restait de l'ordre du privé et visait essentiellement à donner un statut aux enfants, donc à permettre une juste transmission du patrimoine. Tout naturellement, ceux qui n'avaient pas de biens à transmettre (les esclaves) n'avaient pas besoin de « justes noces ». Le concubinage, qui permettait une union stable, mais non légitime, avec une femme dont on ne souhaitait pas avoir un héritier, n'était pas infamant. Le divorce et l'adoption fournissaient une réponse indirecte à l'épineux problème de la stérilité. L'adultère de l'homme offrait une porte de sortie à l'amour ou au désir sexuel frustrés par le système. Celui de la femme, qui mettait en danger la légitimité de la descendance, était sévèrement condamné. La logique interne était remarquable.

Le christianisme va remettre en question cette cohérence primitive. La disparition théorique et progressive de l'inégalité sociale ôte en effet toute justification aux divers types de mariage : plus besoin de *contubernium* s'il n'y a plus d'esclaves (les serfs, qui prennent la succession, auront droit au même mariage que leurs maîtres); plus besoin de concubinage, s'il n'y a plus de classes sociales (les ordres qui les remplacent sont au départ ouverts). Le mariage unique correspond à la vision idéale d'un homme unique. Bien sûr, la société reste cloisonnée; mais les modèles qui en rendent compte ne le sont pas et le mariage ne peut plus l'être.

Le mariage perd aussi, dans une perspective religieuse, son rôle juridique de désigner l'héritier légitime. Qu'importent les biens matériels quand on revendique un autre type de possession, l'héritage spirituel d'Abraham? Dans les premiers siècles, la foi intransigeante méprise le mariage, qui ne fait que transmettre la matière sans se préoccuper de l'esprit : l'héritage du mariage terrestre, c'est le péché d'Adam, la descendance charnelle (celle qui emprisonne indéfiniment la lumière divine, pour les manichéens), ou les biens temporels, ceux qu'on doit vendre et donner aux pauvres pour suivre le Christ. Le mariage coupe le chrétien de sa vraie parenté, spirituelle. Il peut être rompu pour rétablir celle-ci (tel est le sens du privilège paulin) lorsqu'un nouveau converti découvre sa « vraie famille ». Tout au plus sera-t-il toléré pour endiguer la sexualité, mais malgré les trois biens définis par saint Augustin, la descendance n'est plus le but principal : ni l'adoption, ni le divorce pour stérilité ne seront admis. Un mariage spirituel s'organise, susceptible lui aussi de cérémonies nuptiales (le voile et l'anneau des religieuses) et d'une descendance légitime (les disciples, les livres).

Lorsque les chrétiens sont amenés à organiser la vie sociale, ils conservent les images primitives et considèrent le mariage terrestre sur le modèle du céleste. L'institution en sortira valorisée, chaque chrétien se trouvant investi du terrible devoir de représenter l'union mystique du Christ et de son Église. Mais en contrepartie, les exigences seront de plus en plus lourdes, tant dans les conditions d'accès (théorie des empêchements) que dans les modalités (indissolubilité, contrôle de la sexualité, unicité...). Les tensions se feront de plus en plus vives entre une institution qui, du moins en théorie, n'est plus amenée à se modifier, et une société en perpétuelle mutation.

C'est dans ce contexte que le mariage est devenu un état dans une hiérarchie parallèle à celle des trois ordres sociaux. L'ordre des vierges, des mariés et des veufs est la forme primitive de la célèbre tripartition entre guerriers, clercs et travailleurs. C'est le mariage désormais qui donne une position dans la société ; avec la femme éventuellement on acquiert le fief ; le célibat n'est plus acceptable qu'à l'intérieur d'un ordre particulier, celui des clercs. Les professions elles-mêmes se répartissent entre mariés et non mariés, puisque les premières universités, religieuses, ne forment que des clercs non mariés. La jeunesse célibataire doit alors s'organiser en société parallèle – ces fameux « royaumes », ou « abbayes » de la jeunesse qui se constituent dans chaque communauté. Ce nouveau statut du mariage aura le grand mérite d'être le même pour tous et de mettre sur le même pied l'homme et la femme, le serf et le seigneur. Le consensualisme officiel donne à chacun la liberté totale dans l'acte initiatique le plus important de sa vie. Dans la théorie, du moins.

Petit à petit, en effet, le mariage chrétien va perdre sa substance. La guerre de Cent Ans, la redécouverte de l'Antiquité païenne, vont porter de sacrés coups à la morale sexuelle. L'égalité de l'homme et de la femme était restée bien théorique, et les maigres progrès accomplis au Moyen Âge par la condition féminine s'évanouiront tout à fait lorsqu'on redécouvrira au xvie siècle le droit romain et la minorité perpétuelle de la femme. Le consensualisme, qui n'avait réussi à s'imposer véritablement que sous la forme agressive du mariage clandestin, disparaît tout à fait quand on met en place un nouveau droit des familles. Les conflits d'intérêts, l'émergence de nouvelles forces sociales (les États modernes, l'individualisme qui coupe l'homme de la famille traditionnelle...) vont réactiver les tensions à l'intérieur du système. À partir de cette époque, chaque pays connaîtra une évolution parti-

culière; l'Espagne, l'Italie, l'Angleterre, les États-Unis symbo-
liseront tour à tour le refuge de l'amour pour les Français soumis très tôt au droit des familles par le décret de Henri II.

Rongé par ces conflits d'influences, réduit à une simple
apparence, le mariage redevient un moyen de donner un statut
légal à des héritiers et perd, dans les classes supérieures de la
société, sa signification profonde. Sous la forme chrétienne
qu'il garde malgré tout, unique et indissoluble, il n'est plus
qu'une façade derrière laquelle tout redevient permis. Les
domiciles séparés, l'adultère mondain, le jeu de l'amour et sa
caricature paysanne sur les scènes des boulevards témoignent
d'une crise de valeur au sein du mariage aristocratique dans le
xviiie siècle français. La Révolution ne fera qu'entériner cette
situation en rétablissant le divorce et en cherchant une nouvelle formulation, civile, de l'union entre un homme et une
femme.

Mais dans cette coque vidée de son contenu par le jeu
social est en train de naître le nouveau mariage. La Révolution
a bouleversé définitivement l'équilibre des fortunes, déjà bien
menacé par la montée de la bourgeoisie et par le remplacement progressif des patrimoines immobiliers par des fortunes
mobilières. Le système de vénalité des offices, dernier échafaudage de l'édifice matrimonial, s'écroule avec la royauté.
D'autres valeurs peuvent à présent investir le mariage.
L'amour, qui devait dans le schéma traditionnel naître d'une
union conclue pour des raisons plus sérieuses (argent, paix,
concordance des caractères...), va reprendre ses droits et exiger d'être d'emblée présent, sous sa forme romantique et pas-
sionnée. Confondant le sentiment avec ses manifestations
(liberté sexuelle, liberté de choix), il prendra pour modèles le
petit peuple et les paysans qui, échappant au lourd système des
dots, ne peuvent dans l'esprit du bourgeois qu'obéir à de
nobles sentiments. Il était jadis du dernier bourgeois d'aimer
sa femme : ce sera le bourgeois désormais qui fera les modes.

La révolution est moins radicale qu'il n'y paraît. Si la passion est à l'honneur, on la regarde toujours avec la même
méfiance. L'image du feu de paille opposé à l'amour conjugal
qui se consume lentement n'est pas caduque. Mariage
d'amour, soit. Mais les jeunes exaltés exigent désormais de
mourir à vingt ans avec cette passion absolue, ou, faute de ce
courage, de pouvoir la recommencer, grâce au divorce ou à
des unions libres successives. Le mariage d'amour aurait-il pu
triompher dans nos mentalités sans le rétablissement du

divorce? On ne revendique plus guère des sentiments constants et éternels qui s'épanouissent dans un mariage unique, même si les couples heureux et durable n'ont pas pour autant disparu. L'Église a de son côté donné une nouvelle interprétation à l'amour conjugal : si elle accepte désormais son antériorité sur le mariage, elle explique qu'il exige un approfondissement, des modifications, sinon des sacrifices pour durer toute une vie.

Devenu la conclusion d'une histoire d'amour et non le début d'un nouvel état, le mariage tend à devenir un acte et non plus un statut. Ce n'est plus par son mariage que l'homme trouve sa place dans la société, mais par sa position sociale et par son emploi. Il n'y a plus besoin d'être marié pour reconnaître un enfant et en faire son héritier. Quant à la sexualité, depuis la découverte de moyens contraceptifs et de protections efficaces contre les maladies sexuellement transmissibles, elle n'a plus besoin d'être enfermée dans le mariage. Les vieilles justifications du mariage tombent les unes après les autres ; il reste un lien symbolique, une tradition sociale qui garde sa séduction, mais plus sa nécessité.

Le mariage doit-il dès lors s'adapter ou disparaître? La crise qu'il connaît aujourd'hui semble profonde, même si le recul manque encore pour en mesurer la gravité. Mais paradoxalement, rarement les conditions de son existence n'ont été aussi parfaitement réunies. La vie en couple, que rendent possible les mentalités, l'indépendance économique des jeunes, la multiplication des logements, le relâchement des liens familiaux, reste un idéal pour la plupart des jeunes. L'amour est devenu un fait de civilisation contre lequel on ne dresse plus d'insurmontables obstacles. Si la forme traditionnelle du mariage est atteinte, le lien profond et sincère qui unit un homme et une femme demeure, sous la forme d'une union libre si la cérémonie solennelle effraie ou répugne.

Devant ce phénomène qui a pris de l'ampleur depuis le début du siècle, des voix de plus en plus nombreuses se sont élevées pour la reconnaissance de divers degrés d'unions matrimoniales. Ce ne serait, après tout, qu'un retour aux conceptions primitives romaine et germanique, malgré l'évolution irréversible des conditions matérielles et sociales. Dès 1936, Paul Esmein appelait à un mariage « de seconde classe ou de seconde zone », sans solennité, par simple cohabitation [4]. Sans doute le voulait-il aussi solide et difficile à briser qu'un mariage solennel, pour enrayer les progrès du concubinage. Mais depuis, d'autres ont demandé une formule élargie qui officialise l'union libre sans la rendre plus contraignante.

« Plusieurs formes de " mariages " nous paraissent appelées à coexister, écrit Roger Géraud, avec le moins possible de légalisme, dans une société pluraliste mais qui restera conflictuelle. Nous vivons actuellement en société juridique abusive, alors que le bonheur et le malheur du privé échappent nécessairement aux codes et aux lois. » La formule de Géraud, à l'inverse, pèche par trop de laxisme : entre l'union libre et le mariage indissoluble, il espère voir surgir un mariage par contrat limité renouvelable tous les dix ans, avec obligation de remariage et rédaction de nouvelles conventions [5]. Une solution qui n'est pas sans évoquer les utopies du siècle dernier, et qui se heurte aux mêmes réalités : les unions qui se rompent échouent souvent dans les premières années, et un bail de dix ans semblera aussi long qu'une union indissoluble. Quant à l'éducation des enfants, il y a bien peu de chance qu'elle soit menée à terme au bout de cette période probatoire.

La reconnaissance de droits équivalents, dans bien des domaines, aux concubins et aux époux va cependant dans le même sens. Est-ce la voie moyenne que se choisit inconsciemment la société? Il serait présomptueux de le dire. Nous n'avons pas encore les éléments qui nous permettraient d'analyser les causes de la crise actuelle, donc sa durée et les solutions qu'elle exige. Au mieux pouvons-nous la décrire. « Si nous avons bien perçu les tensions et les hésitations du présent, écrit Louis Roussel, force est de reconnaître que nous n'avons guère entrevu les formes, même approximatives, d'un nouveau modèle cohérent... En réalité, nous ne savons absolument pas où nous allons [6]. » Mais peut-être est-ce toute la richesse du mariage, véritablement rendu à l'histoire, donc à l'évolution.

NOTES

PRÉFACE

(Les chiffres en gras renvoient à la bibliographie, pp. 469.)

1. Migne, *Dictionnaire des Apocryphes*, t. I, col. 332-333 (*Encyclopédie théologique*, t. 23).
2. Pierre Lombard, *Sentences*, l. IV, dist. XXVI, 2, P.L., t. 192, **140**, col. 908.
3. Westermark, **206**, p. 9.
4. Montesquieu, *Esprit des lois*, l. 23, ch. 2 (éd. Bordas, classiques Garnier, 1990, t. II, p. 99).
5. *Le paysan et la paysanne pervertis*, Vᵉ partie, 105ᵉ lettre, **173**, t. VI, p. 139.
6. Lenglet, **121**, p. 7.
7. Legrand, **117**, pp. 1-5.

PREMIÈRE PARTIE : ORIGINE ET HÉRITAGE

I. La police du mariage

1. D'après Beauchet, **18**, pp. 26 ss.; Frédégaire, ch. XVIII; la loi salique, *passim*; formulaire de Marculfe, l. II, ch. XV (P.L., t. 87, **140**, col. 738); missel de Bobbio (Ritzer, **175**, p. 431).
2. Vision de Wetti, dans P.L., t. 105, **140**, col. 775. Voir aussi Gaiffier, « La légende de Charlemagne. Le péché de l'empereur et son pardon », dans *Études d'hagiographie et d'iconologie*, Bruxelles, Société des Bollandistes, 1967, pp. 260-275. Sur les mariages de Charlemagne, voir la *Uita Karoli* d'Eginhard, ch. XVIII; Baronius, **15**, t. XIII, pp. 61 ss. (770, IX-XI) et pp. 70-72 (771, II-III); abbé Reinhard de Liechty, « Les femmes de Charlemagne », *Revue du monde catholique*, 1880, t. 62, p. 420; Duby, **57**, p. 47.
3. Voir Gaudemet, **80**, p. 96; Ritzer, **175**, pp. 221 et 272; Westrup, **207**, pp. 411-426.
4. Sur les mariages des trois premiers ducs de Normandie, voir Westrup (**207**) et Besnier (**25**).
5. Sur les différents types de mariages romains, voir Gaudemet (**80**), Ritzer (**175**), Lefebvre (**114**)... Beauchet (**18**, pp. 4-6) croyait au contraire qu'il s'agissait d'un seul type de mariage dont les solennités se seraient affaiblies au fil du temps. Son opinion n'est plus suivie aujourd'hui.

6. Concile de Tolède, 400, canon 17 (Mansi, **126**, t. 3, col. 1001). Gratien, Part. I, dist. 34, ch. 4 (P.L., t. 187, **140**, col. 189).
7. Léon le Grand, dans la *Collectio Decretorum* de Denis le Petit, *Decreta Leonis Papae*, XVIII, P.L., t. 67, **140**, col. 288-289.
8. Ritzer, **175**, pp. 90-94.
9. Concile de Châlon II, 813, c. 30, Mansi, **126**, t. 14, col. 99.
10. Voir Charles Verlinden, « Le " mariage " des esclaves », dans **133**, t. II, pp. 569-593. Gaudemet, **80**, p. 113 ; Ritzer, **175**, pp. 170-171.
11. M.G.H. Leges, Sect. I, 2, 1, *Leges burgundionum*, **148**, pp. 51 (XII), 68 (XXXIV), 95 (LXIX), 143 (XXI), 155-156 (XXXVII).
12. Édité et traduit par Alexandre Micha, *Lais féeriques des XII* et XIII* siècles*, Paris, Garnier-Flammarion, 1992, p. 127.
13. Ed. Poirion, Paris, Garnier-Flammarion, 1974, vv. 9437-9527, pp. 269-271.
14. *De S. Amalberga Uirgine*, Acta Sanctorum, 10 juillet, t. III, pp. 72-112.
15. *Protoévangile de Jacques*, 15, 4, éd. F. Quéré, *Évangiles apocryphes*, Seuil, Points Sagesses, 1983, p. 78.
16. Gaudemet, **80**, p. 28 ; **79**, pp. 28-31 ; Ritzer, **175**, pp. 57-62.
17. Gaudemet, **80**, p. 60. Sur le mariage germanique, voir Gaudemet, **79**, pp. 34-40 ; Ritzer, **175**, pp. 220-222, 267-272, 292-305, 307-325...
18. Gratien, *Decr.*, P. II, c. 27, q. 2, c. 5 et c. 29, P.L., t. 187, **140**, col. 1394 et 1403. Sur les deux écoles, bolonaise et française, voir ci-dessous, P. II, ch. 3, pp. 173-174.
19. Voir Gaudemet, **79**, pp. 34 ss.
20. Ritzer, **175**, pp. 71-73, 128-130 et 290-292.
21. *Karlamagnússaga*, traduite par Paul Æbischer, Genève, Droz, 1972, ch. 36, p. 123. *La saga des Völsungar*, traduite par Régis Boyer, *La saga de Sigurd ou la parole donnée*, p. 203. *La mort Artu*, éditée par J. Frappier, T.L.F. 1964, § 164, p. 211 ; Georges Dumézil, *Du mythe au roman*, Paris, P.U.F., 1970, ch. IV.
22. *Combat d'Adam et Ève contre Satan*, VII*-IX* siècles, publiée dans le *Dictionnaire des apocryphes* de Migne, t. I, col. 334-335.
23. Gaïus, *Institutes*, I, 58-64, **85**, pp. 233-234. Voir Gaudemet, « Le legs du droit romain en matière matrimoniale », dans **133**, t. I, pp. 139-179. Jean Fleury, *Recherches sur les empêchements de parenté dans le mariage canonique aux origines aux fausses décrétales*, thèse de doctorat, Paris, librairie du recueil Sirey, 1933. Goody, **87**, p. 67.
24. *In merda quod nefas est, sua, ut sues teterrimi conuoluuntur.* Concile de Mâcon (585), canon 18, Mansi, **126**, t. 9, col. 956.
25. Grégoire de Tours, *Histoire des Francs*, IV, 26 (Caribert) et *Vie des pères*, 17, 2 (saint Nizier).
26. Concile d'Orléans III, 540, canon 10 (Mansi, **126**, t. 9, col. 14) et *Vita Albini* de Venance Fortunat, *Acta Sanctorum*, 1ᵉʳ mars, pp. 59-60.
27. Justinien, *Institutionum Imperialium Liber* III, tit. 5 et 6, **104**, t. V, col. 319 ss. Voir Gaudemet, « Le legs du droit romain en matière matrimoniale », dans **133**, pp. 158-159 et 169-173.
28. Benedictus Levita, I, ch. 310, cité par Jean Fleury p. 245, n. 15.
29. La loi des Wisigoths (Flavius Chindasvindus, III, 5, 1, M.G.H. Leges Visigothorum, **148**, p. 159) et les conciles du VIᵉ siècle parlent de sixième degré. En 732, le pape Grégoire III parle de la septième génération (lettre à Boniface, P.L., t. 89, **140**, col. 577), mais les textes postérieurs montrent qu'il s'agit de la septième génération *exclue*. Les canonistes des XIᵉ-XIIᵉ siècles reprendront le texte de Grégoire III en comprenant qu'il s'agit de la septième génération *inclue*. Sur ce glissement de degré, voir Fleury, **75**, pp. 133 ss. et pp. 245 ss. ; Esmein, **64**, t. I, pp. 375-384 ; Naz, **154**, t. IV, col. 234-235.
30. Le premier à utiliser le système par génération semble être Grégoire le Grand, pape de 590 à 604, dans sa lettre à Augustin, évêque des Angles

(P.L., **140**, t. 77 col. 1189). Le système romain est alors utilisé dans la loi des Wisigoths et passera au droit canon, chez Gratien (*Decr.*, p. II, c. XXXV, q. 5, c. 6, P.L., **140**, t. 187, col. 1675-1689) et Ives de Chartres (*Decr.* IX, 64; *Pan.* VII, 90, P.L., **140**, t. 161, col. 671 et 1303) après Burchard (*Decr.* VII, 28, P.L. **140**, t. 140, col. 784), qui suivent les *Institutes* de Justinien. Alexandre II, pape de 1061 à 1073, s'élève contre ce mode de calcul dans une lettre à l'Église de Naples et défend le système de générations de l'Ancien Testament (P.L., **140**, t. 146 col. 1402-1403).

31. Sur la consanguinité, voir Fleury, **75**, *op. cit.*, et Goody, **87**, ch. IV (pp. 61-69 et VI (pp. 139-149).
32. *Élie de Saint-Gilles*, vv. 2675-2689, cité par Gautier, **82**, p. 353.
33. L'idée de la dégénérescence de la race par mélange des sangs est inconnue au Moyen Âge. Elle n'apparaît pas dans les justifications antiques de l'interdit de l'inceste (voir par ex. Plutarque, *Quaestiones romanae*, 108). Naz (**154**, t. IV, col. 234) la signale chez Benedictus Levita (VII, 179). Grégoire IX, repris par Gratien, ne parle que de stérilité possible des mariages consanguins (P.L., **140**, t. 77, col. 1189 et t. 187, col. 1672 : « sed experimento didicimus, ex tali coniugio sobolem non posse succrescere »).
34. Esmein, **64**, t. I, pp. 94-95. Argument de Gratien tiré de saint Augustin, qui ne l'utilisait cependant que pour expliquer pourquoi on ne peut plus, comme jadis, épouser sa sœur.
35. Pernoud, **160**, p. 48.
36. Gautier, **82**, p. 352.
37. Tate, *The Parish Chest*, 1969, p. 43, cité par Goody, **87**, p. 147.
38. Latran IV (1215), canon 50, dans Mansi, **126**, t. 22, col. 1035.
39. Le système « romain » est adopté au canon 108; l'invalidation pour consanguinité ou affinité est traitée au canon 1091.
40. Anecdote rappelée en préface à *Jean de la Lune*, La Table Ronde, 1959 (Folio, n° 520).
41. Voir Segalen, **187**, p. 18.
42. Enquête de *L'Express*, 9 février 1976, citée dans **128**, p. 67, n. 129.

II. Des rites millénaires

1. Le rituel de Durham (871-901) et le pontifical d'Egbert (xe siècle), qui incluent la bénédiction des anneaux dans la bénédiction *in thalamo* : il s'agit donc bien d'un anneau de mariage et non de fiançailles. Voir Ritzer, **175**, pp. 280-281.
2. L'ordo du mariage de Judith est notamment publié dans le *Recueil des historiens de la France*, **171**, t. VII, pp. 621-622. Sur le mariage de Judith, voir Ritzer, **175**, pp. 330-332; Molin/Mutembe, **142**, p. 159; Asserius, *Annales...*, éd. F. Wise, 1722, pp. 9-10; *Recueil des historiens de la France*, **171**, t. VII, pp. 72 ss. et 268; Camille Lebrun, dans *Nouvelle biographie générale* de Hœfer, 1967, t. 27, col. 143-145.
3. Theil, **195**, p. 5-6.
4. Plaute, *Miles gloriosus*, vv. 771-798, 957, 1049; Térence, *L'Hécyre*, vv. 821-832, 847.
5. Grégoire de Tours, *Uitae patrum*, ch. XX, 1 et XVI, 1.
6. Gaiffier, **78**, pp. 185-186; Davenson, **52**, pp. 163-169.
7. Gaiffier, **78**, p. 193. Dans la version française du xiie siècle, l'épée sert à couper l'anneau en deux pour qu'il devienne signe de reconnaissance, un « symbole » au sens étymologique.
8. Honorius Augustodunensis, *Gemma animae*, 1, I, ch. 216 (P.L., **140**, t. 172, col. 609).
9. Du Breul, *Antiquités de Paris*, p. 98, cité par Adolphe Chéruel, *Dictionnaire historique des institutions, mœurs et coutumes de la France*, Paris,

1865, t. II, p. 737. Chéruel y voit l'origine du mot *paillard*, ce qui est sans doute abusif.

10. Il lui met un anneau d'or au meilleur doigt. Les noms de Notre Seigneur y sont écrits. Qui l'a avec lui, jamais il n'aura peur d'être vaincu ou noyé ce jour-là. *Prise de Cordres*, B.N., ms F. Fr. 1448, fol, 164 r°, cité par Gautier, **82**, p. 427, n. 7.

11. Ritzer, **175**, p. 193.

12. Chénon, **41**, p. 43.

13. Sur l'origine de l'anneau, voir Chénon, **41**, ch. I et IV; Molin/Mutembe, **142**, ch. V et VI; Gaudemet, **80**, pp. 32 et 58; T.J. Delforge, dans *Le guetteur wallon*, n° 2, 1975. Molin (p. 141) emploie la forme « bénits »; je préfère suivre la règle de Grevisse, qui la réserve à l'emploi adjectival (§ 652 b). Pour unifier l'orthographe du texte, j'ai modifié celle de la citation.

14. Explication proposée par I.L. Blanchot, *Les bijoux anciens*, Les éditions pittoresques, 1929, p. 88.

15. *Aye d'Avignon*, éd. F. Guessard et P. Meyer, Paris, Vieweg, 1861 (Anciens poètes de la France), vv. 2000-2013, p. 62.

16. Rabelais, *Tiers Livre*, ch. 28 (La Pléiade, p. 433); Montaiglon et Raynaud, **143**, t. III, p. 51 (n° LX), t. I, p. 168 (n° XV).

17. Exemples empruntés à Segalen, **188**, p. 146.

18. Sur la forme de l'anneau, voir Eugène Fontenay, *Les bijoux anciens et modernes*, Paris, Maison Quantin, 1887, pp. 35, 60-69 et Anne Ward, John Cherry, Charlotte Gere et Barbara Cartlidge, *La bague de l'Antiquité à nos jours*, Paris, Bibliothèque des Arts, 1981.

19. Aulu-Gelle, *Nuits attiques*, X, 10; Isidore de Séville, *De officiis*, II, 20, P.L., t. 83, **140**, col. 811-12; Gratien, P. II, c. 30, q. 5, c. 7, P.L., t. 187, **140**, col. 1450. Guillaume Pérault, *Summa de uirtutibus et uitiis*, p. 2, tr. IV, c. 12, cité par Molin/Mutembe, **142**, p. 172.

20. Gaiffier, **78**, p. 186, n. 4.

21. Sur tout cela, voir Molin/Mutembe, **142**, pp. 159-168; Metz, **138**, pp. 401-404.

22. Voir Chénon, **41**, pp. 41-42; Gaiffier, **78**, p. 187.

23. Barthélémy, dans *Némésis* n° 14, du 10 juillet 1831.

24. Voir Molin/Mutembe, **142**, p. 142.

25. *Uita s. Amatoris*, 9, 3, dans *Acta Sanctorum*, 1er mai, **3**, p. 52 F.

26. Saint Augustin, *La cité de Dieu*, 6, 9, 3, dans P.L., t. 41, **140**, col. 188.

27. Saint Jean Chrysostome, Homélie XII, 6, dans P.G., t. 61, **141**, col. 104-105.

28. Gaiffier, **78**, p. 189. Mais le voile pourpre est ici donné par Alexis *après* la cérémonie, au moment où il quitte sa femme. Notons aussi que le mariage se situe à Rome au ve siècle. La coutume antique y est peut-être encore vivace.

29. 1Co, 11, 3; Ep 5, 23. Le symbolisme du voile porté par la mariée seule n'est guère plus valorisant : il rappelle, estime Gratien, que la femme doit toujours être humble et soumise à son mari (P. II, c. 30, q. 5, c. 7).

30. A. Esmein suggère cette double origine du voile, romaine si seule la femme est voilée, juive si le voile est étendu sur les deux mariés (**64**, t. I, p. 111).

31. Voir Gautier, **82**, p. 429, n. 4.

32. Isidore de Séville, *De officiis*, II, 20, P.L., t. 83, **140**, col. 811; Gratien, P. II, c. 30, q. 5, c. 7, P.L., t. 187, **140**, col. 1450.

33. Cf. Jean de Salisbury, *De nugis curialium*, livre VIII, ch. XI : le poêle est « comme la couche *(torus)* qui, par l'intermédiaire du Christ, est constituée »; c'est là que le mariage « cache les taches de sa fragilité », les enfants nés avant sa célébration.

34. Beaumanoir, ch. 18, n° 2; Loisel, *Institutes*, **125**, I, XL (58), t. I, p. 87.

35. Et l'archevêque Turpin leur a chanté la messe. Quand ils l'eurent voilée sous la couverture, le roi a saisi la reine par la main et l'a inclinée sous la

couverture à côté de lui. Doon y mène aussitôt la sage Flandrine. Ils furent tous les six dessous, par joie et par amusement, quand la bénédiction fut jetée sur Garin. *Doon de Mayence*, vv. 11321 ss., cités par Gautier, **82**, p. 429, n. 4.

36. Seignolle, **189**, p. 106; Segalen, **187**, p. 33.
37. Sur le voile de la mariée, voir Molin/Mutembe, **142**, pp. 25-26; 228- 233; Chénon, **41**, pp. 65-74; Ritzer, **175**, p. 222; Vogel, dans **133**, t. I, p. 421.
38. Au témoignage de Schrijnen, **185**, en 1911.
39. Tertullien, *De corona militis*, traité daté de 201, pendant sa période montaniste (P.L., t. 2, **140**, col. 73-102). Clément d'Alexandrie, *Le Pédagogue*, II, 8, 71, P.G., t. 8, **141**, col. 479. Pour la couronne aux débuts du christianisme, voir Schrijnen, **185**, pp. 309-319.
40. Schrijnen, art. cité. Les *fondi d'oro*, verres artistiques commémorant le mariage aux IIIe-IVe s., représentent des scènes réelles et non symboliques (portrait des époux, remise de l'anneau, du contrat, jonction des mains...). Selon Schrijnen, la couronne doit donc être interprétée comme un geste rituel et non comme un symbole de vie éternelle.
41. *Uita s. Amatoris*, I, 3, *Acta Sanctorum*, 1er Mai, p. 52 F.
42. Sur la couronne, voir Metz, **138**, p. 375; Molin/Mutembe, **142**, p. 237; Ritzer, **175**, pp. 65, 95, 135-137; J. Schrijnen, **185**, pp. 309-319.
43. Élise Voïart, *Le mariage et l'amour*, 1833, p. 116.
44. Texte cité par Molin/Mutembe, **142**, p. 293. Sur la *dextrarum iunctio*, voir Gaudemet, **80**, pp. 34-35; Chénon, **41**, ch. III; Molin/Mutembe, **142**, p. 88; Ritzer, **175**, pp. 75-79.
45. Parabole du Christ racontée dans Mt 25, 1-13 et Lc 12, 35, qui a fait l'objet de nombreuses adaptations théâtrales et sculpturales au Moyen Âge. Les Évangiles décrivent le mariage tel qu'il est pratiqué à leur époque.
46. Rudolfus, **181**, p. 430.

III. L'idéal chrétien

1. Robert Parisot, *Le royaume de Lorraine sous les carolingiens (847-923)*, Paris, Picard, 1898, p. 283. Sur le divorce de Lothaire, voir Hincmar, *De diuortio Lotharii regis et Tetbergæ reginæ*, P.L., t. 125, **140**, col. 619-772; Adolphe Borgnet, *Le divorce du roi Lothaire II et de la reine Teutberge*, extrait de la *Revue nationale de Belgique*, 1842; Robert Parisot, *op. cit*, l. II, ch. 1 (pp. 78-91) et ch. IV-VIII (pp. 143-324); Jean Devisse, *Hincmar, archevêque de Reims, 845-882*, Genève, Droz, 1975, t. I, pp. 367-466; *Dictionnaire de théologie catholique*, **55**, t. 9, col. 2118-2123; Esmein, **64**, t. I, pp. 20-22; Daudet, **49**, pp. 94-122 et 141-150.
2. Dans Cicéron déjà (*De legibus*, III, 3, 7), tout pouvoir est donné aux censeurs pour combattre le célibat. Sous Auguste, la loi Julia et Papia (762, an 9 de l'ère chrétienne) frappe d'incapacité à hériter les hommes non mariés (célibataires, veufs, divorcés). Voir Lefebvre, **115**, pp. 99-129.
3. Thomas d'Aquin, *Somme théologique*, IIIa, q. XLI, art. 2. Pour la perpétuation de cette théorie, voir le résumé qu'en fait Guyot au XVIIIe siècle (**91** p. 338).
4. Cottiaux, **47**, p. 469. Les origines préchrétiennes de cet éloge du célibat et de la virginité ont été étudiées par Cottiaux, en particulier aux pp. 395-575.
5. Sur les premiers siècles, voir Noonan, **156**, et surtout Munier, **153**, qui regroupe la totalité des témoignages après une longue préface. Voir aussi le *Dictionnaire de théologie catholique*, **55**, t. 9, col. 2071-2075 (conception classique de la supériorité de la virginité sur le mariage) et col. 2078-2087 (erreurs rigoristes des encratites, gnostiques, montanistes...), Métral, **136**, ch. I et II, pp. 28-39 et 50-57.

6. Lactance, *Institutions divines*, 6, 23, P.L., t. 6, **140**, col. 719; saint Jean Chrysostome, *Sur ces mots de l'Apôtre*, « *Au sujet de la fornication* », P.G., t. 51, **141**, col. 213.
7. Concile d'Elvire (ca 305), canon 13, dans Mansi, **126**, t. 2, col. 8.
8. *Pédagogue*, 2, 10, P.G., t. 8, **141**, col. 511.
9. *De la monogamie*, **194**, I, 2; IV, 3; VII, 4; VI, 2.
10. Voir le nouveau catéchisme de l'Église, **101**, § 1620.
11. Cité par Schmitt, **184**, p. 101. Sur le mariage paradisiaque, voir Schmitt pp. 85-105.
12. Sur la pensée matrimoniale d'Augustin, voir Schmitt, **184**, et Noonan, **156**, pp. 155-185.
13. Thomas d'Aquin, *Somme théologique*, IIIa, q. XLIX, art. 1 à 6.
14. Épître 52, 16, P.L., t. 22, **140**, col. 539, et référence à 1Co 7, 29.
15. Voir Ritzer, **175**, pp. 97-104.
16. « Felicitatem eius matrimonii, quod Ecclesia conciliat, et confirmat oblatio, et obsignat benedictio, angeli renuntiant, Pater rato habet. » (*Ad uxorem*, II, 9, P.L., t. 1, **140**, col. 1302). Les traductions divergent notamment sur *conciliat* (« conseille » ou « concilie ») et sur *Pater* (le père de la mariée ou Dieu?). Les Pères de l'Église recommandant de ne pas se mêler d'affaires matrimoniales, il est probable qu'ils « conseillent » le mariage sans le « concilier »; la gradation qui mène au Père et la comparaison qui suit avec le père terrestre (« Nam nec in terris filii sine consensu patrum recte et iure nubunt ») indiquent clairement qu'il s'agit du Père céleste.
17. Voir les argumentations de Ritzer, **175**, pp. 110-120, de Vogel, dans **133**, t. I, pp. 414-415, et de Sequeira, **190**, pp. 33-35. D'autres commentateurs (comme Gérard Mathon, **132**, en 1993) continuent à interpréter ce passage comme un témoignage en faveur d'une bénédiction nuptiale précoce.
18. Grégoire de Nazianze, lettre CXCIII à Procopios, dans P.G., t. 37, **141**, col. 316.
19. Voir Beauchet, **18**, pp. 30-32.
20. Pilon, **165**, pp. 81-82.
21. Esmein, **64**, t. II, pp. 122-125. Sur cette partie et la bénédiction du mariage chrétien primitif, voir Ritzer, **175**, pp. 104-123, 134-137, 163-173, 222-237, 273-281, 297-305, 307-318, 334-340; C. Vogel, dans **133**, t. I, pp. 397-465. Sur la bénédiction *in thalamo* en particulier, voir Ritzer, **175**, pp. 273-281; Molin/Mutembe, **142**, pp. 255-270; Chénon, **41**, pp. 75-88.
22. Vulgate, Tb 6, 18-19; 8, 5 ss., dans P.L., t. 29, **140**, col. 31-32; les Vulgates modernes ont conservé le passage, absent des traductions courantes de la Bible.
23. Voir P. Saintyves, **182** et Ritzer, **175**, pp. 281-284.
24. « Statuit etiam regulariter, ut nubentes ob reuerentiam benedictionis ante triduum coniunctionis eorum eis benedictio in basilica daretur. » *Uita*, 1. I, c. V, n° 45, P.L., t. 67, **140**, col. 1022. Interprétation proposée par Ritzer, *loc. cit.*
25. Anecdote rapportée par Aimoin, *Historia Francorum*, I, 8 (P.L., t. 139, **140**, col. 643) et par Frédégaire, *Historia Francorum epitomata*, ch. 12 (P.L., t. 71, **140**, col. 581-582). Voir mon *Du flambeau au bûcher*, pp. 38-39.
26. Saintyves a repéré la prescription de ces trois nuits dans le pénitentiel de Théodore de Canterbury (VIIᵉ siècle); pour Ritzer, leur usage se répand au IXᵉ siècle chez Benedictus Levita (III, 463) et Jonas d'Orléans (*De institutione laicorum*, II, 2, dans P.L., t. 106, **140**, col. 171).
27. « À l'exemple de Tobie, avant qu'il la touchât, il pria pendant trois nuits, et il enseigna à faire de même, comme ladite dame le rappela ensuite. » Geoffroy de Beaulieu, *Vie de Saint Louis*, ch. XVI, cité par Saintyves, **182**, p. 288.

DEUXIÈME PARTIE : LE MARIAGE CANONIQUE

I. Le système féodal

1. D'après J.B. Molin, dans *Notre Histoire*, 1ᵉʳ mai 1984, pp. 40-41.
2. Lambert d'Ardres, *Historia comitum Ghisnensium*, ch. 149, dans M.G.H. Scriptores, t. 24, **148**, pp. 637-638. Le mariage d'Arnaud de Guînes a été étudié par Georges Duby dans **58**, pp. 29-32 et dans **57**, pp. 269-300. Je me suis volontairement limité à la description de Lambert d'Ardres, que doit compléter l'analyse minutieuse qu'en a donnée Georges Duby.
3. Georges Duby, **58**, p. 15.
4. Éditée par J.L. Perrier, Paris, Champion, 1931 (*C.F.M.A.*, n° 66).
5. *Aye d'Avignon*, vv. 40-129, éd. F. Guessard et P. Meyer, Vieweg, 1861 (Anciens poètes de la France), pp. 2-5.
6. *Girars de Viane*, p. 35; *Departement des enfans Aimeri*, B.N., ms F. Fr. 1448, fol. 87 ss.; *Guy de Nanteuil*, vv. 481 ss.; *Garin le Lorrain*, t. I, pp. 157-158. Les quatre exemples sont cités par Léon Gautier, **82**, pp. 343-346.
7. Dauvillier, **51**, pp. 189-191.
8. Sur cette pratique de la cour anglaise, voir Cecily Clark, « La réalité du mariage aristocratique au XIIᵉ siècle : quelques documents anglais et anglo-normands », dans **36**, pp. 17-24.
9. Voir aussi, sur ce sujet, Mousnier, **150**, pp. 94-95.
10. Boccace, *Décaméron*, III, 9.
11. Bocace, *Décaméron*, X, 10.
12. Guyot, **91**, p. 349, mentionne l'annulation en 1612 du mariage d'un soldat contracté pendant sa captivité à Ostende, sur plainte de sa propre mère, et l'annulation en 1700 du mariage de Henri II de Lorraine, célébré à Bruxelles soixante ans auparavant!
13. Publié dans Launoy, **110**, p. 47. Voir aussi Guyot, **91**, p. 349.
14. Chrétien de Troyes, *Yvain*, éd. Mario Roques, Paris, H. Champion, 1982 (*C.F.M.A.*, n° 89) vv. 2444-2453 : « Les uns et les autres courtisaient, car il y avait bien quatre-vingt-dix jeunes filles semblables [à Lunette, qui accueille Gauvain], car il y en avait plus d'une belle et gente, et noble, et gracieuse, et honnête, et sage, et grande dame, de haut parage. Ainsi, ils pourront prendre un grand plaisir à les enlacer et à les embrasser, à leur parler, à les regarder, à s'asseoir à leurs côtés : ils en obtinrent au moins tout cela. »
15. Chrétien de Troyes, *Yvain*, vv. 2486-2494. « Comment! Serez-vous désormais de ceux (ainsi parlait messire Gauvain) qui sont moins de valeur à cause de leur femme? Qu'il soit honni par sainte Marie, celui qui se marie pour devenir pire. Il doit devenir meilleur grâce à une belle dame, celui qui l'a prise pour amie ou pour femme, car il n'est pas juste, à cause de cet amour, que son renom et son prix diminuent. »
16. Chrétien de Troyes, *Érec et Énide*. Sur la faute d'Énide, voir René Perennec, « La " faute " d'Énide : transgression ou inadéquation entre un projet poétique et des stéréotypes de comportement », dans **36**, pp. 153-159 et Karl-Heinz Bender, « Beauté, mariage, amour. La genèse du premier roman courtois », *ibid.*, pp. 173-183. Ils résument l'essentiel de la bibliographie plus ancienne sur ce sujet.
17. Pierre Lombard, *Sentences*, 1. IV, dist. XXX, 4, dans P.L., t. 192, **140**, col. 918, « de causa finali coniugii ». Le concile de Trente justifiera encore ces raisons secondaires de se marier (avoir un héritier, richesses, beauté, éclat de la naissance, ressemblance des caractères...) : elles ne sont pas blâmables, puisqu'elles ne sont pas contraires à la sainteté du mariage, mais les vraies causes du mariage restent le secours mutuel et la volonté de donner des serviteurs à Dieu (**38**, p. 328).

18. Troisième homélie sur le mariage, P.G., t. 51, **141**, col. 225-242, traduite par F. Quéré-Jaulme, **170**, pp. 57-58.
19. Sur cette question, voir Danielle Jacquart, « La maladie et le remède d'amour dans quelques écrits médicaux du Moyen Âge », dans **36**, pp. 93-101.
20. M.G.H. Scriptores, **148**, t. 24, pp. 593 et 601.
21. Voir Georges Duby, « À propos de l'amour que l'on dit courtois », dans **58**, pp. 74-82; **57**, ch. XI, « littérature », Monique Santucci, « Amour, mariage et transgressions dans le Chevalier au lion ou Il faut transgresser pour progresser », dans **36**, pp. 161-171.
22. Voir Duby, **58**, p. 24.
23. Formule du roi Ervig, dans l'édition de la loi des Wisigoths révisée en 681, tirée de la novelle de Majorien (M.G.H. Leges Uisigothorum, III, 1, 9, **148**, p. 111). Sur l'origine de la dot, voir Gaudemet, **80**, p. 104, et « Le legs du droit romain en matière matrimoniale », dans **133**, pp. 151-155, ainsi que les articles d'A. Lemaire, **119** et **120**.
24. Coutume germanique ou influence de l'égalité entre sexes prêchée par les chrétiens? Dans le symbolisme du mariage, la dot payée par le mari est connue depuis saint Augustin, et certains historiens ont voulu minimiser l'influence germanique dans cette coutume. Contre l'influence germanique invoquée au XIXᵉ siècle, Charles Lefebvre, en 1900, parle d'un adoucissement des mœurs dû à la christianisation du droit (**115**, pp. 472-474). Au nom de l'égalité de l'homme et de la femme, le mari donne par « amour conjugal et mutuel » une partie de ses biens à la femme pour assurer sa subsistance en cas de veuvage. Mais à l'époque où écrit Charles Lefebvre, la tendance est à l'élimination des rapports germaniques dans le droit français ancien. Les auteurs plus récents reviennent, mais de manière plus nuancée, à l'hypothèse germanique. Lemaire (**119**, pp. 419 ss.) invoque plus prudemment l'influence chrétienne et rappelle le passage où saint Augustin considère que l'Église est dotée par son époux, le Christ.
25. Voir Zœgger, **209**, pp. 55-78 et 139-150 sur la dot maritale et le prix des noces, et la mise au point de Goody sur les anciennes théories, **87**, appendice II, pp. 243-264.
26. Voir Lemaire, **119**, pp. 569-580.
27. Ici encore, antique achat de la femme, ou cadeau donné en reconnaissance du consentement accordé? Puisque la femme ne peut être revendue, il n'y a pas achat, comme pour un esclave. Les témoignages germaniques sont tardifs, et remontent à une époque où les coutumes se sont déjà ritualisées. Mais en comparant notamment avec l'époque mésopotamienne, on a remis en doute de façon plus générale la signification profonde du « mariage par achat ».
28. Voir Chénon, **41**, pp. 51-65.
29. Voir Molin/Mutembe, **142**, pp. 180-186.
30. Voir Michel Salvat, « Barthélémy l'Anglais et Gilles de Rome, " conseillers conjugaux " au XIIIᵉ siècle », dans **36**, p. 438.
31. Voir les *Institutes* de Loisel, livre I, titre III, ch. V (nᵒ 140), **125**, t. I, p. 173. Il s'agit déjà d'un ancien adage; de son temps, le douaire est acquis dès la bénédiction nuptiale.
32. Décret de Constantin, dans le Code théodosien, 1. III, tit. 5, V, éd. Godefroy, 1736, t. I, p. 307.
33. Sur le baiser en cours de messe, l'évolution sémantique de l'*osculum*, le baiser de paix après l'*Agnus Dei*, voir Molin/Mutembe, **142**, pp. 187, 198, 219-220, Zœgger, **209**, pp. 133-138. Voir aussi Du Cange s.v. *osculum* et Chénon, **41**, ch. II, pp. 15-25 (baiser de fiançailles).
34. Roman résumé et commenté par Jean-Charles Payen dans « La crise du mariage à la fin du XIIIᵉ siècle d'après la littérature française du temps », dans **67**, pp. 413-430.

35. Les quatre chansons sont citées dans H. Dauvenson, **52**, n° 62 à 65, pp. 373-380.
36. Sur tout cela, voir Molin/Mutembe, **142**, pp. 63-76.
37. « On appelle d'abord Huidemer : Voulez-vous avoir cette dame au visage clair ? – Oui, dit-il, je le désire fortement. Je lui donne toute la Bourgogne en franchise. – Et vous, jeune fille que je vois pleurer, voulez-vous prendre cet homme de noble race ? – Sire, dit-elle, pitié, pour l'amour de Dieu. Je ne prendrai pas ce traître prouvé. » *Beuves d'Hanstone*, B.N., ms F. Fr. 12548, fol. 130, cité par Gautier, **82**, p. 254.
38. Cité par Gautier, **82**, p. 357, n. 1.
39. Duby, **58**, pp. 38-39.
40. Sur tout cela, voir Molin/Mutembe, **142**, pp. 77-133. Les rituels cités sont traduits de l'annexe du même livre.
41. Hugues de Saint-Victor, *De Sacramentis*, 1. II, P. 11, ch. 5, dans P.L., t. 176, **140**, col. 488. Molin/Mutembe la signalent ensuite chez Pierre Lombard, Alexandre III, Richard de Salisbury (1217)...
42. Boccace, *Décaméron*, V, 4.
43. Code de Jean-Paul II, 1983, **100**, can. 1057, § 1. *Lettre aux familles*, 1994, **102**, p. 27.

II. Le miroir ecclésiastique

1. Rigord, *Gesta Philippi Augusti*, Éd. H. François Laborde, Paris, Renouard, 1882, t. I, p. 124. Guillaume Le Breton (*Ibid.*, p. 195) croit plutôt que les sorcières ont « maléfié » la reine.
2. Ces degrés sont expliqués par Marie-Bernadette Bruguière dans « Le mariage de Philippe-Auguste et d'Isambour de Danemark : aspects canoniques et politiques », dans **134**, pp. 135-156. Régine Pernoud (**160**, p. 44) repousse simplement la parenté invoquée par le concile, qui effectivement est fausse.
3. Mansi, **126**, t. 22, col. 668.
4. Voir ses longues plaintes dans sa lettre à Innocent III, Ép. 85, P.L., t. 215, **140**, col. 86-88.
5. Le mariage de Philippe II et d'Ingeburge a été souvent étudié. Outre les textes cités, on peut consulter Régine Pernoud, **160** et Gaudemet, **81**.
6. Voir à ce sujet les développements de Jean Gaudemet, **81**.
7. Sur la définition du *sacramentum* à l'époque de saint Augustin, voir Schmitt, **184**, pp. 215-233, et la bibliographie qu'il donne en note 1. Le mot désigne le « signe visible d'une réalité invisible, qui ne peut être saisie que dans la foi ». Ses emplois sont très nombreux ; *sacramentum* et *mysterion* désignent notamment les préfigures du Nouveau Testament dans l'Ancien. Mais le calque *mysterium* permet, à partir de saint Augustin, de distinguer entre le mystère au sens doctrinal du terme (*mysterium*) et mystère au sens rituel et liturgique (*sacramentum*). Quoiqu'il ne s'agisse pas encore du sacrement au sens moderne, il s'agit de plus en plus d'un geste religieux d'initiation distinct des mystères de la foi et du salut. L'emploi du mot ne se résume pas aux sept sacrements tardivement consacrés par l'Église. Augustin parle même de *sacrilega sacramenta* pour désigner les rites païens du mariage. Le sens se précisera lentement durant le haut Moyen Âge. Sur la théorie du sacrement et son évolution, voir l'article qu'y consacre le *Dictionnaire de théologie catholique*, et plus particulièrement, s.v. « mariage », **55**, col. 2066-2071 ; 2101-2109 ; 2196-2220.
8. Toubert, dans **36**, t. I, p. 275.
9. Sur ces *specula coniugatorum*, voir Pierre Toubert, dans **36**, t. I, pp. 233-282. Sur l'évolution de la notion de sacrement dans le mariage voir aussi Schmitt, **184**, pp. 215 ss. ; Naz, **154**, s.v. « mariage en droit occidental », col. 750 ss.

10. P.L., t. 201, **140**, col. 1 298.
11. L'origine évangélique de sacrement du mariage n'est plus soutenue à partir de la référence paulinienne. Mais on trouve dans l'évangile des « pierres d'attente » sur lesquelles se construira cette théorie. Jésus a placé le mariage à une telle hauteur et a imposé des devoirs si pénibles que personne ne peut supporter sans une grâce spéciale ce « joug humainement intolérable » : « on n'est pas étonné d'entendre l'Église nous apprendre que Jésus a attaché ces grâces au mariage lui-même dont il a fait un sacrement » (**55**, t. 9, p. 2 068). Sur le problème posé par le sacrement aujourd'hui dans les mariages mixtes, voir Sequeira, qui propose de renoncer à l'identité absolue entre mariage de baptisés et sacrement, pour permettre aux baptisés non croyants de se marier religieusement et de se rapprocher de la religion (**190**).
12. Érasme, **63**, p. 501.
13. Sur le sacrement chez Érasme et dans la pensée protestante, voir P. Bels, **21**, pp. 44-52 ; Telle, **193**, pp. 257-291 ; Gaudemet, **80**, p. 279.
14. Voir les témoignages recueillis par Zœgger, **209**, ch. I, section II, pp. 26-44. Mais sa thèse entre dans une polémique encore chaude dans les années 1900 entre son maître Lefebvre et A. Esmein (cf. *infra*, p. 326). Les conclusions qu'il en tire sont fort partiales.
15. Sur l'origine de la compétence de l'Église en matière matrimoniale entre le VIIIᵉ et le XIIᵉ siècle, voir les études de Pierre Daudet, **49** (1933) et **50** (1941).
16. Hincmar rappelle l'affaire Northilde, en 822 : celle-ci s'était plainte « de choses honteuses survenues entre elle et son époux ». L'époux l'avait envoyée au synode précisément réuni au palais d'Attigny, mais « la communauté des évêques la renvoya au jugement des laïcs et des gens mariés ». Cette « modération » plut aux nobles laïcs. (Daudet, **49**, pp. 55-61). Pour la législation laïque : l'édit de Pistes, qui annule les mariages entre les gens du royaume et ceux des pays occupés par les Normands, renvoie à des textes de saint Léon et de saint Grégoire, qui déclarent illégitimes les mariages entre gens de conditions différentes (M.G.H. Cap. II, **148**, p. 323-324, voir Esmein, **64**, t. I, p. 11). Sur les rapports entre pouvoirs civil et religieux jusqu'au Xᵉ siècle, voir Esmein, **64**, t. I, pp. 2-26.
17. Le concile de Tours, en 1060, excommunie ceux qui renvoient leur femme « sans sentence épiscopale » (*sine iudicio episcopali*), au lieu de condamner, comme auparavant, le remariage de ceux qui avaient répudié leur femme (canon 9, Mansi, **126**, t. 19, col. 928). P. Daudet y voit le premier témoignage de cette compétence exclusive en matière de divorce (**50**, pp. 41-42).
18. Cité par Gaudemet, **80**, p. 141.
19. Concile de Latran IV, 1215, canon 1, Mansi, **126**, t. 22, col. 981-982.
20. Greilsammer en donne plusieurs exemples, **89**, pp. 65-85.
21. Chez Pierre Lombard, *Sentences*, l. IV, dist. XXVII, 3, P.L., **140**, t. 192, col. 910. Sur l'origine des fiançailles, voir Gaudemet, **80**, pp. 166-169.
22. **161**, p. XXIII n. 4.
23. **161**, p. 326.
24. Sur ce sujet, voir Gaudemet, **80**, pp. 280-281 ; Mousnier, **150**, pp. 75-77.
25. Cité par Bels, **21**, p. 128. La boniette est un beignet fait de pâte à pain frite dans l'huile ou dans la graisse (formes attestées dans Wartburg : bugnete, bougnéta, bounyèta..., *Französisches Etymologisches Wörterbuch*, t. I, p. 629 a). Sur les problèmes posés à la fin du Moyen Âge par la formule « je veux t'avoir » ou « te prendre pour épouse » (*uolo habere te, prendere te in uxorem*), voir Helmholz, **92**, pp. 36-40.
26. Séquence du XIᵉ siècle, publiée et traduite par Pascale Bourgain, *Poésie lyrique latine du Moyen Âge*, Paris, 10/18, 1989, pp. 61-63.
27. Angèle de Foligno, *Le livre des visions et instructions*, trad. par Ernest Hello, Paris, Seuil, 1991 (coll. *Points Sagesses*), ch. 41, p. 120.

28. Textes publiés et traduits par Pascale Bourgain, *ibid.*, pp. 81-85.
29. *De Quadripartita specie nuptiarum*, P.L., t. 217, **140**, col. 921-968.
30. *De nuptiis*, court traité publié en supplément aux œuvres de Hugues de Saint-Victor dans P.L., t. 176, **140**, col. 1201-1218.
31. Traduction de Maeterlinck, Bruxelles, Les Éperonniers, 1990, pp. 143, 151, 260-262, 268.
32. Hadewijch d'Anvers, *Lettres spirituelles*, 9.
33. Jean Leclercq, **113**, p. 16, cite une formule de charte de donation calquée sur le Ps 44.
34. Hugues de Fouilloy, *De nuptiis*, P.L., t. 176, **140**, col. 1201, 1218; Lothaire de Ségni (Innocent III), *De Quadripartita specie nuptiarum.*
35. Métral, **136**, pp. 147-149, et *passim* sur les rapports entre virginité et mariage depuis l'aube du christianisme.
36. Grégoire de Tours, *Histoire des Francs*, I, 42; *Gloire des confesseurs*, 32 (VIᵉ s.). *Acta Sanctorum*, 25 mai, t. VI, pp. 38-39. Gaiffier, **78**, pp. 164-182, en cite quelques autres dans des vies de saints des IVᵉ-VIᵉ siècles.
37. Vie de Henri II, P.L., t. 140, **140**, col. 189, et les discussions col. 49-55. L'argument de la chasteté semble avoir été avancé lors de la béatification et développé dans un long ajout postérieur.
38. *Acta Sanctorum*, 24 juillet, t. V, pp. 676-679.
39. *Acta Sanctorum*, 4 septembre, t. II, p. 262.
40. *Acta Sanctorum*, 13 avril, t. II, p. 142.
41. Résumé par Philippe Ariès dans « L'amour dans le mariage », **8**, p. 144.
42. Montaigne, III, 5, **144**, p. 65. Voir sur ce sujet Flandrin, « La vie sexuelle des gens mariés dans l'ancienne société : de la doctrine de l'Église à la Réalité des comportements », dans **8**, pp. 133-134.
43. Boccace, *Décaméron*, III, 4.
44. 1Co 9, 4-6 et Tertullien, *De monogamia*, VIII, 4, **194**, pp. 165 et 167. La belle-mère de Pierre apparaît en Mt 8, 14; Mc 1, 30; Lc 4, 38. Sainte Pétronille (ou Pierrette, Perrine, Pernelle) est fêtée le 31 mai; voir la *Légende dorée*, trad. J.-B. M. Roze, éd. Garnier Flammarion, 1967, t. I, p. 386. Saint Philippe est évoqué dans la *Légende dorée*, t. I, pp. 330-331.
45. Ambroise, *in II Co 11*, 2, P.L., t. 17, **140**, col. 320.
46. *Stromates*, III, 12 (P.G., t. 8, **141**, col. 1191).
47. Concile d'Elvire, canon 33 (Mansi, t. 2, **126**, col. 11).
48. Sur l'histoire du célibat ecclésiastique, voir Naz, **154**, t. 3, col. 132-145; Esmein, **64**, t. I, pp. 299-334. Sur les positions actuelles de l'Église, voir *Le célibat dans l'enseignement des papes*, Solesme, abbaye Saint-Pierre, 1984.
49. Exemples cités par Mathon, **132**, pp. 168-174. Voir aussi les exemples dans l'Angleterre des XIᵉ-XIIᵉ siècles cités par Brooke, **34**, pp. 85-89.
50. Jack Goody, **87**, p. 83.
51. « De l'esveque qui beneï lo con » dans **143**, t. III, p. 178, n° LXXVII.
52. Lettre de Lucius III à Maurice de Sully, 4 janvier 1184, dans P.L., t. 201, **140**, col. 1231-1232.
53. *Antigraphum Petri*, publié par Arnold Fayen dans *Bulletin de la Commission royale d'Histoire de Belgique*, 5ᵉ série, t. IX, 1899, pp. 272-274.
54. Concile de Latran II (1139), canon 7, Mansi, **126**, t. 21, col. 527-528. Concile de Latran IV (1215), canon 14, Mansi, **126**, t. 22, col. 1003. L'empêchement pour ordre était déjà suggéré au concile de Latran I de 1123, et de Pise en 1134. Le concile de Latran II l'étend à toute la chrétienté. Voir Dauvillier, **51**, pp. 162-163.
55. Éd. Poirion, Paris, Garnier-Flammarion, 1974, vv. 19505-19629, pp. 517-520.
56. Voir les audiences de Jean-Paul II de 1982 dans *Le célibat dans l'enseignement des papes*, Solesmes, abbaye Saint-Pierre, 1984, pp. 22-26.
57. *Ibid.*, p. 37.
58. Voir sur ce sujet Jean-Charles Payen, « La crise du mariage à la fin du

XIIIᵉ siècle d'après la littérature française du temps », dans **67**, pp. 413-430 et « La " mise en roman " du mariage dans la littérature française des XIIᵉ et XIIIᵉ siècles : de l'évolution idéologique à la typologie des genres », dans **198**, pp. 219-235.

59. *Correspondance* d'Abélard et d'Héloïse, traduite par Paul Zumthor, 10/18, 1979, pp. 60-66, 127, 153. Sur la polémique autour de l'authenticité des lettres, et sur le rôle de cette correspondance dans l'histoire de la conception du mariage, voir Brooke, **34**, pp. 93-118 et 259-264 ; Piero Zerbi, dans **198**, pp. 130-161 ; Jacques Monfrin, « Le problème de l'authenticité de la correspondance d'Abélard et d'Héloïse », dans *Pierre Abélard – Pierre le vénérable, les courants philosophiques, littéraires et artistiques en Occident au milieu du XIIᵉ siècle*, colloques internationaux du C.N.R.S., abbaye de Cluny, 1972, Paris, 1975, pp. 409-424.

60. Il est publié dans l'*Aduersus Jouinianum*, I, 47, P.L., t. 23, **140**, col. 276-278.

61. Eustache Deschamps, *Le miroir de mariage*, dans les *Œuvres complètes* publiées par Gaston Raynaud, t. 9, Paris, Didot, 1894 *(S.A.T.F.)*. Voir sur ce livre l'article de Jeannine Quillet, « Le miroir du mariage d'Eustache Deschamps », dans **36**, pp. 457-464.

62. « Et il dit qu'un homme ne pouvait servir à la fois une femme et la science » (vv. 2462-2463).

63. Lambert le Bègue, *Mémoire adressé à Calixte III*, publié par Arnold Fayen dans *Bulletin de la Commission royale d'Histoire de Belgique*, 5ᵉ série, t. IX, 1899, p. 351 ; lettre d'Héloïse à Abélard, traduite par Paul Zumthor, 10/18, 1979, p. 124 ; Paul, 1Co 4, 15 ; Phm 10...

64. Angèle de Foligno, *op. cit.*, neuvième pas, p. 47.

65. Idée et exemples dans l'article cité de Jean-Charles Payen, **67**, pp. 413-430.

66. Voir, dans *Le célibat dans l'enseignement des papes*, Solesmes, abbaye Saint-Pierre, 1984 : Benoît XIV, *Ad nuptiale conuiuium*, 29 juin 1746 (cité p. 103) ; Pie XII, *Sacra uirginitas*, 25 mars 1954 (cité pp. 105-111) ; Paul VI, *Sacerdotalis cœlibatus*, 24 juin 1967 (cité pp. 112-115) et *Euangelico testificatio*, 29 juin 1971 (cité p. 102).

67. Schopenhauer, *La vie, l'amour, la mort*, cité par O. Poivre d'Arvor, **168**, p. 86.

68. Mircea Eliade, *Noces au Paradis*, trad. par Marcel Ferrand, Paris, Gallimard, 1992 (coll. *L'Imaginaire*), p. 91 ; Camus, *L'Étranger*, éd. Gallimard, 1949, p. 169.

III. Annulation ou séparation

1. Lettre publiée dans le registre des causes civiles de l'Officialité de Paris, **161**, pp. XXIV-XXV, n. 4.

2. Gaudemet, **80**, pp. 40-42.

3. Gaudemet, **80**, pp. 84-85 ; sur cette période, voir les pp. 70-85.

4. De Rozières, *Recueil général des formules usitées dans l'empire des Francs*, Iʳᵉ partie, éd. Durand, p. 141, formule 113, citée par Zœgger, **209**, p. 52, n. 1. Sur le divorce dans les coutumes germaniques, voir aussi Gaudemet, **80**, p. 106.

5. *Certis rebus et probatis causis inter maritum et uxorem repudiandi locus patet*. Formulaire de Marculfe, nº XXX, dans Baluze, **13**, t. II, col. 423.

6. Saint Épiphane, *Aduersus hæreses*, 59, 4 (P.G., t. 41, **141**, col. 1023-1026) ; Origène, *In Matt.*, 14 (P.G., t. 13, **141**, col. 1247-1250).

7. Concile d'Agde, 506, canon 25, dans Mansi, **126**, t. 8, col. 329.

8. Les trois mots de Matthieu ont inspiré des milliers de pages de commentaires. Voir le *Dictionnaire de théologie catholique*, **55**, art. « Adultère (l') et le lien du mariage d'après l'Écriture sainte » (t. I, col. 468 ss.)

et art. « Divorce », t. IV, col. 1460 ; voir Crouzel, **48**, pp. 29-34 ; Bonsir-ven, **29**, pp. 442-464 ; Marucci, **131**, pp. 333-406 ; Gaudemet, **79**, pp. 230-289.

9. Παρεκτὸς λόγου πορνείας (parektos logou pornéias) en Mt 5, 32 ; μὴ ἐπὶ πορνείᾳ (mê épi pornéiâ) en Mt 19,9.

10. *Excepta fornicationis causa* en Mt 5,32 ; *nisi fornicationem* en Mt 19,9.

11. Traduction proposée par Bonsirven, **29**, en 1948 et toujours défendue dans Crouzel (1971), **48**, pp. 29-34. Ils rapprochent le mot πορνεία de 1 Co 5, 1, où il est lié à une situation d'inceste, et de l'hébreu זנות zenout, (« prostitution »). Notons cependant que cet inceste (« l'un de vous à la femme de son père ») n'est qu'un cas particulier de l'« impudi-cité » que Paul reproche aux Corinthiens. Le sens du mot ne semble donc pas spécialisé dans le vocabulaire biblique. Voir la critique de cette position dans Marucci, **131**; pp. 355-357 et pp. 399-406.

12. En Mt 5, 31 et 19, 7, le Christ cite Dt 24, 1, où Moïse impose de rédiger un certificat de répudiation pour la femme chez qui il a trouvé ערות דבר 'ervath davar : les deux mots hébreux, littéralement traduits, signifient « nudité de parole », ce qui correspondrait à la formule grecque Παρεκτὸς λόγου πορνείας (littéralement : « en dehors d'une prostitution de parole »). L'interprétation et la traduction de la formule hébraïque dans le Deutéronome ont posé problème dès la période rabbinique : on l'a rendue notamment par « quelque chose de malséant », « une tare à lui imputer », « quelque chose qui lui fait honte », « quelque défaut », « une action honteuse »... Le targum de Jonathan (viiiᵉ siècle?) y voit la « transgression d'un commandement ».

13. Voir l'explication avancée par Marucci, **131**, pp. 383-395.

14. C'est la seule interprétation contre laquelle il y ait aujourd'hui quasi-unanimité. Depuis Bonsirven, on considère que s'il avait visé l'adultère, Matthieu aurait utilisé le terme classique μοιχεία.

15. Voir Gaudemet, **80**, p. 71 ; Crouzel, **48**, pp. 47 ss.

16. Voir le *Dictionnaire de théologie catholique*, **55**, art. « privilège paulin » et art. « Mariage », t. 9, col. 2060-2061. En principe, c'est le conjoint non croyant qui doit être à l'origine de la séparation. Mais l'Église a fini par considérer qu'en menaçant la foi de son conjoint, le non-croyant se séparait spirituellement de lui.

17. Conciles de Compiègne (757) et de Verberie (753), dans Migne, *Diction-naire des conciles*, t. I, col. 618-620 et t. II, col. 1243-1246. Voir aussi Zœgger, **209**, pp. 57-78.

18. Alexandre III, lettre recueillie par Raymond de Peñafort dans les décré-tales de Grégoire IX, l. IV, tit. VIII, ch. I, dans Friedberg, **77**, t. II, col. 690.

19. Daudet, **50**, pp. 21-22.

20. Hincmar, *De diuortio...*, dans P.L., t. 125, **140**, col. 657-658.

21. Baluze, **13**, t. II, col. 1558. Sur le divorce dans les disciplines locales jusqu'au xiiᵉ siècle, voir Dauvillier, **51**, pp. 282-284. Dans la doctrine classique, la dissolution par entrée en religion n'est possible que si le mariage n'a pas été consommé, et avec l'accord des deux époux.

22. Sur la séparation au Moyen Âge, voir Esmein, **64**, t. II, pp. 48-118 ; Dau-villier, **51**, pp. 279-367 ; Helmholz, **92**, pp. 100-111.

23. Sur ces différents mots qui ont un sens précis en droit canonique, voir annexe I.

24. Petit, **161**, col. 337 et 114-115.

25. *Ibid.*, col. 310 et 313.

26. *Ibid.*, col. 302-303.

27. Sur les empêchements, voir Esmein, **64**, t. I, pp. 227-448 ; Gaudemet, **80**, pp. 195-221 ; Dauvillier, **51**, pp. 143-200 ; Helmholz, **92**, pp. 74-100.

28. Pour Jean Chrysostome, Joseph n'est pas vraiment l'époux de Marie puisqu'il n'y a pas *copula*. La preuve, c'est que sur la croix, le Christ

confie sa mère à Jean et non à Joseph. Voir, sur ces discussions, Henri Crouzel, « " Pour former une seule chair " : l'interprétation patristique de Gn 2, 24, la loi du mariage », dans *Mélanges Dauvillier*, pp. 223-235. À l'époque de Hincmar, le consentement suffit dans le cas de la Vierge à valider le mariage. Dans l'affaire d'Étienne qui amena Hincmar à réfléchir sur la question, la continence gardée par les époux venait d'un refus du mari d'accomplir son devoir conjugal. C'est donc l'absence de consentement qui invalidait le mariage.

29. Egbert, *Pénitentiel*, I, 20, dans P.L., t. 89, **140**, col. 406 ; Concile de Verberie, 753, can. 17.
30. Dauvillier, **51**, pp. 175-182.
31. Sur les deux écoles française et italienne, voir Esmein, **64**, t. I, pp. 119-136 ; Dauvillier, **51**, Ire partie, pp. 5-142.
32. Flandrin, **74**, p. 85.
33. Les différences entre impuissances naturelle et accidentelle, relative, temporaire ou perpétuelle, personnelle et universelle... sont expliquées dans ma *Naissance interdite*, pp. 81-89. L'impuissance accidentelle vient d'une cause extérieure ; elle est occulte si elle ne vient pas d'une cause violente (blessure, mutilation...), perpétuelle si elle ne peut être levée et personnelle si elle ne se manifeste que vis-à-vis de l'épouse légitime. Dans ce seul cas, l'annulation peut être accordée avec remariage possible des deux parties.
34. Voir Pierre Darmon, *Le Tribunal de l'impuissance, virilité et défaillances conjugales dans l'Ancienne France*, Paris, Seuil, 1979, p. 45.
35. Voir quelques recettes dans Venette, **200**, p. 489, et dans Paré, l. 25, ch. 33, *Œuvres*, éd. 1585, p. 1065.
36. Darmon, *op. cit.*, p. 41, note 2.
37. Venette, **200**, pp. 482-484.
38. Montaigne, *Essais*, I, 21, **144**, p. 146.
39. Darmon, *op. cit.*, p. 45 et ss.
40. Code de Jean-Paul II, **100**, canon 1084, § 1.
41. Guy de Chauliac, *La Grande Chirurgie* (1363), éd. E. Nicaise, Paris, Alcan, 1890, p. 546.
42. L'affaire Quellenec est racontée d'après un mémoire du temps par Darmon, *op. cit.*, pp. 105-108.
43. Charles Coquelin, *Bullarium romanum*, Roma, H. Mainardus, 1747, t. IV, p. IV, p. 319, N° XC. Sébastien Roulliard, *Capitulaire...*, p. 2, cité par Darmon, *op. cit.*, pp. 94-95.
44. Sur le congrès, voir Darmon, *op. cit.*, et mon *Histoire de la pudeur*, Paris, Orban, 1986, pp. 100-104.
45. Code de Jean-Paul II, **100**, canon 1061, § 2 ; canon 1680.

TROISIÈME PARTIE : L'ÉCLATEMENT DU SYSTÈME

I. Schismes et divorces

1. Ordo de Metz, 1543, publié dans Ritzer, **175**, pp. 316-318.
2. La littérature sur les mariages de Henry VIII et le schisme anglican est abondante. Parmi les ouvrages récents, on pourra consulter Guy Bedouelle et Patrick Le Gal (dir.), *Le « divorce » du roi Henry VIII, Études et documents*, **20**, essentiellement consacré aux consultations universitaires ; H.A. Kelly, *The matrimonial trials of Henry VIII*, Standford, 1976 ; Brooke, **34**, pp. 162-169...
3. Patrick Le Gal, **20**, p. 46.
4. Tous ces arguments sont développés dans les *Annotationes*, **63**, pp. 421-506.
5. Sur Érasme et le divorce, voir Telle, **193**, pp. 205-231 ; Bels, **21**, pp. 28-41 et 74-83.

6. Jean Bodin, *De la République* (1575), Paris, Jacques du Puys, 1579, livre I, ch. 3.
7. Charron, *De la Sagesse*, **40**, l. I, ch. 46, p. 259.
8. *Ibid.*, p. 260.
9. Bels, **21**, p. 83.
10. Voir Gaudemet, **80**, pp. 284-285 ; Bels, **21**, p. 83.
11. Melchior Kling, *Tractatus causarum matrimonialium*, Francfort, C. Egenolph, 1592, fol. 89-104.
12. Voir Mousnier, **150**, pp. 75-77 ; Bels, **21**, pp. 237-251.
13. Par exemple, le père Sanchez, dans le *De matrimonio*, l. II, disp. XIII, **183**, pp. 129-132, semble admettre le divorce si la femme est stérile (puisque le mariage est par nature destiné à perpétuer la race humaine) ou malade sans espoir de guérison (puisque le mari ne peut plus exercer son droit conjugal et que le mariage ne joue plus son rôle de frein à la concupiscence). Mais il faudrait pour cela que l'indissolubilité soit de droit naturel et non divin, reconnaît-il, ce qu'il se garde bien d'affirmer.
14. Alfred Dufour, *Le mariage dans l'école allemande de droit naturel moderne au XVIIIe siècle*, Paris, Librairie générale de droit et de jurisprudence, 1971.
15. Sur les premiers plaidoyers du XVIIIe siècle en faveur du divorce, voir Ronsin, **176**, pp. 39-51.
16. Invoqué par Helvétius, *De l'homme, de ses facultés intellectuelles, et de son éducation*, Londres, Société typographique, 1773, t. II, p. 271.
17. Montesquieu, *Lettres persanes*, lettre 116 ; *Esprit des lois*, XXVI, 3. Le chapitre vise le divorce imposé par le père de la mariée dans l'ancien droit romain. Michel Prévost, *Le divorce pendant la Révolution*, 1908, dans **192**, p. 93.
18. Linguet, **124**, p. 28.
19. *Mémoire sur le divorce*, dans **192**, p. 42.
20. Voltaire, *Prix de la justice et de l'humanité* (1777), dans *Œuvres*, Paris, Garnier, 1880, t. 30, p. 564. Les citations du *Dictionnaire philosophique* sont aux tomes 17, p. 68 (« adultère ») et 18, p. 411 (« divorce »).
21. Helvétius, *De l'homme, op. cit.*, t. II, pp. 270-273.
22. Diderot, dans *Œuvres*, Paris, Garnier, 1875, t. II, p. 441.
23. Linguet, **124**, pp. 37-40.
24. Mousnier, **150**, pp. 185-186.
25. *Mémoire sur le divorce*, dans **192**, p. 40.
26. *Ibid.*, p. 64.
27. Dans **192**, p. 6.
28. *Mémoire sur le divorce*, **192**, p. 41.
29. Linguet, **124**, pp. 5-6. De fait, le canon 7 condamne « ceux qui prétendent que l'Église se trompe lorsqu'elle enseigne que le lien du mariage ne peut être rompu pour adultère du conjoint ». Formulation passablement embrouillée résultant d'un compromis avec les représentants vénitiens, qui ne veulent pas que leurs ressortissants de rite grec, mais reconnaissant l'autorité du pape, soient condamnés au cours d'un concile général. La condamnation n'est pas assortie d'un anathème ; il ne s'agit donc pas d'un dogme. Mais le cardinal de Lorraine fait ajouter que l'indissolubilité est conforme à l'Écriture, ce qui en fait un dogme. La contradiction a été exploitée par les partisans du divorce pour adultère aux XVIIe et XVIIIe siècles. Sur ce point, voir Esmein, **64**, t. II, pp. 336-342 ; Gaudemet, **80**, p. 290.
30. Linguet, **124**, p. 34. Son argument ne manque pourtant pas de finesse psychologique : « Les esprits humains en général sont des malades sur qui la facilité de se procurer le remède produit plus d'effet que son application. Il suffit de savoir où on pourra le prendre pour n'en jamais sentir le besoin » (p. 33).
31. Cité dans Michel Prévost, *Le divorce pendant la Révolution*, 1908, publié

dans **192**, p. 107. Voir également, sur cette période, Gaudemet, **80**, pp. 389-394, et Ronsin, **176**, pp. 149-175.

32. Sur le divorce au xix⁰ siècle, voir Ronsin, **177**. Sur le Code civil et les réactions jusqu'à l'abolition de 1816, voir Ronsin, **176**, pp. 177-255. Ces deux livres forment un panorama complet du divorce aux xviii⁰ et xix⁰ siècles.

33. Ronsin, **177**, p. 49.

34. Sur la gauche et le divorce au xix⁰ siècle, voir Ronsin, **177**, pp. 86-109.

35. Voir Ronsin, **177**, pp. 187-188.

36. Son nom n'est pas resté dans les mémoires comme celui de Ferry, malgré le savoureux article autobiographique qu'il adresse à la librairie Larousse, qui lui avait demandé de corriger sa notice : « Son nom vivra aussi longtemps qu'il y aura de malheureux époux désunis qui lui devront une nouvelle existence, c'est-à-dire hélas autant que vivra le monde. Les noms des jurisconsultes romains auxquels sont dues les grandes lois de Rome sont encore enseignés dans nos écoles. Ainsi il en sera du nom de Naquet dans l'avenir. Lorsqu'on a cela à son actif, on peut se dispenser de rechercher le pouvoir. » (Cité par Ronsin, **177**, p. 266.)

37. Voir Ronsin, **177**, pp. 268-269 et 280.

38. Le jugement est publié en appendice dans Ronsin, **177**, pp. 311-312.

39. Statistiques plus détaillées dans Ronsin, **177**, pp. 317 ss.

40. Loi N° 75-617 du 11 juillet 1975 (J.O. 12 juillet, p. 7171), qui remplace le titre I⁰ du livre I⁰ʳ du Code civil. Sur cette loi et ses conséquences, voir Jacqueline Rubellin-Devichi, dans **128**, t. I, pp. 85-119.

41. Sur le droit européen comparé, voir Gaudemet, **80**, pp. 445-450.

42. **102**, pp. 69 et 51-54 ; **101**, § 2383 et 2386.

II. La réaction du Concile

1. Sur cette affaire, voir Henri Morel, « Le mariage clandestin de Jeanne de Piennes et de François de Montmorency », dans **134**, pp. 555-576, et le dictionnaire de Bayle, t. III, s.v. « Piennes ».

2. Voir sur ce point Dauvillier, **80**, pp. 23-28.

3. Canon 51 (Mansi, **126**, t. 22, col. 1038). Sur le mariage clandestin au Moyen Âge, voir Esmein, **64**, t. I, pp. 205-209 ; Dauvillier, **51**, pp. 102-121.

4. Les deux nouvelles sont publiées dans *Giulietta e Romeo*, Pisa, Frat. Nistri, 1831, pp. 26 (Luigi da Porto) et 89 (Bandello).

5. Publiés dans la *Shakespeare's library*, éd. J. Payne Collier, London, Th. Rodd, s.d., vol. II, pp. 27 (Brooke) et 100 (Paynter).

6. Érasme, **63**, p. 499.

7. Rabelais, *Tiers Livre*, ch. 48.

8. Gaudemet, **80**, p. 281 ; Bels, **21**, pp. 163-173.

9. Jean de Coras, **46**, ch. I, 17 (« Probatum et diuino, et humano iure, in contrahendo matrimonio parentum consensum necessarium », pp. 51-53).

10. Étienne Pasquier parle d'un « appétit charnel et désordonné, sur une opinion brutale qui enyvre ordinairement les effets de notre raison », de « démesurée passion » (Launoy, **110**, pp. 23-24) ; de Thou, d' « amore ultra modum accensum » (*Ibid.*, p. 27) ; Gropper de « veneris causa » ; l'édit de Henri II de « volonté charnelle, indiscrette et desordonnée »... Ce sont les différentes facettes de l'amour, qui va de l'appétit sexuel (*uenus*, volonté charnelle) à l'amour conjugal (*affectio* est le terme consacré par les théologiens), à l'amour mystique (*amor* est le terme fort employé pour l'amour divin ou pour l'amour passionné qu'on porte à sa maîtresse, plutôt qu'à sa femme), à l'amour maladif (« passion » a encore le sens fort du latin *pati*, « souffrir »)...

11. Jean de Coras, *Des mariages clandestinement... contractés*, Toulouse,

Pierre du Puis, 1557, pp. 8-9, 47, 86. Sur les mariages clandestins au xvi⁰ siècle, voir M.A. Screech, *The Rabelaisian Marriage*, E. Arnold, Londres, 1958, pp. 44-54; Jean Plattard, « L'invective de Gargantua contre les mariages contractés "sans le sceu et adveu" des parents », dans *Revue du xvi⁰ siècle*, t. XIV, 1927, pp. 381-388; Bels, **21**, pp. 163-173.

12. Montaigne, *Essais*, III, 5, **144**, pp. 64-66.
13. Jean Plattard, « Les méfaits des "pastophores taulpetiers" », dans *Revue du xvi⁰ siècle*, t. II, 1914, pp. 144-145.
14. **178**, t. I, p. 278a.
15. *Gentiani Heruetti Aurelii Oratio ad concilium, qua suadetur, ne matrimonia quae contrahuntur a filiis familias sine consensu eorum in quorum sunt potestate, habeantur deinceps pro legitimis*, Parisiis, apud Martinium Iuuenem, 1556. Sur le préconcile de Bologne, voir André Duval, **60**, pp. 229-305; Gaudemet, **80**, p. 287, et le *Dictionnaire de théologie catholique*, **55**, t. 9, col. 2233 ss.
16. « À cause de cela, cet édit, quoique très sain, fut déclaré ambitieux par la plupart », dit Jacques Auguste de Thou (*Historiarum li.* XIX, dans Launoy, **110**, p. 28). Étienne Pasquier suggère que « quelques-uns de ceux qui tiennent des premiers lieux de la France en ont esté cause » (*ibid.*, p. 14).
17. Le 4 février 1566, le Parlement demande de préciser « que ledit Edit aura lieu pour l'avenir tant seulement, et non pour le passé ». Le 26, le texte lui revient, avec quelques autres modifications qu'il avait demandées, mais toujours avec effet rétroactif. Il sera enregistré le 1ᵉʳ mars. Textes publiés dans Launoy, **110**, p. 12.
18. Édit contre les mariages clandestins, février 1556, dans Isambert, **97**, t. 13, pp. 469-471.
19. Étienne Pasquier, lettre III, dans Launoy, **110**, p. 15.
20. *Ibid.*, pp. 18 et 21.
21. Sur les discussions du concile de Trente, voir le *Dictionnaire de théologie catholique*, **55**, t. 9, pp. 2233-2242; Launoy, **110**, t. II, pp. 54-56; Gaudemet, **80**, pp. 285-295...
22. Les actes du concile de Trente sont publiés dans Mansi, **126**, t. 33, col. 149-152.
23. *Catéchisme du concile de Trente*, **38**, pp. 336-337.
24. Duval, **60**, pp. 314-325.
25. Flandrin, **74**, p. 40.
26. Publiée dans Isambert, **97**, t. 14, pp. 391-392, art. 40-44.
27. Pasquier, dans Launoy, **110**, pp. 16-17.
28. Jacques Ghestin en rapporte deux, en 1580 et en 1758, **84**, p. 209.
29. Ghestin, **84**, p. 209.
30. Voir Beauchet, **84**, pp. 54-55.
31. Isambert, **97**, t. 16, p. 521 et t. 20, p. 287.
32. Voir Mousnier, **150**, pp. 116-118 et Ghestin, **84**, pp. 88-90; sur le « mariage à la Gaulmine », voir Ghestin, **84**, pp. 84-87; Détrez, **53**, pp. 167 ss.
33. Voir Mousnier, **150**, pp. 82 et 101.
34. Sur la législation récente, voir Marie-Claire Rondeau-Rivier, « Les dimensions de la famille », dans **128**, t. I, p. 39.

QUATRIÈME PARTIE : LES CONTRADICTIONS CLASSIQUES

I. Alliances et mésalliances

1. D'après le mariage de Saint-Simon, tel qu'il est relaté dans le *Mercure Galant* d'avril 1695, pp. 229-247.
2. Voir le journal de Dangeau, éd. Feuillet de Conches, Paris, Didot, 1857,

t. 11, pp. 286 (16 janvier) et 334 (3 avril). On parle du mariage depuis le 16 janvier, quoiqu'elle soit née en mars. Les noces se feront le 2 avril. Guy Chaussinand-Nogaret, dans *Les financiers de Languedoc au xviii* siècle*, donne sept ans à Marie-Anne Crozat lors de son mariage, sans indiquer de sources.

3. Éléments empruntés aux mémoires de Saint-Simon, éd. La Pléiade, 1983 et ss., t. I, p. 615 ; t. II, pp. 311-312, 359, 891-892 ; t. III, pp. 218-219 ; t. V, p. 646 et aux mémoires de Mathieu Marais, éd. Lescure, Paris, Didot, 1864, t. II, p. 345, 6 septembre 1722. Voir aussi Ernest Bertin, **24**, pp. 584 ss. Sur Antoine Crozat, voir Guy Chaussinand-Nogaret, *Les financiers du Languedoc au xviii* siècle*, Paris, SEVPEN, 1970, pp. 86-103 ; du même, *Gens de finance au xviii* siècle*, Paris, Bordas, 1972, pp. 23-30 ; Daniel Dessert, *Argent, pouvoir et société au Grand Siècle*, Paris, Fayard, 1984.

4. Voir François Bluche, Jean-François Solnon, *La véritable hiérarchie sociale de l'ancienne France, le tarif de la première capitation (1695)*, Genève, Droz, 1983.

5. Tallemant des Réaux, *Historiettes*, éd. Paulin, Paris, 1865, t. III, p. 77.

6. **178**, t. VI, p. 217b (1482).

7. Voir sur ce point Venesoen, **199**.

8. Mme de Sévigné, lettre du 1er avril 1671 (éd. La Pléiade, 1972, t. I, p. 205).

9. *Testament de monsieur le cardinal duc de Richelieu*, 1636, p. 13.

10. Voir des exemples dans Lelièvre, **118**, pp. 59-60. Une femme épouse un avocat au Parlement en exigeant que sa dot soit affectée au remboursement de son office. Un père promet une dot de 70 000 livres à payer quand son gendre, huissier ordinaire de la chambre du Roy, aura trouvé un meilleur emploi... Le prix d'un emploi pouvait alors varier de 10 ou 15 livres (huissier ou contrôleur des deniers patrimoniaux et d'octroi dans une petite ville de province) à deux millions de livres (trésorier de l'extraordinaire des guerres). Il y en avait donc pour toutes les bourses. Sur la vénalité des offices, la « paulette » et la hausse des prix au début du xviie siècle, voit Roland Mousnier, **149**, en particulier pp. 356-369.

11. Cité par Dulong, **59**, p. 32.

12. Claude Joly, curé de Saint-Nicolas-des-Champs puis évêque d'Agen, Sermon LV, « Sur les devoirs des personnes mariées », **139**, t. 32, 1853, col. 749.

13. Voir Bertin, **24**, pp. 143-147.

14. La Bruyère, *Caractères*, « De quelques usages », éd. de Dresde, 1769, t. II, p. 252.

15. Bourdaloue, *Dominicales*, sermon I, **32**, col. 377 et 379.

16. Voir Bertin, **24**, pp. 225-261.

17. Bourdaloue, *Dominicales*, sermon II, **32**, col. 405.

18. Étienne Bertal, Discours XIII, « du mariage », dans **139**, t. 38 (1854), col. 408.

19. Père Jean Richard, *Dictionnaire moral*, art. « Mariage », 2e discours. **139**, t. 19 (1845), col. 865.

20. Mme de Sévigné, *Correspondance*, éd. Gallimard (La Pléiade) 1972-1978, t. III, pp. 447, 469, 472, 478, 491, 499, 523... (27 décembre 1688-2 mars 1689), p. 469.

21. Ghestin, **84**, pp. 75-76.

22. Bourrée, Homélie III, pour le second dimanche après l'Épiphanie, **139**, t. 40 (1854), col. 138.

23. Vincent Houdry, Sermon LXXI, « Sur le mariage », **139**, t. 36 (1854), col. 1120.

24. Dufay, Sermon XXXVII, « Sur le mariage », **139**, t. 45 (1854), col. 334.

25. Flandrin, **74**, p. 38.

26. Venesoen, **199**, p. 7.

27. Vincent Houdry, Sermon LXXI, « Sur le mariage », **139**, t. 36 (1854), col. 1119.
28. Julien Loriot, Sermon LXX, « Des devoirs des personnes qui se marient », **139**, t. 31 (1853), col. 995.
29. Daniel, « Conférences sur les sacrements », XLVII, « Du mariage », **139**, t. 48 (1854), col. 1500.
30. André-Guillaume de Géry, Prônes, VIII, « Sur le mariage », **139**, t. 63 (1854), col. 876.
31. Sur les mésalliances, voir Ghestin, **84**; Mousnier, **150**, pp. 106-120; Collomp, **43**, pp. 120-127.
32. Ghestin, **84**, pp. 199-201.
33. Ghestin, **84**, pp. 201-202.
34. *Mercure de France*, avril 1695, pp. 229-247.
35. Cité par Lebrun, **112**, p. 23.
36. Chamfort, **39**, t. II, p. 85.
37. Cité par Lelièvre, **118**, p. 13.
38. Voir les chiffres avancés par Cadet (**37**, p. 33) et Legrand (**117**, p. 26) : 80 % des mariages se font sans contrat dans la région parisienne (département de la Seine), 61 % dans les villes, 56 % dans les campagnes. La moyenne est à 59-61 %.
39. Lelièvre, **118**, p. 30. La matière des paragraphes suivants est empruntée au même livre, sauf indication contraire.
40. La Bibliothèque Nationale a conservé les *Contrat de mariage entre Carnaval et Mademoiselle Lelièvre*, *l'Embarras des richesses*, *Contrat de mariage entre Louis Lelièvre et Pétronille l'Embarras*, *Contrat de mariage entre Jean-Gille Dégobillard et Pétronille l'Embarras*, *Contrat de mariage entre Colas Grandjan et Guillemette Ventru*, *Contrat de mariage entre Jean-Qui-a-peu et Jacqueline-Qui-n'a-Guère*, *Contrat de mariage du Grand Thomas, avec Marie Vicontent, passé à Vaugirard en 1729*, *Contrat de mariage entre Jean Belle-Humeur et Jacqueline Franc-Cœur*, contrat de mariage du Parlement avec la ville de Paris, *Contrat de mariage de demoiselle Noblesse avec M. Tiers-État*, *Contrat de mariage entre Monsieur Hippolyte Lajoie et Mademoiselle Hortense Bonnegrace...*
41. Molière, *Les Précieuses ridicules*, sc. IV.
42. Poisson, **166**, pp. 5-6.
43. Bourdaloue, **32**, pp. 397-404.
44. Diderot, *Les Bijoux indiscrets*, ch. VI, dans *Œuvres complètes*, Paris, Garnier, 1875, t. IV, p. 152. La scène est située dans un royaume oriental imaginaire, mais les lieux (Opéra, petit cours, bois de Boulogne) dénoncent la caricature parisienne.
45. Chamfort, **39**, t. II, p. 8.
46. Corneille, *Le Cid*, a. III, sc. 4.
47. Molière, *Les Précieuses ridicules*, sc. IV; *Le Malade imaginaire*, A. I, sc. 5; Mme de Maintenon, *Lettres et entretiens sur l'éducation des jeunes filles*, éd. Th. Lavallée, Paris, Charpentier, 1861, t. II, pp. 94-95; Molière, *Les Femmes savantes*, A. I, sc. 1.
48. Darmon, *Le Tribunal de l'impuissance*, Paris, Seuil, 1979, p. 97.
49. Tallemant des Réaux, *Historiettes*, éd. P. Paris, t. V, p. 370.
50. Cité par Dulong, **59**, p. 29.
51. Louis Carrelet, *Instruction théologique sur les principaux dogmes de la foi*, XIIe instruction, « Sur le mariage », **139**, t. 97, col. 413.
52. Sur la chemise conjugale, voir Joseph Vaylet, *La chemise conjugale*, Rodez, Subervie, 1976, et mon *Histoire de la pudeur*, pp. 125-126.
53. Le Scène des Maisons, **123**, p. 36.
54. Venesoen, **199**, p. 30.
55. Claude Fauchet, *Discours général sur la religion nationale*, **139**, t. 66 (1865), col. 130-131.

II. La simplicité rustique

1. Le manuscrit est publié dans *Louis Simon*, **71**; Anne Fillon a étudié, à partir de ces mémoires et d'autres sources, les amours paysannes au XVIIIe siècle dans *Les trois bagues*, **72**.
2. *Les Amants inquiets*, sc. IV (**68**, t. I, p. 8). Les « robins » sont les gens de robe (magistrats...) ; « tout sent nos flâmes » : tout le monde est sensible aux amours que nous jouons.
3. *Raton et Rosette*, **68**, p. 63, dans le t. I.
4. *Les Amants inquiets*, **68**, p. 64, dans le t. I.
5. *Le Caprice amoureux*, **68**, p. 79, dans le t. III.
6. Tissot, *Avis au peuple sur sa santé* (1761), Toulouse, Desclassan, 1780, t. II, p. 38 (§ 364); p. 39 (§ 366); p. 30 (§ 353). Sur la fécondité des Solognotes, voir Bouchard, **30**, p. 81.
7. Marivaux, *La Double Inconstance*, A. I, sc. 3.
8. Rétif de la Bretonne, *Les nuits de Paris*, 329e nuit, **173**, t. I, pp. 174-177.
9. Rétif de la Bretonne, *Le Paysan et la paysanne pervertis*, IVe partie, 71e lettre (**173**, t. VI, p. 85).
10. *Ibid.* V^e partie, 105e lettre, **173**, t. VI, pp. 137-138.
11. Rétif de la Bretonne, « La Baillive et la procureuse fiscale, ou l'Innocence du bon vieux temps », dans *Les Contemporaines*, **173**, t. II, pp. 300-301.
12. Shorter (**191**, 1975), Roussel (*Le mariage dans la société française*, 1975), croient à une arrivée tardive des mariages d'amour (XIXe siècle); Flandrin (**74**, 1975), Segalen (**187**, 1980), croient à une « explosion » précoce (XVIIe siècle) des sentiments amoureux.
13. Voir Segalen, **187**, pp. 167-183. La difficulté d'interpréter certains signes connus des intimes et non des observateurs, les subtiles nuances entre « amour », « amitié », « affection »..., que ne maîtrisent pas toujours ceux qui les emploient, ont entraîné des erreurs d'interprétation qui invitent à la prudence.
14. Anne Fillon, **72**, 1989.
15. Ms de Sauvageon, p. 224 (**93**, p. XVI).
16. Rétif de la Bretonne, *La Vie de mon père*, cité dans **74**, p. 50-51.
17. Sur le mariage d'inclination dans les campagnes et les textes de Rétif, voir **74**, pp. 95-100.
18. Lebrun, **112**, p. 25.
19. Bouchard en cite en 1772, 1773, 1779, **30**, p. 235, n. 61.
20. Voir **74**, pp. 100-106.
21. Shorter, **191**, pp. 98-152 pour cette « première révolution sexuelle » et pp. 95-97 pour l'apparition de la syphilis. Il faut également tenir compte, dans ce cas, des boulots temporaires que les maris obtenaient à la ville, des enfants mis en nourrice à la campagne, du passage des armées... toutes causes d'infection possibles.
22. Fillon, **72**, p. 72.
23. Shorter, **191**, p. 72, cite le docteur Brieude, médecin de campagne qui publie en 1782-1783 sa *Topographie médicale de la Haute-Auvergne*, et Abel Hugo, qui publie en 1835 sa *France pittoresque*. Notons que l'un et l'autre sont parisiens : le premier « se languit de la Ville-Lumière dans son isolement provincial »; le second est un « voyageur rapide, ignorant les langues locales », qui « juge ce qu'on lui rapportait des mœurs en fonction de son propre code moral » (Segalen, **187**, p. 11). Leurs témoignages ne sont guère sympathiques pour une population dont ils se sentent coupés.
24. Shorter, **191**, p. 121.
25. Fillon, **72**, p. 153.
26. Sur l'amour au village et le roman de Simon, voir Fillon, **72**, pp. 127-140, et la publication du manuscrit de Simon (**71**).

27. Fillon, **72**, p. 332. Sur le rôle de la chanson d'amour dans la seconde moitié du xvIII^e siècle, voir l'étude passionnante des pp. 315-386.
28. Sapin/Sylvoz, *Les rapports sexuels illégitimes au xvIII^e siècle à Grenoble d'après les déclarations de grossesse*, cité par Shorter, **191**, p. 186 :

	1677-1735	1735-1790
Amitié	33 %	5 %
Tendresse	23 %	11 %
Inclination, penchant	23 %	20 %
Amour	16 %	25 %
Passion	0 %	27 %
Affection	6 %	11 %
Total = 100 %	(N = 31)	(N = 44)

29. Shorter date du xIX^e siècle le « raz de marée sentimental » qui commence à la fin du xvIII^e siècle jusqu'à devenir, au xxe siècle, la « norme indiscutable du comportement de tous les jeunes gens à marier » (**191**, pp. 184 ss.).
30. Fillon, **72**, p. 51 ; Lebrun, **112**, p. 27.
31. Fillon, **72**, pp. 108-111 ; Lebrun, **112**, pp. 31-32 ; Bouchard, **30**, p. 82. Les mariages tardifs sont conseillés par les médecins et les moralistes. Venette (**200**, p. 110) conseille de se marier à vingt ans pour les filles, vingt-cinq pour les garçons. Montaigne s'est marié à trente-trois ans et loue Aristote, qui conseille le mariage à trente-cinq. Il rappelle que les Gaulois recommandent la continence jusqu'à vingt ans et plus si on veut être guerrier (II, 8, **144**, p. 61).
32. *Les contemporaines*, **173**, t. II, p. 249.
33. Voir sur tout cela Fillon, **72**, pp. 111-121.
34. Voir sur ce point Fillon, **72**, pp. 121-127.
35. Rétif de la Bretonne, 329e nuit.
36. Sur ce personnage, voir Sébillot, **186**, t. I, p. 96 ; Laisnel de la Salle, **108**, t. II, p. 48... Tous les folkloristes du siècle dernier en ont laissé des descriptions pittoresques.
37. Sur ces rites et les autres coutumes des noces, voir Lebrun, **112**, pp. 33-48 ; Fillon, **72**, pp. 157-213 ; Laisnel de la Salle, **108**, t. II, p. 50.
38. Flaubert, *Madame Bovary*, P. I, ch. 3. Sur la période des noces, voir Laisnel de la Salle, **108**, t. II, pp. 44-47 ; Sébillot, **186**, t. I, pp. 115-119 ; Lebrun, **112**, pp. 37-41 ; Armengaud, **11**, pp. 34-36.
39. Sur les vêtements de la mariée, voir Lebrun, **112**, p. 42 ; Sébillot, **186**, pp. 94-95 ; Seignolle, **189**, p. 119 ; Fénéant/Leveel, **70**, pp. 397 et 449...
40. Sur les bandes de jeunes, voir J.P. Gutton, **90**, pp. 231-246 ; Maurice Agulhon, *Pénitents et Francs-Maçons de l'ancienne Provence*, Paris, Fayard, 1968, pp. 42-64 ; François Lebrun, **112**, p. 43 ; Muchembled, **151**, pp. 294-315 ; Flandrin, **74**, pp. 141-146.
41. Greilsammer, **89**, p. 96.
42. Sur le cortège et le rôle des jeunes, voir Lebrun, **112**, pp. 42-43 ; Sébillot, **186**, t. I, pp. 104 et 120 ; Doisneau/Pennac, **56**.
43. Voir les modèles de *Mariage plus*, catalogue 1994, p. 59.
44. Fénéant/Leveel, **70**, p. 151.
45. Muchembled, **151**, p. 26. Sur le charivari, voir Fréminville, *Dictionnaire ou Traité de la police générale*, 1758, pp. 92-94 et pp. 142-144 ; Henri Rey-Flaud, **174** ; Lebrun, **112**, pp. 52-53...
46. Sur la quintaine, voir Fénéant/Leveel, **70**, pp. 379-382.

CINQUIÈME PARTIE : LE MARIAGE MODERNE

I. Le mariage civil

1. D'après Marc Leproux, *Du berceau à la tombe*, Paris, P.U.F., 1959 ; Robert Colle, *Comment vivaient nos ancêtres en Aunis-Saintonge*, La Rochelle, éd. Rupella, 1977 ; Arnold Van Gennep, *Manuel du folklore français contemporain*, Paris, Picard, 1943-1958.

2. Talma a raconté lui-même les déboires de son mariage dans le mémoire qu'il a présenté à l'Assemblée Nationale, conservé aux Archives Nationales sous la cote D XIX 68, n° 437-6. Le compte rendu de la séance est publié dans les Archives Parlementaires, 1re série, t. 17, p. 50. Le *Rapport sur l'affaire du sieur Talma, Comédien Français*, de Durand de Maillane, a été imprimé par ordre de l'Assemblée Nationale en 1791. Les autres documents sont publiés par Henri d'Alméras en appendice des *Mémoires du Talma* de Régnault-Varin, Paris, 1904. Voir également A. Augustin-Thierry, *Le tragédien de Napoléon, François-Joseph Talma*, Paris, Albin Michel, 1942, pp. 52-68. Pour les conséquences sur la reconnaissance du mariage civil, voir Naz, **154**, t. 6, s.v. « mariage civil ».

3. Thomas d'Aquin, *Commentum in Lib. IV Sententiarum*, dist. 34, quæst. 1, art. 1, **196**, t. 11, p. 164 b.

4. Voir Détrez, **53**, pp. 124-137, sur les premières interventions des rois en matière de mariage ; sur l'origine des distinctions entre contrat et sacrement, causes et effets du mariage, voir Esmein, **64**, t. I, pp. 34-50 ; Pothier, **169**, pp. 9-21 ; Basdevant (**16**). La plupart de ces livres cependant se situent dans la polémique gallicane ou dans la querelle des historiens autour de 1900 sur le mariage civil. Parmi les livres plus récents, voir Mathon, **132**, pp. 234-239 ; Sequeira, **190**, pp. 124-126 ; 138-157 ; 158-226.

5. Guy Coquille, *Œuvres*, éd. 1656, t. I, pp. 122 et 190 (degrés prohibés) ; 128 et 205 (âge du mariage). Le second traité développe des idées déjà abordées dans le premier.

6. Dans Isambert, **97**, t. 16, p. 520.

7. Isambert, **97**, t. 16, p. 54. Article proposé par le tiers-état contre les jésuites et les ultramontains.

8. Ordonnance d'avril 1667, art. 20, dans Isambert, **97**, t. 18, pp. 137-139, confirmée par une déclaration royale du 9 avril 1736, *ibid.*, t. 21, pp. 406-416.

9. Basdevant, **16**, pp. 80-81. Sur le gallicanisme, voir aussi Esmein, **64**, t. I, pp. 34-50 et Sequeira, **190**, pp. 271-289.

10. Sur ces conflits concernant la publication des bans, voir Basdevant, **16**, pp. 70-71.

11. Voir Bels, **21**, pp. 97-106.

12. Publié dans Isambert, **97**, t. 28, pp. 472-482.

13. *Annuaire ou Répertoire ecclésiastique à l'usage des églises réformées et protestantes de l'Empire français*, Paris, Brasseur aîné, 1807, pp. 7-8.

14. Pothier, Part. I, ch. III, art. 1, n° 12, **169**, t. I, p. 19.

15. Détrez, **53**, pp. 184-187.

16. Ronsin, **176**, pp. 83-109.

17. Cité par Basdevant, **16**, p. 184.

18. Sur le mariage révolutionnaire et les réactions catholiques, voir Basdevant, **16**, pp. 173-198.

19. Oudot, **158**, pp. 3 et 7-8.

20. *Integer, totus* (note de l'auteur). « Intègre », au sens étymologique, signifie « complet ». Le célibataire n'est pas un être accompli.

21. Bonneville, **28**, pp. 9 et 14-19.

22. *Ibid.*, p. 32.

23. *Journal* des Goncourt, 27 juillet 1877 (Paris, Fasquelle-Flammarion, 1965, t. II, p. 1193).
24. **7**, p. 20.
25. **169**, t. I, p. 49, note.
26. Laisney, **109**, p. 57.
27. Pie IX, **164**, ch. VIII, 73.
28. Cité par Laisney, **109**, p. 65.
29. Robinot, *Discours dogmatiques et moraux sur certains points de la religion*, dans **139**, t. 76 (1856), col. 450.
30. Paoli, **159**, p. 162.
31. Sur ces cas, voir Batbie, **17**, pp. 7-10.
32. Batbie, **17**, pp. 7-10; Basdevant, **16**, p. 218; Paoli, **159**, p. 162; Vanhems, **197**, p. 243.
33. Voir notamment Vanhems, **197**, ch. VII, pp. 205-214; Esmein, **64**, t. II, pp. 52-58; Laisney, **109**, pp. 102-193.
34. Voir Kerambrun, **106**, pp. 73 et 105-106.
35. Renard, *Le mariage est-il un contrat?*, 1904, dans Laisney, **109**, p. 36.
36. Vanhems, **197**, p. 238 et passim.
37. **44**, 1906.
38. Viollet, **203**, 1932, pp. 59-60. Voir sur ce sujet l'article « mariage civil » de Naz (**154**), les livres de Laisney (**109**), de l'abbé Viollet (**203**)...
39. Dans Bagot, **12**, p. 62.
40. « Avec la personne qui vous accompagne ou qui va célébrer votre mariage, mettez sur pied la célébration en tenant compte et de votre recherche, et de la façon dont l'Église vous propose de vivre ce moment. » (Guy de Lachaux, dans *Deux oui pour la vie*, brochure diffusée par les Centres de préparation au mariage, 1994.) « Le couple est amené à préparer ce culte spécial, à dire ce qu'il en attend et à participer au choix des lectures, des cantiques, des prières et des engagements. » (Théo Pfrimmer, *Le mariage pourquoi?* brochure distribuée par l'Église protestante.)
41. Bourguignon, **179**, pp. 41-42.
42. Bagot, **12**, p. 56.

II. Le mariage d'amour

1. Voir Gaston Marchou, *Le roi Édouard VIII*, Paris, Plon, 1936 et Simon Arbellot, *Édouard VIII, roi moderne*, Paris, Denoël, 1936.
2. J'ai principalement utilisé les mémoires du duc de Windsor (**208**), les livres de Brian Inglis (**94**) et de Ralph G. Martin (**130**) et l'émission de Frédéric Mitterrand, « Les amants du siècle, Edward et Wallis, la liaison fatale des Windsor » (France 2, avril 1994).
3. Montaigne, *Essais*, III, 5, **144**, pp. 64-65.
4. Cité par Dulong, **59**, p. 39.
5. Cité par Dulong, **59**, p. 133.
6. Dulong, **59**, pp. 133-136.
7. Sermon VI, « Sur le mariage », **139**, t. 12 (1845), col. 1079.
8. Flandrin, **74**, pp. 87-88.
9. Rousseau, *Émile*, l. V, classiques Garnier, 1961, p. 515.
10. Sermon sur les Évangiles, IV, Sur la sainteté du mariage, dans **139**, t. 49 (1854), col. 667-668.
11. Prônes, VIII, « Sur le mariage », **139**, t. 63 (1854), col. 875.
12. Cité dans Ronsin, **176**, pp. 21 et 23.
13. Cité par Pilon, **165**, pp. 73-74.
14. Cité par Pilon, **165**, pp. 188-190.
15. Balzac, *Scènes de la vie privée, Le Contrat de mariage*, Paris, Furne-Dubochet-Hetzel, 1842, pp. 169-173.

16. *Ibid.*, p. 184.
17. *Ibid.*, pp. 257-258.
18. *Ibid.*, p. 207.
19. About, « La fille du chanoine », dans *Les mariages de province*, Paris, Hachette, 1868, p. 16.
20. Montesquieu, *Esprit des lois*, l. 23, ch. 8, éd. Bordas, 1990 (classiques Garnier), t. II, p. 104.
21. Legrand, **117**, pp. 75-76 et tout le chapitre III.
22. Stendhal, *De l'amour*, ch. 49, Paris, Le divan, 1927, t. II, p. 13.
23. Cité par Ronsin, **177**, pp. 73-74. Sur cette question, *ibid.*, pp. 70-75.
24. André Léo, *Un mariage scandaleux*, Hachette, 1862 ; About, « La fille du chanoine », dans *Les mariages de province*, Hachette, 1868, p. 14.
25. Stendhal, *De l'amour*, Préface, *loc. cit.*, t. I, p. 23.
26. Stendhal, *De l'amour*, ch. 13, *loc. cit.*, t. I, p. 68.
27. Métral, **137**, p. 18. Voir aussi sur cette question **136**, pp. 211-229, ainsi que Segalen, **187**, Shorter, **191**, Muchembled, **151**, Burguière (**35**, t. II, p. 111)...
28. Stendhal, *De l'amour*, ch. 1, *loc. cit.*, t. I, p. 29.
29. About, « Mainfroi », dans *Les mariages de province*, Hachette, 1868, p. 86 et 111.
30. André Léo, *op. cit.*, p. 336. Les allusions historiques étant fonction des modes, l'humour de la romancière est devenu quelque peu obscur. Élisabeth Fry (1780-1845) était une visiteuse de prison quakeresse ; Arria, femme d'un sénateur compromis dans un complot contre l'empereur Claude, se poignarda avant lui en voyant qu'il hésitait à se suicider, et le rassura (« Pætus, ça ne fait pas mal ») ; Sophonisbé, reine de Numidie, s'empoisonna pour ne pas être exhibée au triomphe de Scipion l'Africain.
31. *Ibid.*, pp. 68 ; 221-222 ; 375-377 ; 356.
32. Paul Hervieu, *Les Tenailles*, Acte I, sc. 5, dans *Théâtre complet*, 1910, t. I, p. 154.
33. Alric, **4**, pp. 9-10 ; 279-280.
34. Villiers de l'Isle-Adam, *Axël*, A. IV, sc. 2, Paris, Le Courrier du livre, 1969, pp. 252-256.
35. Monmorel, *Discours sur les Évangiles*, **139**, t. 91 (1866), col. 122 et 124.
36. Alric, **4**, pp. 308-312.
37. Legrand, **117**, pp. 130, 92, 93, 94, 137, 96, 2, 97-98.
38. Cadet, **37**, pp. 7-8.
39. Détrez, **53**, 1907, p. 2.
40. Cité dans **128**, p. 235, n. 44.
41. Voir la publication de ces deux lois et les discussions qu'elles ont suscitées dans Duvergier, **61**, t. 96, pp. 173 ss. et t. 107, pp. 287 ss.
42. Kerambrun, **106**, pp. 134-136.
43. Wautier d'Aygalliers, **204**, p. 195 et p. 170.
44. *Ibid.*, p. 8.
45. Montier, **145**, p. 3.
46. Wautier d'Aygalliers, **204**, pp. 195-197.
47. Gide, *Les Faux Monnayeurs*, Ire partie, ch. VIII, *Romans, récits et soties, œuvres lyriques*, Paris, Gallimard, 1958 (coll. *La Pléiade*), p. 988.
48. Wautier d'Aygalliers, **204**, pp. 163-170.
49. Abbé Viollet, **202**, et **203**, pp. 9, 23, 125-126.
50. Vérine, **201**, pp. 3 et 6.
51. *Code de la famille*, décret du 29 juillet 1939 publié dans Dalloz, *Recueil périodique et critique*, 1939, IVe partie, pp. 369-381.
52. Vérine, **201**, p. 10 ; Montier, **145**, p. 13...
53. Voir Vérine, **201** ; Viollet, **203**, p. 34 ; Biardeau, **26**.
54. Homélie pour la clôture de l'Année Sainte, 25 décembre 1975, rappelé dans la *Lettre aux familles* de Jean-Paul II, **102**, p. 43.

55. Bagot, **12**, p. 11.
56. Legrain, **116**, pp. 41-43.
57. Pfrimmer, **163**, pp. 12-13.
58. Christian Alexandre, dans *Deux oui pour la vie*, brochure distribuée par « Accueil Rencontre », centre de préparation au mariage, avec *Panorama*, 1994.
59. *Gaudium et Spes*, n° 48 ; *Lumen Gentium*, n° 11 ; Code de Jean-Paul II, **100**, § 1055, 1 ; catéchisme de l'Église catholique, **101**, § 2363.
60. Textes de Christian Alexandre et de Xavier Lacroix, dans *Deux oui pour la vie, loc. cit.*
61. Cité par Béraudy, **22**, p. 41.

III. Union libre ou cocooning ?

1. Voir Peytel, **162**, p. 5, et tous les théoriciens de la promiscuité à la fin du XIXᵉ s. (*infra*, pp. 381 ss.).
2. Voir Esmein, **64**, t. II, p. 349-354.
3. Voir Collomp, **43**, pp. 128-129 ; Marin-Muracciole, **129** ; Flandrin, **74**, pp. 184 ss.
4. Voir Peytel, **162**, pp. 201-249, qui demande contre cet état de fait le retour à l'ancien adage.
5. Proudhon, *Programme révolutionnaire, aux électeurs de la Seine*, dans les *Œuvres complètes*, publiées sous la direction de C. Bougle et d'H. Moysset, Slatkine reprints, 1982, t. 10, p. 302. Il s'agit d'un extrait du *Système des contradictions économiques* (1846).
6. Legrand, **117**, pp. 138-139.
7. Georges Picot, *Les garnis à Paris*, conférence donnée à la Société d'économie sociale, Paris, 1900.
8. Henry Leyret, *En plein faubourg, mœurs ouvrières*, Paris, Charpentier, 1895, pp. 132-135, ch. VIII, « De l'amour ».
9. Compte rendu de la société Saint-François-Régis, cité par Legrand, **117**, p. 141.
10. Duvergier, **61**, t. 46, p. 247, tit. Iᵉʳ, art. 8 (loi fixant le budget de 1847) et p. 482.
11. Duvergier, **61**, t. 50, pp. 486-490.
12. Legrand, **117**, pp. 165-166.
13. Legrand, **117**, pp. 166-168.
14. *Réforme du mariage sans le divorce*, **172**.
15. Lacombe, **107**, en particulier les pp. 60-65.
16. D'après le résumé d'Engels, **62**. Voir aussi les critiques dans les ouvrages de Westermarck (**205, 206**).
17. Engels, **62**, pp. 24-25.
18. *Ibid.*, p. 96.
19. Voir notamment Gordon (**88**), pour qui l'humanité la plus ancienne a des idées élevées sur le mariage, plus spirituel que sexuel à l'origine. Voir aussi les critiques de Westermarck à la théorie de la promiscuité, dans **205**, t. I, pp. 115-303 et t. II, pp. 5-72, et **206**, pp. 52-129.
20. Engels, **62**, pp. 96-98.
21. Eugène Sue, *Le Juif errant*, t. X, ch. X, pp. 187 et 192, cité par Poitou, **167**, pp. 77 et 96.
22. George Sand, *Valentine*, t. II, pp. 34-35, cité par Poitou, **167**, p. 73.
23. George Sand, *Jacques*, t. I, p. 79, cité par Laisney, **109**, p. 32-33.
24. George Sand, *Horace*, t. II, p. 42, cité par Poitou, **167**, p. 90.
25. Proudhon, *De la justice dans la révolution*, cité par O. Poivre d'Arvor, **168**, pp. 76-77.
26. Voir Peytel, **162**, pp. 91 et 184-187.
27. Paul Esmein, **65**, p. 5.

28. Les frères Margueritte ont écrit de nombreux livres, romans, essais ou pamphlets, sur ce sujet. Ces idées sont surtout développées dans **127**.
29. Blum, **27**, pp. 4, 16, 17, 13, 30, 31, 91, 311, 324.
30. Elisée Reclus, *L'Évolution, la révolution et l'idéal anarchique*, Paris, Stock, 1898, pp. 144-146.
31. Albert (Charles), *L'amour libre*, Paris, Stock, 1899, pp. 96, 157, 199-208.
32. Armand, **9**, pp. 11, 9, 10, 22, 21.
33. Armand, **10**, pp. 9-15.
34. Par exemple P. Esmein, **65**, p. 6.
35. Jourdain, **103**, pp. 7-40; P. Esmein, **65**, p. 20.
36. Le taux de nuptialité tombe de 16 ‰ (1920) à 4,3 ‰ (1940). Une chute spectaculaire due aux taux élevés caractéristiques de l'après-guerre (une remontée des mariages est sensible dans les années 1872-1875, 1919-1920; 1945-1946) et aux taux très bas des premières années de guerre. La chute cependant est sensible si l'on considère que le taux se maintenait, depuis 1815, entre 7,5 et 8 ‰, et qu'il va chuter régulièrement jusqu'à une fourchette de 6,2-6,8 ‰ en 1935-1939. Il faudra attendre les années 1980 pour retrouver un taux de nuptialité aussi bas. Voir annexe IV.
37. **7**, p. 17.
38. Voir Béraudy, **22**, pp. 52-54; Peyrard, dans **128**, pp. 211-232, croit aussi à un phénomène superficiel moins important que le concubinage du début du siècle ou des années 1950.
39. Sauf indication contraire, les statistiques citées viennent des annuaires et des bulletins de l'INSEE. Ils sont repris en annexe IV.
40. *INSEE Première*, n° 235, décembre 1992.
41. Voir annexe II.
42. Dewevre-Fourcade, **54**, p. 61. Sur le concubinage dans les vingt dernières années, voir Dewevre-Fourcade (**54**), Fell (**69**), Bernet-Gravereaux (**23**), Peyrard (**128**, pp. 211-232).
43. Roussel, **179**, pp. 105-106.
44. Publié dans *La Croix* du 20 janvier 1994.
45. Publié dans *La Croix* du 20 janvier 1994. Il serait intéressant de comparer avec les chiffres de Roussel (**179**), mais les questions posées sont un peu différentes :

	Hommes	Femmes
« Il est socialement plus commode pour les conjoints de vivre ensemble s'ils sont mariés »	37	30
« C'est l'intérêt de l'enfant que le couple se marie »	35	40
« La pression des familles est trop forte »	7	8
« Le fait de se marier ajoute quelque chose, pour les conjoints eux-mêmes, à leur union »	18	20
« Ne se prononce pas »	3	2

46. 7,8 % (1981), 8,5 % (1982), 9,5 % (1983), 10,1 % (1984), 11,4 % (1985), 12,6 % (1986), 14,4 % (1987), 15,3 % (1988), 16,7 % (1989), 17,6 % (1990), 18,5 % (1991), *INSEE Première*, n° 235, décembre 1992.
47. Commentaire de Pfrimmer sur un couple cité en exemple, **163**, p. 22.
48. *INSEE Première*, n° 235, décembre 1992.
49. INSEE, **96**, p. 13.
50. Legrain, **116**, p. 16.
51. Bourguignon, **179**, p. 34.
52. Ghislaine Andréani, *Le nouveau savoir-vivre*, Paris, Hachette, 1987, p. 262.
53. Témoignage recueilli par Odile Bourguignon dans **179**, p. 41.
54. Fell, **69**, p. 35.
55. *INSEE Première*, n° 235, décembre 1992.
56. Témoignages cités par Bourguignon, **179**, p. 33.

57. Gabriel Matzneff, *Vénus et Junon*, cité par O. Poivre d'Arvor, **168**, p. 61.
58. Bourguignon, **179**, p. 55.

CONCLUSION

1. Analyse de Peter Berger et Hansfried Kellner, « Le mariage et la construction de la réalité », dans *Diogène*, n° 46, 1964, reprise dans Jacques Lazure, *Le jeune couple non marié*, Montréal, Presses de l'Université de Québec, 1975, p. 11.
2. Voir les témoignages recueillis par O. Bourguignon dans **179**, pp. 73 ss.
3. Cité par Greilsammer, **89**, p. 18.
4. Esmein, **65**, pp. 4-7.
5. Géraud, **83**, p. 8 et pp. 149 ss.
6. Roussel, **180**, p. 259.

ANNEXES

ANNEXES

I

Le vocabulaire du mariage

Les mots désignant le mariage :

Coemptio (latin) : chez les Romains, mariage par achat réciproque.

Confarreatio : forme la plus solennelle du mariage romain, avec offrande d'un gâteau d'épeautre *(farreus)* à Jupiter.

Conjugium (latin) : mariage : les époux portent ensemble *(cum)* le même joug *(jugum)*. Nous en avons tiré *conjugal, conjoint...*

Contubernium (latin) : mariage entre esclaves, ou entre une personne libre et un(e) esclave. Forme inférieure de mariage, qui se résume à la cohabitation *(cum + taberna*, « cabane »).

Conubium (latin) : mariage légal : les épouses se couvrent *(nubere)* la tête de leur voile.

Friedelehe : chez les anciens Germains, mariage *(ehe)* d'amitié *(friedel)*, légitime, mais inférieur à la *Muntehe*.

Hymen : mariage, en style poétique, le dieu Hymen (du grec *hymen*, « membrane ») présidant à la défloration de l'épouse.

Mariage (en latin, *matrimonium*) : littéralement, fonction *(munium)* de mère *(matris)*.

Muntehe : chez les anciens Germains, mariage officiel, par lequel l'homme obtient la tutelle légale de sa femme.

Noces (en latin, *nuptiae*) : fêtes liées à la célébration du mariage. C'est au cours de cette cérémonie que l'épouse se voile *(nubere)*.

Les qualifications du mariage :

mariage blanc : non consommé ;

mariage canonique (ecclésiastique, religieux) : célébré par les autorités religieuses. Il s'oppose au mariage civil, célébré à la mairie ;

mariage civil : voir *mariage canonique* ;

mariage clandestin : avant le concile de Trente, mariage conclu en dehors de toute autorité parentale ou religieuse. Après le concile de Trente, qui impose la présence d'un prêtre, il s'agit d'un mariage conclu en dehors des formes prescrites, sans témoins et devant un autre prêtre que le curé de la paroisse (voir *mariages de conscience, occulte, secret*);

mariage conclu (en latin, *ratum*) : dans le droit canonique ancien, officialisé par l'échange des consentements, mais pas encore consommé (voir *mariage consommé*);

mariage de conscience : conclu sans publication de bans, mais devant un prêtre et des témoins, comme le mariage occulte. A la différence de celui-ci, il est destiné à rester secret et oblige les témoins au silence. Il s'oppose aussi aux mariages public, morganatique, clandestin (voir *mariages clandestin, morganatique, occulte, secret*);

mariage consensuel : avant le concile de Trente, forme canonique du mariage, qui ne demande pour être valide que le consentement des époux, et n'exige pas la présence d'un prêtre ni d'un officier de l'état civil (voir *mariage solennel*);

mariage consommé : achevé par une relation sexuelle. Un mariage peut être conclu et non consommé (voir *mariage conclu*);

mariage ecclésiastique : voir *mariage canonique*;

mariage en détrempe : ironiquement, union libre;

mariage illégitime : voir *mariage légitime*;

mariage illicite : voir *mariage licite*;

mariage in extremis : quand un des deux conjoints est à l'article de la mort;

mariage inter-ethnique : entre personnes de race ou de culture différentes;

mariage invalide : voir *mariage valide*;

mariage de Jean des Vignes : concubinage;

mariage légitime : qui remplit les prescriptions des lois civile et religieuse, mais qui n'est pas nécessairement célébré à l'église. Un mariage entre infidèles qui respecte les prescriptions canoniques est légitime pour l'Église. Il peut être légitime aux yeux de la loi et illégitime pour l'Église si, par exemple, il y a alliance à un degré canonique prohibé;

mariage licite : qui a respecté les prescriptions canoniques concernant les empêchements prohibitifs. Un mariage peut être légitime (s'il a respecté les prescriptions de la loi civile) et valide (s'il n'est entaché d'aucun empêchement dirimant) sans être licite (par exemple, s'il n'y a pas eu de publication des bans) : il devra être recommencé dans les formes licites;

mariage de la main gauche : dans l'Allemagne médiévale, mariage avec une femme d'un rang inférieur, conclu par l'union des mains gauches (et non des droites) pour que les fils qui en naissent n'héritent pas;

mariage mixte : entre deux personnes de religions différentes;

mariage morganatique : où l'épouse ne peut partager les honneurs et les dignités de son mari dans l'ordre civil, mais qui reste soumis au droit canonique. Le mot vient du *Morgengabe*, le « présent du matin » donné, dans les lois germaniques, après la consommation. Le mariage de Louis XIV et de Mme de Maintenon était morganatique : elle ne pouvait être appelée reine, mais le mariage était licite et valide (voir *mariages public, occulte, clandestin, de conscience*);

mariage nul : mariage invalidé, dont on a prononcé l'annulation ; le lien conjugal n'est pas rompu, puisqu'il est censé n'avoir jamais existé (voir *mariage valide*) ;

mariage occulte : célébré devant un prêtre et des témoins, mais sans publication des bans. Il est destiné à être publié et n'oblige pas les témoins au secret. Le mariage de Roméo et de Juliette était occulte : secret, mais destiné à être publié (voir *mariages public, clandestin, morganatique, de conscience*) ;

mariage présumé : avant le concile de Trente, mariage non célébré, mais né de rapports sexuels entre les fiancés. Il ne peut plus être rompu ;

mariage public : mariage conclu après publication des bans, devant les personnes compétentes (prêtres, officiers de l'état civil) et des témoins (voir *mariages occulte, clandestin, morganatique, solennel*) ;

mariage putatif : mariage invalide ou nul, mais contracté de bonne foi, et que l'on tient pour valide à certains égards. Il doit être rompu ou justifié par une dispense, mais les enfants ne sont pas tenus pour illégitimes. Lorsque le droit canon interdisait l'union de parents au septième degré, on pouvait de bonne foi épouser une parente lointaine, mais à un degré prohibé. Si l'empêchement est découvert, le mariage est déclaré putatif en l'attente d'une dispense qui le légitime. Si celle-ci est refusée, le mariage est annulé, mais les enfants ne sont pas tenus pour légitimes. Le remariage d'une femme qui se croit veuve de bonne foi est putatif lorsque le premier mari se manifeste (comme dans *L'assiette au beurre*, où Bourvil tient le rôle du mari putatif) ;

mariage religieux : voir *mariage canonique* ;

mariage solennel : célébré en présence du curé. C'est la forme religieuse obligatoire depuis le concile de Trente. Il s'oppose au mariage consensuel, d'avant le concile. On parle aujourd'hui de mariage public ;

mariage sous la cheminée : ironiquement, union libre ;

mariage subséquent : célébré après la naissance d'un enfant, qui s'en trouve légitimé ;

mariage sur la croix de l'épée : célébré en hâte, sur la croix formée par le pommeau et la garde d'une épée, par un militaire en campagne. Dans la pratique, union libre ;

mariage tenté (en latin, *attentatum*) : conclu par des baptisés qui savent que leur mariage est entaché de nullité (par exemple, le mariage d'un prêtre). Annulé s'il vient à connaissance des autorités ecclésiastiques ;

mariage valide : qui a respecté les prohibitions des empêchements dirimants. Un mariage est valide quant au fond et licite quant à la forme. Même licite, puisque accompli selon les formes canoniques prévues, le mariage d'un prêtre ordonné, par exemple, sera déclaré invalide. Un mariage invalidé doit être annulé (à la différence du mariage illicite, qui peut être recommencé) (voir *mariages licite, tenté*).

Les mots du mariage :

Adultère : rapport sexuel d'une personne mariée avec une autre personne que son conjoint (par opposition à la fornication et au stupre).

Affin : parent du conjoint (voir *consanguin*).

Agnat : parent par les hommes (voir *cognat*).

Annulation : constatation de l'absence de lien conjugal à cause d'un empêchement dirimant (voir *divorce, séparation, empêchement dirimant*).

Arrhes (en latin *arrhae*) : gage (souvent un anneau) donné par le fiancé à sa promise.

Ascendants : parents en ligne directe supérieure (père, mère, grand-père, grand-mère...). (Voir *ligne directe, collatérale, descendants.*)

Bans : proclamation officielle, et en particulier d'un mariage.

Biens du mariage : *proles, fides, sacramentum* (génération, foi, sacrement). Biens définis par saint Augustin (v. pp. 83-84).

Bigamie *(bi,* « deux » en latin ; *gamos,* « mariage » en grec) : état d'une personne qui a conclu deux mariages (jadis, les veufs remariés étaient considérés bigames ; aujourd'hui, il n'y a bigamie que si les deux conjoints sont vivantes). Le mot s'emploie pour l'homme comme pour la femme (voir *polygame, polyandre*).

Célibat : état d'une personne qui n'a jamais été mariée.

Chasteté : limitation des rapports sexuels selon les prescriptions de l'Église, par opposition à *continence* et à *virginité*.

Clan (du gaélique *clann,* « famille ») : division ethnique de la tribu

Cognat : parents par les femmes (voir *agnat*).

Concubinage, concubinat : état de deux personnes vivant ensemble sans être mariées.

Consanguin : qui est de même sang (à l'opposé d'*affin*). En particulier : parent du côté du père (à l'opposé d'*utérin*). Deux frères consanguins ont le même père, mais pas la même mère (voir *utérin* et *germain*).

Consensualisme : doctrine selon laquelle le consentement des époux suffit à faire le mariage (et non la consommation, ni la présence d'un prêtre ou d'un officier de l'état civil).

Continence : abstention de toute relation sexuelle (voir *chasteté* et *virginité*).

Couple : état d'un homme et d'une femme vivant ensemble (en mariage ou en concubinage) sans enfant (voir *famille, foyer, ménage*).

Deductio : cérémonie au cours de laquelle la jeune fille est livrée à son mari (voir *tradition*).

Degré canonique : proximité relative dans le système de parenté, calculée selon le décompte de l'Église (voir pp. 45-49).

Descendants : parents en ligne directe inférieure (fils, fille, petit-fils, petite-fille...). Voir *ascendants, ligne collatérale.*

Desponsatio : voir *épousailles.*

Divorce : séparation de deux époux, qui rompt le lien conjugal (voir *annulation, séparation*).

Dot (en latin, *dos*) : bien que la femme apporte à son mari, dont il a l'usufruit durant sa vie et qui revient à la femme s'ils se séparent ou si elle reste veuve. Voir *douaire* et *oscle*. La *dos ex marito* (« dot du mari ») est devenue le douaire.

Douaire : droit de la femme sur une partie des biens de son mari, dont elle a l'usufruit lorsqu'elle se retrouve veuve (« douairière »). Le douaire préfix est fixé par contrat de mariage ; le douaire coutumier se monte au tiers des biens du mari, s'il n'y a pas de contrat ou si la femme renonce au douaire préfix (voir *dot* et *oscle*).

Douzain : voir *treizain*.

Droit de cuissage : droit du seigneur de consommer le premier les noces d'un de ses sujets.

Empêchement dirimant : qui « rend la personne incapable de contracter validement mariage » (**100**, can. 1073). Par exemple, la consanguinité à un degré prohibé, l'ordre... Il annule le mariage s'il est découvert après sa célébration.

Empêchement prohibitif : qui concerne un vice de forme (par exemple, célébration un jour de fête, défaut de publication des bans...). Il oblige à recommencer la cérémonie ou expose à des peines, mais ne remet pas en cause le mariage.

Épousailles (du latin *sponsalia*) (en latin, *desponsatio* ; chez les Germains, *Verlobung* ; en hébreu, *kiddushin*) : première étape du mariage dans certains systèmes (juif, germanique...).

Famille : foyer composé de parents et de leurs enfants ou d'enfants adoptés (voir *couple, foyer, ménage*).

Fiançailles (en latin, *sponsalia*) : accord entre deux familles sur un mariage à venir, mais qui, à la différence des « épousailles », n'est pas une étape du mariage. Elles ne sont donc pas obligatoires.

Fides : voir *Biens du mariage*.

Flammeum : voile rouge de la mariée, chez les Romains.

Fornication : rapports sexuels hors mariage, en général entre deux célibataires (par opposition, dans ce cas, à *adultère* et à *stupre*).

Foyer : ensemble des personnes vivant sous le même toit (deux frères vivant ensemble constituent un foyer, mais non une famille, ni un couple, ni un ménage) (voir ces mots).

Germain : (adj.) de même sang ; les « frères germains » s'opposent aux frères utérins et aux frères consanguins. (Nom) frère ou, plus couramment, cousin direct (fils de l'oncle ou de la tante).

Inceste : union à un degré prohibé avec un consanguin (ou, au sens large, avec un affin).

Incises matthéennes : exception à l'indissolubilité du mariage contenues dans l'évangile selon saint Matthieu (5, 32 ; 19, 9). Voir pp. 165-167.

Incorrompu (en latin : *incorruptus*) : qui arrive vierge au mariage.

Indissolubilité : impossibilité légale de rompre une union.

Kiddushin : voir *épousailles*.

Lévirat (du latin *levir*, « beau-frère ») : obligation faite à un homme d'épouser la veuve de son frère, si elle n'a pas eu d'enfant du

456	*Histoire du mariage en Occident*

défunt. De règle dans l'Ancien Testament, interdit en droit canonique.

Lignage : ensemble des parents issus d'une souche commune.

Ligne directe : forme de parenté calculée par filiation directe (fils,
petit-fils, père, grand-père... sont parents en ligne directe).

Ligne collatérale : forme de parenté calculée en remontant à une
souche commune (frères, cousins, oncles, neveux... sont parents
en ligne collatérale).

Mainbour *(mundiburdus, mundualdus)* : chez les Germains, celui qui
possède le *mundium* (en général, le père de la jeune fille à
marier).

Mari (en latin, *maritus*) : étymologiquement, celui qui doit se
conduire en mâle (en latin, *mas, maris*).

Ménage : unité familiale de base (un homme vivant seul constitue un
ménage ; un foyer peut contenir plusieurs ménages) (voir
couple, famille, foyer).

Ministre : celui qui constate officiellement ou qui crée le lien matrimonial (le prêtre, l'officier de l'état civil, le notaire, un
témoin...).

Monogamie : état d'une personne qui n'a eu qu'un seul mariage.
Pour les premiers chrétiens, le respect de la monogamie excluait
le remariage des veufs. Aujourd'hui, la monogamie suppose
qu'on n'ait qu'un seul conjoint à la fois. Le mot s'emploie pour
les hommes comme pour les femmes (voir *bigamie, polygamie,
polyandrie*).

Morgengabe : chez les Germains, présents faits à la femme le matin
suivant la nuit de noces.

Mundium : chez les Germains, autorité du chef de famille (le plus
souvent le père) sur la fille. Elle est transmise au mari en
échange du *wittimon*.

Nuits de Tobie : trois nuits de chasteté après la cérémonie nuptiale.

Nullité : constat de l'inexistence d'un lien matrimonial (voir *annulation*).

Oscle (en latin : *osculum*, littéralement « baiser ») : somme que le
mari réserve à sa femme et qui lui reviendra si elle reste veuve.
Elle s'élève en général à la moitié de la dot. L'oscle se confond
souvent avec le douaire ; lorsqu'ils sont distingués, l'oscle
désigne une somme touchée par la veuve et le douaire, un
revenu immobilier dont elle a l'usufruit.

Paranymphe (en latin, *paranympha* ou *pronuba*) : dans l'Antiquité
grecque et romaine, femme de bonne réputation ou jeune fille
qui conduit la mariée à son époux.

Paraphernal : se dit des biens de la femme qui ne sont pas compris
dans la dot et sur lesquels son mari n'a aucun droit.

Poêle (en latin, *pallium*, en ancien français, *paile*) : au Moyen Âge,
voile tendu au-dessus des époux pendant la cérémonie nuptiale.

Polyandrie : état d'une femme mariée à plusieurs hommes.

Polygamie : état d'un homme marié à plusieurs femmes (pour les
chrétiens primitifs, le remariage des veufs était une forme de
polygamie) (voir *bigamie, monogamie, polyandrie*).

Préciput : droit de l'époux survivant de prendre une certaine somme
(ou certains biens) sur la masse de la communauté avant son

partage. Il permet à la veuve de conserver les meubles (trousseau, équipage...) jusqu'à concurrence d'une somme fixée par contrat de mariage.

Primanoxisme : ensemble des coutumes relatives à la nuit de noces (« première nuit ») (voir *droit de cuissage*).

Primogéniture : antériorité de naissance. La succession par primogéniture laisse tous les biens du père à son fils aîné (voir *ultimogéniture*).

Privilège paulin : exception à l'indissolubilité du mariage contenue dans une épître de saint Paul (1Co 5, 12-15). Voir p.167.

Proles : voir *biens du mariage*.

Répudiation : renvoi unilatéral (en général, de la femme par le mari), à l'opposé du divorce ou de la séparation.

Sacrement : réception de la grâce nécessaire pour faire face aux nouveaux devoirs de la vie conjugale (voir **154**, s.v. « sacrement »).

Séduction : rapport sexuel avec une jeune fille consentante, mais que l'on n'épouse pas (voir *fornication, stupre, viol*).

Séparation : séparation de corps *(divortium quoad thorum et mutuam servitutem)* ou de biens *(divortium quoad bona)*, rupture des obligations conjugales. La « séparation quant au sacrement », ou « quant au lien » *(quoad uinculum)* est le divorce. La séparation ne rompt pas le lien conjugal, par opposition à l'annulation (qui constate l'absence de lien) et au divorce (qui rompt le lien).

Sponsalia : voir *fiançailles* et *épousailles*.

Stupre : en droit civil ancien, adultère de l'homme marié avec une femme non mariée (vierge ou veuve) : cela permettait de faire échapper les hommes aux lois sévères contre l'adultère. L'adultère désignait alors les relations entre une femme mariée et un homme, marié ou non (voir *adultère, fornication, séduction, viol*).

Tradition (en latin, *traditio* ; chez les Germains, *Trauung*) : remise de la femme à son mari au cours d'une seconde cérémonie nuptiale.

Treizain : treize pièces de monnaie jadis remises par l'époux à sa femme durant la cérémonie du mariage. Parfois sous forme de douzain.

Utérin : se dit de deux frères qui ont la même mère mais non le même père (voir *consanguin* et *germain*).

Uxor : en latin, l'épouse, celle qui oint *(ungere)* la porte de son nouveau domicile. Le mariage uxorilocal implique la résidence du couple chez l'épouse.

Verba de futuro (paroles de futur) : en droit canonique classique, promesse de mariage qui ne crée pas le lien, mais qui engage les deux fiancés. Par exemple : « je veux te prendre en mariage », « je t'épouserai »...

Verba de præsenti (paroles de présent) : en droit canonique classique, engagement qui crée le lien matrimonial. Par exemple : « je veux t'avoir en mariage », « je t'épouse ».

Verlobung : voir *fiançailles*.

Viol : rapports sexuels avec une personne non consentante (voir *séduction, stupre, fornication*).

Virginité : état de celui qui n'a jamais eu de relations sexuelles (voir
   continence, chasteté).
Wadia : chez les Germains, gages échangés par le père de la mariée
   et le futur marié à la conclusion du mariage *(Verlobung)*, en
   attendant que la femme soit livrée *(Trauung)*.
Wittimon (wittum) : chez les Germains, somme versée par le fiancé
   au père de sa future, en échange de l'autorité sur la femme
   (mundium).

II

Le mariage en France en 1990

Ménages / Tranches d'âge	Couples vivant sans enfant		Familles vivant avec enfant(s)		Total des ménages
	Mariés	**Non mariés**	**Mariés**	**Non mariés**	
Jusqu'à 40 ans	1 164 036 24,59 %		3 569 960 75,41 %		4 733 996
	513 820 44,14 %	650 216 55,86 %	3 040 728 85,18 %	529 232 14,82 %	
41-64 ans	2 164 208 32,93 %		4 408 748 67,07 %		6 572 956
	1 997 128 91,36 %	187 080 8,64 %	4 174 684 94,69 %	234 064 5,31 %	
65 ans et plus	2 165 108 87,22 %		317 324 12,78 %		2 482 432
	2 057 440 95,03 %	107 668 4,97 %	305 488 96,27 %	11 836 3,73 %	
Total des ménages	5 493 352		8 296 032		13 789 384
	4 548 388 82,80 %	944 964 17,20 %	7 520 900 90,66 %	775 132 9,34 %	

Chiffres empruntés au recensement de l'INSEE 1990 (**96**), tableaux 49 (p. 90), 62 (p. 104) et 65 (p. 108).

III

Quelques définitions du mariage

« Le mariage est une forteresse assiégée : ceux qui sont dehors veulent y entrer, et ceux qui sont dedans veulent en sortir. » (Proverbe chinois.)

« Les noces, ou le mariage, c'est la conjonction de l'homme et de la femme, qui suppose la communauté de vie. » (Justinien, *Institutionum Imperialium Liber* I, IX, 1, vie s.) Définition reprise par Ives de Chartres (*Décret*, VIII, 1, fin xie s.) et par Gratien (*décret*, P. II, c. 27, q. 2, 1140), devenue la définition canonique médiévale.

« Vray est que le mariage est une chose doubteuse, et maintes fois les enfants ne ressemblent pas au pere. » (*Le Mesnagier de Paris*, I, 6, cité par Littré, 1392.)

« Mariage est à proprement parler un lien qui se faict par le consentement de l'homme et de la femme, puisque les cœurs d'eux se consentent à avoir l'un et l'autre à mariage : combien que autres solennitez de bans et de fiançailles n'en fussent faites. Mais honneste chose est de les faire en l'Église. » (Boutiller, *La somme rurale*, **53**, p. 139, fin xive s.)

« Mariage est un sage marché, un lien et une cousture sainte et inviolable, une convention honorable : s'il est bien façonné et bien pris, il n'y a rien de plus beau au monde, c'est une douce société de vie, pleine de constance, de sciance, et d'un nombre infiny d'utiles et solides offices, et obligations mutuelles : c'est une compagnie non point d'amour, mais d'amitié. » (Pierre Charron, *De la Sagesse*, I, 46, **40**, pp. 254-255, 1601.)

« Le mariage est un ordre où s'il y avait des novices, il n'y aurait pas beaucoup de profès. » (Saint François de Sales, **117**, p. 89, début xviie s.)

« Le mariage, Agnès, n'est pas un badinage : / À d'austères devoirs le rang de femme engage. » (Molière, *L'École des femmes*, A. III, sc. 2, vv. 695-696, 1662.)

« Le mariage est une chaîne où l'on ne doit jamais soumettre un cœur par force. » (Molière, *Le Malade imaginaire*, A. II, sc. 6, 1673.)

« Le mariage est semblable à un buisson fleuri, qui est fort agréable à voir, mais qui, ayant perdu ses fleurs et ses feuilles, est une plante bien triste et tout hérissée d'épines. » (Père Étienne Bertal, **139**, t. 38, col. 402, seconde moitié du XVIIᵉ s.)

« Contract civil par lequel un homme est joinct à une femme pour la procreation des enfans legitimes. » (Furetière, 1690.)

« L'union volontaire et maritale d'un homme et d'une femme, contractée par des personnes libres pour avoir des enfans. » (*Encyclopédie*, t. X, p. 103, 1765.)

« De toutes les choses sérieuses, le mariage [est] la plus boufonne » (Beaumarchais, *Le Mariage de Figaro*, A. I, sc. 9, 1784.)

« Le mariage est la plus sotte des immolations sociales; nos enfants seuls en profitent et n'en connaissent le prix qu'au moment où leurs chevaux paissent les fleurs nées sur nos tombes. » (Balzac, *Un contrat de mariage*, 1829.)

« Le mariage est, selon moi, une des plus barbares institutions que la société ait ébauchées. Je ne doute pas qu'il soit aboli si l'espèce humaine fait quelques progrès vers la justice et la raison. (George Sand, *Jacques*, t. I, p. 79, **109**, pp. 32-33, 1834.)

« Le mariage est une constitution naturelle, indiquée au physique et au moral, par les aptitudes diverses des deux sexes, saisie promptement par la conscience des peuples, à l'origine des nations; mais ensuite obscurcie par les préjugés et les passions, et aujourd'hui à peu près incomprise. » (Proudhon, *Notes et pensées*, dans *Œuvres*, t. 11, p. 424.)

« Le mariage est une greffe; cela prend bien ou mal; fuyez ce risque. » (Hugo, *Les Misérables*, Iʳᵉ partie, l. III, ch. 7, 1862.)

« Le mariage, c'est l'amour auquel de vertueux usages ont noblement fait d'ajouter la mairie et l'église. » (Paul Hervieu, *Les Tenailles*, A. I, sc. 5, 1895.)

« Le mariage est une loterie. On a cru longtemps que c'était un sacrement. Depuis le divorce nous savons que c'est une loterie, heureusement renouvelable. » (Léon Bloy, *Exégèse des lieux communs*, nouvelle série, nº LV, 1902.)

« Mais le mariage n'est point le plaisir, c'est le sacrifice du plaisir, c'est l'étude de deux âmes qui, pour toujours désormais et pour une fin hors d'elles-mêmes/Auront à se contenter l'une de l'autre. » (Paul Claudel, *Le Père humilié*, A. II, sc. 2, dans la bouche du pape Pie, 1916.)

« Contrat par lequel un homme et une femme se donnent légitimement l'un à l'autre le droit d'accomplir les actes nécessaires à la procréation et à l'éducation des enfants, et s'obligent à la vie commune. Pour les baptisés, c'est ce même contrat élevé par le Christ à la dignité de sacrement et produisant la grâce. » (*Dictionnaire de théologie catholique*, **55**, col. 2044-2045.)

« Aussi le mariage est-il le laboratoire même des sociétés. Touchez-y : ce n'est pas seulement l'individu endolori, mais la société ébranlée et désorganisée. » (Wautier d'Aygalliers, **204**, pp. 176-177, 1926.)

« Le mariage est un enfer s'il y a chambre commune; chambres distinctes, il n'est plus que le purgatoire; sans cohabitation (en se rencontrant deux fois par semaine), il serait peut-être le paradis. » (Montherlant, *Les Lépreuses*, II, XXI, cité par Robert, 1939.)

IV

Le taux de nuptialité en France (en ‰) de 1800 à 1993

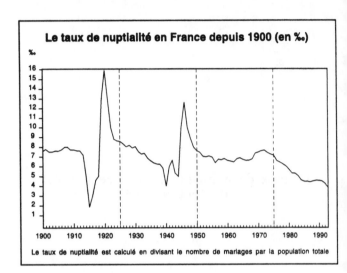

Le taux de nuptialité en France depuis 1900 (en ‰)

‰

Le taux de nuptialité est calculé en divisant le nombre de mariages par la population totale

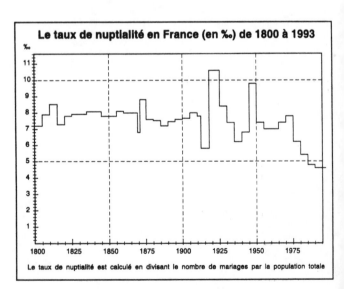

Le taux de nuptialité en France (en ‰) de 1800 à 1993

‰

Le taux de nuptialité est calculé en divisant le nombre de mariages par la population totale

V

Chronologie succincte

Origines et héritages (Ier-XIe siècles)

Ier siècle : Les Évangiles et saint Paul jettent les bases du mariage chrétien (indissolubilité, *sacramentum*, égalité de l'homme et de la femme, l'homme « chef » de sa femme...).

IIe siècle : Apologie de la virginité dans les milieux chrétiens.

IIIe siècle : Les chrétiens adoptent certains rites païens, comme la couronne de la mariée.

IVe siècle : Apparition de la *velatio*, cérémonie au cours de laquelle un voile (« poêle ») est tendu sur les mariés.
Apologie du mariage chez les Pères de l'Église.

305 : Concile d'Elvire (interdiction aux prêtres de s'approcher de leurs femmes).

395-405 : *Vulgate* de saint Jérôme (origine des « nuits de Tobie »).

400 env. : Saint Augustin, *Du bien du mariage* (fixation des trois biens traditionnels).

Ve siècle : Le concubinage encore reconnu par le pape Léon Ier. Première mention d'une bénédiction nuptiale à l'intérieur de l'église, dans le rite romain.

458 : La dot obligatoire pour officialiser le mariage.

VIe siècle : Lois germaniques.
Bénédiction de la chambre nuptiale en Gaule.
Première vague de répression de l'union entre parents.

692 : Concile *in Trullo* (législation orientale sur le célibat des prêtres).

VIIIe siècle : L'Église adopte la règle du septième degré de parenté.
La législation civile fait de plus en plus appel à l'Église en matière matrimoniale.

VIIIe-XIe siècles : Reconnaissance du mariage des esclaves.

802 : L'enquête prénuptiale devant un clerc devient obligatoire ; la bénédiction se répand.

856 : Premier rituel de mariage (mariage de Judith ; première mention d'un anneau de mariage).

860-869 : Affaire du divorce de Lothaire. Réflexions de Hincmar de
Reims sur le mariage (annulation possible pour impuissance).
x⁰ siècle : Mariage « à la danoise » des ducs de Normandie.
xi⁰ siècle : Réforme grégorienne (uniformisation du mariage ; lutte
contre le mariage des prêtres).
Autorité de plus en plus prononcée de l'Église en matière matrimoniale (respect de l'indissolubilité).
1059-1076 : Loi du septième degré selon le compte germanique.

Le mariage canonique (xii⁰-xv⁰ siècles)

xii⁰ siècle : Premières rédactions des droits coutumiers (réglant principalement les aspects financiers du mariage). Attaques contre
le mariage (hérésies manichéennes), apologie de l'amour extra-
conjugal (amour courtois).
1132 : Correspondance d'Abélard et d'Héloïse.
1139 : Concile de Latran : le sacrement d'ordre devient un empêchement dirimant au mariage.
1140 : Décret de Gratien, base du droit canonique jusqu'en 1917 :
législation sur le mariage (consensualisme modéré).
1160 env. : Pierre Lombard (définition des buts honnêtes du
mariage ; triomphe du consensualisme pur ; distinction entre
paroles de présent et paroles de futur).
1184-1234 : Le mariage devient le septième sacrement.
1193-1213 : Affaire du divorce de Philippe Auguste.
1198 : Lothaire de Ségni (futur Innocent III) : *Sur les quatre espèces
de noces* (développement du mariage mystique).
xiii⁰ siècle : Attaques contre le mariage venant de clercs.
1215 : Concile de Latran IV (réduction à 4 des 7 degrés de parenté ;
interdiction du mariage clandestin ; répression du mariage des
prêtres ; publication des bans et présence d'un prêtre obligatoires).
1234 : Publication par Grégoire IX d'une collection de décrétales
collationnées par Raymond de Peñafort.
1274 : *Somme théologique* de saint Thomas d'Aquin, aboutissement
de la première vague de législation catholique sur le mariage
(1050-1250).
xiv⁰ siècle : Attestation des charivaris par leur condamnation.
1381-1396 : *Miroir de mariage* d'Eustache Deschamps. Développement d'une littérature antimatrimoniale.

L'éclatement du système (xvi⁰ siècle)

xvi⁰ siècle : Multiplication des « congrès » en cas d'impuissance.
1516 : Annotations d'Érasme (critique du sacrement du mariage, du
célibat des prêtres, de l'indissolubilité).
1520 : Luther, *Captivité babylonienne de l'Église.* Critique du mariage
catholique et bases de la doctrine protestante.
1526 : Érasme : *Institution du mariage chrétien* (positions plus modé-
rées).

1534 : Affaire de Henry VIII et constitution de l'Église anglicane.
1556 : Affaire Montmorency. Édit de Henri II sur les mariages clandestins.
1563 : Session du concile de Trente consacrée au mariage (décret *Tametsi*, le mariage doit être célébré par le curé devant témoins).
1579 : Ordonnance de Blois de Henri III (décrets proches de ceux du concile de Trente).
1587 : Bulle de Sixte Quint contre le mariage des eunuques.
1594 : Guy Coquille, *Traité des libertés de l'Église de France*, base du gallicanisme.
1598 : Édit de Nantes permettant notamment le mariage des protestants par leurs pasteurs.

Les contradictions classiques (xviie-xviiie siècles)

xviie siècle : Multiplication des contrats de mariage.
1604 : La « Paulette » facilite la transmission héréditaire des offices. Multiplication des « mésalliances ».
1614 : Le gallicanisme évoqué aux États Généraux.
1635 : Autorisation du roi nécessaire pour les mariages des princes de sang (affaire du mariage de Gaston d'Orléans).
1639 : Décret de Louis XIII contre les mariages clandestins (affaire Cinq-Mars et Marion Delorme). Mariages « à la Gaulmine ».
1672 : Pufendorf : *Du droit de la nature et des gens*, base du « droit naturel », notamment en matière matrimoniale.
1674 : Jean de Launoy, *Puissance royale dans le mariage*.
1677 : Abolition du congrès en France.
1685 : Abolition de l'Édit de Nantes (les protestants se retrouvent sans état civil et sans possibilité d'officialiser leurs mariages).
1690 : Gerbais, *Traité du pouvoir de l'Église et des princes sur les empêchements de mariage*.
xviiie siècle : Apologie de l'idylle paysanne.
1753 : Marriage Act en Angleterre.
1768 : Jean Pothier, *Traité du contrat de mariage*.
1787 : Édit de tolérance de Louis XVI sur le mariage des protestants.
1790 : L'affaire Talma pose le problème du mariage religieux unique.
1791 : Constitution du 3 septembre (mariage civil).
1792 : Loi sur le divorce (20 septembre).
1797 : L'Église gallicane reconnaît le mariage civil.

Le mariage moderne (xixe-xxe siècles)

xixe siècle : Généralisation de l'alliance pour les deux époux, de la robe blanche, du bouquet d'oranger...
Multiplication des romans d'amour ; condamnation du mariage d'intérêt ou « de raison ».
1801 : Concordat (les catholiques officialisent en hâte leurs mariages civils).
1802 : Obligation de se marier civilement avant de se marier à l'église (loi du 18 germinal de l'an X, 8 avril 1802).

1804 : Code civil de Napoléon (mise en place du mariage civil, divorce...).

1816 : Restauration (abolition du divorce).

1826 : Constitution de l'Œuvre de Saint-François-Régis pour lutter contre le concubinage ouvrier.

1846 : George Sand : *La Mare au diable*. Début des enquêtes folkloristes sur le mariage traditionnel en France.

1846-1850 : Lois visant à faciliter le mariage des indigents.

1856-1857 : Campagne contre la détérioration des mœurs due à la littérature populaire.

1864 : Syllabus de Pie IX (dénonciation des « erreurs » sur le mariage).

1870 ss. : L'amour conjugal défendu au nom de la République.

1884 : Loi sur le divorce (27 juillet).
Engels, *Origines de la famille, de la propriété privée et de l'État* (les thèses des ethnologues sur le mariage primitif par groupes acquièrent une dimension politique).

1896 : Législation sur le mariage visant à simplifier les démarches, notamment pour les « fils de famille ».

1906 : Comité de Réforme du mariage. On suggère de faire entrer l'amour dans le code comme condition du mariage.

1907 : Législation sur le mariage (âge matrimonial, permission des parents...).
Léon Blum, *Du mariage*.

1912-1926 : Lois reconnaissant l'existence d'un concubinage légal.

1917 : Code canonique de Benoît XV (réduction à 3 des 4 degrés de parenté, réaffirmation de la position de l'Église sur le mariage).

1918-1950 : Campagne politique et religieuse en faveur de l'amour conjugal.

1923-1940 : Première crise grave du mariage. Baisse constante du taux de nuptialité.

1924 : Projet de loi proposant une consultation médicale obligatoire avant tout mariage.

1936 : Abdication d'Édouard VIII.

1939 : Code des familles.

1942 : Instauration du certificat prénuptial (loi du 16 décembre, confirmée en 1943 et 1953).

1953 : Code civil sur la santé.

1965 : Loi sur les régimes matrimoniaux abolissant la tutelle maritale (13 juin).

1967 : Dépénalisation de la contraception (28 décembre).

1968 : « Mai 68 » (jugements négatifs sur le mariage).

1973 ss. : Baisse de la courbe de nuptialité.

1975 : Loi sur le divorce (11 juillet).

1977 ss. : Diverses lois élargissent les droits des concubins.

1983 : Code canonique de Jean-Paul II (adoption du mode civil dans le compte des degrés de parenté, réaffirmation de la position de l'Église sur le mariage).

1993 : Nouveau catéchisme de l'Église catholique.

1994 : L'O.N.U. proclame l'année de la famille.
Lettre de Jean-Paul II aux familles.

BIBLIOGRAPHIE

1. ABOUT (Edmond), *Les Mariages de province*, Paris, Hachette, 1868.
2. ABRAND (Dr Henri), *Éducation de la pureté et préparation au mariage*, Paris, Association du mariage chrétien, 1922.
3. *Des accordailles aux épousailles*, catalogue de la C.G.E.R., Bruxelles, 1988.
4. ALRIC (Charles), *Le Mariage et l'Amour au XIXe siècle*, Villefranche, Vve Cestan, 1875.
5. *L'Amour conjugal*, à Gnide, et se trouve à Paris, chez tous les Marchands de Nouveautés, 1780.
6. *Amour et mariage*, Paris, La Voix des jeunes, s.d.
7. *Amour et mariage*, Jeunesse estudiantine chrétienne, [1947].
8. ARIÈS (Philippe), BEJIN (André), dir., *Sexualités occidentales*, Paris, Seuil, 1984.
9. ARMAND (Ernest Juin, dit Émile), *Amour libre et liberté sexuelle, La question des rapports sexuels et les individualistes anarchistes*, Paris, éd. de l'en dehors, 1927.
10. ARMAND (Ernest Juin, dit Émile), *La Camaraderie amoureuse*, Paris, éd. de l'en dehors, 1929.
11. ARMENGAUD (André), *La Famille et l'enfant en France et en Angleterre du XVIe au XVIIIe siècle, aspects démographiques*, Paris, SEDES, 1975.
12. BAGOT (Jean-Pierre), *Pour vivre le mariage*, Paris, Cerf, 1986.
13. BALUZE (Étienne), *Capitularia regum francorum*, Parisiis, F.A. Quillau et B. Morin, 1780.
14. BAR (Pierre), « La liberté du mariage à Liège au XVIIIe siècle », dans *Revue d'histoire de droit français et étranger*, 1991, pp. 343-357.
15. BARONIUS, *Annales ecclésiastiques*, Rome, 1602 ss.
16. BASDEVANT (Jules), *Des rapports de l'Église et de l'État dans la législation du mariage, du Concile de Trente au Code civil*, Paris, C. Larose, 1900.
17. BATBIE (Anselme), *Révision du Code Napoléon*, mémoire lu à l'Académie des sciences morales et politiques les 23 et 30 décembre 1865, Paris, Cotillon, 1866.
18. BEAUCHET (Ludovic), *Étude historique sur les formes de la célébration du mariage dans l'ancien droit français*, Paris, Larose et Forcel, 1883.
19. BEAUMANOIR (Philippe de), *Les coustumes du Beauvoisis*, éd. du comte Beugnot, Paris, Renouard, 1842.
20. BEDOUELLE (Guy), LE GAL (Patrick), *Le Divorce du roi Henry VIII, études et documents*, Genève, Droz, 1987.
21. BELS (Pierre), *Le mariage des protestants français jusqu'en 1685, fonde-*

ments doctrinaux et pratique juridique, thèse, Paris, Librairie générale de droit et de jurisprudence, 1968.

22. BÉRAUDY (Roger), *Sacrement de mariage et culture contemporaine*, Paris, Desclée, 1985.
23. BERNET-GRAVEREAUX, *L'Union libre, le couple hors mariage*, Paris, E.S.F., 1983.
24. BERTIN (Ernest), *Les Mariages dans l'ancienne société française*, Paris, Hachette, 1879.
25. BESNIER (Robert), « Le mariage en Normandie des origines au XIIIᵉ siècle », dans *Normannia*, t. 7, 2-3, 1934, pp. 69-110.
26. BIARDEAU (Laure), *Le Certificat prénuptial*, Paris, Le mouvement sanitaire, librairie Sirey, 1930.
27. BLUM (Léon), *Du mariage*, Paris, P. Ollendorff, 1907.
28. BONNEVILLE (Nicolas de), *Le nouveau code conjugal, établi sur les bases de la Constitution et d'après les principes et les considérations de la loi déjà faite et sanctionnée*, Paris, Imprimerie du Cercle social, 1792.
29. BONSIRVEN (Joseph s.j.), « *Nisi fornicationis causa* », dans *Recherches de science religieuse*, t. 35, 1948, pp. 442-464.
30. BOUCHARD (Gérard), *Le village immobile, Sennely-en-Sologne au XVIIIᵉ siècle*, Paris, Plon, 1971.
31. BOUCHIN (Étienne), *Plaidoyez et conclusions prises pendant l'exercice de sa charge de Conseiller et Procureur du Roy, aux Cours Royales à Beaune*, Paris, Claude Morel, 1620.
32. BOURDALOUE, *Dominicales*, dans la *Collection des orateurs sacrés* de Migne, t. 15, 1845.
33. BOURGET (Paul), « Le divorce », *Le Matin*, 28 janvier 1908.
34. BROOKE (Christopher N.L.), *The medieval idea of marriage*, Oxford University Press, 1989.
35. BURGUIÈRE (André), etc., *Histoire de la famille*, Paris, Armand Colin, 1986.
36. BUSCHINGER (Danielle), CRÉPIN (André), dir., *Amour, mariage et transgressions au Moyen Âge*, Université de Picardie, Centre d'études médiévales, Actes du colloque des 24, 25, 26 et 27 mars 1983, Göppingen, Kümmerle Verlag, 1984 (Göppinger Arbeiten zur Germanistik, nᵒ 420).
37. CADET (Ernest), *Le Mariage en France, statistiques et réformes*, Paris, Guillaumin et Cie, 1870.
38. *Catéchisme du Concile de Trente*, Grez-en-Bouère, éd. D.M. Morin, 1984 (1969).
39. CHAMFORT (Nicolas de), *Œuvres complètes*, éd. par P.R. Auguis, Paris, Chaumerot jeune, 1824-1825.
40. CHARRON (Pierre), *De la Sagesse* (1601), Paris, Jacques Bessin, 1618.
41. CHENON (Émile), *Recherches historiques sur quelques rites nuptiaux*, Paris, librairie du recueil Sirey, Larose et Tenin, 1912.
42. CLERCQ (Carlo de), *La Législation religieuse francque de Clovis à Charlemagne*, Paris, librairie du recueil Sirey, 1936.
43. COLLOMP (Alain), *La maison du père, famille et village en Haute-Provence aux XVIIᵉ et XVIIIᵉ siècles*, Paris, Presses Universitaires de France, 1983.
44. Comité de la réforme du Mariage, *La réforme du mariage*, Paris, Marchal et Billard, 1906.
45. *Contrats de mariage et régimes matrimoniaux*, Paris, Préparation Francis Lefèvre, 1941.
46. CORAS (Jean de), *Miscellaneorum iuris civilis, libri sex*, Lugduni, apd Gulielmum Rouillium, 1549.
47. COTTIAUX (Jean), *La Sacralisation du mariage, de la Genèse aux incises matthéennes*, Paris, Cerf, 1982.
48. CROUZEL (Henri), *L'Église primitive face au divorce du premier au Vᵉ siècle*, thèse, Paris, Beauchesne, 1971.
49. DAUDET (Pierre), *Études sur l'histoire de la juridiction matrimoniale. Les*

origines carolingiennes de la compétence exclusive de l'Église (France et Germanie), Paris, librairie du recueil Sirey, 1933.

50. DAUDET (Pierre), *Études sur l'histoire de la juridiction matrimoniale. L'Établissement de la compétence de l'Église en matière de divorce et de consanguinité (France, x^e-xiie siècles)*, Paris, librairie du recueil Sirey, 1941.

51. DAUVILLIER (Jean), *Le Mariage dans le droit classique de l'Église, depuis le décret de Gratien (1140) jusqu'à la mort de Clément V (1314)*, Paris, librairie du recueil Sirey, 1933.

52. DAVENSON (Henri), *Le Livre des chansons, ou introduction à la chanson populaire française*, Neuchâtel, Éd. de la Baconnière, 1946 (collection des Cahiers du Rhône).

53. DETREZ (Alfred), *Mariage et contrat, Étude historique sur la nature sociale du droit*, thèse, Paris, Giard et Brière, 1907.

54. DEWEVRE-FOURCADE (Mireille), *Le Concubinage*, Paris, Presses Universitaires de France, 1969.

55. *Dictionnaire de Théologie catholique*, commencé sous la direction d'A. Vacant et d'É. Mangenot, continué sous celle d'E. Amann, Paris, Letoyzey-Ané, 1923-1972.

56. DOISNEAU (Robert) et PENNAC, *Vie de famille*, Paris, Hoëboke, 1993.

57. DUBY (Georges), *Le chevalier, la femme et le prêtre, le mariage dans la France féodale*, Paris, Hachette, 1981 (Collection *Pluriel*, 1990).

58. DUBY (Georges), *Mâle Moyen Âge, De l'amour et autres essais*, Paris, Flammarion, 1988.

59. DULONG (Claude), *L'Amour au xviie siècle*, Paris, Hachette, 1969.

60. DUVAL (André), *Des sacrements au Concile de Trente*, Paris, Cerf, 1985.

61. DUVERGIER (J.B.), *Collection complète des lois, décrets, ordonnances, avis des conseils d'État*, Paris, 1834.

62. ENGELS (Friedrich), *Les Origines de la société (Famille, Propriété privée, État)*, Paris, G. Jacques, s.d. (Bibliothèque d'études socialistes, XIV).

63. ÉRASME (Désiré), *In Nouum Testamentum annotationes*, Basileæ, per A. Frobenium, 1555.

64. ESMEIN (Adhémar), *Le Mariage en droit canonique*, 1891, mise au point par R. Génestal et J. Dauvillier, Paris, librairie du recueil Sirey, 1929-1935.

65. ESMEIN (Paul), *Le Problème de l'union libre*, Paris, librairie du recueil Sirey, 1936.

66. *Establissements de Saint-Louis*, éd. Paul Viollet, Paris, Renouard, 1881-1886.

67. *Famille et parenté dans l'Occident médiéval*, colloque de Paris, 6-8 juin 1974, Rome, École Française de Rome, 1977.

68. FAVART (Claude-Simon), *Théâtre de M. et Mme Favart*, Paris, Duchesne, 1763-1772.

69. FELL (Martine), *Le Guide pratique du concubinage*, Paris, Hachette, 1985.

70. FENEANT (Jacques) et LEVEEL (Maryse), *Le Folklore de Touraine*, Chambray-les-Tours, CLD, 1989.

71. FILLON (Anne), *Louis Simon, étaminier (1741-1820) dans son village du Haut-Maine au Siècle des Lumières*, thèse, Le Mans, Centre Universitaire d'action permanente, 1982.

72. FILLON (Anne), *Les Trois Bagues aux doigts, amours villageoises au xviiie siècle*, Paris, Laffont, 1989.

73. FLANDRIN (Jean-Louis), *Le Sexe et l'Occident*, Paris, Seuil, 1981.

74. FLANDRIN (Jean-Louis), *Les Amours paysannes, Amour et sexualité dans les campagnes de l'ancienne France (xvie-xixe s.)*, Paris, Gallimard/Julliard, 1975.

75. FLEURY (Jean), *Recherches historiques sur les empêchements de parenté dans le mariage canonique des origines aux fausses décrétales*, thèse de doctorat, Paris, librairie du recueil Sirey, 1933.

76. FRAIN (Irène), *Vive la mariée*, Du May, 1993.
77. FRIEDBERG (Émile), *Corpus Iuris Canonici*, I. Gratien, II. Collections de décrétales, Leipzig, B. Tauchnitz, 1881.
78. GAIFFIER (Baudouin de), « Intactam sponsam reliquens. À propos de la *Vie de saint Alexis* », dans *Analecta Bollandiana*, t. 65, 1947, pp. 157-195.
79. GAUDEMET (Jean), *Sociétés et mariage*, Strasbourg, CERDIC publications, 1980.
80. GAUDEMET (Jean), *Le mariage en Occident*, Paris, Cerf, 1987.
81. GAUDEMET (Jean), « Le dossier canonique du mariage de Philippe Auguste et Ingeburge », dans *Revue d'histoire de droit français*, t. 62, 1984.
82. GAUTIER (Léon), *La chevalerie*, Paris, Palmé, 1884.
83. GÉRAUD (Roger), *Le mariage et la crise du couple*, Verviers, Marabout, 1973.
84. GHESTIN (Jacques), « L'action des Parlements contre les " mésalliances " aux XVIIᵉ et XVIIIᵉ siècles », dans *Revue historique de droit français*, IVᵉ série, t. 34, 1956, pp. 74-110 et 196-224.
85. GIRARD (Paul-Frédéric, éd.), *Textes de droit romain*, Paris, Arthur Rousseau, 1913.
86. GONTIER (Fernande), *La femme et le couple dans le roman (1918-1939)*, Paris, Klincksieck, 1976.
87. GOODY (Jack), *L'Évolution de la famille et du mariage en Europe*, Paris, Armand Colin, 1985.
88. GORDON (Pierre), *La Nuit des noces, vieilles coutumes nuptiales, leur signification, leur origine*, Paris, Dervy, 1950.
89. GREILSAMMER (Myriam), *L'Envers du tableau, Mariage et maternité en Flandre médiévale*, Paris, Armand Colin, 1990.
90. GUTTON (Jean-Pierre), *La Sociabilité villageoise dans l'ancienne France*, Paris, Hachette, 1979.
91. GUYOT (Pierre), *Répertoire universel et raisonné de jurisprudence civile, criminelle, canonique et bénéficiale*, Paris, chez Visse, t. 11, 1785.
92. HELMHOLZ (Richard H.), *Marriage litigation in medieval England*, Cambridge University Press, 1974.
93. HUET (Émile), « Le manuscrit du prieur de Sennely », dans *Mémoires de la société archéologique et historique de l'Orléanais*, t. 32, 1908, pp. 1-82 et CLVIII pp. d'annexe.
94. INGLIS (Brian), *L'Abdication d'Édouard VIII*, Paris, Laffont, 1968.
95. INSEE, *Annuaire statistique de la France*, Résultats de 1989 (1990), 1992 (1993), résumé rétrospectif (1966), annuaire rétrospectif (1988).
96. INSEE, *Recensement de la population de 1990, Ménages, familles*, décembre 1992 (« Résultats », Démographie-Société », n° 22-23).
97. ISAMBERT, DECRUSY, et JORDAN, *Recueil général des anciennes lois françaises*, Paris, Belin-le-Prieur et Verdière, 1821-1833.
98. JACQUART (Danièle), THOMASSET (Claude), *Sexualité et savoir médical au Moyen Âge*, Paris, Presses Universitaires de France, 1985.
99. JEANNIN DA COSTA (Sabine), *L'histoire du mariage*, Paris, La Martinière, 1994.
100. JEAN-PAUL II, *Code de droit canonique (1983)*, Paris, Centurion/Cerf/Tardy, 1984.
101. JEAN-PAUL II, *Catéchisme de l'Église catholique*, Paris, Mame/Plon, 1993.
102. JEAN-PAUL II, *Lettre aux familles*, Paris, Mame/Plon, 1994.
103. JOURDAIN (René), *Les faux ménages dans leurs relations avec les tiers et spécialement avec la famille légitime*, Lille, S.I.L.I.C., 1933.
104. JUSTINIEN, *Corpus Iuris Ciuilis Iustiniani*, éd. Ioannis Fehi, Lugduni, 1627 (Osnabrück, O. Zeller, 1965).
105. KALIFA, « Singularités matrimoniales chez les anciens Germains », dans *Revue d'histoire du Droit*, 48, 1970, p. 199.

106. KERAMBRUN (P.), *L'Idée du mariage depuis le code civil jusqu'à nos jours*, thèse pour le doctorat, Paris, Michalon, 1909.

107. LACOMBE (Paul), *Le Mariage libre*, Paris, Librairie des auteurs 1867.

108. LAISNEL DE LA SALLE, *Le Berry, mœurs et coutumes*, Paris, Maisonneuve et Larose, 1968.

109. LAISNEY (Jean), *Mariage religieux et mariage civil*, Thèse pour le doctorat, Paris, Spes, 1930.

110. LAUNOY (Jean de), *Recueil chronologique des diverses ordonnances, et autres actes, pièces et extraits concernant les Mariages Clandestins*, Paris, Edme Martin, 1660.

111. LAUNOY (Jean de), *Regia in matrimonium potestas*, Parisiis, apd v. E. Martini, 1674.

112. LEBRUN (FRANÇOIS), *La Vie conjugale sous l'ancien régime*, Paris, A. Colin, 1975 (collection U2).

113. LECLERCQ (JEAN), *Le Mariage vu par les moines au XIIᵉ siècle*, Paris, Cerf, 1983.

114. LEFEBVRE (Charles), *Histoire du droit matrimonial français*, Paris, 1906-1913.

115. LEFEBVRE (Charles), *Leçons d'introduction générale à l'histoire du droit matrimonial français*, Paris, L. Larose, 1900.

116. LEGRAIN (Michel), *Aujourd'hui, le mariage?*, Tours, Mame, 1988.

117. LEGRAND (Louis), *Le Mariage et les mœurs en France*, Paris, Hachette, 1879.

118. LELIÈVRE (Jacques), *La Pratique des contrats de mariage chez les notaires au Châtelet de Paris de 1769 à 1804*, Paris, éd. Cujas, 1959.

119. LEMAIRE (A.), « La dotation de l'épouse, de l'époque mérovingienne au XIIIᵉ siècle », dans *Revue historique de droit français et étranger*, t. 92, Paris, librairie du recueil Sirey, 1929, pp. 569-580.

120. LEMAIRE (A.), « Origine de la règle *Nullum sine dote* », dans *Mélanges Paul Fournier*, 1929, p. 415.

121. LENGLET (ÉMILE-GÉRY), *Essai sur la législation du mariage*, Paris, Froullé, 1792.

122. LE ROY LADURIE (Emmanuel), *Montaillou, village occitan, de 1294 à 1324*, Paris, Gallimard, 1975.

123. [LE SCENE DESMAISONS (Jacques)], *Contrat conjugal, ou loi du mariage, de la répudiation et du divorce*, s.l.s.e. 1781.

124. LINGUET (Simon-Nicolas-Henri), *Légitimité du divorce justifiée par les Saintes Écritures, par les Pères, par les Conciles, &c*, Bruxelles, 1789.

125. LOISEL (Antoine), *Institutes coutumières*, éd. Dupin-Laboulaye, Paris, Durand, 1846.

126. MANSI (Gian Domenico), *Sacrarum conciliorum noua et amplissima collectio*, Florence, 1759-1798.

127. MARGUERITTE (Paul et Victor), *Mariage, divorce, union libre*, Lyon, Société d'éducation et d'action féministes, 1906.

128. *Mariage et famille en question*, sous la direction de Roger Nerson, éd. du C.N.R.S., 1978-1979.

129. MARIN-MURACCIOLE (Madeleine-Rose), *L'honneur des femmes en Corse : du XIIIᵉ siècle à nos jours*, Paris, Cujas, 1964.

130. MARTIN (Ralph G.), *La Femme qu'il aimait*, Paris, Albin Michel, 1975.

131. MARUCCI (Corrado), *Parole di Gesù sul divorzio*, Brescia, Morcelliana, 1982.

132. MATHON (Gérard), *Le Mariage des chrétiens, I. des origines au Concile de Trente*, Tournai, Desclée, 1993.

133. *Il Matrimonio nella società altomedievale*, Spoleto, Centro italiano di studi sull'alto medioevo, 1977 (*Settimane di studio* XXIV, 22-28 aprile 1976).

134. *Mélanges offerts à Jean Dauvillier*, Toulouse, Centre d'histoire juridique méridionale, 1979.

135. MERLAUD (abbé André), *Splendeur de l'amour conjugal*, Paris, Spes, 1949.
136. METRAL (Marie-Odile), *Le Mariage, les hésitations de l'Occident*, Paris, Aubier-Montaigne, 1977.
137. METRAL (Marie-Odile), *La famille, les illusions de l'unité*, Paris, Éditions ouvrières, 1979.
138. METZ (René), *La Consécration des vierges dans l'Église romaine*, Paris, Presses Universitaires de France, 1954.
139. MIGNE (abbé Jacques-Paul), *Collection des Orateurs Sacrés*, Paris, Imprimerie catholique du Petit-Montrouge, 1844-1855.
140. MIGNE (abbé Jacques-Paul), *Patrologie latine*, Paris, Migne, 1844-1864.
141. MIGNE (abbé Jacques-Paul), *Patrologie grecque*, Paris, Migne, 1857-1866.
142. MOLIN (Jean-Baptiste), MUTEMBE (Protais), *Le Rituel du mariage en France du XIIe au XVIe siècle*, Paris, Beauchesne, 1974 (*Théologie historique*, n° 26).
143. MONTAIGLON (Anatole) et RAYNAUD (Gaston), *Recueil général et complet de fabliaux des XIIIe et XIVe siècles*, 1872-1890.
144. MONTAIGNE (Michel Eyquem de), *Essais*, éd. Alexandre Micha, Paris, Garnier-Flammarion, 1969.
145. MONTIER (Edward), *Le Mariage, lettre à une jeune fille*, Paris, Association du mariage chrétien, 1919.
146. MONTIER (Edward), *L'Amour, lettre à un jeune homme*, Paris, Association du mariage chrétien, 1919.
147. MONTIER (Edward), *Lettre sur l'amour à celle qui ne se mariera pas*, Paris, Association du mariage chrétien, 1926 (3e édition).
148. *Monumenta Germaniæ historica*, Hanovre, Hahn et Berlin, Weidmann, 1826-1934.
149. MOUSNIER (Roland), *La Vénalité des offices sous Henri IV et Louis XIII*, Paris, Presses Universitaires de France, 1971.
150. MOUSNIER (Roland), *La Famille, l'enfant et l'éducation en France et en Grande-Bretagne du XVIe au XVIIIe siècle*, Paris, C.D.U., 1975.
151. MUCHEMBLED (Robert), *L'Invention de l'homme moderne. Sensibilités, mœurs et comportements collectifs sous l'Ancien Régime*, Paris, Fayard, 1988.
152. MULLER (Earl C.), *Trinity and marriage in Paul*, New York, P. Lang, 1990.
153. MUNIER (Charles), *Mariage et virginité dans l'Église ancienne (Ier-IIIe siècles)*, Berne, Peter Lang, 1987 (*Traditio christiana*, VI).
154. NAZ (chanoine Raoul), *Dictionnaire de droit canonique*, Paris, Letouzey et Ané, 1935.
155. NEELY (Carol Thomas), *Broken nuptials in Shakespeare's plays*, New Haven, Yale University Press, 1985.
156. NOONAN (John T.) *Contraception et Mariage, évolution ou contradiction dans la pensée chrétienne*, traduit de l'anglais par Marcelle Jossua, Paris, Cerf, 1985.
157. *Nouveau coutumier général*, Paris, Michel Brunet, 1724.
158. OUDOT (Charles-François), *Essai sur les principes de la législation des mariages privés et solennels, du divorce et de l'adoption qui peuvent être déclarés à la suite de l'Acte constitutionnel*, Paris, Imprimerie nationale, 1793.
159. PAOLI (abbé Antoine), *Étude sur les origines et la nature du mariage civil mis en regard de la doctrine catholique*, thèse pour le doctorat en droit canonique, Paris, Retaux-Bray, 1890.
160. PERNOUD (Régine), *Isambour, la reine captive*, Paris, Stock, 1987.
161. PETIT (Joseph, éd.), *Registre des causes civiles de l'officialité épiscopale de Paris, 1384-1387*, Paris, Imprimerie Nationale, 1919.
162. PEYTEL (Adrien), *L'Union libre devant la loi*, thèse, Paris, Marchal et Billard, 1905.
163. PFRIMMER (Théo et Denise), *Vivre et aimer, l'aventure du couple aujourd'hui*, Paris, Le Centurion, Sciences humaines, 1972.

164. PIE IX, *Quanta cura et syllabus*, Office international des œuvres de formation civique et d'action doctrinale selon le droit naturel et chrétien, 1964.

165. PILON (Edmond), *La Vie de famille au xviiie siècle*, Paris, H. Jonquières, 1928.

166. POISSON (Philippe), *Le Mariage fait par lettre de change*, Paris, Le Breton, 1735.

167. POITOU (Eugène), *Du roman et du théâtre contemporains et de leur influence sur les mœurs*, Paris, A. Durand, 1857.

168. POIVRE D'ARVOR (Olivier), *Apologie du mariage*, Paris, La Table Ronde, 1981.

169. POTHIER (Robert-Joseph), *Traité des contrats de mariage* (1768), Paris, Letellier, 1813.

170. QUERE-JAULMES (France), dir., *Le Mariage dans l'Église ancienne*, Paris, Centurion, 1969.

171. *Recueil des historiens des Gaules et de la France*, Paris, Libraires associés, puis Imprimerie Nationale, 1738-1904.

172. *Réforme du mariage sans le divorce*, Montmartre, imprimerie Pilloy, [1848].

173. RÉTIF de la BRETONNE (Nicolas-Edme), *Œuvres*, éd. Henri Bachelin, Paris, éd. du Trianon, 1930-1932.

174. REY-FLAUD (Henri), *Le Charivari : les rituels fondamentaux de la sexualité*, Paris, Payot, 1985.

175. RITZER (dom Korbinian), *Le Mariage dans les Églises chrétiennes du i^{er} au xie siècle*, Paris, Cerf, 1970.

176. RONSIN (Francis), *Le Contrat sentimental*, Paris, Aubier, 1990.

177. RONSIN (Francis), *Les Divorciaires*, Paris, Aubier, 1992.

178. *Rotuli parliamentorum (Rolls of Parliament)*, Londres, s.d.

179. ROUSSEL (Louis), BOURGUIGNON (Odile), *Le Mariage dans la société française contemporaine, enquête auprès de jeunes de 18-30 ans*, Paris, Presses Universitaires de France, 1978 (INED, *Travaux et documents*, n° 86).

180. ROUSSEL (Louis), *Générations nouvelles et mariage traditionnel*, 1979.

181. RUDOLFUS, « Des Frater Rudolfus Buch *De officio Cherubyn* », éd. Adolphe Franz, dans *Theologische Quartalschrift*, t. 88, 1906, pp. 411-440.

182. SAINTYVES, « Les trois nuits de Tobie ou la continence durant la première des premières nuits du mariage », dans *Revue anthropologique*, t. 44, 1934, pp. 266-296.

183. SANCHEZ (le père Thomàs), *Disputationum de sancto matrimonii sacramento tomi tres*, Antuerpiæ, apud heredes Martini Nutii et Joannem Meursium, 1617.

184. SCHMITT, *Le Mariage chrétien dans l'œuvre de saint Augustin*, Paris, Études augustiniennes, 1983.

185. SCHRIJNEN (J.), « La couronne nuptiale dans l'antiquité chrétienne », dans *Mélanges d'archéologie et d'histoire*, t. 31, 1911, pp. 309-319.

186. SÉBILLOT (Paul-Yves), *Le Folklore de la Bretagne*, Paris, Maisonneuve et Larose, 1968.

187. SEGALEN (Martine), *Mari et femme dans la société paysanne*, Paris, Flammarion, 1980.

188. SEGALEN (Martine), *Amours et mariages de l'ancienne France*, Paris, Berger-Levrault, 1981.

189. SEIGNOLLE (Claude), *Le Berry traditionnel*, Paris, Maisonneuve et Larose, 1990.

190. SEQUEIRA (John Baptist), *Tout mariage entre baptisés est-il nécessairement sacramental ?*, Paris, Cerf, 1985.

191. SHORTER (Edward), *Naissance de la famille moderne* (1975), Paris, Seuil, 1981 (coll. *Points-Histoire*).

192. *Sur le divorce en France vu par les écrits du xviii* siècle*, éd. Colette Michael, Genève, Slatkine, 1989.
193. TELLE (Émile V.), *Érasme de Rotterdam et le septième sacrement*, Genève, Droz, 1954.
194. TERTULLIEN, *Le Mariage unique (de monogamia)*, Paris, Cerf, 1988.
195. THEIL (Dr Pierre), *Histoire et géographie du mariage*, Paris, Berger-Levrault, 1969.
196. THOMAS D'AQUIN (saint), *Opera omnia*, Paris, Vivès, 1871-1878.
197. VANHEMS (Roger), *Le Mariage civil, sa formation, ses effets, sa dissolution, étude critique de l'idée de contrat*, thèse pour le doctorat, Paris, Arthur Rousseau, 1904.
198. VAN HŒCKE (Willy), WELKENHUYSEN (Andries) (dir.), *Love and marriage in the Twelfth Century*, Leuven University Press, 1982 (Mediævalia Lovaniensia, I, 8).
199. VENESOEN (Constant), *La Relation matrimoniale dans l'œuvre de Molière*, Paris, Archives des Lettres modernes, 1989.
200. VENETTE (Nicolas), *Tableau de l'Amour considéré dans l'Estat du Mariage*, Amsterdam, J. et G. Jansson, 1687.
201. VERINE (Marguerite Lebrun), *Un problème urgent! L'éducation des sens*, Paris, Association du mariage chrétien, 1928.
202. VIOLLET (chanoine Jean), *Les Devoirs du mariage*, Paris, Association du mariage chrétien, 1928.
203. VIOLLET (chanoine Jean), *Le Mariage*, Tours, Mame, 1932.
204. WAUTIER D'AYGALLIERS (pasteur Alfred), *Les Disciplines de l'amour*, Paris, Librairie Fischbacher, 1926.
205. WESTERMARCK (Edward), *Histoire du mariage*, Paris, Mercure de France, puis Payot, 1934-1945.
206. WESTERMARCK (Edward), *Origine du mariage dans l'espèce humaine*, Paris, Guillaumin, 1895.
207. WESTRUP (C.W.), « Le mariage des trois premiers ducs de Normandie », dans *Normannia*, t. 6, 1, 1933, pp. 411-426.
208. WINDSOR (duc de), *Histoire d'un roi*, trad. Marie Madeleine Beauquesne et Georges Roditi, Paris, Amiot Dumont, 1951.
209. ZOEGGER (Jacques), *Du lien de mariage à l'époque mérovingienne*, thèse, Paris, Rousseau, 1915.

TABLE DES MATIÈRES

Imprimé en France, par l'imprimerie Hérissey à Évreux (Eure) - N° 80570
HACHETTE LITTÉRATURES - 74, rue Bonaparte - Paris
Collection n° 25 - Édition n° 01
Dépôt légal : 9329, septembre 1997
ISBN : 2.01.278922.6
ISSN : 0296-2063

27.8922.0